O CORPO GUARDA AS MARCAS

O CORPO GUARDA AS MARCAS

CÉREBRO, MENTE E CORPO NA CURA DO TRAUMA

BESSEL VAN DER KOLK, M.D.

Título original: *The Body Keeps the Score*

Copyright © 2014 por Bessel van der Kolk
Copyright da tradução © 2020 por GMT Editores Ltda.

Todos os direitos reservados. Nenhuma parte deste livro pode ser utilizada ou reproduzida sob quaisquer meios existentes sem autorização por escrito dos editores.

Esta edição foi publicada mediante acordo com Viking, selo da Penguin Publishing Group, uma divisão da Penguin Random House, LLC.

tradução: Donaldson M. Garschagen

preparo de originais: Olga de Mello

revisão: Ana Grillo e Rebeca Bolite

diagramação: Valéria Teixeira

adaptação de capa: Ana Paula Daudt Brandão

imagem de capa: © Succession H. Matisse / AUTVIS, Brasil, 2020
© Bridgeman / Fotoarena; © 2014 Succession H. Matisse / Artists Rights Society (ARS), New York; Icarus, plate VIII from 'Jazz', 1947, Henri Matisse (1869-1954) / Scottish National Gallery of Modern Art, Edinburgh, UK / © 2014 Succession H. Matisse / DACS, London

impressão e acabamento: Lis Gráfica e Editora Ltda.

CIP-BRASIL. CATALOGAÇÃO NA PUBLICAÇÃO
SINDICATO NACIONAL DOS EDITORES DE LIVROS, RJ

V297c   Van der Kolk, Bessel, 1943-

O corpo guarda as marcas/ Bessel Van der Kolk; tradução de Donaldson M. Garschagen. Rio de Janeiro: Sextante, 2020.
480 p.; 16 x 23 cm.

Tradução de: The body keeps the score
ISBN 978-85-431-1001-1

1. Transtorno de stress pós-traumático – Fisiopatologia. 2. Transtorno de stress pós-traumático – Terapia. I. Garschagen, Donaldson M. II. Título.

20-63343   CDD 616.8521
                                         CDU 616.89-008.44

Todos os direitos reservados, no Brasil, por
GMT Editores Ltda.
Rua Voluntários da Pátria, 45 – 14.º andar – Botafogo
22270-000 – Rio de Janeiro – RJ
Tel.: (21) 2538-4100
E-mail: atendimento@sextante.com.br
www.sextante.com.br

*A meus pacientes, cujos corpos guardaram
as marcas e foram meu compêndio*

SUMÁRIO

PRÓLOGO: O TRAUMA — 9

PARTE I A REDESCOBERTA DO TRAUMA — 13
1. LIÇÕES APRENDIDAS COM VETERANOS DO VIETNÃ — 14
2. REVOLUÇÕES NO MODO DE VER A MENTE E O CÉREBRO — 31
3. O EXAME DO CÉREBRO: A REVOLUÇÃO DA NEUROCIÊNCIA — 51

PARTE II O CÉREBRO TRAUMATIZADO — 61
4. CORRENDO ATRÁS DA VIDA: A ANATOMIA DA SOBREVIVÊNCIA — 62
5. AS CONEXÕES ENTRE O CORPO E O CÉREBRO — 88
6. PERDER O CORPO, PERDER O SELF — 107

PARTE III A MENTE INFANTIL — 127
7. ENTRAR NA MESMA ONDA: APEGO E SINTONIA — 128
8. IMOBILIZAÇÃO EM RELACIONAMENTOS: O CUSTO DO ABUSO E DA NEGLIGÊNCIA — 149
9. O QUE O AMOR TEM A VER COM ISSO? — 164
10. TRAUMA DE DESENVOLVIMENTO: A EPIDEMIA OCULTA — 180

PARTE IV A MARCA DO TRAUMA — 205
11. SEGREDOS DESVENDADOS: O PROBLEMA DA LEMBRANÇA TRAUMÁTICA — 206
12. O INSUSTENTÁVEL PESO DA LEMBRANÇA — 221

PARTE V CAMINHOS PARA A RECUPERAÇÃO   241

  13. A CURA DO TRAUMA: A REALIZAÇÃO DE SEU POTENCIAL   242
  14. LINGUAGEM: MILAGRE E TIRANIA   273
  15. DESFAZENDO-SE DO PASSADO: A EMDR   294
  16. SENSAÇÃO DE SEGURANÇA EM SEU CORPO: IOGA   312
  17. JUNTANDO OS PEDAÇOS: AUTOLIDERANÇA   328
  18. PREENCHIMENTO DAS LACUNAS: CRIAÇÃO DE ESTRUTURAS   351
  19. RECONFIGURAÇÃO DO CÉREBRO: NEUROFEEDBACK   366
  20. ENCONTRE SUA VOZ: RITMOS COMUNAIS E TEATRO   392

EPÍLOGO: ESCOLHAS A FAZER   412

AGRADECIMENTOS   424

APÊNDICE: CRITÉRIOS PROPOSTOS POR CONSENSO PARA ADOÇÃO
DO DIAGNÓSTICO DE TRANSTORNO DE TRAUMA DE DESENVOLVIMENTO   427

LEITURAS COMPLEMENTARES   431

NOTAS   436

PRÓLOGO
O TRAUMA

Ninguém precisa ter combatido no front ou visitado um campo de refugiados na Síria ou no Congo para se ver diante do trauma. Acontece com a gente, com nossos amigos, parentes e vizinhos. Pesquisas de Centros de Controle e Prevenção de Doenças já mostraram que um entre cinco americanos sofreu abuso sexual na infância; que um entre quatro apanhou de um dos pais a ponto de ter ficado com marcas no corpo; e que a violência física é a realidade de um em cada três casais. Um quarto dos americanos cresceu junto de parentes com problemas de alcoolismo, e um entre oito viu a mãe ser espancada ou agredida.[1]

O ser humano pertence a uma espécie com extrema capacidade de adaptação. Desde o começo dos tempos nos recuperamos de guerras constantes, de desastres incontáveis (naturais ou provocados), da violência e da traição em nossa vida pessoal. Entretanto, as experiências traumáticas deixam marcas, seja em grande escala (na história dos países e nas culturas), seja em nossos lares e famílias, com seus segredos tenebrosos que passam de uma geração a outra. Também imprimem marcas na mente, nas emoções, na capacidade de desfrutar de alegrias e prazeres, e até no sistema biológico e imunológico.

O trauma afeta não só as pessoas que o sofreram diretamente como também as que as rodeiam. Soldados que voltam do front podem deixar a família assustada com crises de fúria e vazio emocional. Mulheres casadas com homens acometidos de transtorno de estresse pós-traumático (TEPT) costumam ter depressão. Os filhos de mães deprimidas correm o risco de crescer inseguros e ansiosos. Uma criança exposta à violência familiar encontrará, na vida adulta, dificuldade para estabelecer relacionamentos estáveis e baseados na confiança.

Por definição, o trauma é insuportável e intolerável. As vítimas de estupro, os soldados que estiveram em combate, assim como as crianças molestadas sexualmente, em sua maioria, ficam tão perturbados ao refletir sobre suas experiências que tentam expulsar essas lembranças da mente e ir em frente como se nada tivesse acontecido. É preciso uma energia tremenda para levar uma vida normal e, ao mesmo tempo, carregar a memória do terror e a vergonha da absoluta fraqueza e vulnerabilidade.

Embora todos desejem deixar o trauma para trás, a parte do cérebro dedicada a garantir a sobrevivência (situada abaixo do cérebro racional) não lida muito bem com a negação. Uma experiência traumática pode se reativar ao menor sinal de perigo, mesmo muito tempo depois de ela ter acontecido, mobilizando circuitos cerebrais prejudicados e produzindo uma quantidade absurda de hormônios do estresse. Surgem então emoções desagradáveis, sensações físicas intensas e ações impulsivas e agressivas. Tais reações pós-traumáticas se mostram incompreensíveis e avassaladoras. Sentindo-se descontroladas, com frequência as pessoas acreditam sofrer de lesões profundas e irreversíveis.

Lembro-me da primeira vez que pensei em estudar medicina: eu tinha uns 14 anos e estava numa colônia de férias. Passei a noite inteira acordado, ouvindo as explicações do meu primo Michel sobre a complexidade do funcionamento dos rins, o modo como eles secretam os refugos do corpo e, depois, reabsorvem as substâncias químicas que mantém o equilíbrio do organismo. Fiquei hipnotizado por aquela exposição da forma milagrosa como o corpo funciona. Tempos depois, ao longo de todas as fases da minha formação médica, estivesse eu estudando cirurgia, cardiologia ou pediatria, sempre pensei que a chave para a cura estava em entender como o organismo humano funciona. Quando comecei a estudar psiquiatria, porém, fiquei impressionado com o contraste entre, de um lado, a incrível complexidade da mente e as maneiras como os seres humanos se conectam e se associam uns aos outros, e, do outro, como os psiquiatras sabiam tão pouco a respeito das origens dos problemas que tratavam. Será que um dia seria possível conhecer o cérebro, a mente e o amor tão bem como conhecemos os demais sistemas que constituem nosso organismo?

É evidente que ainda estamos a anos-luz desse conhecimento minucioso, mas três novas áreas científicas permitiram uma explosão de informações sobre os efeitos do trauma psicológico, dos maus-tratos e da negligência. Essas disciplinas recentes são a neurociência, que estuda como o cérebro respalda os processos mentais; a psicopatologia do desenvolvimento, dedicada ao impacto de experiências adversas sobre o desenvolvimento da mente e do cérebro; e a neurobiologia interpessoal, voltada para a influência do nosso comportamento sobre as emoções, a biologia e a mentalidade das pessoas com quem convivemos.

Pesquisas sobre essas novas disciplinas revelaram que o trauma provoca mudanças fisiológicas reais, entre as quais a reconfiguração do sistema de alarme do cérebro, o aumento da atividade dos hormônios do estresse e alterações no sistema que separa as informações importantes das irrelevantes. Sabemos que o trauma compromete a área cerebral que transmite a sensação física, corpórea, de estar vivo. Essas mudanças explicam por que pessoas traumatizadas se tornam hipervigilantes em relação a ameaças, mesmo que isso venha a prejudicar a espontaneidade em sua rotina diária. Também nos ajudam a entender por que as vítimas passam repetidas vezes pelos mesmos problemas e têm tanta dificuldade de aprender com a experiência. Sabemos agora que essas condutas não decorrem de deficiências morais nem indicam pouca força de vontade ou má índole – são produto de mudanças reais no cérebro.

Essa expansão de conhecimento dos processos básicos que definem o trauma também abriu novas possibilidades para atenuar ou até reverter o dano. Agora podemos criar métodos e fazer experimentos com base na neuroplasticidade natural do cérebro para ajudar os sobreviventes a se sentirem plenamente vivos no presente e tocarem a vida. Em essência, são três os caminhos: 1) de cima para baixo, através da conversa, (re)fazendo o contato com outras pessoas e nos permitindo conhecer e compreender o que está acontecendo conosco, ao mesmo tempo que as lembranças do trauma são processadas; 2) uso de medicamentos que impedem reações de alarme impróprias, ou utilização de outras tecnologias que alteram o modo como o cérebro organiza as informações; e 3) de baixo para cima, permitindo que o corpo tenha experiências que respondam de maneira profunda e visceral à impotência, à raiva ou ao colapso resultantes do trauma. Qual é o melhor caminho para determinado sobrevivente? Essa é uma questão resolvida na prática. A maioria dos pacientes com quem trabalhei se beneficia de uma combinação dos três.

Esse tem sido o trabalho da minha vida. Nessa atividade, tenho contado com a colaboração de colegas e alunos no Trauma Center, que fundei há trinta anos. Juntos, tratamos milhares de crianças e adultos traumatizados: vítimas de abuso infantil, desastres naturais, guerras, acidentes e tráfico de pessoas; vítimas de agressões de conhecidos ou estranhos. As equipes terapêuticas se reúnem toda semana para discutir em detalhes os casos de cada paciente e acompanhar com a máxima atenção como os diferentes tratamentos funcionam para cada um.

Nossa principal missão tem sido cuidar dessas crianças e adultos, mas desde o começo também nos dedicamos à pesquisa dos efeitos do estresse traumático nas mais variadas populações e a determinar qual abordagem é melhor para cada indivíduo. Para estudar a eficácia das muitas formas de tratamento, que vão da prescrição de medicamentos à terapia pela palavra, à ioga, à dessensibilização e ao reprocessamento por movimentos oculares (Eye Movement Desensitization and Reprocessing, EMDR), ao teatro e ao neurofeedback (também chamado retroinformação neurológica), temos sido apoiados por verbas de pesquisa do Instituto Nacional de Saúde Mental (National Institute of Mental Health, NIMH), do Centro Nacional de Medicina Complementar e Alternativa, dos Centros de Controle e Prevenção de Doenças (Centers for Disease Control and Prevention, CDC) e de inúmeras fundações privadas.

Como as pessoas poderiam administrar os resquícios de traumas passados e voltar a ter controle sobre a própria vida? A terapia pela palavra, a compreensão e o contato com outras pessoas ajudam, enquanto os medicamentos podem amortecer sistemas de alarme hiperativos. No entanto, vemos também que as marcas do passado podem se transformar mediante experiências físicas que combatem diretamente a impotência, a raiva e o colapso inerentes ao trauma, e assim levam a pessoa a recuperar o autodomínio. Não tenho preferência por nenhuma modalidade em particular, uma vez que nem toda abordagem serve para todo mundo, e utilizo todas as variantes que menciono. Cada uma delas pode produzir mudanças profundas, a depender da natureza do problema e da constituição da pessoa.

Este livro é um guia e um convite – um convite para enfrentar a realidade do trauma, explorar a melhor forma de tratá-lo e, como sociedade, empregar todos os meios disponíveis para evitá-lo.

PARTE I

A REDESCOBERTA
DO TRAUMA

1
LIÇÕES APRENDIDAS COM VETERANOS DO VIETNÃ

Tornei-me o que sou hoje aos 12 anos, num dia gelado e nublado no verão de 1975 [...]. Isso foi há muito tempo, mas o que dizem sobre o passado está errado [...]. Hoje compreendo que estive olhando para aquele beco deserto durante os últimos 26 anos.

Khaled Hosseini, *O caçador de pipas*

A vida de algumas pessoas parece fluir numa narrativa; a minha teve muitas interrupções e recomeços. É o que um trauma faz. Ele interrompe o enredo [...]. Ele apenas acontece, e depois a vida continua. Ninguém prepara você para isso.

Jessica Stern, *Denial: A Memoir of Terror*

O dia seguinte ao feriado de 4 de Julho de 1978, uma terça-feira, foi minha estreia como psiquiatra da clínica da Administração de Veteranos (AV) em Boston. No momento em que pendurava na parede uma reprodução de *A parábola dos cegos*, meu quadro predileto de Bruegel, escutei uma balbúrdia na área de recepção, no fim do corredor. Dali a pouco, irrompeu na minha sala um homenzarrão desgrenhado, com o paletó todo manchado e um exemplar da revista *Soldier of Fortune* debaixo do braço. Estava tão agitado e numa ressaca tão óbvia que fiquei me perguntando o que poderia fazer por aquele brutamontes. Ofereci-lhe uma cadeira e me coloquei à disposição.

Seu nome era Tom. Dez anos antes servira no Corpo de Fuzileiros Navais e combatera no Vietnã. No dia anterior havia se entocado em seu escritório de advocacia no centro de Boston, bebendo e vendo fotos antigas, em vez passar o feriado com a família. A experiência de anos anteriores lhe mostrara que o barulho, os fogos de artifício, o calor e o piquenique no quintal da irmã, além do entorno coberto pela folhagem densa do começo do verão, o deixariam louco – tudo isso lhe fazia lembrar o Vietnã. Nessas ocasiões tinha medo de ficar perto da mulher e dos dois filhos pequenos, pois se comportava como um monstro. O alvoroço dos meninos o deixava tão agitado que ele saía de casa para evitar agredi-los. Só se acalmava bebendo até desmaiar ou pegando a estrada com sua Harley-Davidson em alta velocidade.

A noite não lhe trazia alívio, pois o sono era constantemente interrompido por pesadelos que reviviam uma emboscada num arrozal, quando todos os integrantes de seu pelotão foram mortos ou feridos. Visões aterrorizadoras de crianças vietnamitas mortas também lhe assomavam à lembrança. Os pesadelos eram tão horríveis que ele tinha medo de adormecer e preferia ficar acordado a maior parte da noite, com uma garrafa ao lado. De manhã, a mulher o encontrava chapado no sofá da sala, e todos tinham de caminhar na ponta dos pés enquanto ela preparava o café antes de levar os meninos à escola.

Tom me contou que havia concluído o ensino médio em 1965, e que fora o orador da turma. Como vinha de uma família de militares, alistou-se no Corpo de Fuzileiros Navais logo depois de concluir os estudos. Na Segunda Guerra Mundial, seu pai serviu na tropa do general Patton, e o filho nunca questionou as expectativas do pai em relação a ele. Atlético, inteligente, um líder nato, sentiu-se poderoso e competente ao terminar o treinamento básico, integrando uma equipe preparada para qualquer coisa. No Vietnã, ele logo tomou a frente do pelotão, no comando de outros oito fuzileiros. Sobreviver ao fogo de metralhadoras inimigas enquanto se avança em meio à lama pode deixar a pessoa muito orgulhosa de si – e de seus camaradas.

Terminado o tempo de serviço, Tom deu baixa com honras, e tudo o que desejava era esquecer o Vietnã. Aparentemente, foi o que fez. Matriculou-se numa faculdade de direito, aproveitando os benefícios garantidos em lei para veteranos de guerra. Depois da formatura, se casou com a namorada do colégio, com quem teve dois filhos. Incomodava-o a dificuldade de experimentar uma afeição real pela esposa, ainda que as cartas dela o tivessem mantido vivo na loucura da selva. Simulava levar uma vida normal, na esperança de que, procedendo assim, conseguiria voltar a ser o homem que havia sido. Tinha um escritório bem-sucedido e uma família aparentemente perfeita, como as dos comerciais de margarina. Mas ele percebia que nem tudo estava normal. Por dentro, sentia-se morto.

Embora Tom fosse o primeiro veterano com que me deparava em minha vida profissional, muitos aspectos de sua história me eram familiares. Fui criado na Holanda, depois da Segunda Guerra, brincando em prédios bombardeados e tendo como pai um homem que fora opositor do nazismo de forma tão veemente que acabou enviado a um campo de concentração. Meu pai nunca falava sobre suas experiências de guerra, mas era dado a explosões de cólera que me deixavam atônito. Como era possível que o homem que eu ouvia descer a escada em silêncio, toda manhã, para orar e ler a Bíblia, enquanto o resto da família dormia, tivesse temperamento tão aterrador? Como alguém cuja vida era dedicada à busca de justiça social se deixava dominar por tamanha fúria? Eu identificava esse mesmo comportamento em meu tio, que, capturado pelos japoneses nas Índias Orientais Holandesas (hoje Indonésia), fora sentenciado a trabalhos forçados na Birmânia, onde participou da construção da famosa ponte sobre o rio Kwai. Tal como meu pai, ele quase nunca mencionava a guerra; e, com frequência, também era tomado por acessos de raiva incontroláveis.

Enquanto escutava o relato de Tom, eu me perguntava se meu tio e meu pai haviam tido pesadelos e flashbacks – se eles também se sentiam distanciados dos entes queridos e incapazes de encontrar prazer autêntico na vida. Em algum lugar no fundo da minha memória devia haver lembranças – muitas vezes apavorantes – de minha mãe assustada. Ela mesma mencionava, vez por outra, os próprios traumas de infância, que, acredito hoje, retornavam com frequência. Minha mãe tinha o hábito enervante de desmaiar quando eu lhe perguntava a respeito de sua vida de menina, e depois me acusava de deixá-la angustiada.

Tranquilizado por meu evidente interesse, Tom se dispôs a me explicar seu pavor e sua confusão. Tinha medo de estar ficando como o pai, que, sempre zangado, raramente conversava com os filhos – a não ser quando os comparava, de maneira desfavorável, aos companheiros que haviam morrido no final de 1944, na Batalha das Ardenas, na Bélgica.

À medida que a consulta chegava ao fim, fiz o que os médicos em geral fazem, ou seja, concentrei-me na única parte da história que eu julgava entender: os pesadelos. No curso de medicina, eu havia trabalhado num laboratório de sono, observando ciclos de sono e sonhos de pessoas, e colaborara na redação de alguns artigos sobre pesadelos. Também havia participado de pesquisas preliminares sobre os efeitos benéficos das substâncias psicoativas que começavam a ser usadas na década de 1970. Por isso, embora não tivesse uma ideia perfeita da extensão dos problemas de Tom, os pesadelos eram algo com que eu podia lidar, e, entusiasta da possibilidade de oferecer uma vida melhor por meio da química, prescrevi-lhe uma droga que julgávamos eficiente na redução da incidência e severidade de pesadelos. Marquei outro encontro para dali a duas semanas.

Nessa nova consulta, ansioso, logo quis saber qual fora o efeito do remédio. Tom disse que não tinha tomado nenhum comprimido. Procurando ocultar minha irritação, perguntei-lhe por quê. "Se eu tomar os comprimidos e os pesadelos sumirem", ele respondeu, "estarei abandonando meus amigos, e a morte deles terá sido em vão. Preciso ser um monumento vivo para meus companheiros que morreram no Vietnã."

Fiquei estupefato. A lealdade de Tom aos mortos o impedia de viver a própria vida. Era igual à devoção do pai aos amigos, que havia impedido que ele aproveitasse a vida. As experiências do pai e do filho em campos de batalha tornaram irrelevantes o resto da vida deles. Como isso acontecera? O que podíamos fazer? Naquela manhã, compreendi que talvez passaria minha vida profissional tentando desvendar os mistérios do trauma. Como experiências horrendas levam as pessoas a permanecerem irremediavelmente presas ao passado? O que acontece na mente e no cérebro de certas pessoas que as mantêm congeladas, confinadas num local de onde querem desesperadamente fugir? Por que a guerra desse homem não terminou em fevereiro de 1969, quando os pais o abraçaram no Aeroporto Internacional Logan, em Boston, depois do longo voo de volta de Da Nang?

A necessidade de Tom de fazer de sua vida uma homenagem aos companheiros me mostrou que seu problema era muito mais complexo do que ter lembranças ruins ou uma disfunção na química cerebral – ou uma alteração dos circuitos cerebrais do medo. Antes da emboscada no arrozal, ele fora um amigo dedicado e leal, um homem que desfrutava a vida, com muitos interesses e prazeres. Num momento de pavor, o trauma transformara tudo.

Durante o tempo em que trabalhei na AV, conheci muitos veteranos que reagiam da mesma maneira. Mesmo diante de frustrações menores, aqueles homens podiam ser dominados por acessos repentinos de fúria extrema. As áreas comuns da clínica apresentavam marcas dos murros que eles desferiam nas divisórias, e frequentemente os guardas eram obrigados a proteger as recepcionistas e os representantes das companhias de seguro da cólera de pacientes enfurecidos. O comportamento deles nos amedrontava, é claro, mas também me intrigava.

Em casa, minha mulher e eu enfrentávamos problemas parecidos com nossos filhos pequenos, tomados de acessos de raiva quando os mandávamos comer espinafre ou calçar meias mais grossas. Por que a conduta imatura de meus filhos não me aborrecia, enquanto me preocupava tanto o que acontecia com os veteranos (além do tamanho dos ex-combatentes, que lhes conferia potencial de causar muito mais estragos do que meus garotinhos)? Eu tinha certeza absoluta de que, com cuidado e carinho, os meninos aprenderiam a aceitar frustrações e desapontamentos, mas não acreditava que eu pudesse ajudar os veteranos a readquirir a capacidade de autocontrole e contenção que tinham perdido na guerra.

Infelizmente, nada em minha formação psiquiátrica me preparara para lidar com os problemas apresentados por Tom e outros veteranos. Fui à biblioteca da AV em busca de livros sobre neurose de guerra, estado de choque, fadiga de combate ou qualquer outra terminologia ou diagnóstico que esclarecesse os dramas de meus pacientes. Para minha surpresa, a biblioteca não tinha um só livro a respeito de qualquer um desses problemas. Cinco anos depois que o último americano havia deixado o Vietnã, ninguém estava interessado na questão do trauma de guerra. Por fim, na Biblioteca Countway, na Escola de Medicina de Harvard, descobri *The Traumatic Neuroses of War* (Neuroses traumáticas de guerra), publicado em 1941 pelo psiquiatra Abram Kardiner. O livro, que descrevia as observações do autor a respeito de veteranos da Primeira Guerra Mundial, foi lançado devido à expectativa do surgimento de um grande número de soldados traumatizados pela Segunda Guerra Mundial.[1]

Kardiner relatava os mesmos fenômenos que eu estava presenciando. Depois da guerra, seus pacientes foram dominados por uma sensação de inutilidade; tornaram-se alheios e silenciosos, quando antes tinham um comportamento normal. O que ele chamava de "neuroses traumáticas" agora era classificado como transtorno de estresse pós-traumático (TEPT). Kardiner notara que as vítimas de neuroses traumáticas desenvolviam uma vigilância crônica em relação a ameaças, às quais eram altamente sensíveis. Sua síntese atraiu minha atenção: "O núcleo da neurose é uma fisioneurose."[2] Em outras palavras, nem todo estresse pós-traumático "está na cabeça da pessoa", como supunham alguns: pode ter uma base fisiológica. Já naquela época o autor entendera que os sintomas têm origem na resposta de todo o corpo ao trauma original.

O livro corroborava minhas próprias observações, o que era tranquilizador, mas pouco orientava sobre a melhor forma de ajudar os veteranos. A carência de literatura sobre o assunto era um obstáculo, porém meu grande professor, Elvin Semrad, nos ensinara a sermos céticos quanto a compêndios. Só havia um compêndio real, ele dizia: os pacientes. Devíamos confiar apenas no que pudéssemos aprender com eles – e em nossa experiência. Pode parecer muito simples, mas se Semrad nos estimulava a confiar no conhecimento adquirido na prática, também nos advertia sobre a dificuldade desse processo, já que as pessoas são extremamente hábeis na arte do autoengano e de obscurecer a verdade. Lembro de ouvi-lo dizer: "As maiores fontes do sofrimento humano são as mentiras que contamos para nós mesmos." Trabalhando na AV, logo descobri como pode ser doloroso enfrentar a realidade. Valia tanto para meus pacientes como para mim.

Não queremos saber o que os soldados passam em combate. Na verdade, não queremos nem saber quantas crianças estão sendo molestadas ou sofrendo abusos em nossa sociedade, ou quantos casais – quase um terço, como se sabe – usam de violência em algum ponto de seu relacionamento. Queremos ver a família como um abrigo seguro num mundo impiedoso e acreditar que nosso país é povoado por pessoas esclarecidas e civilizadas. Preferimos pensar que a crueldade só ocorre em lugares distantes. Se é difícil testemunhar cenas de dor, por que nos espantamos que as próprias vítimas de traumas não suportem recordá-los e que muitas vezes recorram a drogas, ao álcool ou à automutilação para bloquear suas lembranças?

Tom e outros veteranos foram meus primeiros mestres na tentativa de compreender como experiências devastadoras destroem vidas e descobrir o que fazer para que as vítimas possam se sentir plenamente vivas de novo.

O TRAUMA E A PERDA DO SELF

No primeiro estudo que fiz na AV, eu perguntava aos veteranos o que lhes havia acontecido no Vietnã. Queria saber o que os empurrara ladeira abaixo e por que alguns tinham sido destruídos, enquanto outros haviam conseguido levar a vida adiante.[3] Os homens que entrevistei, em sua maioria, tinham ido para a guerra com a sensação de que estavam bem preparados, unidos pelos rigores do treinamento básico e pelo perigo comum. Mostravam fotografias das famílias e das namoradas, toleravam os defeitos, uns dos outros. E estavam dispostos a arriscar a vida pelos companheiros. Boa parte confiava seus maiores segredos a um amigo, e alguns chegavam a compartilhar camisas e meias.

Muitos daqueles homens eram amigos, como Tom e Alex. Tom tinha conhecido Alex, um rapaz de família italiana de Malden, Massachusetts, em seu primeiro dia no Vietnã, e no mesmo instante se tornaram amigos. Usavam o mesmo jipe, ouviam as mesmas músicas e um lia as cartas que o outro recebia de casa. Bebiam juntos e saíam com as mesmas garotas vietnamitas.

Uma tarde, cerca de três meses depois de chegarem ao Vietnã, pouco antes do pôr do sol, Tom liderava seu pelotão, que fazia patrulha num arrozal. De repente, soaram tiros que vinham da muralha verde da selva ao redor, e, um a um, os homens que o rodeavam foram abatidos. Ele me contou que assistiu, horrorizado e sem nada poder fazer, a todos os membros de seu pelotão serem mortos ou feridos em questão de segundos. Uma imagem jamais lhe saiu da memória: a nuca de Alex, caído de bruços no arrozal e com os pés no ar. Tom chorava ao narrar a cena: "Ele foi o único amigo de verdade que tive." À noite, naquele mesmo dia, Tom continuava a ouvir os gritos de seus homens e a ver os corpos afundando na água do arrozal.

Todo som, cheiro ou imagem que lhe lembrasse a emboscada (como o estalar de fogos no 4 de Julho) o deixava tão paralisado, aterrorizado e furioso como no dia em que o helicóptero o resgatara do arrozal.

A lembrança do que aconteceu em seguida talvez fosse ainda pior do que as recordações recorrentes da emboscada. Não tive dificuldade em entender como a raiva pela morte do amigo conduziu Tom à desgraça que se sucedeu. Demorou alguns meses para que Tom superasse a vergonha paralisante e conseguisse me contar. Desde o início dos tempos, guerreiros, como Aquiles, na *Ilíada*, de Homero, reagiram à morte dos camaradas com indescritíveis atos de vingança. No dia seguinte ao da emboscada, Tom, desvairado, foi a uma aldeia próxima, matou crianças, atirou num camponês inocente e estuprou uma vietnamita. Depois disso, foi impossível voltar plenamente à vida normal. Como você pode encarar a namorada e contar a ela que violentou com brutalidade uma moça? Ou ver seu filho ensaiar os primeiros passos sem se lembrar das crianças que assassinou? Tom vivenciou a morte de Alex como se uma parte dele tivesse sido destruída para sempre – aquela parte que era boa, honrada e confiável. O trauma, quer resulte de algum mal que a pessoa sofreu, quer decorra de algo que ela mesma fez, quase sempre dificulta a criação de intimidade. Depois de ter vivenciado tal monstruosidade, como reaprender a confiar em si mesmo ou em outra pessoa? Ou, em outros termos, como você consegue se entregar a um relacionamento íntimo depois de ter sido brutalmente violentado?

Tom comparecia às consultas com assiduidade. Eu me tornara uma tábua de salvação – o pai que ele nunca tivera, um Alex que houvesse sobrevivido à emboscada. É preciso reunir muita confiança e coragem para se permitir recordar. Uma das maiores dificuldades para as vítimas de trauma é confrontar a vergonha por seu comportamento durante um episódio traumático, quer esse comportamento se traduza em atos objetivos (como o soldado que comete atrocidades), quer não (como no caso de uma criança que tenta tranquilizar o abusador). Uma das primeiras pessoas a escrever a respeito desse fenômeno foi Sarah Haley, que trabalhava numa sala ao lado da minha na AV. No artigo "*When the Patient Reports Atrocities*" (Quando o paciente relata atrocidades),[4] de grande importância na formulação do diagnóstico de TEPT, ela discutiu a dificuldade quase intransponível de conversar sobre os atos horrendos frequentemente cometidos por soldados em combate – ou até de ouvi-los. Já é bastante difícil enfrentar o sofrimento infligido por outros, porém, no fundo, muitas vítimas de trauma sofrem ainda mais pela vergonha que sentem do que fizeram (ou não fizeram) naquelas circunstâncias. Eles se desprezam porque se sentiram apavorados, fragilizados, emocionados ou furiosos.

Anos depois me confrontei com um fenômeno semelhante em vítimas de abuso infantil: a maioria experimentava uma torturante vergonha de tudo o que fez para continuar a viver e manter uma ligação com quem abusou dela – sobretudo quando o abusador era alguém próximo, como tantas vezes acontece. O resultado pode ser, por parte de quem sofreu o abuso, uma dúvida quanto a seu papel: foi uma vítima ou um participante voluntário? E isso, por sua vez, acaba embaralhando a diferença entre amor e terror, dor e prazer. Voltarei a esse dilema no decorrer de todo o livro.

APATIA

Talvez o pior dos sintomas de Tom fosse a paralisia emocional. Ele queria, com todas as forças, amar a família, mas não conseguia evocar nenhum sentimento profundo por ela. Sentia-se emocionalmente distante de todos, como se o coração estivesse congelado e ele vivesse atrás de uma parede de vidro. Essa apatia se estendia também a ele mesmo. Na verdade, Tom não sentia nada, a não ser surtos episódicos de raiva e vergonha. Contou que mal se reconhecia quando se olhava no espelho ao fazer a barba. Ao ouvir sua voz defendendo uma causa no tribunal, buscava se observar à distância e pensava como aquele sujeito, parecido com ele e falando como ele, era capaz de desfiar argumentos tão persuasivos. Se ganhava uma causa, fingia estar satisfeito; se a perdia, era como se tivesse percebido a derrota iminente e se resignasse a ela. Embora fosse um advogado muito competente, sempre se sentia flutuando no espaço, sem objetivo ou direção.

A única válvula de escape para aliviar a sensação de falta de propósito era o envolvimento intenso num determinado processo. Ao longo da terapia, ele defendeu um mafioso acusado de homicídio. Durante o julgamento, esteve totalmente concentrado em formular uma estratégia para ganhar a causa, e foram muitas as ocasiões em que ficou acordado a noite toda, mergulhado numa atividade que realmente o empolgava. Era como estar em combate, ele dizia – estava plenamente vivo, e nada mais interessava.

Contudo, no momento em que ganhou a causa, Tom perdeu a energia e ficou novamente sem propósito. Voltaram os pesadelos, assim como os acessos de raiva – tão intensos que ele teve de se mudar para um hotel para não fazer mal à mulher e aos filhos. No entanto, estar sozinho também era aterrador, pois os demônios da guerra voltavam com força total. Tom procurava se manter ocupado, trabalhando, bebendo e se drogando – fazendo de tudo para evitar o confronto com seus demônios.

Tom vivia folheando edições da revista *Soldier of Fortune*, com a fantasia de se alistar como mercenário numa das muitas guerras em regiões da África. Naquela primavera, ele pegou a Harley-Davidson e saiu pela Kancamagus Highway, em New Hampshire. As vibrações, a velocidade e o perigo o ajudaram a se recompor, a ponto de poder deixar o quarto de hotel e voltar para a família.

A ORGANIZAÇÃO DA PERCEPÇÃO

Outro estudo que fiz na Administração de Veteranos, que começou como uma pesquisa sobre pesadelos, acabou explorando as modificações operadas pelo trauma na percepção e na imaginação das pessoas. Bill, ex-membro do serviço médico do Exército, que tinha participado de ações sangrentas no Vietnã dez anos antes, foi o primeiro a se inscrever nessa investigação. Ao dar baixa, ele havia se matriculado num seminário de teologia e fora designado para sua primeira paróquia, uma igreja congregacional num subúrbio de Boston. Tudo ia bem, até o nascimento de seu primeiro filho. Pouco depois do parto, a esposa, enfermeira, retomou o serviço. Ele ficaria em casa, trabalhando no sermão semanal, cumprindo outras obrigações paroquiais e tomando conta do bebê. Logo no primeiro dia o bebê se pôs a chorar e, de repente, Bill se viu inundado por imagens insuportáveis de crianças morrendo no Vietnã.

Bill precisou chamar a mulher e, em pânico, procurou a clínica. Disse que não parava de ouvir o choro de bebês e de ver imagens de rostos infantis queimados e ensanguentados. Meus colegas acreditavam que Bill estivesse psicótico, pois os livros da época afirmavam que alucinações auditivas e visuais eram sintomas de esquizofrenia paranoide. Os mesmos textos que ofereciam esse diagnóstico também propunham uma causa: talvez a psicose tivesse sido desencadeada porque Bill sentia que toda a afeição da mulher se voltava para o filho.

Ao chegar à área de internação naquele dia, vi Bill cercado por médicos preocupados, que se preparavam para lhe injetar um antipsicótico forte e mandá-lo para uma enfermaria isolada. Descreveram seus sintomas e pediram minha opinião. Como, num emprego anterior, eu havia trabalhado numa enfermaria especializada no tratamento de esquizofrênicos, percebi algo estranho naquele diagnóstico. Perguntei a Bill se podíamos conversar e, depois de ouvir sua história, parafraseei sem querer as palavras que Freud tinha dito a respeito de trauma em 1895: "Creio que este homem está sofrendo de lembranças." Disse-lhe que procuraria ajudá-lo e, depois de lhe dar alguns remédios para controlar o pânico, perguntei se estaria disposto a voltar à clínica dali a alguns dias para participar da minha pesquisa sobre pesadelos.[5] Ele concordou.

No estudo, os participantes eram submetidos a um teste de Rorschach.[6] Ao contrário do que ocorre em testes que propõem perguntas objetivas, é quase impossível falsificar respostas no Rorschach – ele nos permite acompanhar como as pessoas geram uma imagem mental a partir de algo que, em essência, é um estímulo sem sentido: uma mancha de tinta. Como o ser humano é um produtor de significados, tendemos a criar algum tipo de imagem ou história com base nessas manchas, assim como fazemos quando, deitados num parque num dia de verão, observamos as nuvens que se movem no céu. O que as pessoas imaginam com base nessas manchas pode nos informar muito sobre o funcionamento de sua mente.

Ao ver o segundo cartão do teste, Bill exclamou, horrorizado: "Essa é a criança que vi morrer numa explosão no Vietnã. No meio vejo a carne queimada, as feridas e o sangue esguichando para todo lado." Ofegando e com o suor escorrendo pela testa, Bill passava por uma crise de pânico semelhante à que o levara, inicialmente, à clínica da AV. Eu já havia ouvido descrições de flashbacks, mas aquela era a primeira vez que eu assistia a um deles. Naquele exato momento, em minha sala, Bill estava obviamente vendo as mesmas imagens, sentindo os mesmos cheiros e tendo as mesmas sensações físicas que experimentara originalmente. Dez anos depois de ter um bebê morto nos braços, Bill revivia o trauma ao ver uma mancha de tinta.

Testemunhar seu flashback me ajudou a compreender a agonia pela qual passavam os veteranos que eu tentava ajudar e contribuiu para que eu percebesse, mais uma vez, como era urgente encontrar uma solução. O fato traumático em si, por mais horrendo que fosse, tinha um começo, um meio e um fim, mas agora eu me dava conta de que os flashbacks podiam ser até piores. A vítima nunca sabe quando será atacada, quando a coisa começa ela não sabe se vai parar. Levei anos para aprender a tratar os flashbacks, e, nesse processo, Bill veio a ser um dos meus mais importantes orientadores.

Ao submeter 21 outros veteranos ao teste, a resposta foi consistente: dezesseis deles, diante do segundo cartão, reagiram como se estivessem experimentando um trauma de guerra. Esse cartão é o primeiro a ter cor, e muitas vezes provoca como resposta o chamado choque cromático. Os veteranos interpretavam a mancha com comentários como "Esses são os intestinos de meu amigo Jim depois que um morteiro o abriu ao meio" ou "É o pescoço de meu amigo Danny depois que uma granada arrancou a cabeça dele enquanto a gente almoçava". Ninguém aludiu a monges dançando, borboletas esvoaçantes, motociclistas ou alguma das imagens corriqueiras, às vezes fantasiosas, que quase todo mundo vê.

Enquanto a maioria dos veteranos se mostrava muito perturbada com o que via, as reações dos outros cinco foram ainda mais alarmantes: eles ficaram mudos. Um deles disse: "Essas coisas não são nada, apenas manchas." Sim, é claro, mas a reação humana normal a estímulos ambíguos consiste em usar a imaginação para enxergar algo neles.

Com esses testes descobrimos que pessoas traumatizadas têm a tendência de projetar seus traumas em tudo que as cerca, e têm dificuldade em decifrar o que ocorre à sua volta. Descobrimos também que o trauma afeta a imaginação. Os cinco homens que não viram nada nas manchas tinham perdido a capacidade de deixar a mente correr solta. No entanto, o mesmo acontecera com os outros dezesseis: ao ver naqueles cartões cenas do passado, eles não mostravam a flexibilidade mental que é a marca da imaginação. Continuavam fechados, tocando na mesma tecla.

A imaginação é absolutamente fundamental para a qualidade da vida. Ela nos permite abandonar a rotina do dia a dia – fantasiamos viagens, refeições exóticas, sexo, namoros e ter a última palavra numa discussão: tudo o que torna a vida interessante. Ela nos dá oportunidade de contemplar novas possibilidades – é uma alavanca fundamental para fazer com que esperanças se tornem realidade. Aciona a criatividade, alivia o tédio, realça os prazeres e enriquece os relacionamentos mais próximos. Quando as pessoas são arrastadas para o passado de modo compulsivo e constante, para a última vez em que sentiram um envolvimento intenso e emoções profundas, elas padecem de uma falha na imaginação, de uma perda da flexibilidade mental. Sem imaginação não há esperança, nenhuma possibilidade de antever um futuro melhor, nenhum lugar aonde ir, nenhuma meta a alcançar.

Os testes de Rorschach nos ensinaram também que as vítimas de trauma veem o mundo de uma maneira radicalmente diversa. Para a maioria das pessoas, um homem na rua é só um transeunte. No entanto, uma mulher que tenha sido vítima de estupro pode entrar em pânico ao identificá-lo como alguém capaz de molestá-la. Uma professora primária severa pode ser uma presença intimidante para qualquer criança, mas o garoto espancado pelo padrasto pode vê-la como uma torturadora, o que vai lhe provocar um ataque de fúria ou fazê-lo se encolher num canto, assustado.

O TRAUMA COMO PRISÃO

A clínica se encheu de veteranos em busca de ajuda psiquiátrica. Devido a uma escassez aguda de profissionais qualificados, só nos restava pôr a maioria deles numa lista de espera, ainda que continuassem a agredir a si mesmos e à família. Percebemos um nítido aumento de prisões de veteranos por delitos violentos e brigas em bares, bem como um número alarmante de suicídios. Criei, então, um grupo de jovens veteranos do Vietnã que serviria como uma espécie de "tanque de contenção" até que a terapia "real" pudesse começar.

Na reunião inicial com um grupo de ex-fuzileiros navais, o primeiro a se manifestar foi taxativo: "Não quero falar sobre a guerra." Respondi que os participantes poderiam discutir sobre o que quisessem. Depois de meia hora de doloroso silêncio, um veterano começou enfim a discorrer sobre o desastre de seu helicóptero. Para meu espanto, na mesma hora os demais ganharam vida, falando com grande intensidade de suas experiências traumáticas. Todos voltaram na semana seguinte e na outra. No grupo, encontravam ressonância e sentido para o que antes não passava de sensações de terror e vazio. Voltavam a experimentar aquele companheirismo tão vital na época da guerra. Insistiam para que eu compartilhasse daquela irmandade recém-descoberta, e, no meu aniversário, me deram um uniforme de capitão dos fuzileiros. Em retrospecto, aquele gesto revelou parte do problema: ou você estava dentro ou estava fora – ou você pertencia à unidade ou não era ninguém. Depois do trauma, o mundo se divide nitidamente entre quem sabe e quem não sabe. As pessoas que não vivenciaram a experiência traumática não são dignas de confiança, pois não são capazes de compreendê-la. Infelizmente, essa exclusão muitas vezes abrange cônjuges, filhos e colegas de trabalho.

Mais tarde liderei outro grupo, dessa vez para veteranos da tropa de Patton – homens já bem entrados na casa dos 70, todos com idade suficiente para ser meu pai. Nossos encontros aconteciam toda segunda-feira, às oito da manhã. Em Boston, no inverno, vez por outra as tempestades de neve paralisam o sistema de transporte público, mas mesmo assim todos eles compareciam às reuniões mesmo tendo que caminhar muitos quilômetros pela neve. No Natal, eles me presentearam com um relógio de pulso usado pelos soldados na década de 1940. Tal como acontecera com meu grupo de fuzileiros navais, eu não poderia tratá-los se não me transformasse num deles.

Por mais tocantes que fossem as experiências, os limites da terapia de grupo ficaram claros quando pedi que falassem dos problemas que enfrentavam na vida diária: o relacionamento com as mulheres, os filhos, as namoradas e a família; a relação com os chefes e com o trabalho; o alcoolismo. Em geral, relutavam e desconversavam, contando mais uma vez o episódio em que haviam metido um punhal no coração de um soldado alemão na floresta de Hürtgen, ou como tinha sido a queda do helicóptero nas selvas do Vietnã.

A situação traumática podia ter acontecido dez ou mais de quarenta anos antes, não importava: eles não conseguiam transpor o fosso entre as experiências de guerra e a vida atual. Aquilo que lhes causava tanto sofrimento era também a única coisa que fazia sentido para eles. Só se sentiam plenamente vivos ao revisitar o passado traumático.

O DIAGNÓSTICO DE ESTRESSE PÓS-TRAUMÁTICO

Naquele tempo, os veteranos recebiam diversos diagnósticos – de alcoolismo, abuso de substâncias, depressão e transtorno de humor até esquizofrenia –, e tentávamos todos os tratamentos indicados nos manuais. Contudo, apesar do nosso esforço, obtíamos escassos resultados. A medicação prescrita, bastante forte, às vezes deixava os homens praticamente imprestáveis. Quando os incentivávamos a detalhar um fato traumático, em vez de ajudá-los a resolver o problema, muitas vezes, provocávamos um intenso flashback. Muitos abandonaram o tratamento, porque, além de não conseguirmos ajudar, só piorávamos a situação.

A mudança veio em 1980. Com a ajuda de dois psicanalistas de Nova York, Chaim Shatan e Robert J. Lifton, um grupo de veteranos do Vietnã conseguiu convencer a Associação Americana de Psiquiatria (AAP) a criar um novo diagnóstico: o transtorno de estresse pós-traumático (TEPT). A identificação sistemática dos sintomas – que, em maior ou menor grau, eram comuns a todos os nossos veteranos – e seu agrupamento num transtorno, enfim, deu um nome ao sofrimento de pessoas destruídas pelo horror e pelo desespero. Uma vez instituído o quadro conceitual do TEPT, abria-se o caminho para uma mudança radical no modo como enxergávamos os pacientes, o que levou à multiplicação de pesquisas e experimentos para encontrar tratamentos eficazes.

Animado pelas possibilidades apresentadas por esse novo diagnóstico, propus à AV um estudo biológico das memórias traumáticas. As memórias das vítimas do TEPT eram diferentes das memórias de outros pacientes? No caso da maioria das pessoas, a lembrança de um fato desagradável acaba por se dissipar ou se transforma em algo mais positivo. No entanto, muitos de nossos pacientes não conseguiam transformar o passado numa história ocorrida muito tempo atrás.[7]

A primeira frase da carta de recusa da verba dizia: "Nunca se demonstrou que o TEPT seja relevante para a missão da Administração de Veteranos." Algum tempo depois, a missão da AV se organizou em torno do diagnóstico de TEPT e de lesão cerebral, e passou a destinar recursos consideráveis em "tratamentos baseados em evidências" a veteranos de guerra traumatizados, mas naquela época a situação era diferente. Como eu não desejava trabalhar numa organização cuja visão da realidade ia de encontro à minha, pedi demissão. Em 1982, assumi um cargo no Centro de Saúde Mental de Massachusetts (CSMM), o hospital da Universidade de Harvard, onde havia feito minha formação. Fui lecionar em uma área então recente, a psicofarmacologia, a utilização de medicamentos para aliviar doenças mentais.

Em meu novo emprego, passei a enfrentar quase todos os dias questões que eu julgava ter deixado para trás na AV. Minha experiência com veteranos de guerra me sensibilizara de tal forma para o impacto do trauma que agora eu escutava com outros ouvidos as histórias de abuso sexual e violência doméstica que pacientes deprimidos e ansiosos me contavam. Impressionava-me, em particular, o número de pacientes do sexo feminino que relatavam ter sofrido abuso sexual na infância. Ora, o tratado de psiquiatria clássico na época afirmava que o incesto era raríssimo nos Estados Unidos – o número de casos era da ordem de um para 1 milhão de mulheres.[8] Na época, a população feminina no país contava 100 milhões. Como, então, 47 mulheres, quase metade das vítimas, segundo o tratado, tinham ido parar no meu consultório?

Além disso, o manual afirmava: "Há pouca concordância em relação ao papel do incesto entre pai e filha como fonte de uma séria psicopatologia subsequente." As pacientes que me narravam histórias de incesto não estavam de modo algum isentas de "psicopatologia subsequente" – encontravam-se profundamente deprimidas, confusas e, com frequência, tinham comportamentos bizarros e autodestrutivos, como cortar-se com giletes. E o tratado passava praticamente a endossar o incesto, explicando que "essa atividade incestuosa reduz a possibilidade de a paciente vir a sofrer de psicose e permite um melhor ajuste ao mundo externo".[9] Na verdade, o incesto tinha efeitos devastadores sobre o bem-estar das mulheres.

Em muitos aspectos, essas pacientes não eram tão diferentes dos veteranos que eu deixara na AV. Também sofriam de pesadelos e flashbacks. Elas também alternavam crises ocasionais de raiva explosiva com longos períodos de insensibilidade emocional. A maioria tinha enorme dificuldade em lidar com outras pessoas, além de problemas para manter relacionamentos sérios.

Como é sabido hoje, a guerra não é a única tragédia que arruína vidas humanas. Embora se estime que cerca de um quarto dos soldados que servem em zonas de guerra venha a desenvolver sérios problemas pós-traumáticos,[10] a maioria dos americanos enfrenta um crime violento em algum momento da vida, e registros mais precisos revelam que 12 milhões de mulheres nos Estados Unidos foram estupradas. Mais da metade dos estupros tem como vítimas adolescentes com menos de 15 anos.[11] Para muitas pessoas, a guerra começa em casa: a cada ano, cerca de 3 milhões de crianças no país são apontadas como vítimas de abuso e negligência. Desses casos, um milhão é grave o suficiente para que serviços municipais de proteção à infância ou tribunais intervenham.[12] Em outras palavras, para cada soldado que serve numa zona de guerra no exterior, há dez crianças em situação de risco no próprio lar. Uma situação particularmente trágica pela dificuldade de os pequenos se recuperarem quando a fonte de terror e de dor não são soldados inimigos, mas seus próprios cuidadores.

UMA NOVA COMPREENSÃO

Nas três décadas transcorridas desde que conheci Tom, aprendemos não apenas a respeito do impacto e das manifestações do trauma, como também sobre como ajudar traumatizados a encontrar o caminho de volta. Nos primeiros anos da década de 1990, novas técnicas de obtenção de imagens cerebrais revelaram o que de fato acontece no cérebro de vítimas de trauma, o que foi essencial para compreender a extensão do dano e nos orientar na formulação de meios de cura inteiramente novos.

Entendemos como experiências arrasadoras afetam nossas sensações mais íntimas e nossa relação com a realidade física – o núcleo do que somos. Aprendemos que o trauma não é apenas um fato que ocorreu num momento do passado; é também a marca que essa experiência deixou na mente, no cérebro e no corpo. Marca com consequências duradouras na maneira como o organismo humano consegue sobreviver no presente.

O trauma provoca uma reorganização fundamental no processo do cérebro e da mente administrarem as percepções. Ele modifica não só o modo como pensamos e o que pensamos como a própria capacidade de pensar. Descobrimos que ajudar as vítimas a encontrar palavras para descrever o que lhes aconteceu é de enorme importância, mas às vezes não basta. Contar a história não necessariamente altera as respostas físicas e hormonais, automáticas, de corpos que permanecem hipervigilantes, preparados para ser agredidos ou violados a cada momento. Para que ocorra uma mudança real, o corpo precisa aprender que o perigo passou e a viver na realidade do momento atual. Nosso esforço para compreender o trauma nos levou a encarar de outro modo não só a estrutura da mente, mas também os processos pelos quais ela se cura.

2
REVOLUÇÕES NO MODO DE VER A MENTE E O CÉREBRO

Quanto maior a dúvida, maior o despertar; quanto menor a dúvida, menor o despertar. Na ausência de dúvida, não existe despertar.

C. C. Chang, *The Practice of Zen*

Você vive durante aquele fragmento de tempo que é seu, mas esse fragmento de tempo não é apenas sua própria vida, é a síntese de todas as outras vidas simultâneas à sua [...]. Você é uma expressão da história.

Robert Penn Warren, *World Enough and Time*

No fim da década de 1960, entre o primeiro e o segundo ano da faculdade de medicina, tranquei a matrícula por um ano e fui testemunha acidental de uma profunda transição na atitude médica em relação ao sofrimento mental. Eu tinha conseguido um bom emprego como auxiliar psiquiátrico numa ala de pesquisa do Centro de Saúde Mental de Massachusetts (CSMM), onde estava encarregado de organizar atividades recreativas para os pacientes. Fazia muito tempo que o CSMM era considerado um dos melhores hospitais psiquiátricos do país, a joia da coroa do império educacional da Escola de Medicina de Harvard. A pesquisa em minha ala tinha o objetivo de determinar a melhor forma de tratar jovens que haviam sofrido um primeiro colapso mental diagnosticado como esquizofrenia: psicoterapia ou medicação?

A cura pela palavra, um desdobramento da psicanálise freudiana, ainda era o principal tratamento para a doença mental no CSMM. No começo da década de 1950, porém, cientistas franceses haviam descoberto um novo composto, a clorpromazina – vendida sob o nome comercial de Thorazine [no Brasil, Amplictil] –, capaz de "tranquilizar" os pacientes e torná-los menos agitados e delirantes. Essa descoberta trouxe esperança de que seria possível criar remédios para tratar problemas mentais graves como depressão, pânico, ansiedade e mania, e também para controlar alguns dos sintomas mais perturbadores da esquizofrenia.

Como auxiliar, eu nada tinha a ver com a pesquisa realizada naquela ala, e nunca ficava sabendo que tipo de tratamento os pacientes estavam recebendo. Todos eles tinham mais ou menos a minha idade – eram estudantes de Harvard, do Instituto de Tecnologia de Massachusetts (Massachusetts Institute of Technology, MIT) e da Universidade de Boston. Alguns haviam tentado o suicídio, outros se cortavam com facas ou giletes, vários tinham atacado colegas de quarto, deixado os pais ou amigos apavorados por se comportarem de forma irracional e imprevisível. Minha tarefa era mantê-los envolvidos em atividades normais para universitários, como ir a uma pizzaria, acampar, assistir aos jogos do Red Sox no estádio e velejar no rio Charles.

Neófito na área, eu escutava, enlevado, as reuniões da ala, tentando decifrar as palavras e a lógica arrevesadas dos pacientes. Também tinha de aprender a lidar com as explosões irracionais e os alheamentos aterrorizados deles. Certa manhã, encontrei uma paciente de pé, parada como uma estátua em seu quarto, com um braço erguido numa atitude defensiva e o rosto paralisado numa expressão de medo. Ela permaneceu assim, imóvel, durante pelo menos doze horas. Os médicos identificaram seu estado – catatonia –, porém nem mesmo os livros que consultei me informaram sobre o que poderia ser feito. Só nos restou esperar.

O TRAUMA EM CONFISSÕES À MEIA-NOITE

Eu passava muitas noites e fins de semana na unidade, o que me expunha a situações que os médicos nunca viam durante suas breves visitas. Às vezes, quando não conseguiam dormir, os pacientes perambulavam pelo corredor, embrulhados no roupão de banho, e iam conversar no posto de enfermagem. A quietude noturna parecia ajudá-los a se abrir, e eles contavam que tinham sido espancados, agredidos ou violentados, em muitos casos pelos próprios pais, às vezes por parentes, colegas de classe ou vizinhos. Lembravam de como à noite rolavam na cama, impotentes e aterrorizados, escutando a mãe ser agredida pelo pai ou por um namorado, ouvindo as ameaças mútuas que os pais faziam, ou, então, o estrondo de móveis quebrados. Outros contavam de pais que chegavam embriagados – ouviam seus passos junto da porta e ficavam à espera de que entrassem, os tirassem da cama e os castigassem por algum malfeito inventado. Diversas mulheres se lembravam de ficar acordadas, imóveis, à espera do inevitável: um irmão ou o pai que se aproximava para molestá-las.

Durante as visitas matinais, os jovens médicos apresentavam os casos aos supervisores, um ritual que os auxiliares das alas tinham permissão para acompanhar em silêncio. Era raro que mencionassem histórias como as que eu tinha ouvido. Não obstante, muitos estudos posteriores confirmaram a relevância dessas confissões noturnas: hoje sabemos que mais da metade das pessoas que procura ajuda psiquiátrica foi agredida, abandonada, maltratada, até estuprada na infância, ou presenciou episódios de violência na família.[1] Contudo, tais experiências não eram citadas durante os encontros. Eles discutiam os sintomas dos pacientes com indiferença, perdiam tempo tentando explicar pensamentos suicidas e comportamentos autodestrutivos, em vez de buscar entender as possíveis causas do desespero e do desamparo. Além disso, davam muito pouca atenção às habilidades e aspirações dos internados: quem de fato importava na história deles, fosse por amor ou ódio; o que os motivava e interessava; as obrigações que lhes cabiam e o que os fazia se sentir em paz – as relações com o ambiente onde viviam.

Anos depois, já como jovem médico, vi-me diante de um exemplo especialmente claro do modelo de tratamento em ação. Na época, eu dava plantão à noite num hospital católico – fazia exames físicos em mulheres que tinham sido internadas para aplicação de eletrochoque como tratamento de depressão. Minha curiosidade típica de imigrante me levava a deixar de lado o prontuário de dados clínicos para lhes perguntar sobre suas vidas. Muitas despejavam histórias de casamentos sofridos, filhos com problemas, sentimento de culpa em decorrência de abortos. À medida que falavam, era visível como seu humor melhorava, e, muitas vezes, elas me agradeciam por escutá-las. Algumas se perguntavam se ainda precisavam mesmo do eletrochoque depois de terem desabafado. Ao fim desses encontros, eu sempre me entristecia por saber que o tratamento que seria ministrado na manhã seguinte apagaria toda a lembrança de nossa conversa. Não fiquei muito tempo naquele emprego.

Nos dias de folga na ala do CSMM, eu costumava frequentar a Biblioteca Countway de Medicina para aprender mais sobre os pacientes a quem deveria ajudar. Numa tarde de sábado, deparei com um tratado que é respeitado ainda hoje: *Dementia Praecox*, de Eugen Bleuler, publicado em 1911. As observações de Bleuler eram interessantíssimas:

> Entre as alucinações físicas esquizofrênicas, as de cunho sexual são, de longe, as mais frequentes e importantes. Os pacientes experimentam todos os arrebatamentos e prazeres da satisfação sexual normal e anormal, porém, com maior frequência, todas as práticas obscenas e revoltantes que a mais desvairada fantasia é capaz de imaginar. Os pacientes do sexo masculino expelem sêmen; estimulam ereções dolorosas. As mulheres são estupradas e machucadas de maneiras absolutamente diabólicas [...]. A despeito do significado simbólico de muitas dessas alucinações, a maioria delas corresponde a sensações reais.[2]

Isso me levou a refletir que nossos pacientes tinham alucinações – os médicos os interrogavam rotineiramente a esse respeito e as apontavam como indícios do grau de perturbação de cada um. No entanto, se as histórias que eu escutava antes da alvorada eram verdadeiras, será que essas "alucinações" não eram memórias fragmentadas de experiências reais? Seriam as alucinações apenas invenções de cérebros doentes? As pessoas podiam fabricar sensações físicas que nunca haviam experimentado? Haveria uma clara linha divisória entre a criatividade e a imaginação patológica? Essas perguntas continuam sem resposta, mas pesquisas já mostraram que pessoas que sofreram abusos sexuais na infância têm, com frequência, sensações (como dor abdominal) sem nenhuma causa física óbvia; ouvem vozes que avisam sobre perigos ou as acusam de crimes repulsivos.

Era incontestável que muitos pacientes na ala se entregavam a comportamentos violentos, bizarros e autodestrutivos, sobretudo ao se sentirem frustrados, cerceados ou incompreendidos. Tinham acessos de raiva, atiravam pratos, quebravam janelas e se cortavam com cacos de vidro. Naquela época eu não imaginava por que uma pessoa podia reagir a um simples pedido ("Posso tirar essa sujeirinha do seu cabelo?") com fúria ou terror. Em geral, eu seguia a indicação das enfermeiras experientes, que faziam um sinal quando julgavam que deveríamos nos afastar de um paciente, ou, se não fosse o suficiente, que o contivéssemos. Eu me surpreendia e me alarmava com a satisfação que sentia depois de imobilizar à força alguém no chão para que lhe dessem uma injeção, e aos poucos me dei conta de como nossa formação profissional era focada em nos ajudar a manter o controle diante de realidades aterrorizantes e confusas.

Sylvia, aos 19 anos, era uma linda aluna da Universidade de Boston que habitualmente ficava sentada sozinha, num canto da ala, com uma expressão de pavor e praticamente muda. A reputação de namorar um notório mafioso da cidade lhe conferia uma aura de mistério. Depois de se recusar a comer por mais de uma semana e começar a perder peso rapidamente, os médicos decidiram alimentá-la à força. Foram necessárias três pessoas (uma delas, eu) para segurá-la, outra para meter a sonda de alimentação por sua garganta e uma enfermeira para verter os nutrientes líquidos em seu estômago. Mais tarde, durante uma confissão da meia-noite, Sylvia, tímida e hesitante, contou ter sofrido abuso sexual quando criança, por parte do irmão e de um tio. Nossa exibição de "cuidado", compreendi então, deve ter lhe parecido um desses estupros. Essa experiência e outras semelhantes me ajudaram a formular a seguinte regra para meus alunos: se você impinge a um paciente algo que não faria a amigos ou filhos, pense se não está, por descuido, reproduzindo um trauma do passado do paciente.

Como recreador, também observei que os pacientes eram bem desajeitados e fisicamente descoordenados. Quando acampávamos, a maioria ficava me olhando armar as barracas, sem mover um dedo. Uma vez quase nosso barco virou durante uma tempestade no rio Charles, porque todos se aglomeraram embaixo da área coberta, incapazes de perceber que precisavam ocupar as duas laterais da embarcação a fim de equilibrá-la. Nos jogos de vôlei, os funcionários do hospital sempre se mostravam bem mais coordenados do que os pacientes. Como grupo, eles tinham uma outra característica em comum: até as conversas mais relaxadas pareciam afetadas, sem o fluxo natural de gestos e expressões faciais normais entre amigos. A relevância dessas observações só se tornou clara depois que conheci Peter Levine e Pat Ogden, idealizadores de uma terapia baseada nos ritmos dos sistemas do corpo. Em capítulos posteriores terei muito o que falar sobre as marcas somáticas deixadas pelo trauma.

PARA ENTENDER O SOFRIMENTO

Depois de trabalhar como recreador durante um ano, retomei à escola de medicina; e, já formado, voltei ao CSMM para fazer a residência de psiquiatria, felicíssimo por ter sido aceito. Muita gente renomada tinha feito sua especialização ali, como Eric Kandel, que viria a ganhar o Nobel de Medicina. Durante minha residência, num laboratório no subsolo, Allan Hobson descobriu as células cerebrais responsáveis pela geração dos sonhos; os primeiros estudos sobre os substratos químicos da depressão também foram realizados no hospital. Porém, para nós, residentes, a maior atração eram os pacientes. Passávamos seis horas por dia com eles, e depois nos reuníamos com psiquiatras experientes para relatar nossas observações, fazer perguntas e participar da competição "quem fez os comentários mais argutos".

Elvin Semrad, um de meus melhores professores, aconselhava seriamente os alunos a não ler tratados de psiquiatria no primeiro ano da residência. (Essa dieta de fome intelectual talvez explique por que quase todos do nosso grupo nos tornamos leitores vorazes e autores prolíficos.) Semrad não queria que as percepções da realidade fossem obscurecidas pelas pseudocertezas de diagnósticos psiquiátricos. Lembro de certa vez lhe ter perguntado: "Como o senhor chamaria este paciente – esquizofrênico ou esquizoafetivo?" Ele fez uma pausa, alisou o queixo, simulando uma reflexão profunda, e respondeu: "Acho que eu o chamaria de Michael McIntyre."

Semrad nos ensinou que a maior parte dos sofrimentos humanos se relaciona ao amor e à perda, e que cabe aos terapeutas ajudar as pessoas a "reconhecer, experimentar e suportar" a realidade da vida – com todos os seus prazeres e aflições. "As maiores fontes de sofrimento humano são as mentiras que contamos para nós", ele dizia; era preciso que cada um de nós fosse honesto consigo mesmo a respeito de todos os aspectos de nossa experiência. Afirmava que as pessoas nunca poderiam se curar sem saber o que sabem ou sem sentir o que sentem.

Lembro-me de ter ficado surpreso ao ouvir esse distinto e idoso professor de Harvard confessar sua felicidade ao sentir o traseiro de sua mulher encostado nele quando adormecia à noite. Ao falar de necessidades humanas tão simples e usando a si mesmo como exemplo, Semrad nos ajudava a perceber como elas eram fundamentais para a vida de todos nós. Não atender a essas necessidades leva a uma existência tolhida, por mais elevados que sejam nossos pensamentos e realizações. A cura, ele nos dizia, depende do conhecimento derivado da experiência: só podemos cuidar plenamente da vida se conseguirmos reconhecer a realidade do corpo, em todas as suas dimensões viscerais.

A psiquiatria, porém, estava avançando em outra direção. Em 1968, o *American Journal of Psychiatry* publicara os resultados do estudo feito na ala onde eu trabalhara como auxiliar. Eles mostravam de maneira inequívoca que os pacientes esquizofrênicos tratados apenas com medicamentos apresentavam melhores resultados do que os que conversavam três vezes por semana com os melhores terapeutas de Boston.[3] Esse estudo foi um dos muitos marcos numa estrada que aos poucos modificou a abordagem da medicina e da psiquiatria quanto aos problemas psicológicos: se antes havia expressões infinitamente variáveis de sentimentos e relacionamentos intoleráveis, agora surgia um modelo de doença cerebral constituída de "transtornos" separados.

O modo como a medicina aborda o sofrimento humano sempre foi determinado pela tecnologia da época. Antes do Iluminismo, as aberrações no comportamento eram atribuídas a Deus, ao pecado, à magia, a feiticeiros e a espíritos malignos. Foi só no século XIX que, na França e na Alemanha, os cientistas começaram a investigar o comportamento como uma adaptação às complexidades do mundo. Agora, assistíamos à irrupção de um novo paradigma: a cólera, a luxúria, o orgulho, a cobiça, a avareza e a preguiça – assim como todos os demais problemas que os seres humanos sempre se esforçaram para controlar – foram reclassificados como "transtornos" que poderiam ser reparados mediante a administração de substâncias químicas apropriadas.⁴ Muitos psiquiatras ficaram aliviados e satisfeitos, já que passavam a ser considerados "cientistas de verdade", como seus colegas da faculdade de medicina – com suas cobaias, laboratórios, equipamentos caros e testes de diagnósticos complexos –, e puseram de lado as vagas e confusas teorias de filósofos como Freud e Jung. Um importante tratado de psiquiatria chegou a declarar: "A causa da doença mental é hoje considerada uma aberração do cérebro, um desequilíbrio químico."⁵

Tal como meus colegas, abracei a revolução farmacológica com entusiasmo. Em 1973, tornei-me o primeiro residente-chefe em psicofarmacologia no CSMM. Talvez tenha sido também o primeiro psiquiatra em Boston a administrar lítio a um paciente maníaco-depressivo. (Eu tinha lido a respeito do trabalho de John Cade com lítio na Austrália, e uma comissão do hospital me autorizou a tentar a mesma linha.) Tratada com lítio, uma mulher que nos últimos 35 anos vinha se mostrando maníaca sempre no mês de maio e, a cada novembro, deprimida a ponto de tentar o suicídio, deixou de apresentar esse ciclo e permaneceu estável durante os três anos em que esteve sob meus cuidados. Também fiz parte da primeira equipe de pesquisa nos Estados Unidos a testar o antipsicótico Clozaril em pacientes crônicos largados em pavilhões dos fundos de velhos hospícios.⁶ Algumas respostas foram miraculosas: gente que havia passado grande parte da vida trancada em sua própria realidade aterrorizante era capaz de voltar para a família e a comunidade de origem; pacientes atolados nas trevas e no desespero passaram a reagir à beleza do contato humano e aos prazeres do trabalho e da recreação. Esses resultados espantosos nos deixaram otimistas quanto à possibilidade de afinal vencer a aflição humana.

Os medicamentos antipsicóticos foram um fator importante na redução do número de pessoas que viviam em hospitais psiquiátricos no Estados Unidos – de mais de 500 mil em 1955 para menos de 100 mil em 1996.⁷ Quem não conheceu o mundo antes do advento desses tratamentos não pode aquilatar a mudança. Em meu primeiro ano de faculdade, visitei o Hospital Estadual Kankakee, em Illinois, e vi um corpulento auxiliar de pavilhão dar um banho de mangueira em dezenas de pacientes sujos, nus e desligados da realidade, num cômodo sem mobília e com ralos para escoamento da água. Essa lembrança hoje parece mais um pesadelo do que uma cena realmente testemunhada. Meu primeiro emprego depois da residência, em 1974, foi como diretor de uma instituição venerável no passado, o Hospital Estadual de Boston, que havia acolhido milhares de pacientes e se espalhava por mais de duas centenas de hectares e dezenas de prédios, a maioria já em ruínas na época. Durante o tempo em que trabalhei ali, os pacientes foram aos poucos distribuídos pela "comunidade", termo genérico para os abrigos e clínicas anônimas onde a maioria deles acabava morrendo. (Por ironia, o hospital tinha surgido como um "asilo", palavra que significa "santuário" mas que aos poucos foi adquirindo uma conotação sinistra. Na verdade, constituía um abrigo onde todos conheciam o nome e as idiossincrasias de cada paciente.) Em 1979, pouco depois de eu ingressar na AV, ele foi fechado em definitivo e ficou abandonado.

Mesmo à frente do Hospital Estadual de Boston, continuei a trabalhar no laboratório de psicofarmacologia do CSMM, cuja área de pesquisa agora se voltava para outra direção. Na década de 1960, cientistas dos Institutos Nacionais de Saúde começaram a criar técnicas para isolar e mensurar hormônios e neurotransmissores no sangue e no cérebro. Neurotransmissores são mensageiros químicos que transmitem informações de neurônio a neurônio, o que nos dá condições de interagir com o mundo.

Os cientistas vinham descobrindo indícios de que níveis anormais de norepinefrina estavam associados à depressão, e níveis anormais de dopamina, à esquizofrenia – o que nos dava a esperança de poder criar medicamentos dirigidos a problemas cerebrais específicos. Embora essa esperança nunca tenha se concretizado, as pesquisas sobre a incidência de fármacos nos sintomas mentais levaram a outra mudança profunda na profissão. Como os pesquisadores precisavam comunicar inequívoca e sistematicamente suas conclusões, surgiram os Critérios de Diagnóstico para Pesquisa, para os quais contribuí como auxiliar de pesquisa. Esses critérios acabaram por se tornar a base da primeira proposta sistemática para o diagnóstico de problemas psiquiátricos, o *Manual diagnóstico e estatístico de transtornos mentais* (*Diagnostic and Statistical Manual of Mental Disorders*, *DSM*), chamado de "bíblia da psiquiatria". O prólogo ao histórico *DSM-3*, de 1980, foi apropriadamente moderado e reconhecia que esse sistema de diagnóstico era impreciso – tão impreciso que nunca deveria ser usado para fins judiciários ou de seguros.[8] Como se verá, essa moderação foi tragicamente efêmera.

CHOQUE INESCAPÁVEL

Inquieto com tantas perguntas não respondidas sobre o estresse traumático, fui atraído pela possibilidade de encontrar alguma coisa no incipiente campo da neurociência e comecei a frequentar o Colégio Americano de Neuropsicofarmacologia (American College of Neuropsychopharmacology, ACNP), que em 1984 oferecia palestras interessantes sobre o desenvolvimento de fármacos. Certo dia, poucas horas antes do voo que me levaria de volta a Boston, ouvi a exposição de Steven Maier, da Universidade do Colorado, sobre uma pesquisa feita com a colaboração de Martin Seligman, da Universidade da Pensilvânia, e cujo tema era a incapacidade adquirida em animais. Maier e Seligman trancafiaram alguns cães e os submeteram a repetidos e dolorosos choques elétricos, criando uma situação a que chamaram "choque inescapável".[9] Apaixonado por cães, percebi que nunca poderia ter participado daquele experimento, mas fiquei curioso sobre os efeitos dessa crueldade.

Depois de várias sessões de choques elétricos, os pesquisadores abriram as jaulas e voltaram a aplicar choques nos animais. Os cães de um grupo de controle que não havia recebido choques fugiram correndo, porém aqueles a que os choques inescapáveis foram ministrados não fizeram qualquer tentativa de fugir, mesmo quando a porta da jaula estava escancarada – continuaram na jaula, ganindo e defecando. A simples oportunidade de escapar não leva, necessariamente, animais (ou pessoas) traumatizados a tomar o caminho da liberdade. Como os cães de Maier e Seligman, muitas pessoas traumatizadas simplesmente desistem. Em vez de se arriscarem a experimentar novas opções, imobilizam-se no medo que conhecem.

O relato de Maier me impressionou. A reação daqueles pobres cachorros era exatamente o que acontecera com meus pacientes humanos, que também haviam sido expostos a alguém (ou a alguma coisa) que lhes infligira um terrível mal – um mal de que não tinham como escapar. De cabeça, fiz uma rápida revisão dos pacientes que havia tratado: quase todos tinham, de alguma forma, caído numa armadilha ou ficaram imobilizados, incapazes de tomar uma medida para prevenir o inevitável. No caso deles, a reação de luta ou fuga havia sido impedida, levando a extrema agitação ou colapso.

Maier e Seligman também verificaram que os cães traumatizados secretavam hormônios do estresse numa quantidade muito superior à normal, uma confirmação de que estávamos começando a descobrir os fundamentos biológicos do estresse traumático. Um grupo de jovens pesquisadores – entre os quais Steve Southwick e John Krystal (em Yale), Arieh Shalev (na Escola de Medicina Hadassah, em Jerusalém), Frank Putnam (no NIMH) e Roger Pitman (mais tarde em Harvard) – vinha determinando que as vítimas de trauma continuavam a secretar grandes quantidades de hormônios do estresse muito tempo depois de passado o perigo real. E Rachel Yehuda, no Hospital Monte Sinai, em Nova York, nos confrontou com as conclusões à primeira vista paradoxais a que havia chegado: os níveis de cortisol, um hormônio do estresse, são baixos no TEPT. As descobertas de Rachel só começaram a fazer sentido quando sua pesquisa deixou claro que o cortisol encerra a reação ao estresse, enviando um sinal de que tudo está em segurança; no caso do TEPT, a produção dos hormônios do estresse não retorna à normalidade depois de passada a ameaça.

Em termos ideais, o sistema de hormônios do estresse deveria proporcionar uma resposta instantânea à ameaça, e, depois, devolver a pessoa rapidamente à situação de equilíbrio. Entretanto, nos pacientes de TEPT, o sistema falha nesse retorno ao equilíbrio. Os sinais de luta/fuga/congelamento continuam a ser enviados depois de passado o perigo, e, como ocorreu com os cães, eles não voltam ao normal. Ao contrário, a contínua secreção de hormônios do estresse se expressa como agitação e pânico, e, a longo prazo, destrói a saúde dos pacientes.

Perdi o avião naquele dia: queria conversar com Steve Maier. Sua palestra dava pistas não só para os problemas básicos de meus pacientes, como para possíveis soluções. Por exemplo, Maier e Seligman tinham descoberto que a única maneira de ensinar o cão traumatizado a se livrar dos choques elétricos quando a porta se abria consistia em arrastá-lo repetidas vezes para fora da jaula, fazendo-o experimentar fisicamente a alternativa de fuga. Fiquei pensando se também poderíamos ajudar os pacientes quanto à convicção deles de que não podiam fazer nada para se defender. Precisariam eles também de experiências *físicas* que lhes restaurassem um sentimento de controle visceral? O que aconteceria se pudessem ser ensinados a fugir de uma situação potencialmente ameaçadora, semelhante ao trauma que os imobilizara, como se tivessem caído numa armadilha? Como se verá na Parte V, essa foi uma das conclusões a que acabei chegando.

Outros estudos com animais, envolvendo camundongos, ratos, gatos, macacos e elefantes, forneceram mais dados interessantes.[10] Por exemplo, quando os pesquisadores faziam soar um barulho forte e irritante, camundongos que haviam sido criados num ambiente confortável e com farto alimento corriam para o ninho no mesmo instante. No entanto, outro grupo, criado em ninho barulhento e com escassez de alimento, também corria para casa, mesmo depois de ter passado algum tempo em ambientes mais agradáveis.[11]

Animais assustados retornam ao lugar onde moram, seja ele seguro ou assustador. Pensei em meus pacientes cujas famílias tinham um comportamento agressivo e para as quais eles voltavam para serem agredidos de novo. As vítimas de trauma estariam condenadas a procurar refúgio no lugar que lhes é familiar? Se era esse o caso, por que isso ocorria? E seria possível ajudá-los a procurar lugares seguros e prazerosos?[12]

VICIADOS EM TRAUMA: A DOR DO PRAZER E O PRAZER DA DOR

Quando eu e meu colega Mark Green orientávamos grupos de terapia para veteranos do Vietnã, nos impressionávamos vendo como muitos daqueles homens, apesar de suas reações de horror e tristeza, pareciam voltar à vida ao falar dos acidentes de seus helicópteros e da morte de companheiros. (Chris Hedges, ex-correspondente do *New York Times*, que cobriu vários conflitos brutais, deu a seu livro o seguinte título: *War Is a Force That Gives Us Meaning* (A guerra é uma força que nos dá sentido.)[13] Muitas vítimas de trauma parecem procurar experiências que a maioria das pessoas repeliria,[14] e, com frequência, os pacientes se queixam de uma vaga sensação de vazio e tédio que os invade quando não estão furiosos, sob pressão ou envolvidos em alguma atividade perigosa.

Uma paciente minha, Julia, foi brutalmente violentada num quarto de hotel, sob a ameaça de um revólver, aos 16 anos. Pouco depois, envolveu-se com um gigolô que a prostituiu e que, com frequência, a espancava. Foi várias vezes detida por prostituição, mas sempre voltava para o amante. Por fim, seus avós intervieram e lhe pagaram uma internação num programa intensivo de reabilitação. Concluído o tratamento, Julia começou a trabalhar como recepcionista e a cursar uma faculdade de sua cidade. Escreveu um trabalho de sociologia sobre as possibilidades libertadoras da prostituição, para o qual leu as memórias de várias prostitutas famosas. Pouco a pouco abandonou as outras disciplinas. Um breve relacionamento com um colega de classe não deu certo – segundo ela, o rapaz a irritava com sua chatice e, além disso, usava cuecas tipo *boxer*, que ela considerava repulsivas. Depois Julia ficou com um viciado que conheceu no metrô, que a espancou e passou a persegui-la. Por fim, sentiu-se motivada a voltar ao tratamento quando, mais uma vez, foi espancada seriamente.

Freud criou uma definição para essas reencenações traumáticas: "compulsão à repetição". Ele e muitos de seus seguidores acreditavam que as reencenações fossem uma tentativa inconsciente de assumir o controle de uma situação dolorosa, e que um dia elas talvez pudessem dominá-las e resolvê-las. Não existe corroboração para essa teoria – a repetição só leva a pessoa a sentir mais dor e ódio de si mesma. Na verdade, até reviver repetidamente o trauma na terapia pode reforçar a absorção e a fixação.

Greenberg e eu decidimos aprender mais a respeito dos atratores – aquilo que nos atrai, nos motiva e nos faz sentir vivos. Em geral, supõe-se que os atratores nos façam sentir melhor. Nesse caso, por que tantas pessoas são atraídas para situações perigosas ou dolorosas? Por fim, encontramos um estudo que explicava o processo pelo qual atividades que causam medo ou dor podem, com o tempo, se tornar experiências emocionantes.[15] Nos anos 1970, Richard Solomon, da Universidade da Pensilvânia, mostrara que o corpo aprende a se ajustar a toda espécie de estímulo. Podemos nos viciar em drogas recreacionais porque, ao experimentá-las, elas fazem com que nos sintamos bem. Atividades como sauna, maratonas ou paraquedismo, que de início causam desconforto e até terror, podem acabar se tornando agradabilíssimas. Esse ajuste gradual sinaliza que o organismo chegou a um novo equilíbrio químico, de modo que, ao levar o corpo ao limite, os maratonistas, por exemplo, extraem da corrida uma sensação de bem-estar e euforia.

Nesse ponto, como acontece na dependência de drogas, começamos a ansiar pela atividade e a sentir sinais de síndrome de abstinência quando ela não está acessível. A longo prazo, as pessoas ficam mais preocupadas com a crise de abstinência do que com a atividade em si. Isso explicaria por que algumas pessoas contratam alguém para espancá-las, ou se queimam com cigarros, ou por que só se sentem atraídas por gente que as agride. Por algum caminho tortuoso, medo e aversão podem se transformar em prazer.

Solomon aventou a hipótese de que as endorfinas – substâncias químicas semelhantes à morfina, produzidas pelo cérebro em resposta ao estresse – teriam a ver com os hábitos contraditórios por ele descritos. Lembrei de novo dessa teoria quando meu costume de frequentar bibliotecas me presenteou com um artigo de 1946, "*Pain in Men Wounded in Battle*" (Dor em homens feridos em batalha). Tendo observado que 75% dos soldados gravemente feridos na frente italiana não solicitavam morfina, um médico chamado Henry K. Beecher especulou que "emoções fortes podem bloquear a dor".[16]

Seriam as observações de Beecher relevantes para vítimas de TEPT? Mark Greenberg, Roger Pitman, Scott Orr e eu resolvemos perguntar a oito veteranos de combate no Vietnã se estariam dispostos a fazer um teste convencional de dor enquanto assistiam a cenas de vários filmes. O primeiro clipe era do violento filme *Platoon* (1986), de Oliver Stone. Enquanto o vídeo era mostrado, medimos o tempo em que os veteranos conseguiam manter a mão direita num balde de água gelada. Depois repetimos o processo com um filme tranquilo (e esquecido havia muito tempo). Sete dos oito veteranos mantiveram a mão no balde de água gelada durante um período 30% maior ao ver as cenas de *Platoon*. Calculamos então que o nível de analgesia gerado por quinze minutos de um filme de guerra equivalia ao produzido pela injeção de oito miligramas de morfina, mais ou menos a dose que uma pessoa recebe num pronto-socorro para uma fortíssima dor.

Concluímos que a ideia de Beecher – "emoções fortes podem bloquear a dor" – resultava da liberação de substâncias análogas à morfina, o que nos levava a crer que, para muitas vítimas de trauma, a repetida exposição ao estresse talvez proporcionasse um alívio da ansiedade.[17] O experimento era interessante, mas não explicava o motivo pelo qual Julia sempre voltava para o cafetão violento.

SERENAR O CÉREBRO

O encontro do ACNP em 1985 foi, se possível, ainda mais provocativo, do ponto de vista intelectual, que o do ano anterior. Jeffrey Gray, professor do Kings College, fez uma palestra sobre a amídala, um aglomerado de células cerebrais que determina se um som, uma imagem ou uma sensação física são percebidos como ameaça. E mostrou dados indicadores de que a sensibilidade da amídala dependia, ao menos em parte, do volume de serotonina, um neurotransmissor, naquela parte do cérebro. Animais com baixos níveis de serotonina eram hiper-reativos a estímulos estressantes (como sons altos), ao passo que níveis mais altos de serotonina amorteciam o sistema de medo desses animais, reduzindo a probabilidade de se tornarem agressivos ou de se imobilizar em reação a ameaças potenciais.[18]

Foi uma descoberta impactante. Meus pacientes viviam explodindo diante de pequenas provocações e se sentiam arrasados pela mais leve rejeição – assim, o papel da serotonina no TEPT me fascinou. Outros pesquisadores haviam mostrado que macacos machos dominantes apresentavam níveis de serotonina muito mais elevados do que aqueles que ocupavam posições inferiores na escala hierárquica. No entanto, os níveis de serotonina desses machos caíam se eram impedidos de manter contato visual com os macacos que um dia dominaram. Por outro lado, macacos de baixa hierarquia que recebiam suplementos de serotonina passavam a se destacar e assumiam funções de liderança.[19] O macho rebaixado na hierarquia apresentava taxas de serotonina menores, enquanto aqueles outrora subalternos galgavam postos quando se intensificava essa taxa por meios químicos.

As implicações para as vítimas de trauma eram óbvias. Tal como os macacos de Gray com nível baixo de serotonina, elas eram hiper-reativas, e sua capacidade de administrar a vida social ficava muitas vezes comprometida. Se pudéssemos aumentar seus níveis de serotonina, talvez resolvêssemos ambos os problemas. Naquele mesmo encontro de 1985, eu soube que empresas farmacêuticas estavam criando dois novos produtos com essa finalidade, mas, como nenhum deles estava disponível, fiz uma breve experiência com o L-triptofano, um precursor químico da serotonina vendido em lojas de suplementos alimentares. (Os resultados foram desapontadores.) Uma das drogas que estavam sendo investigadas nunca chegou ao mercado. A outra era a fluoxetina, que, com o nome comercial de Prozac, tornou-se uma das substâncias psicoativas mais bem-sucedidas já inventadas.

Em 8 de fevereiro de 1988, o laboratório Eli Lilly lançou o Prozac. A primeira paciente que vi naquele dia, uma segunda-feira, foi uma moça que tinha um horrendo histórico de abuso infantil e que agora lutava contra a bulimia – ela passara boa parte da vida em crises de hiperfagia (ingestão excessiva de alimentos) seguidas de vômitos. Prescrevi-lhe aquela medicação novíssima. Ao retornar a meu consultório, na quinta-feira, ela disse: "Os últimos dias foram diferentes: comi quando tive fome, e no resto do tempo fiz meu dever de casa." Foi uma das declarações mais impressionantes que eu ouvi em meu consultório.

Na sexta-feira, vi outra paciente a quem eu havia receitado Prozac também na segunda-feira. Era mãe de duas crianças em idade escolar, uma mulher cronicamente deprimida, preocupada com seus fracassos como mãe e esposa, e esmagada pelas exigências dos pais, que a haviam maltratado na infância. Depois de quatro dias tomando o remédio, ela me perguntou se poderia faltar à consulta na segunda-feira seguinte, que era o feriado do Dia dos Presidentes. "Afinal", explicou, "eu nunca levei meus filhos para esquiar – é sempre meu marido que leva –, e eles não terão aula nesse dia. Seria bom eles terem boas lembranças de nós quatro nos divertindo juntos."

Aquela paciente sempre lutara para simplesmente chegar ao fim do dia. Depois da consulta, liguei para um conhecido que trabalhava no Eli Lilly e disse: "Vocês têm um medicamento que ajuda as pessoas a viver no presente, em vez de ficarem trancadas no passado." Mais tarde o laboratório me concedeu um pequeno subsídio para que eu conduzisse, num grupo de 64 pessoas (22 mulheres e 42 homens), o primeiro estudo dos efeitos do Prozac no TEPT. Nossa equipe da Clínica de Trauma reuniu 33 não veteranos, e meus colaboradores, ex-colegas na AV, convocaram 31 veteranos de guerra. Durante oito semanas, metade de cada grupo recebeu Prozac, a outra metade tomou placebo. O estudo era às cegas: nem os pacientes nem nós sabíamos quem tomava o quê, para que fatores subjetivos não interferissem nas avaliações.

Todos os participantes – mesmo aqueles que tinham recebido placebo – melhoraram, pelo menos em certa medida. A maior parte dos estudos sobre tratamentos de TEPT registra um significativo efeito placebo. As pessoas que se dispõem a participar de um estudo sem qualquer remuneração, a ser espetadas numerosas vezes e ter uma probabilidade de 50% de receber um medicamento ativo estão intrinsecamente motivadas para solucionar seus problemas. Talvez a recompensa delas seja só a atenção que lhes é dada, a oportunidade de dizer como se sentem e o que pensam. Embora talvez os beijos maternos que aliviam os machucados do filho também sejam "só" um placebo.

O Prozac funcionou bem melhor do que o placebo para os pacientes da Clínica de Trauma: eles tiveram um sono mais saudável, mostraram mais controle sobre as emoções e se preocuparam menos com o passado, ao contrário daqueles que receberam uma pílula de açúcar.[20] Surpreendentemente, porém, o medicamento não teve efeito sobre os veteranos de combate na AV – os sintomas de TEPT não se alteraram. Esses resultados foram confirmados em quase todos os estudos farmacológicos posteriores com esse grupo. Se alguns demonstraram pequenas melhoras, a grande maioria não apresentou qualquer benefício. Nunca fui capaz de entender esse resultado, nem posso aceitar a explicação mais comum: que receber uma pensão ou benefícios por invalidez impede que as pessoas melhorem. Afinal, a amídala não sabe nada a respeito de pensões – ela só detecta ameaças.

Não obstante, medicamentos como o Prozac e seus correlatos – Zoloft, Celexa [no Brasil, Citalopram], Cymbalta e Paxil – deram uma contribuição substancial para o tratamento de transtornos relacionados ao trauma. Em nosso estudo com o Prozac, aplicamos o teste de Rorschach para verificar como as vítimas de trauma percebem seu ambiente. Esses dados nos proporcionaram uma pista importante a respeito da atuação dessa classe de drogas (formalmente conhecidas como inibidores seletivos da recaptação de serotonina, ou ISRSs). Antes que os pacientes tomassem Prozac, suas emoções controlavam suas reações. Lembro, por exemplo, de uma mulher holandesa (ela não participou do estudo) que me procurou por ter sido vítima de estupro na infância; ao perceber meu sotaque holandês, ela se convenceu de que eu a estupraria. O Prozac operou uma mudança radical: deu aos pacientes de TEPT um senso de perspectiva[21] e os ajudou a controlar consideravelmente seus impulsos. Jeffrey Gray devia estar certo: quando os níveis de serotonina dos pacientes aumentaram, muitos deles se tornaram menos reativos.

O TRIUNFO DA FARMACOLOGIA

Em pouco tempo a farmacologia revolucionou a psiquiatria. Os medicamentos proporcionaram aos médicos uma sensação maior de eficácia e lhes ofereceram uma ferramenta que ia além da terapia pela palavra. Além disso, geraram renda e lucros. Subsídios da indústria nos permitiram dispor de laboratórios cheios de estudantes entusiastas e instrumentos avançados. Os departamentos de psiquiatria, antes localizados no subsolo dos hospitais, começaram a subir de patamar, em termos de localização e de prestígio.

Um dos símbolos dessa mudança ocorreu no CSMM, cuja piscina foi eliminada no começo da década de 1990 a fim de dar lugar a um laboratório, e a quadra interna de basquete, dividida em baias para a nova clínica de medicação. Durante décadas, médicos e pacientes haviam partilhado democraticamente o prazer de se divertir na piscina e trocar passes na quadra do hospital. Quando trabalhava ali como auxiliar, eu passava horas no ginásio com os pacientes. Era o único espaço que nos permitia recuperar a sensação de bem-estar, uma ilha em meio ao mar de sofrimento que enfrentávamos todos os dias. Agora os pacientes iam lá para "ser medicados".

É possível que a revolução farmacológica, iniciada com tantas promessas, tenha, no fim das contas, feito tanto mal quanto bem. A teoria segundo a qual a doença mental é causada basicamente por desequilíbrios químicos no cérebro, passíveis de correção por substâncias específicas, ganhou ampla aceitação dos meios de comunicação e do público, bem como da classe médica.[22] Em muitos lugares, os medicamentos eliminaram a terapia e possibilitaram que os pacientes se livrassem de seus problemas sem resolver os motivos subjacentes a eles. Os antidepressivos podem ajudar imensamente os pacientes a tocar a vida, e se tivermos de escolher entre tomar um sonífero e beber todas as noites para conseguir dormir algumas horas, não resta dúvida quanto à melhor solução. Para pessoas que estão cansadas de tentar resolver os problemas sozinhas, com aulas de ioga, exercícios em academia de ginástica ou simplesmente aguentando o tranco, a medicação muitas vezes traz um alívio salvador. Os ISRSs podem ser muito úteis para tornar vítimas de trauma menos escravas de suas emoções, mas devem ser vistos apenas como auxiliares no tratamento desses pacientes.[23]

Depois de participar de numerosos estudos de medicamentos para o TEPT, concluí que os remédios psiquiátricos têm uma faceta bastante negativa, já que podem desviar a atenção que deveria ser dada às questões subjacentes. O modelo da doença cerebral tira das pessoas o controle sobre o próprio destino e encarrega os médicos e os planos de saúde de resolver seus problemas.

No decorrer das últimas três décadas, os medicamentos psiquiátricos tornaram-se um sustentáculo de nossa cultura, com consequências discutíveis. Consideremos o caso dos antidepressivos. Fossem eles tão eficazes como fomos levados a crer, a esta altura a depressão deveria ter se tornado um problema secundário em nossa sociedade. Embora a administração de antidepressivos só aumente, o número de pessoas que correm para os hospitais em busca de tratamento para a depressão não diminuiu. Nas últimas duas décadas esse número triplicou, e hoje 10% dos americanos tomam antidepressivos.[24]

Os medicamentos mais vendidos nos Estados Unidos são os antipsicóticos de nova geração, como Abilify, Risperdal, Zyprexa e Seroquel. Em 2012, os consumidores gastaram 1.526.228.000 dólares na compra de Abilify, mais do que em qualquer outro medicamento. O terceiro colocado da lista foi o Cymbalta, antidepressivo que vendeu bem mais de 1 bilhão de dólares em comprimidos,[25] embora nunca se tenha demonstrado que seja mais eficaz que antidepressivos mais antigos, como o Prozac, do qual há disponíveis no mercado genéricos bem mais baratos. O Medicaid, o programa de saúde do governo americano para os pobres, gasta mais em antipsicóticos do que em qualquer outro tipo de medicamento.[26] Dispomos de dados completos apenas até 2008. Naquele ano, o Medicaid pagou 3,6 bilhões de dólares por remédios antipsicóticos, 1,6 bilhão a mais que em 1999. O número de pessoas com menos de 20 anos que consumiam esses medicamentos custeados pelo Medicaid triplicou de 1999 para 2008. Em 4 de novembro de 2013, a Johnson & Johnson aceitou pagar mais de 2,2 bilhões de dólares em multas criminais e cíveis geradas por acusações de que havia promovido de forma imprópria o antipsicótico Risperdal para ser usado por idosos, crianças e pessoas com deficiências de desenvolvimento.[27] No entanto, nenhum médico que o prescreveu foi processado.

Meio milhão de crianças nos Estados Unidos hoje consome antipsicóticos. A probabilidade de que eles sejam prescritos a crianças de famílias de baixa renda é quatro vezes maior do que no caso de crianças com planos de saúde privados. Tais remédios são muito usados para tornar mais dóceis crianças que sofreram abuso e negligência. Em 2008, foram prescritos, através do Medicaid, antipsicóticos para 19.045 crianças com 5 anos ou menos.[28] Um estudo baseado em dados do programa em treze estados americanos descobriu que 12,4% das crianças transferidas para instituições ou famílias de acolhimento eram medicadas com antipsicóticos. Crianças em outra situação familiar somavam apenas 1,4% das que recebiam esses medicamentos.[29] Os fármacos tornam as crianças mais controláveis e menos agressivas, mas também interferem na motivação, nas brincadeiras e na curiosidade, indispensáveis para o desenvolvimento de sujeitos ativos e úteis. Além do mais, essas crianças correm o risco de vir a apresentar obesidade mórbida e diabetes. Enquanto isso, continua a crescer o número de overdoses pela combinação de medicamentos psiquiátricos e analgésicos.[30]

Como os fármacos se tornaram muito lucrativos, é raro que revistas médicas de prestígio publiquem estudos sobre tratamentos não medicamentosos de problemas de saúde mental.[31] Os profissionais que investigam esses tratamentos costumam ser marginalizados como "alternativos" e seus estudos quase nunca obtêm financiamento, a menos que envolvam os chamados protocolos "manualizados", nos quais pacientes e terapeutas obedecem a sequências rigorosamente prescritas que abrem pouca margem para uma sintonia fina que atenda às necessidades de cada paciente. A medicina convencional está firmemente comprometida com a ideia de uma vida melhor através da química, e quase nunca leva em consideração que podemos realmente mudar a fisiologia e o equilíbrio interior de outras formas além da medicação.

ADAPTAÇÃO OU DOENÇA?

O modelo de doença cerebral esquece quatro verdades primordiais: 1) nossa capacidade de nos destruirmos uns aos outros é a mesma de nos curarmos uns aos outros; a restauração de relacionamentos e da comunidade é fundamental para recuperar o bem-estar; 2) a linguagem nos dá o poder de modificarmos a nós mesmos e aos outros, comunicando nossas experiências, ajudando a definir o que sabemos e criando um consenso de significado; 3) somos capazes de regular nossa fisiologia, inclusive algumas das chamadas funções involuntárias do corpo e do cérebro, mediante atividades básicas como respiração, locomoção e toque; e 4) podemos alterar as condições sociais de modo a criar ambientes em que crianças e adultos consigam se sentir seguros e florescer.

Quando ignoramos essas dimensões fundamentais da humanidade, privamos as pessoas de meios de se livrar do trauma e restaurar a autonomia. Ser um paciente (e não um participante ativo de seu processo de cura) distancia as pessoas de sua própria comunidade e as aliena de um senso interior de self – do eu. Em vista das limitações dos medicamentos, pensei que eu poderia procurar meios mais naturais para ajudar as pessoas a lidar com suas reações pós-traumáticas.

3
O EXAME DO CÉREBRO: A REVOLUÇÃO DA NEUROCIÊNCIA

Se, através do crânio, pudéssemos examinar o cérebro de uma pessoa no momento em que ela estivesse pensando conscientemente, e se o local de maior excitabilidade fosse luminoso, então veríamos, brincando na superfície cerebral, um ponto brilhante, de bordas fantásticas e ondulantes, o tempo todo variando de forma e tamanho, cercado por uma área de escuridão mais ou menos profunda que cobre o restante do hemisfério.

Ivan Pavlov

A gente observa muita coisa só de olhar.

Yogi Berra

No começo da década de 1990, as novas tecnologias de imagens cerebrais nos proporcionaram meios jamais sonhados de obter um conhecimento avançado a respeito do processamento de informações pelo cérebro. Máquinas gigantescas de muitos milhões de dólares, com base nos mais recentes estudos de física e na tecnologia da informática, fizeram da neurociência uma área na qual as pesquisas se intensificaram. A tomografia por emissão de pósitrons (*positron emission tomography*, PET) e, mais tarde, a tecnologia de imagem por ressonância magnética funcional (*functional magnetic resonance imaging*, fMRI) permitiram aos cientistas visualizar a ativação de diferentes partes do cérebro quando as pessoas se ocupam desta ou daquela atividade, ou quando lembram fatos passados. Pela primeira vez pudemos observar o cérebro processando memórias, sensações e emoções, e começamos a mapear os circuitos da mente e da consciência. Uma tecnologia anterior, que media substâncias químicas cerebrais como a serotonina e a norepinefrina, já permitia examinar o que funcionava como combustível para a atividade neuronal, o que é mais ou menos como tentar entender como funciona o motor de um carro estudando a gasolina. A neuroimagiologia possibilitou a visão do interior do motor, e, ao fazê-lo, também transformou nossa compreensão do trauma.

A Escola de Medicina de Harvard esteve e continua na vanguarda da revolução neurocientífica. Em 1994, um jovem psiquiatra, Scott Rauch, foi nomeado primeiro diretor do Laboratório de Neuroimagiologia do Hospital Geral de Massachusetts. Depois de refletir a respeito das indagações mais relevantes a que essa nova tecnologia poderia dar respostas e de ler alguns artigos meus, Scott me consultou sobre a possibilidade de estudar o que acontece no cérebro de pessoas que têm flashbacks.

Não fazia muito tempo que eu concluíra um estudo sobre o modo como o trauma é recordado (a ser analisado no capítulo 12). Os participantes insistiam em quanto era perturbador ser repentinamente dominado por imagens, sentimentos e sons do passado. Quando vários disseram que gostariam de saber que peça o cérebro estava lhes pregando durante esses flashbacks, perguntei a oito deles se estariam dispostos a voltar à clínica e ficar imóveis no interior de um tomógrafo (uma experiência muito nova, que descrevi em detalhes), enquanto recriávamos uma cena pinçada dos eventos dolorosos que os perseguiam. Para minha surpresa, todos os oito concordaram, e alguns manifestaram a esperança de que o aprendizado com o sofrimento deles pudesse ajudar outras pessoas.

Minha assistente de pesquisa, Rita Fisler, que já trabalhava conosco antes de entrar para a Escola de Medicina de Harvard, sentou-se com cada um e elaborou um roteiro detalhado que recriava os traumas deles de momento a momento. De maneira deliberada, fizemos o possível para coletar apenas fragmentos isolados da experiência – imagens, sons e sensações –, não a história inteira, pois é assim que se vive o trauma. Rita também pediu aos participantes que descrevessem uma cena na qual se sentissem em segurança e controlados. Uma mulher falou de seus afazeres matinais; outra pessoa, de como se sentava na varanda de uma fazenda em Vermont e observava a paisagem montanhosa. Usaríamos esse roteiro numa segunda varredura, a fim de ter um elemento de comparação.

Depois que os participantes verificaram a exatidão dos roteiros (lendo-os em silêncio, o que perturba menos do que ouvi-los ou lê-los em voz alta), Rita fez uma gravação que seria reproduzida para eles quando estivessem no tomógrafo. Um desses roteiros dizia:

Você tem 6 anos e está se preparando para dormir. Escuta sua mãe e seu pai discutindo aos berros. Você está assustado e sente um bolo no estômago. Você, um irmão e uma irmã, ambos menores, estão no alto da escada. Você olha por cima do corrimão e vê seu pai segurando os braços de sua mãe, que luta para se desvencilhar. Sua mãe chora, cospe e bufa como um animal. Você está com o rosto vermelho e se sente afogueado. Quando sua mãe se livra, ela corre para a sala de jantar e quebra um vaso chinês caríssimo. Você pede a seus pais, aos gritos, que parem de brigar, mas eles o ignoram. Sua mãe sobe a escada correndo e você a ouve quebrando a TV. Seu irmão e sua irmã tentam ajudá-la a se esconder no armário. Seu coração bate forte e você está tremendo.

Nessa primeira sessão, explicamos aos participantes a finalidade do oxigênio radioativo que eles iriam respirar. À medida que aumentasse ou diminuísse a ativação metabólica de qualquer parte do cérebro, a taxa de consumo de oxigênio dessas áreas se modificaria e tal alteração seria registrada pela máquina. Durante todo o procedimento, mediríamos a pressão arterial e o ritmo cardíaco deles, de modo que esses sinais fisiológicos pudessem ser comparados com a atividade cerebral.

Dias depois, os participantes foram ao centro de imagens. Marsha, de 40 anos, professora primária num subúrbio de Boston, foi a primeira a submeter-se à varredura. Seu roteiro a levava de volta ao dia em que ela, treze anos antes, fora buscar a filha, Melissa, de 5 anos, na colônia de férias onde a menina passava o dia. No momento em que saíam da colônia, Marsha escutou um persistente sinal sonoro no carro, indicando que o cinto de segurança de Melissa não estava bem preso. Quando estendeu o braço para ajustar o cinto da filha, avançou um sinal vermelho. Outro carro bateu no dela pela direita, matando a menina na hora. Na ambulância, a caminho do pronto-socorro, grávida de sete meses, Marsha perdeu o bebê.

De um dia para outro, Marsha deixou de ser uma mulher alegre e expansiva para se tornar uma pessoa arrasada, deprimida e cheia de culpa. Trocou a sala de aula pelo trabalho na secretaria da escola, pois não conseguia lidar com os alunos – como acontece com muitos pais que perdem filhos, o riso feliz das crianças aciona lembranças insuportáveis. No entanto, mesmo escondida atrás de tarefas burocráticas, ela mal conseguia vencer a agonia de cada dia. Numa tentativa inútil de controlar seus sentimentos, começou a trabalhar dia e noite.

Fiquei ao lado do tomógrafo enquanto Marsha se submetia ao procedimento, e pude acompanhar suas reações fisiológicas num monitor. No momento em que ligamos o gravador, seu coração disparou e a pressão sanguínea deu um salto. O simples fato de escutar o roteiro ativava as mesmas reações fisiológicas que haviam ocorrido durante o acidente, treze anos antes. Quando a gravação chegou ao fim e a pressão arterial e a frequência cardíaca de Marsha voltaram ao normal, reproduzimos seu segundo roteiro: levantar da cama e escovar os dentes. Dessa vez a pressão arterial e a frequência cardíaca não se alteraram.

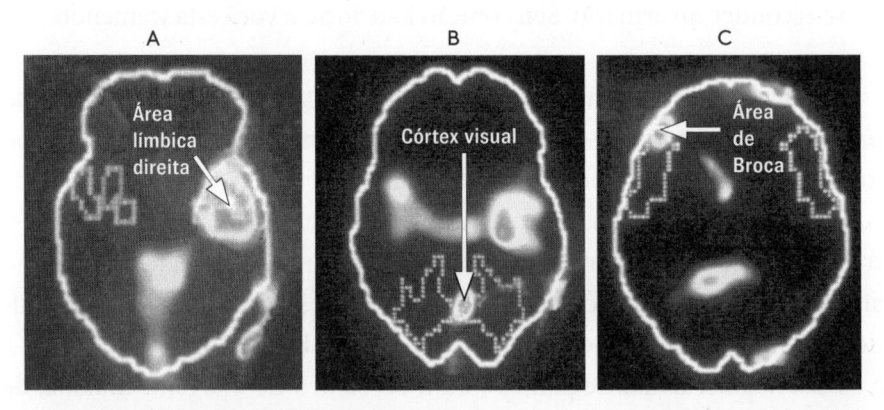

Imagens do cérebro de uma vítima de trauma. As áreas brilhantes em A (cérebro límbico) e B (córtex visual) mostram ativação intensificada. Em C, o centro cerebral da fala mostra uma ativação acentuadamente reduzida.

Ao sair do tomógrafo, Marsha parecia derrotada, esgotada e paralisada. Respirava com dificuldade, tinha os olhos arregalados e os ombros caídos

– a imagem da vulnerabilidade e do desamparo. Tentamos consolá-la, mas me perguntei se o que porventura descobríssemos valeria um preço tão alto – o sofrimento dos pacientes.

Depois que os oito participantes completaram o procedimento, Scott Rauch trabalhou com seus matemáticos e estatísticos, criando imagens combinadas que comparavam a agitação provocada pelo flashback ao cérebro em situação neutra. Algumas semanas depois, ele me enviou os resultados, que podem ser vistos na página 54. Prendi as reproduções na geladeira da cozinha e, durante os meses seguintes, olhava para elas todas as noites. Ocorreu-me que aquilo era o que os primeiros astrônomos deviam ter sentido ao observar pelo telescópio uma nova constelação.

As imagens apresentam alguns pontos e cores intrigantes, mas a maior área de ativação cerebral – uma grande mancha vermelha à direita da faixa central do cérebro, a área límbica, ou o cérebro emocional – não nos surpreendeu. Já se sabia que emoções intensas ativam o sistema límbico, em particular uma área específica deste, a amídala. Dependemos da amídala para nos avisar sobre um perigo iminente e para ativar a resposta física de estresse. Nosso estudo demonstrou claramente que quando vítimas de trauma se veem diante de imagens, sons ou pensamentos relativos à sua experiência em particular, a amídala reage com alarme – mesmo, como no caso de Marsha, treze anos após o ocorrido. A ativação desse centro de medo provoca a cascata de hormônios do estresse e de impulsos nervosos que elevam a pressão sanguínea, a frequência cardíaca e o influxo de oxigênio – preparando o corpo para lutar ou fugir.[1] Os monitores ligados aos braços de Marsha registraram esse estado fisiológico de agitação frenética, embora em nenhum momento ela tivesse esquecido que estava deitada em segurança no tomógrafo.

HORROR SEM PALAVRAS

Nossa descoberta mais surpreendente foi uma mancha branca no lobo frontal esquerdo do córtex, na chamada área de Broca. A mudança de cor indica que havia uma redução substancial da atividade daquela parte do cérebro. A área de Broca, um dos centros cerebrais da fala, com frequência é afetada em pacientes de acidente vascular cerebral (AVC) quando se interrompe o fluxo de sangue para aquela região. Sem uma área de Broca funcional, a pessoa não consegue formular em palavras seus pensamentos e sensações. As imagens mostravam que a área de Broca "caía" sempre que se provocava um flashback. Em outras palavras, tivemos uma prova visual de que os efeitos do trauma não são necessariamente diferentes dos efeitos de lesões físicas, como os AVCs, e podem se sobrepor a eles.

Todo trauma é pré-verbal. Shakespeare captura esse estado de terror mudo em *Macbeth*, depois da descoberta do corpo do rei assassinado: "Ó horror, horror, horror! Nem a língua nem o coração podem te expressar! [...] O caos fez agora sua obra-prima!" Em condições extremas, as pessoas podem bradar obscenidades, chamar pela mãe, gritar de terror ou simplesmente emudecer. As vítimas de agressão ou acidentes ficam mudas e paralisadas em prontos-socorros; crianças traumatizadas "perdem a língua" e se recusam a falar. Fotografias de soldados em combate mostram homens de olhos fundos fitando o vazio.

Mesmo transcorridos muitos anos, em geral as vítimas têm enorme dificuldade para contar o que lhes aconteceu. O corpo revive o terror, a raiva e a impotência, bem como o impulso de lutar ou fugir, mas é quase impossível articular essas sensações. Por sua própria natureza, o trauma nos leva ao limite da compreensão, impedindo-nos de usar uma linguagem baseada na experiência comum e num passado imaginável.

Isso não quer dizer que as pessoas não possam conversar a respeito de uma tragédia que lhes sucedeu. Mais cedo ou mais tarde, muitos sobreviventes – como os veteranos do capítulo 1 – trazem o que a maioria deles chama de "história de fachada": uma versão que dá alguma explicação para seus sintomas e seu comportamento. No entanto, é raro que essas histórias captem a verdade intrínseca da experiência. É dificílimo para a pessoa organizar suas experiências traumáticas num relato coerente – uma narrativa com começo, meio e fim. Até um repórter tarimbado como Ed Murrow, famoso correspondente da CBS, se esforçou para transmitir as atrocidades com que se deparou quando o campo de concentração de Buchenwald foi aberto, em 1945: "Por favor, acreditem no que eu disse. Noticiei o que vi e ouvi, mas só uma parte. Para o resto, não tenho palavras."

Quando as palavras não vêm, imagens atrozes captam a experiência e retornam como pesadelos e flashbacks. Em contraste com a desativação da área de Broca, outra região, a área 19 de Brodmann, iluminou-se no caso dos participantes do estudo. Essa região, localizada no córtex visual, registra imagens no momento em que elas entram no cérebro. Surpreendemo-nos ao constatar ativação nessa área, tanto tempo depois da ocorrência original do trauma. Em condições normais, as imagens cruas registradas na área 19 difundem-se com rapidez para outras áreas do cérebro, que interpretam o significado do que foi visto. Mais uma vez, estávamos observando uma região do cérebro sendo reativada como se na verdade o trauma estivesse ocorrendo naquele momento.

Veremos no capítulo 12, que examina a memória, outras impressões fragmentárias não processadas do trauma, como sons, cheiros e sensações físicas, que também são registradas separadamente da história em si. Sensações semelhantes muitas vezes desencadeiam um flashback que as traz de volta à consciência, aparentemente inalteradas pela passagem do tempo.

DESLOCAMENTO PARA UM LADO DO CÉREBRO

As imagens também revelaram que durante os flashbacks só o lado direito do cérebro dos pacientes se iluminava. Hoje em dia existe uma gigantesca massa de textos científicos e de divulgação sobre a diferença entre o lado direito e o esquerdo do cérebro. Nos primeiros anos da década de 1990, eu ouvi dizer que a população mundial já estava sendo dividida em dois blocos: aqueles cujo hemisfério esquerdo era o dominante (pessoas racionais, lógicas) e aqueles cujo hemisfério dominante era o direito (pessoas intuitivas, artísticas), mas não dera muita atenção a isso. Contudo, as imagens mostravam claramente que a evocação do trauma passado ativava o hemisfério direito do cérebro e desativava o esquerdo.

Sabemos hoje que as duas metades do cérebro realmente falam línguas distintas. O hemisfério direito é intuitivo, emocional, visual, espacial e tátil; o esquerdo é linguístico, sequencial e analítico. Enquanto o lado esquerdo do cérebro se encarrega da fala, o lado direito recebe a música da experiência. Comunica-se por intermédio de expressões faciais e da linguagem corporal, e também produzindo os sons do amor e da tristeza: cantando, xingando, chorando, dançando ou imitando. O hemisfério direito é o primeiro a se desenvolver no útero materno. E transmite a comunicação não verbal entre mães e bebês. Sabemos que o hemisfério esquerdo já está ativado quando as crianças começam a compreender a linguagem e a falar, o que lhes capacita a dar nome às coisas, compará-las, entender suas inter-relações e começar a comunicar aos demais suas próprias experiências únicas e subjetivas.

O lado esquerdo e o direito do cérebro também processam as marcas do passado de formas drasticamente diferentes.[2] O lado esquerdo recorda fatos, estatísticas e o vocabulário dos acontecimentos. Recorremos a ele para explicar nossas experiências e organizá-las. O lado direito armazena memórias auditivas, táteis, olfativas e as emoções que essas lembranças evocam. Reage de modo automático a traços faciais e vozes, assim como a gestos e lugares conhecidos no passado. Aquilo que ele lembra parece uma verdade intuitiva – o jeito como as coisas são. Mesmo quando enumeramos as virtudes da pessoa amada para um amigo, nossos sentimentos podem ser despertados de maneira mais profunda pela semelhança de seu rosto com o da tia que amávamos aos 4 anos.[3]

Em circunstâncias normais, os dois lados do cérebro trabalham juntos em relativa harmonia, mesmo no caso de pessoas de quem se pode dizer que um dos lados domina o outro. Todavia, o fato de um desses lados ser desativado, ainda que em caráter temporário, ou de um lado ser desligado para sempre (como às vezes acontecia nos primórdios da cirurgia cerebral) leva a danos incapacitantes.

A desativação do hemisfério esquerdo exerce impacto direto na capacidade de organizar a experiência em sequências lógicas e traduzir em palavras nossos sentimentos e percepções, sempre variáveis. (A área de Broca, que se desliga durante os flashbacks, fica no hemisfério esquerdo.) Sem sequenciamento não é possível identificar causa e efeito, apreender as consequências a longo prazo de nossos atos ou formular planos coerentes para o futuro. Às vezes dizemos que pessoas muito transtornadas estão "perdendo a razão". Em termos técnicos, elas estão experimentando a perda da função executiva.

Quando alguma coisa recorda o passado a vítimas de trauma, o lado direito do cérebro delas reage como se o fato traumático estivesse acontecendo naquele instante. No entanto, como o hemisfério esquerdo dessas pessoas não funciona muito bem, talvez elas não percebam que estão revivendo e reencenando o fato passado – elas sentem-se apenas furiosas, aterrorizadas, zangadas, envergonhadas ou paralisadas. Depois que acaba a tempestade emocional, elas podem procurar alguém ou algo em que jogar a culpa. Comportaram-se daquele jeito porque *você* chegou com um atraso de dez minutos, porque *você* queimou as batatas ou porque *você* "nunca ouve o que eu digo". É claro que quase todos nós já fizemos isso uma vez ou outra, mas, quando nos acalmamos, em geral conseguimos admitir nosso erro. O trauma interfere nesse tipo de percepção, e, com o passar do tempo, nossa pesquisa mostrou o porquê.

A PARALISAÇÃO NA REAÇÃO DE LUTAR OU FUGIR

Aos poucos, o que acontecera com Marsha no tomógrafo começou a fazer sentido. Treze anos depois de sua tragédia, havíamos ativado as sensações – os sons e as imagens do acidente – ainda armazenadas em sua memória. Ao aflorar à superfície, essas sensações ativaram seu sistema de alarme, o que a levou a reagir como se estivesse de novo no hospital, recebendo a notícia de que a filha havia morrido. O transcurso dos treze anos se apagou. A elevação de sua frequência cardíaca e da pressão sanguínea refletiram seu estado fisiológico de alarme desesperado.

A adrenalina é um dos hormônios fundamentais para nos ajudar a lutar ou fugir diante do perigo. Ao ouvirem a narrativa de seus traumas, os participantes de nosso estudo tiveram a pressão sanguínea e frequência cardíaca elevadas drasticamente por causa do aumento do fluxo de adrenalina. Em condições normais, as pessoas reagem a uma ameaça com um aumento temporário de seus hormônios do estresse. Finda a ameaça, os hormônios se dissipam e o corpo volta ao normal. Entre os efeitos insidiosos de manter taxas de hormônios do estresse constantemente altas estão problemas de memória e de atenção, irritabilidade e transtornos do sono. Além disso, essas taxas contribuem para muitos problemas de saúde a longo prazo, a depender de qual sistema fisiológico é mais vulnerável em cada pessoa.

Hoje sabemos que há outra resposta possível à ameaça, uma resposta que os tomógrafos ainda não são capazes de determinar. Certas pessoas simplesmente recorrem à negação: o corpo registra a ameaça, porém a mente consciente continua a funcionar como se nada houvesse acontecido. Contudo, embora a mente possa aprender a ignorar as mensagens enviadas pelo cérebro emocional, os sinais de alarme não se calam. O cérebro emocional continua a trabalhar e os hormônios do estresse não param de enviar sinais aos músculos, mandando que se retesem para a ação ou que se mantenham distendidos. Os efeitos físicos sobre os órgãos continuam sem esmorecer, até se expressarem em doenças. Medicamentos, drogas ou álcool também podem amortecer durante certo tempo ou obliterar sensações e sentimentos intoleráveis. Mas o corpo continua a guardar as marcas.

Há várias interpretações para o que aconteceu a Marsha no tomógrafo, cada uma delas com implicações para o tratamento. Podemos nos concentrar nos distúrbios neuroquímicos e fisiológicos que se mostraram tão evidentes e argumentar que Marsha está sofrendo de um desequilíbrio bioquímico que se reativa sempre que ela recorda a morte da filha. Poderíamos então procurar uma droga – ou uma combinação de drogas – que reduzisse a reação ou, na melhor das hipóteses, restaurasse seu equilíbrio químico. Com base no resultado de nossas tomografias, alguns de meus colegas no Hospital Geral de Massachusetts começaram a investigar substâncias que tornassem as pessoas menos sensíveis aos efeitos do aumento da adrenalina.

Poderíamos também afirmar que Marsha estava hipersensível às suas memórias do passado, e que o melhor tratamento seria alguma forma de dessensibilização.[4] Depois de repassar várias vezes os detalhes do trauma com um terapeuta, suas respostas biológicas talvez se abrandassem, de modo que ela pudesse entender e lembrar que "aquilo se deu no passado e agora já transcorreu muito tempo", em vez de reviver a experiência sem cessar.

Faz mais de cem anos que todo livro de psicologia e psicoterapia afirma que este ou aquele método de falar a respeito de sensações aflitivas é capaz de resolvê-las. Como já vimos, porém, a própria experiência do trauma impede que isso seja feito. Por mais que se acumulem conhecimentos, o cérebro racional é basicamente incapaz de convencer o cérebro emocional a deixar de lado a própria realidade. Não canso de me impressionar com a dificuldade que as pessoas que vivenciaram algo abominável têm em transmitir a essência de sua experiência. É muito mais fácil para elas falar sobre o que lhes foi feito – contar uma história de vitimização e vingança – do que observar, sentir e pôr em palavras a realidade de sua experiência interna.

As imagens que obtivemos revelavam que o pavor dessas pessoas persistia e podia ser desencadeado por múltiplos aspectos da vida diária. Elas continuavam "lá" e não sabiam como se manter "aqui" – plenamente vivas no presente.

Três anos depois de participar do estudo, Marsha me procurou como paciente. Eu a tratei com EMDR, tema do capítulo 15.

PARTE II
O CÉREBRO TRAUMATIZADO

4
CORRENDO ATRÁS DA VIDA: A ANATOMIA DA SOBREVIVÊNCIA

Antes do advento do cérebro, não existiam no universo nem cor nem som, nenhum sabor ou aroma, provavelmente, pouca percepção e nada de sentimento ou emoção. Antes dos cérebros, o universo também estava isento de dor e ansiedade.

Roger Sperry[1]

Em 11 de setembro de 2001, Noam Saul, de 5 anos, viu das janelas de sua sala do primeiro ano na Escola Pública 234, a cerca de 450 metros do World Trade Center, o primeiro avião atingir a Torre Norte. Ele e os coleguinhas desceram as escadas e correram para o saguão, onde a maior parte das crianças encontrou os pais, que as haviam deixado no colégio momentos antes. Noam, seu irmão mais velho e o pai foram algumas das dezenas de milhares de pessoas que correram para salvar a vida em meio aos escombros, às cinzas e à fumaça que tomaram conta da área sul de Manhattan naquela manhã.

Desenho feito por Noam, de 5 anos, depois de ver o ataque ao World Trade Center no 11 de Setembro. Noam desenhou a cena que havia assombrado tantos sobreviventes – pessoas saltando das janelas para fugir à conflagração –, mas acrescentou uma solução salvadora: uma cama elástica na base do edifício em chamas.

Dez dias depois, visitei seus pais, que são amigos meus, e naquela noite saímos para uma caminhada, passando pela cova ainda fumegante onde antes ficava a Torre Norte, avançando em meio às equipes de socorro que trabalhavam 24 horas por dia sob a luz de refletores potentes. Quando voltamos para casa, Noam ainda estava acordado e me mostrou um desenho que tinha feito às nove da manhã do dia 12 de setembro. O desenho revelava o que ele tinha visto na véspera: um avião se espatifando contra a torre, uma bola de fogo, bombeiros, pessoas saltando das janelas. No entanto, na base da imagem ele tinha desenhado outra coisa: um círculo negro junto dos edifícios. Como não entendi aquilo, perguntei o que era. "Uma cama elástica", ele respondeu. O que uma cama elástica estava fazendo ali? Noam explicou: "Assim, da próxima vez que as pessoas forem saltar, elas terão segurança." Fiquei atônito: aquele menino de 5 anos, testemunha de uma confusão e de uma catástrofe pavorosas, ocorridas apenas 24 horas antes de ele ter feito o desenho, havia usado a imaginação para processar o que vira e seguir adiante com a vida.

Noam era um garoto afortunado. Ninguém da família se machucara, ele estava crescendo cercado de amor e conseguiu compreender que a tragédia a que assistira tinha chegado ao fim. Por ocasião de desastres, crianças pequenas, em geral, reagem imitando os pais. Se os cuidadores se mantêm calmos e atendem às necessidades delas, é comum que sobrevivam a incidentes terríveis sem graves danos psicológicos.

Entretanto, a experiência de Noam nos permite observar dois aspectos críticos da resposta adaptativa à ameaça, fundamental para a sobrevivência humana. No momento do desastre, ele foi capaz de assumir um papel ativo; ao fugir correndo, tornou-se agente do próprio socorro. E logo que chegou à segurança de sua casa, os sinais de alarme em seu cérebro silenciaram. Sua mente se liberou para conferir algum sentido ao que tinha acontecido e até imaginar uma alternativa criativa ao que vira – uma cama elástica salva-vidas.

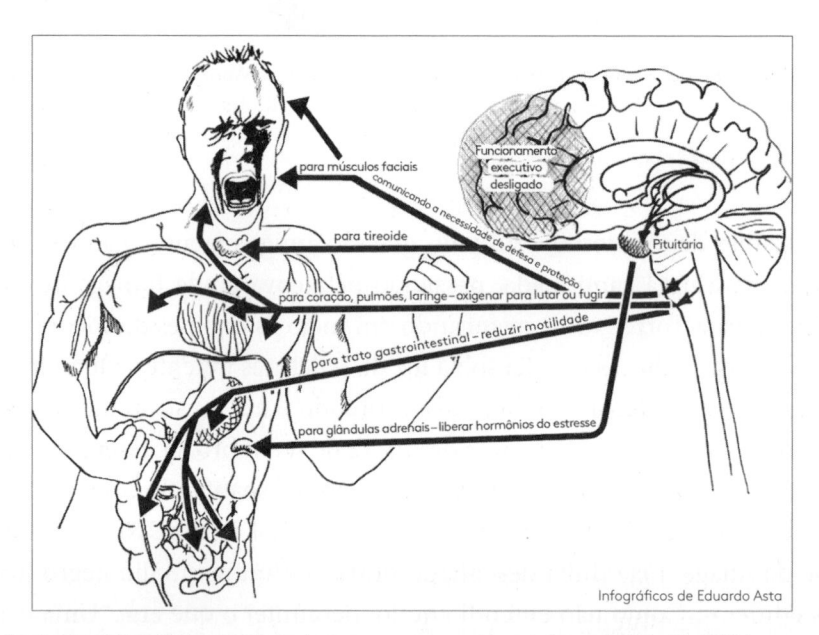

O trauma afeta todo o organismo humano – o corpo, a mente e o cérebro. No TEPT, o corpo continua a se defender de uma ameaça que ficou no passado. Recuperar-se significa pôr fim a essa contínua mobilização para o estresse e restaurar a segurança de todo o organismo.

Ao contrário de Noam, as pessoas traumatizadas permanecem presas, paralisadas em seu desenvolvimento, porque não podem integrar novas experiências à vida. Fiquei muito comovido quando os veteranos da tropa de Patton me deram, como presente de Natal, um relógio distribuído pelo Exército durante a Segunda Guerra Mundial. No entanto, aquele relógio era um triste lembrete do ano em que a vida de cada um deles efetivamente se paralisara: 1944. O trauma faz com que o traumatizado continue a organizar a vida como se o evento traumático ainda estivesse se desenrolando – inalterado e imutável –, já que o passado contamina cada situação nova ou evento não rotineiro.

Depois do trauma, a pessoa experimenta o mundo com um sistema nervoso diferente. A energia do sobrevivente se concentra em suprimir o caos interior, em prejuízo da espontaneidade em sua vida. Tais tentativas de manter o controle sobre reações psicológicas insuportáveis podem levar a toda uma gama de sintomas físicos, entre os quais fibromialgia, fadiga crônica e outras doenças autoimunes. Isso explica o motivo pelo qual no tratamento do trauma é essencial envolver todo o organismo – corpo, mente e cérebro.

ORGANIZADOS PARA SOBREVIVER

A ilustração da página 64 mostra a resposta do corpo a uma ameaça. Acionado o sistema de alarme do cérebro, ele desencadeia de maneira automática, nas áreas cerebrais mais antigas, planos pré-programados de fuga física. Tal como em outros animais, os nervos e as substâncias químicas que constituem a estrutura cerebral básica estão diretamente ligados ao corpo. Quando o cérebro primitivo assume o comando, ele fecha parcialmente o cérebro superior (a mente consciente) e impele o corpo a correr, esconder-se, lutar ou, de vez em quando, congelar. Quando nos conscientizamos plenamente da situação, nosso corpo já pode estar em movimento. Se a resposta de lutar, fugir ou congelar tiver êxito e escaparmos do perigo, recuperamos o equilíbrio interior e, aos poucos, "recuperamos a razão".

Se, por algum motivo, a resposta normal for bloqueada – por exemplo, quando as pessoas são imobilizadas, ficam presas ou impedidas de agir de forma eficiente, tanto numa zona de guerra quanto num acidente de carro, num episódio de violência doméstica ou num estupro –, o cérebro continua a secretar substâncias químicas de estresse, enquanto seus circuitos elétricos seguem liberando essas substâncias em vão.[2] Muito tempo depois de passado o evento real, o cérebro pode continuar enviando ao corpo sinais para que ele fuja de uma ameaça que não existe mais. Pelo menos desde 1889, quando o psicólogo francês Pierre Janet publicou o primeiro relato científico de um estresse traumático,[3] sabe-se que os sobreviventes de traumas costumam "dar prosseguimento à ação, ou melhor, à tentativa (inútil) de ação, que começou antes da ocorrência do fato causador". Ser capaz de agir e *fazer* algo para se proteger é um fator determinante para que uma experiência horrível deixe ou não cicatrizes duradouras.

Ação efetiva *versus* imobilização. A ação efetiva (o resultado de luta ou de fuga) encerra a ameaça. A imobilização mantém o corpo num estado de choque inescapável ou de impotência adquirida. Diante do perigo, hormônios do estresse são secretados automaticamente pelo organismo para alimentar a resistência ou a fuga. O cérebro e o corpo estão programados para correr para casa, onde a segurança pode ser restaurada, cessando com isso a produção de hormônios do estresse. No caso desses homens amarrados a padiolas enquanto são resgatados de avião depois do furacão Katrina, os níveis de hormônios do estresse permanecem elevados e se voltam contra os sobreviventes, estimulando medo, depressão, raiva e doenças físicas.

Neste capítulo, analisaremos de forma mais profunda a resposta do cérebro ao trauma. Quanto mais a neurociência aprende a respeito do cérebro, mais compreendemos que ele é uma vasta rede de partes interconectadas e organizadas para nos ajudar a sobreviver e crescer. Saber como essas partes trabalham em conjunto é fundamental para entender como o trauma afeta cada parte do organismo humano, o que pode vir a ser um guia indispensável no tratamento do estresse traumático.

O CÉREBRO DE BAIXO PARA CIMA

A função mais importante do cérebro é garantir nossa sobrevivência, mesmo nas condições mais difíceis. Tudo o mais é secundário. Para cumprir essa função, o cérebro precisa: 1) gerar sinais internos que registrem aquilo de que o corpo necessita, como alimento, descanso, proteção, sexo e abrigo; 2) criar um mapa do mundo a fim de nos mostrar como satisfazer essas necessidades; 3) gerar a energia e as ações necessárias para que cheguemos a esses lugares; 4) advertir-nos quanto aos perigos e oportunidades ao longo do caminho; 5) ajustar nossos atos com base nos requisitos do momento.[4] E como nós, seres humanos, somos mamíferos, criaturas que só sobrevivem e se desenvolvem em grupo, todos esses imperativos requerem coordenação e colaboração. Os problemas psicológicos ocorrem quando nossos sinais internos não funcionam, quando os mapas não nos conduzem para onde precisamos ir, quando estamos paralisados demais para nos mover, quando nossas ações não correspondem a nossas necessidades ou quando nossos relacionamentos se desfazem. Qualquer estrutura cerebral que eu venha a analisar desempenha um papel nessas funções essenciais, e, como se verá, o trauma pode interferir em todas elas.

O cérebro racional, cognitivo, é a parte mais jovem do cérebro e não ocupa mais que 30% do espaço interno do crânio. Ele lida sobretudo com o mundo que nos rodeia: entende como as coisas e as pessoas funcionam e decide como atingir os objetivos, administrar o tempo e ordenar nossos atos. Abaixo do cérebro racional situam-se dois cérebros mais antigos do ponto de vista evolucionário e, até certo ponto, separados, encarregados de tudo o mais: o registro e o controle, de momento a momento, da fisiologia do corpo, e a identificação de sensações de bem-estar, segurança, ameaça, fome, fadiga, desejo, saudade, excitação, prazer e dor.

O cérebro é construído de baixo para cima. Ele se desenvolve de nível a nível na criança ainda no ventre da mãe, do mesmo modo que se desenvolveu ao longo da evolução. A parte mais antiga, aquela que já atua quando nascemos, é o cérebro animal primitivo, muitas vezes chamado de cérebro reptiliano. Ele se localiza no tronco encefálico, pouco acima do ponto onde a medula espinhal penetra no crânio. O cérebro reptiliano é responsável por tudo o que bebês recém-nascidos são capazes de fazer: comer, dormir, acordar, chorar, respirar; sentir frio ou calor, fome, umidade e dor; livrar o corpo de toxinas, urinando e defecando. Juntos, o tronco encefálico e o hipotálamo, que se localiza bem em cima do primeiro, controlam os níveis de energia do corpo. Ambos coordenam o funcionamento do coração e dos pulmões, e também o sistema endócrino e o sistema imunológico, assegurando que esses sistemas básicos de sobrevivência se mantenham dentro do relativamente estável equilíbrio interno, conhecido como homeostase.

Respirar, comer, dormir, defecar e urinar são atividades tão fundamentais que é fácil negligenciar sua importância quando consideramos as complexidades da mente e do comportamento. No entanto, se o sono de uma pessoa é agitado, se os intestinos não funcionam a contento, se ela está sempre com fome ou se, ao ser tocada, ela tem vontade de gritar (como muitas vezes ocorre com crianças e adultos traumatizados), todo o seu organismo se desequilibra. É espantoso o número de problemas psicológicos que envolvem dificuldades quanto a sono, apetite, toque, digestão e estado de alerta. Para ser eficaz, todo tratamento de trauma tem de cuidar dessas funções básicas do corpo.

Logo acima do cérebro reptiliano fica o sistema límbico, também conhecido como cérebro mamífero, pois todo animal que vive em grupo e cuida das crias o possui. Essa parte do cérebro só começa a se desenvolver efetivamente depois do nascimento do bebê. É a sede das emoções, o monitor do perigo, o juiz daquilo que é prazeroso ou assustador, o árbitro do que é ou não importante para a sobrevivência. É também um posto de comando central para enfrentar os desafios de viver dentro de nossas complexas redes sociais.

O sistema límbico se forma em resposta à experiência, em parceria com a própria composição genética e com o temperamento inato da criança. (Como percebem rapidamente todos os pais de mais de um filho, os bebês diferem desde o nascimento quanto à intensidade e à natureza de suas reações a fatos semelhantes.) Tudo o que acontece a um bebê contribui para o mapa emocional e perceptivo do mundo criado por seu cérebro em desenvolvimento. Segundo meu colega Bruce Perry, o cérebro é formado de "maneira proporcional ao uso".[5] Essa é outra forma de chamar a neuroplasticidade, a descoberta relativamente recente de que neurônios que "disparam juntos se conectam juntos". Quando um circuito dispara repetidas vezes, pode tornar-se uma configuração por padrão

– a resposta que tem maior probabilidade de ocorrer. Se a pessoa se sente segura e amada, o cérebro se especializa em exploração, recreação e cooperação; se ela está apreensiva e se sente indesejada, em sentimentos de medo e abandono.

Bebês e crianças de colo tomam conhecimento do mundo quando se movem, agarram coisas, engatinham, e também ao descobrir o que acontece depois de chorar, sorrir ou reclamar. Testamos o ambiente o tempo todo: como nossas interações alteram o que nosso corpo sente? Em qualquer festa de aniversário de 2 anos, sempre haverá uma criança que vai lhe dar atenção, brincar com você e procurar cativá-lo, sem necessidade de linguagem. Essas primeiras explorações moldam as estruturas límbicas dedicadas às emoções e à memória, porém experiências posteriores podem também modificar de maneira substancial essas estruturas: para melhor, por meio de uma amizade fraterna ou de uma bela experiência de primeiro amor, por exemplo; para pior, mediante agressão violenta, bullying constante ou negligência dos cuidadores.

Considerados juntos, o cérebro reptiliano e o sistema límbico constituem o que em todo este livro vou chamar de "cérebro emocional".[6] O cérebro emocional está no âmago do sistema nervoso central e sua tarefa fundamental é defender nosso bem-estar. Se detecta perigo – ou uma oportunidade especial, como um sócio promissor –, ele alertará a pessoa liberando uma descarga de hormônios. As sensações viscerais resultantes (que vão desde um ligeiro desconforto até uma pressão angustiante de pânico no peito) hão de interferir em qualquer coisa em que sua mente estiver concentrada no momento e fazer com que você se mova – física e mentalmente – numa direção diferente. Mesmo que sejam sutilíssimas, essas sensações exercem enorme influência nas pequenas e grandes decisões que tomamos na vida: o que escolhemos comer, onde gostamos de dormir e com quem, se preferimos jardinagem ou cantar num coral, de quais pessoas gostamos e aquelas que detestamos.

A organização celular e a bioquímica do cérebro emocional são mais simples do que as do neocórtex, o cérebro racional. Por avaliar de forma mais global as informações recebidas, o cérebro emocional tira conclusões com base em semelhanças aproximadas. Já o cérebro racional está organizado para analisar um conjunto complexo de alternativas. (O exemplo clássico é o salto aterrorizado que a pessoa dá ao ver uma cobra, antes de perceber que não passa de uma corda enrolada.) O cérebro emocional reage com planos pré-programados de escapar daquela situação, ativando o mecanismo de luta ou fuga. Essas reações musculares e fisiológicas são automáticas, desencadeadas sem nenhuma reflexão ou planejamento, deixando que as respostas conscientes e racionais se manifestem mais tarde, muitas vezes bem depois de passada a ameaça.

Enfim, chegamos à camada superior do cérebro, o neocórtex. Outros mamíferos também apresentam essa camada externa, mas no ser humano ela é muito mais espessa. No segundo ano de vida, os lobos frontais, que formam a maior parte do neocórtex, começam a se desenvolver rapidamente. Os antigos filósofos chamavam os 7 anos de "a idade da razão". Para nós, o primeiro ano do ensino fundamental é o prelúdio do que está por vir, uma vida organizada em torno de aptidões dos lobos frontais: ficar sentado quieto; controlar os esfíncteres; ser capaz de usar palavras em vez de se expressar por meio de mímica; compreender ideias abstratas e simbólicas; planejar o dia de amanhã e estar em sintonia com professores e colegas de classe.

Os lobos frontais são responsáveis pelas qualidades que nos tornam únicos no mundo animal.[7] Eles nos capacitam para usar a linguagem e o pensamento abstrato. Permitem absorver e integrar vastas quantidades de informações e atribuir significado a elas. Apesar do alvoroço da imprensa em relação aos feitos linguísticos de chimpanzés e macacos *rhesus*, só os seres humanos dominam as palavras e os símbolos necessários para os contextos comunitário, espiritual e histórico que moldam nossa vida.

Os lobos frontais nos permitem planejar e refletir, imaginar e antever cenários futuros. Eles nos ajudam a prever o que acontecerá se tomarmos uma atitude (como nos candidatar a um novo emprego) ou deixarmos de cumprir um dever (como pagar o aluguel). Tornam as escolhas possíveis e se sujeitam à assombrosa criatividade humana. Gerações de lobos frontais, trabalhando em estreita colaboração, criaram a cultura que nos levou das canoas escavadas em troncos de árvore, dos coches puxados por cavalos e das cartas aos aviões a jato, aos carros híbridos e ao e-mail. Também nos deram a cama elástica salva-vidas de Noam.

ESPELHAMENTO: A NEUROBIOLOGIA INTERPESSOAL

Fundamentais para a compreensão do trauma, os lobos frontais também são a sede da empatia – nossa capacidade de "sentir" outra pessoa. Uma das descobertas sensacionais da neurociência moderna ocorreu em 1994, quando, num golpe de sorte, um grupo de cientistas italianos identificou no córtex células especializadas conhecidas como neurônios-espelhos.[8] Os pesquisadores prenderam eletrodos a neurônios isolados na área pré-motora de um macaco e, com auxílio de um computador, determinaram quais neurônios disparavam quando o animal pegava um amendoim ou agarrava uma banana. Em certo momento, um cientista que guardava alimentos numa caixa olhou para o computador. As células cerebrais do macaco estavam disparando exatamente onde se localizavam os neurônios de comando motor. No entanto, o animal não estava se mexendo ou comendo, somente olhava para o pesquisador. O cérebro do macaco estava reagindo às ações do pesquisador, em seu lugar!

O experimento foi repetido diversas vezes em todo o mundo, e logo ficou claro que os neurônios-espelhos elucidavam muitos aspectos da mente antes inexplicáveis, como empatia, imitação, sincronia e até o surgimento da linguagem. Um autor comparou os neurônios-espelhos a um "Wi-Fi neural"[9] – percebemos não só o movimento de outra pessoa como também seu estado emocional e suas intenções. Quando estão em sincronia, as pessoas costumam ficar de pé ou sentadas de maneira semelhante, e a fala delas têm a mesma cadência. Contudo, os neurônios-espelhos também nos tornam vulneráveis ao negativismo alheio, de modo que reagimos à raiva delas com fúria ou somos arrastados por suas depressões. Terei mais a dizer a respeito dos neurônios-espelhos, adiante, neste livro, já que quase sempre o trauma envolve não ser visto, não ser imitado, nem ser levado em consideração. O tratamento exige a reativação da capacidade de espelhar os outros e por eles ser espelhado com segurança, mas também a capacidade de não se deixar levar pelas emoções negativas do outro.

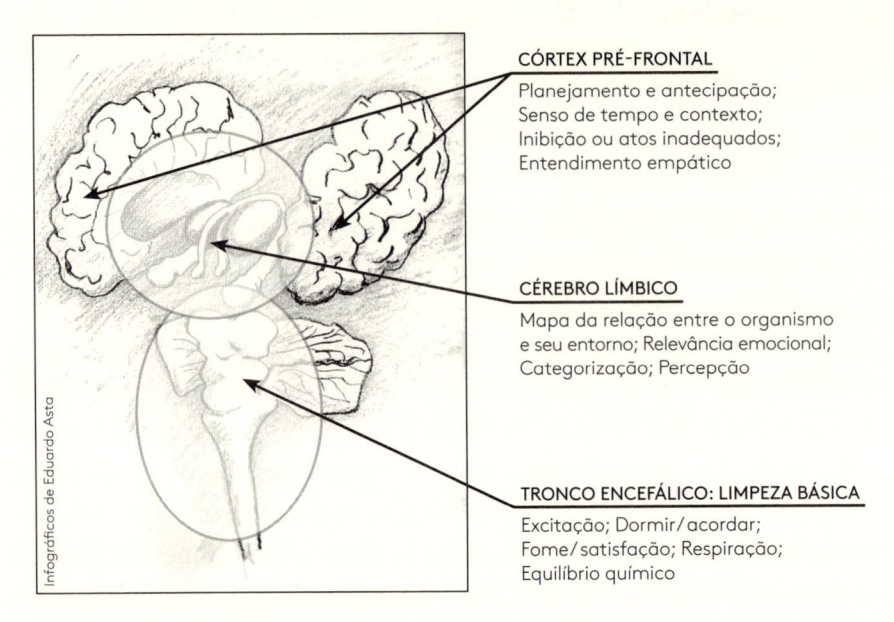

CÓRTEX PRÉ-FRONTAL
Planejamento e antecipação;
Senso de tempo e contexto;
Inibição ou atos inadequados;
Entendimento empático

CÉREBRO LÍMBICO
Mapa da relação entre o organismo e seu entorno; Relevância emocional; Categorização; Percepção

TRONCO ENCEFÁLICO: LIMPEZA BÁSICA
Excitação; Dormir/acordar;
Fome/satisfação; Respiração;
Equilíbrio químico

Infográficos de Eduardo Asta

O modelo trino (três partes) do cérebro. O cérebro se desenvolve de baixo para cima. O cérebro reptiliano se desenvolve na vida intrauterina e organiza as funções vitais básicas, sendo altamente reativo ao perigo durante toda a vida. O sistema límbico se organiza sobretudo nos primeiros seis anos de vida, mas continua a evoluir, dependendo do uso. O trauma pode ter um impacto importante em suas funções durante toda a vida. O córtex pré-frontal, o último a se desenvolver, também é afetado pela exposição ao trauma, podendo inclusive tornar-se incapaz de filtrar informações irrelevantes. Durante toda a vida, fica sujeito a se desligar em resposta a uma ameaça.

Lobos frontais em bom estado são cruciais para relacionamentos humanos harmoniosos. É o que aprende qualquer um que tenha trabalhado com pessoas com lesões cerebrais, ou tenha cuidado de pais com demência. Perceber que os outros podem pensar e sentir de forma distinta da nossa é um grande avanço no desenvolvimento de crianças de 2 e 3 anos. Elas aprendem a entender os motivos dos outros, de modo a se adaptar com segurança a grupos que têm percepções, expectativas e valores diferentes. Sem lobos frontais flexíveis e ativos, as pessoas desenvolvem hábitos arraigados, e seus relacionamentos passam a ser superficiais e rotineiros. Invenção e inovação, descoberta e espanto – nada disso existe.

Os lobos frontais também podem (às vezes, mas nem sempre) impedir que façamos algo que venha a nos constranger ou magoar outras pessoas. Não precisamos comer toda vez que sentimos fome, beijar qualquer um que desperte nosso desejo ou explodir toda vez que nos zangamos. Contudo, é exatamente no limite entre o impulso e o comportamento aceitável que a maior parte de nossos problemas tem início. Quanto mais intenso for o aporte sensório visceral proveniente do cérebro emocional, menor é a capacidade do cérebro racional de atenuá-lo.

A IDENTIFICAÇÃO DO PERIGO: O COZINHEIRO E O DETECTOR DE FUMAÇA

O perigo é um componente normal da vida, e ao cérebro cabe detectá-lo e organizar a resposta a ele. As informações sensoriais do mundo externo nos chegam pela visão, o olfato, a audição e o tato. Essas sensações confluem para o tálamo, uma área no interior do sistema límbico que age como "cozinheiro" no cérebro. O tálamo mistura todos os aportes provenientes de nossas percepções numa sopa autobiográfica perfeitamente homogênea, uma experiência coerente e integrada de "é isso que está acontecendo comigo".[10] As sensações então seguem em duas direções: para a amídala, constituída de duas pequenas estruturas em forma de amêndoa situadas no interior do cérebro límbico, inconsciente, e para os lobos frontais, onde chegam à percepção consciente. O neurocientista Joseph LeDoux refere-se ao caminho para a amídala como "a estradinha", que é rapidíssima, enquanto chama o que leva ao córtex frontal de "autoestrada", cujo percurso demora vários milissegundos a mais quando diante de uma experiência insuportavelmente ameaçadora. No entanto, o processamento pelo tálamo pode falhar. Impressões visuais, auditivas, olfativas e táteis são codificadas como fragmentos isolados, dissociados, e o processamento normal da memória se desintegra. O tempo congela, dando a impressão de que o perigo presente durará para sempre.

A função central da amídala, que chamo de detector de fumaça do cérebro, é identificar se o aporte recebido é relevante para a sobrevivência.[11] A amídala cumpre essa função de forma rápida e automática, com a ajuda de retroalimentação por parte do hipocampo, uma estrutura próxima que relaciona o novo aporte com experiências passadas. Se percebe uma ameaça – uma possível colisão com um veículo que vem na direção oposta sua, uma pessoa na rua que parece intimidadora –, a amídala envia uma mensagem instantânea ao hipotálamo e ao tronco encefálico, convocando o sistema de hormônios do estresse e o sistema nervoso autônomo (SNA) a orquestrar uma resposta de todo o corpo. Como processa as informações que recebe do tálamo mais depressa do que os lobos frontais, a amídala decide se a informação recebida constitui uma ameaça para a sobrevivência antes mesmo de a pessoa estar consciente do perigo. Quando o corpo se dá conta do que está acontecendo, talvez já esteja agindo.

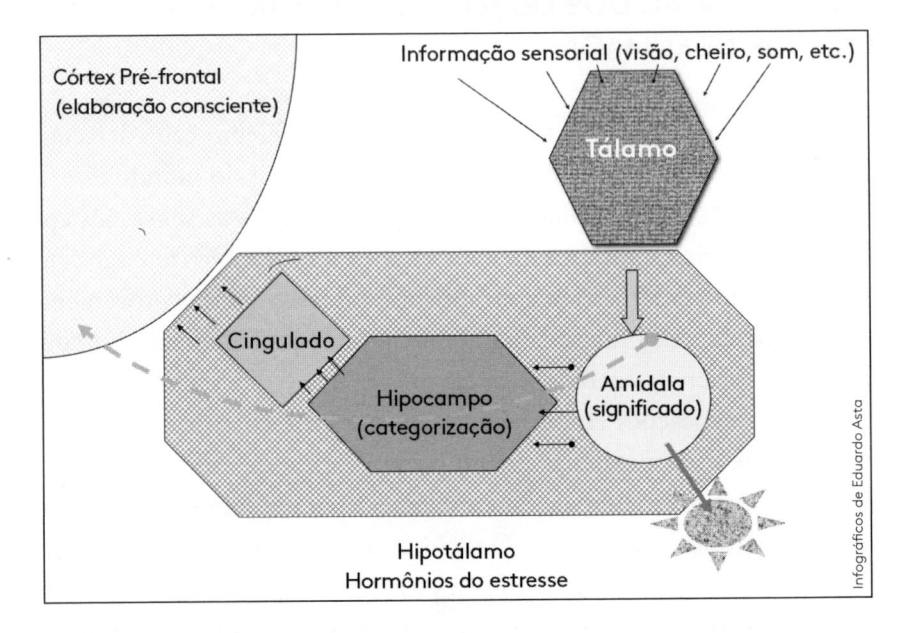

O cérebro emocional faz a primeira interpretação dos dados recebidos. As informações visuais, auditivas, táteis, cinestésicas, etc. sobre o meio ambiente e o estado do corpo convergem para o tálamo, onde são processadas e então chegam à amídala, para que esta interprete seu significado emocional. Isso acontece muito rápido. Se é detectado um perigo, a amídala envia mensagens ao hipotálamo para que secrete hormônios do estresse como defesa contra essa ameaça. O neurocientista Joseph LeDoux chama esse caminho de estradinha. O segundo caminho neural, a autoestrada, vai do tálamo, passando pelo hipocampo e pelo cingulado anterior, até o córtex pré-frontal (o cérebro racional), onde os sinais de perigo sofrem uma reinterpretação consciente e muito mais refinada. Isso demora vários milissegundos mais. Se a interpretação de perigo feita pela amídala é demasiado intensa e/ou se o sistema de filtragem das áreas superiores do cérebro for muito fraco, como ocorre com frequência com vítimas de TEPT, as pessoas perdem o controle sobre as respostas automáticas de emergência, como explosões de agressividade ou sobressaltos prolongados.

Os sinais de perigo enviados pela amídala desencadeiam a liberação de poderosos hormônios do estresse, entre eles o cortisol e a adrenalina, que elevam o ritmo cardíaco, a pressão sanguínea e a frequência respiratória, preparando-nos para lutar ou fugir. Passado o perigo, o corpo retorna rapidamente a seu estado normal. Todavia, se a recuperação é bloqueada, o corpo fica preparado para se defender, o que faz as pessoas se sentirem agitadas e excitadas.

Embora o detector de fumaça tenha, em geral, bastante eficiência para captar sinais de perigo, o trauma aumenta o risco de uma interpretação equivocada quanto a uma determinada situação ser perigosa ou não. Uma pessoa só consegue lidar bem com as outras caso tenha capacidade de avaliar corretamente se as intenções delas são amistosas ou perigosas. Mesmo um pequeno erro de interpretação pode levar a mal-entendidos dolorosos nos relacionamentos em casa e no trabalho. Atuar com eficácia num ambiente de trabalho complexo ou numa casa cheia de crianças indisciplinadas exige a capacidade de avaliar com rapidez como as pessoas estão se sentindo e ajustar continuamente a própria conduta. Sistemas de alarme defeituosos levam a explosões ou bloqueios em reação a comentários ou expressões faciais inócuas.

CONTROLE DA RESPOSTA DE ESTRESSE: A TORRE DE VIGIA

Se a amídala é o detector de fumaça no cérebro, podemos entender os lobos pré-frontais mediais (LPFM),[12] localizados logo acima dos olhos, como um vigilante, ou a torre de vigia, que permite uma visão geral da cena. A fumaça é sinal de que a casa está pegando fogo e de que é preciso deixá-la depressa, ou vem da carne disposta sobre uma chama muito forte? A amídala não faz esse tipo de julgamento; ela só prepara a pessoa para lutar ou fugir, antes mesmo que os lobos frontais possam fazer essa avaliação. Desde que você não esteja transtornado demais, seus lobos frontais podem restaurar seu equilíbrio ajudando-o a perceber que está reagindo a um alarme falso e frustrar a reação de estresse.

Normalmente, as aptidões executivas do córtex pré-frontal permitem às pessoas observar o que está acontecendo, predizer o que ocorrerá se forem por esse ou aquele caminho e tomar uma decisão consciente. Ser capaz de avaliar com calma e objetividade pensamentos, sensações e emoções (uma faculdade que aqui chamarei de atenção plena) e, depois, reagir com calma permite ao cérebro executivo inibir, organizar e modular as reações automáticas pré-programadas no cérebro emocional. Essa capacidade é crucial para preservar nosso relacionamento com as outras pessoas. Enquanto os lobos frontais estiverem funcionando direito, é improvável que percamos a paciência toda vez que um garçom demorar a trazer o prato que pedimos ou o corretor da seguradora não atender os telefonemas. (Nossa torre de vigia também nos informa que a cólera e as ameaças de outras pessoas são resultado do estado emocional *delas*.) Quando esse sistema entra em pane, reagimos como animais condicionados: no momento em que detectamos um perigo, entramos automaticamente no modo de luta ou fuga.

No TEPT, o delicado equilíbrio entre a amídala (o detector de fumaça) e o córtex pré-frontal medial ou CPFM (a torre de vigia) se altera de modo radical, dificultando enormemente o controle de emoções e impulsos. Análises de neuroimagens de seres humanos em estados altamente emocionais revelam que medo, tristeza e raiva intensos aumentam a ativação das regiões cerebrais subcorticais no lobo frontal, em especial o CPFM. Quando isso ocorre, a capacidade inibidora do lobo frontal deixa de atuar e as pessoas "perdem o bom senso": podem se sobressaltar com qualquer som mais alto, ficam enfurecidas com pequenas frustrações ou paralisam quando alguém encosta nelas.[13]

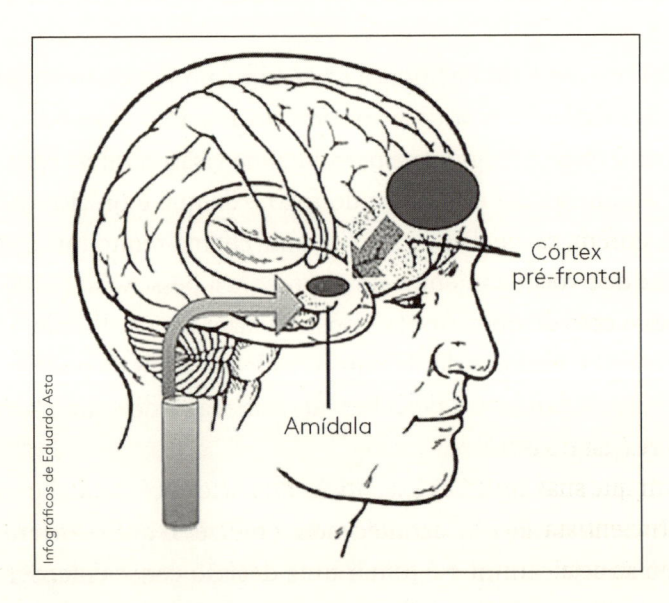

De cima para baixo ou de baixo para cima. Estruturas no cérebro emocional decidem se os sinais que recebemos são perigosos ou seguros. Há duas formas de alterar o sistema de detecção de ameaça: de cima para baixo, mediante a modulação das mensagens oriundas do córtex pré-frontal medial (não apenas o córtex pré-frontal) ou de baixo para cima, por meio do cérebro reptiliano, através da respiração, de movimento e de toques.

Lidar bem com o estresse depende de se alcançar um equilíbrio entre o detector de fumaça e a torre de vigia. Se você quer controlar melhor suas emoções, seu cérebro lhe oferece duas opções: ou aprende a regulá-las de cima para baixo, ou de baixo para cima.

Entender a diferença entre esses dois tipos de regulação é fundamental para compreender e tratar o estresse traumático. A regulação de cima para baixo implica o fortalecimento da capacidade da torre de vigia para monitorar as sensações físicas. A meditação de atenção plena e a ioga podem ajudar nisso. A regulação de baixo para cima implica a recalibração do SNA, que, como vimos, se origina no tronco encefálico. Podemos atingir o SNA através da respiração, de movimentos ou do tato. A respiração é uma das poucas funções corpóreas passíveis de controle consciente e autônomo. Na Parte V, examino técnicas específicas para aumentar tanto a regulação de cima para baixo quanto a de baixo para cima.

O CAVALEIRO E O CAVALO

Por ora, é preciso ressaltar que a emoção não se opõe à razão. Nossas emoções atribuem valor a experiências e, por conseguinte, são o fundamento da razão. O conhecimento que temos de nós mesmos é produto do equilíbrio entre o cérebro racional e o emocional. Se esses dois sistemas estão equilibrados, nós "nos sentimos nós mesmos". Quando nossa sobrevivência está em perigo, porém, esses sistemas podem atuar com relativa independência.

Digamos que você esteja dirigindo e conversando com um amigo e, de repente, pelo canto do olho, percebe um caminhão se aproximando. No mesmo instante, você para de falar, diminui a velocidade e gira o volante para fugir do perigo. Se seus atos instintivos o salvaram de uma colisão, você pode retomar o que estava dizendo. Sua capacidade de assim proceder depende da rapidez com que suas reações viscerais se acalmam depois da ameaça.

O neurocientista Paul MacLean, autor da divisão do cérebro em três partes que uso aqui, comparou a relação entre o cérebro racional e o emocional à que existe entre um cavaleiro mais ou menos competente e seu cavalo indisciplinado.[14] Se o tempo estiver ameno e o caminho for tranquilo, o cavaleiro exerce perfeito controle sobre o animal. Contudo, sons inesperados ou ameaças de outros animais podem fazer o cavalo disparar, obrigando o cavaleiro a lutar pela vida. Da mesma forma, quando as pessoas sentem que sua sobrevivência corre perigo, ou são dominadas pela cólera, saudade, medo ou desejos sexuais, param de ouvir a razão, e de nada adianta discutir com elas. Toda vez que o sistema límbico decide que algo é uma questão de vida ou morte, os caminhos entre os lobos frontais e o sistema límbico tornam-se extremamente tênues.

Em geral, os psicólogos tentam ajudar as pessoas a usar o discernimento ou a compreensão da situação para controlar o comportamento. No entanto, pesquisas da neurociência mostram que raríssimos problemas psicológicos resultam de defeitos de compreensão; na maior parte das vezes, originam-se em regiões mais profundas do cérebro, responsáveis por governar a percepção e a atenção. Quando a sirene do cérebro emocional insiste em indicar que você está em perigo, não há discernimento que consiga silenciá-la. Isso me lembra uma comédia na qual um paciente que pela sétima vez participava de um programa de controle da cólera louva as virtudes das técnicas que aprendeu: "Elas são ótimas e funcionam muito bem... Desde que você não esteja de fato furioso."

Se o cérebro racional e o emocional estão em conflito (por exemplo, se estamos com raiva de uma pessoa que amamos, ou temerosos em relação a alguém de quem dependemos, ou mesmo apaixonados por uma pessoa fora de nosso alcance), segue-se um cabo de guerra. Essa batalha se trava, em essência, no teatro das experiências viscerais – intestinos, coração, pulmões – e leva ao desconforto físico e ao sofrimento psicológico. O capítulo 6 vai mostrar como cérebro e vísceras interagem em condições de segurança e de perigo, o que é vital para o entendimento de muitas manifestações físicas do trauma.

Encerro o capítulo com um exame de mais duas tomografias cerebrais que ilustram aspectos vitais do estresse traumático: a reexperimentação perpétua do trauma; reviver imagens, sons e emoções; e a dissociação.

O TRAUMA DE STAN E UTE

Numa bela manhã de setembro de 1999, Stan e Ute Lawrence, então na casa dos 40 anos, deixaram sua casa em London, na província de Ontário, no Canadá, para participar de uma reunião de negócios em Detroit, nos

Estados Unidos. No meio da viagem, uma massa densa de névoa reduziu a visibilidade a zero em segundos. Stan freou e parou o carro no acostamento, quase batendo num caminhão enorme. Foi quando um caminhão articulado, de dezoito rodas, passou por cima do porta-malas do carro deles; outros veículos os atingiram e também bateram entre si. As pessoas que saíam dos carros para fugir do pandemônio eram atropeladas. As batidas ensurdecedoras não cessavam, e, a cada uma delas, os Lawrence imaginavam que não sobreviveriam. Eles estavam presos no carro número treze de um engavetamento de 87 veículos, o pior desastre rodoviário da história do Canadá.[15]

Seguiu-se um silêncio sinistro. Stan tentou abrir as portas e janelas, mas o caminhão que esmagara o porta-malas o impedia. De repente, alguém começou a bater na capota do carro. Uma menina gritava: "Me tirem daqui... estou pegando fogo!" Impotentes, eles a viram morrer enquanto o carro em que a jovem estava era consumido pelo fogo. De repente perceberam que um caminhoneiro subira no carro deles e, com um extintor de incêndio, estava quebrando o para-brisa. Stan saiu pela abertura, mas, quando se virou para ajudar a mulher, Ute estava petrificada em seu assento. Ele e o caminhoneiro a tiraram do carro, e uma ambulância levou-os a um pronto-socorro. Afora alguns cortes, os dois nada sofreram.

Em casa, naquela noite, nenhum dos dois queria ir para a cama. Tinham a sensação de que, ao se entregarem ao sono, morreriam. Estavam com os nervos à flor da pele, agitados e ansiosos. Naquela noite, e por muitas outras, beberam quantidades generosas de vinho para se entorpecer e ficar insensíveis ao medo. Não conseguiam interromper a sucessão de imagens que os assombrava nem as perguntas que se repetiam: E se tivessem saído mais cedo? E se não tivessem parado para reabastecer o carro? Depois de três meses, procuraram a ajuda da dra. Ruth Lanius, psiquiatra da Universidade Western Ontario.

A dra. Lanius, que alguns anos antes fora minha aluna no Trauma Center, disse que desejava visualizar o cérebro de cada um deles utilizando a fMRI. Essa tecnologia mede a atividade neural mediante o rastreio do fluxo sanguíneo no cérebro, e, ao contrário das varreduras da PET, não expõe o paciente à radiação. Lanius valeu-se da mesma técnica que tínhamos usado em Harvard com a leitura de roteiros, capturando imagens, sons, cheiros e outras sensações que o casal havia experimentado enquanto estava preso no carro.

Stan, o primeiro a ser examinado, logo teve um flashback, tal como acontecera a Marsha em nosso estudo em Harvard. Saiu da máquina suando, com o coração disparado e a pressão sanguínea nas alturas. "Foi exatamente assim que eu me senti durante o acidente", ele relatou. "Tinha certeza de que ia morrer, e não havia nada que eu pudesse fazer." Em vez de recordar o acidente como um fato ocorrido três meses antes, Stan o vivenciou de novo.

DISSOCIAÇÃO E REENCENAÇÃO DO TRAUMA

A dissociação é a essência do trauma. A experiência terrível é dividida e fragmentada, de modo que emoções, sons, imagens, pensamentos e sensações físicas relacionadas a ele ganham vida própria. Os fragmentos sensoriais da memória se misturam no presente e são revividos. Enquanto não se resolver o trauma, os hormônios do estresse, secretados pelo corpo como proteção, continuam a circular, e movimentos defensivos e respostas emocionais continuam a se reproduzir. Ao contrário de Stan, porém, muitas pessoas podem não estar conscientes da conexão entre suas sensações e reações "malucas" aos eventos traumáticos que são reencenados. Não têm a menor ideia do motivo pelo qual reagem a qualquer irritaçãozinha como se estivessem na iminência de ser aniquiladas.

Os flashbacks e a repetição da experiência são, em certo sentido, piores que o trauma em si. Um episódio traumático tem um começo e um fim – em algum ponto ele termina. Entretanto, no caso de vítimas do TEPT, um flashback pode ocorrer a qualquer momento, estejam elas despertas ou adormecidas. Não há como saber quando vai acontecer novamente ou quanto tempo vai durar. As pessoas que sofrem esses flashbacks muitas vezes organizam a vida em função de se proteger deles. Às vezes frequentam de maneira compulsiva uma academia de ginástica (mas a malhação nunca é suficiente), se entorpecem com drogas ou tentam cultivar uma sensação ilusória de controle em situações de extremo perigo (como corridas de moto, a prática de *bungee jump* ou o trabalho de motorista de ambulância). A luta constante contra perigos invisíveis é exaustiva e as deixa fatigadas, deprimidas e esgotadas.

Se os elementos do trauma forem reencenados sem cessar, os hormônios do estresse que os acompanham gravam essas memórias na mente cada vez mais profundamente. Os fatos comuns do dia a dia se tornam cada vez menos interessantes. Desinteressado em tudo, o traumatizado fica impossibilitado de se sentir plenamente vivo. É cada vez mais difícil sentir as alegrias e os aborrecimentos da vida cotidiana ou se concentrar nas tarefas a executar. O fato de não estarem plenamente envolvidas no presente mantém as vítimas encarceradas no passado.

As respostas automáticas se manifestam de várias formas. Veteranos de guerra podem reagir violentamente a coisas triviais – como bater com o carro no quebra-molas da estrada ou ver uma criança brincando na rua –, como se estivessem de volta a uma zona de guerra. Sobressaltam-se com qualquer coisa e têm acessos de cólera ou torpor. Vítimas de abuso sexual na infância podem anestesiar a sexualidade e sentir enorme vergonha se ficarem excitadas com sensações ou imagens que lembram o abuso, mesmo quando essas sensações ou imagens são prazeres naturais associados a determinadas partes do corpo. Quando estimuladas a falar sobre suas experiências, as vítimas podem ter uma elevação da pressão sanguínea, ou reagir com uma enxaqueca. Outras podem apresentar um bloqueio emocional e não demonstrar nenhuma reação visível. No laboratório, porém, há como detectar as acelerações cardíacas e as descargas de hormônios do estresse.

Tais reações são irracionais e, em geral, descontroladas. Ânsias e emoções intensas e quase incontroláveis provocam nas pessoas a percepção de que estão loucas – e distantes da espécie humana. O bloqueio emocional durante festas de aniversário de filhos ou em resposta à morte de entes queridos faz com que essas pessoas se sintam como monstros. O resultado é que a vergonha se torna a emoção dominante, e a ocultação da verdade, a principal preocupação.

Essas pessoas raramente têm ideia das origens de sua alienação. É aí que entra em cena a terapia – que pode levar o paciente a entender as emoções geradas pelo trauma, observando o contexto em que elas emergem. Contudo, o problema é que o sistema cerebral de percepção de ameaças mudou, e as reações físicas das pessoas são ditadas pelas marcas deixadas pelo passado.

O trauma que começou "lá" é encenado nos campos de batalha do próprio corpo das vítimas, em geral sem uma conexão consciente entre o que aconteceu no passado e o que está ocorrendo agora. A dificuldade consiste menos em aprender a aceitar as coisas terríveis que aconteceram do que em aprender a dominar as sensações e emoções internas. Perceber, nomear e identificar o que está acontecendo com a pessoa é o primeiro passo para a recuperação.

O DETECTOR DE FUMAÇA EM MARCHA ACELERADA

A tomografia cerebral de Stan expõe o flashback em ação. É assim que a reprodução do trauma se mostra no cérebro: o canto inferior direito bem iluminado; o lado inferior esquerdo em branco, e, na região central, os quatro buracos brancos, simétricos. (Percebe-se a amídala iluminada e o cérebro esquerdo desligado, semelhante ao que aparece no estudo de Harvard analisado no capítulo 3.) A amídala de Stan não fez distinção entre passado e presente. Ela se ativou como se o engavetamento na estrada estivesse acontecendo no tomógrafo e provocou fortes descargas de hormônios do estresse e respostas do sistema nervoso, responsáveis pela sudorese e o tremor, a aceleração do ritmo cardíaco e a elevação da pressão sanguínea: reações bastante normais e possivelmente salvadoras se uma carreta acabou de esmagar seu carro.

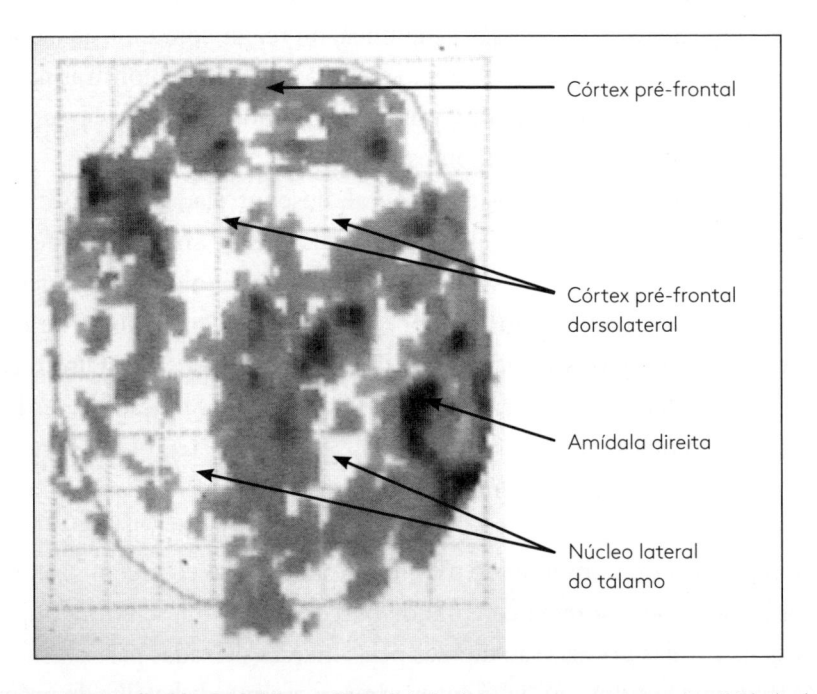

Imagem de um flashback obtida por fMRI. O lado direito mostra muito mais atividade do que o esquerdo.

É importante dispor de um detector de fumaça eficiente. Ninguém quer ser pego desprevenido por um incêndio. Entretanto, se você se sobressalta toda vez que sente cheiro de fumaça, isso pode se tornar um problema sério. Sim, é necessário detectar se alguém se aborreceu com você, mas se sua amídala começa a funcionar em marcha acelerada, há possibilidade de desenvolver um medo crônico de que as pessoas o odeiem ou de achar que elas estejam prontas a lhe fazer mal.

O CRONÔMETRO DESMORONA

Depois do acidente, Stan e Ute se tornaram hipersensíveis e irritadiços, o que leva a crer que, neles, o córtex pré-frontal estava lutando por manter o controle diante do estresse. O flashback de Stan precipitou uma reação mais extremada.

As duas áreas brancas na parte frontal no cérebro (no alto da imagem) são o córtex pré-frontal dorsolateral (CPFDL) direito e esquerdo. Quando essas áreas estão desativadas, as pessoas perdem a percepção da passagem do tempo e ficam presas num determinado momento, sem noção de passado, presente e futuro.[16]

Dois sistemas cerebrais são relevantes para o processamento mental do trauma: os que lidam com a intensidade emocional e com o contexto. A intensidade emocional é definida pelo detector de fumaça, a amídala, e por seu contrapeso, a torre de vigia, o córtex pré-frontal medial. O contexto e o significado de uma experiência são determinados pelo sistema que compreende o CPFDL e o hipocampo. O CPFDL localiza-se na lateral do cérebro frontal, enquanto o CPFM fica no centro. As estruturas situadas na linha média do encéfalo dizem respeito à experiência interior da própria pessoa, ao passo que as laterais estão ligadas à relação da pessoa com o ambiente.

O CPFDL nos diz como nossa experiência presente se relaciona com o passado e como ela pode afetar o futuro – pode ser entendido como um cronômetro. Saber que tudo o que acontece é finito e que mais cedo ou mais tarde aquilo vai chegar ao fim torna tolerável a maior parte das experiências. A recíproca também é verdadeira – as situações intoleráveis parecem intermináveis. A maioria das pessoas sabe, por experiência própria, que um sofrimento terrível, em geral, se faz acompanhar da sensação de que esse pavoroso estado vai durar para sempre e que nunca vamos superar a perda. O trauma é a experiência suprema da sensação de que "isso vai durar eternamente".

A tomografia de Stan revela por que as pessoas só podem se recuperar quando as estruturas cerebrais que foram postas fora de combate durante a experiência original – o motivo pelo qual o cérebro registrou o episódio como trauma – voltam a funcionar de maneira normal. A visita ao passado no decurso da terapia deve ser feita quando as pessoas estão, do ponto de vista biológico, firmemente ancoradas no presente, sentindo-se calmas, seguras e centradas tanto quanto possível. (Por "centrada" entenda-se que a pessoa consegue se manter sentada na cadeira, ver a luz entrar pela janela, sentir as pernas flexionadas e ouvir o vento agitando os ramos das árvores.) Estar ancorado no presente durante a visita ao trauma abre a possibilidade de convencer-se, intensamente, de que os fatos horríveis pertencem ao passado. Para que isso aconteça, o vigilante, o cozinheiro e o cronômetro devem estar despertos. A terapia não tem como funcionar enquanto as pessoas continuarem a ser arrastadas para o passado.

O BLOQUEIO DO TÁLAMO

Um reexame da tomografia do flashback de Stan pode nos mostrar mais dois espaços brancos na metade inferior do encéfalo. São o tálamo direito e o esquerdo, bloqueados durante o flashback, tal como aconteceu durante o trauma original. Como se viu, o tálamo funciona como um "cozinheiro" – uma estação retransmissora automática que coleta sensações provenientes dos ouvidos, dos olhos e da pele para integrá-las à sopa que é a nossa memória autobiográfica. Sua pane explica por que o trauma é lembrado basicamente não como uma história (uma narrativa com começo, meio e fim), mas como impressões sensoriais isoladas: imagens, sons e sensações físicas acompanhadas de emoções intensas, na maior parte das vezes de terror e impotência.[17]

Em circunstâncias normais, o tálamo também age como filtro ou porteiro, o que faz dele um componente central de faculdades, entre elas atenção, concentração e aquisição de novos conhecimentos, todas comprometidas pelo trauma. Enquanto você lê este livro, pode estar ouvindo uma música de fundo ou o ruído do trânsito, pode estar sentindo uma fisgada no estômago que avisa que é hora de lanchar. Se consegue se manter concentrado, é porque seu tálamo o ajuda a distinguir entre informações sensoriais que são relevantes e informações que você pode ignorar. O capítulo 19, sobre neurofeedback, mostrará alguns testes para medir a eficiência do funcionamento desse sistema de comportas e também como fortalecê-lo.

Pessoas com TEPT têm essas comportas escancaradas e, por isso, apresentam uma constante sobrecarga emocional. Para enfrentar o problema, elas tentam se bloquear e desenvolvem visão em túnel e hiperfoco. Se não conseguem se desligar naturalmente, às vezes lançam mão de drogas ou álcool para bloquear o mundo. A tragédia é que o preço do bloqueio inclui também a obstrução das fontes de prazer e alegria.

DESPERSONALIZAÇÃO: A DIVISÃO DO SELF

Vejamos agora como foi a experiência de Ute no tomógrafo. Nem todos reagem do mesmo modo, mas aqui a diferença é impressionante, pois Ute estava sentada bem ao lado de Stan. Ela reagiu ao roteiro de seu trauma com apatia: sua mente se esvaziou e quase todas as áreas cerebrais mostraram uma atividade bastante reduzida. A frequência cardíaca e a pressão sanguínea não aumentaram. Quando lhe perguntaram como se sentira durante a tomografia, ela respondeu: "Senti o mesmo que na hora do acidente: nada."

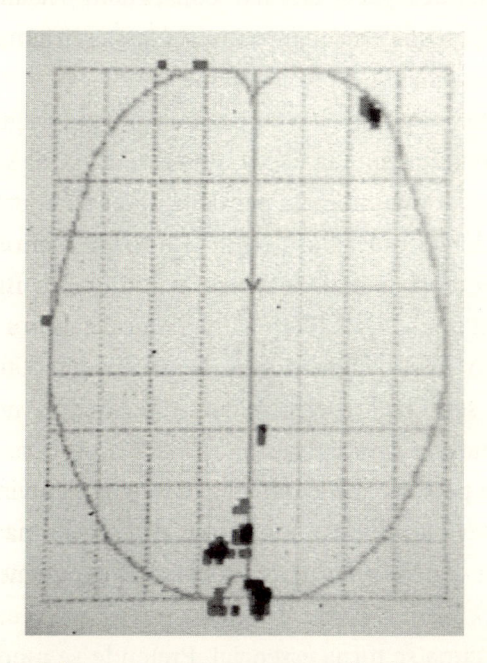

Anulação (dissociação) em resposta a rememoração de trauma passado. Nesse caso, quase todas as áreas do cérebro apresentam ativação reduzida, o que interfere no pensamento, no foco e na orientação.

O termo médico para a reação de Ute é *despersonalização*.[18] Quem cuida de vítimas de trauma, sejam elas homens, mulheres ou crianças, mais cedo ou mais tarde se vê diante de olhares vazios e mentes ausentes, a manifestação exterior da reação biológica de congelamento. A despersonalização é um sintoma da intensa dissociação criada pelo trauma. Os flashbacks de Stan vinham de seus esforços inúteis para fugir da cena do acidente: orientadas pelo roteiro, suas sensações e emoções, dissociadas e fragmentadas, retornaram com ímpeto no presente. Já Ute, em vez de lutar para fugir dali, dissociou seu medo e não sentiu nada.

No consultório, com frequência me deparo com a despersonalização, pacientes que me contam histórias horrendas sem demonstrar qualquer emoção. Toda a energia se esvai da sala, e tenho de fazer um esforço tenaz para continuar a prestar atenção. Um paciente sem ânimo exige do médico um esforço muito maior para manter viva a terapia, e muitas vezes eu pedia aos céus que a hora passasse depressa.

Depois de analisar a tomografia de Ute, comecei a ter uma atitude muito diferente em relação a pacientes com mentes vazias. É claro que, se quase todo o cérebro está desligado, eles não conseguem pensar, se comover, recordar ou entender o que está acontecendo. Nessas circunstâncias, a terapia convencional, pela palavra, é praticamente inútil.

No caso de Ute, foi possível entender por que ela reagia de maneira tão diferente da de seu marido. Ela usava uma estratégia de sobrevivência que seu cérebro aprendera na infância para enfrentar a rudeza com que a mãe a tratava. O pai havia morrido quando ela tinha 9 anos, e, a partir daí, era comum a mãe tratá-la mal, de forma aviltante. Em algum momento, a menina descobriu um jeito de bloquear a mente quando a mãe gritava com ela. Trinta e cinco anos depois, no momento em que Ute se viu presa no carro esmagado, seu cérebro entrou automaticamente no modo sobrevivência: fez com que ela desaparecesse.

O desafio para pessoas que, como Ute, desejam recuperar a vida consiste em se tornar alertas e envolvidas, uma tarefa difícil, mas não impossível. (Ela mesma conseguiu – escreveu um livro sobre suas experiências e lançou uma revista de sucesso, *Mental Fitness*.) É nesse ponto que o enfoque terapêutico de baixo para cima se torna essencial. Pretende-se modificar a fisiologia do paciente, sua relação com as sensações físicas. No Trauma Center, trabalhamos com elementos básicos, como a frequência cardíaca e o padrão respiratório. Ajudamos os pacientes a evocar e notar sensações físicas mediante batidinhas em pontos de acupuntura/*do in* do corpo.[19] Interações rítmicas com outras pessoas também são eficazes: lançar e pegar uma bola de praia, fazer exercícios com uma bola de Pilates, tocar bateria ou dançar.

A apatia é o outro lado da moeda no TEPT. Muitas vítimas de trauma não tratadas que começam a reagir como Stan, com flashbacks explosivos, mais tarde se mostram apáticas. Ainda que reviver o trauma seja dramático, assustador e potencialmente destrutivo, com o tempo uma ausência pode ser ainda mais prejudicial. A situação se agrava no caso de crianças traumatizadas. As que encenam seus problemas, em geral, recebem atenção; as apáticas não incomodam ninguém e são deixadas à própria sorte para, pouco a pouco, perder o futuro.

APRENDER A VIVER NO PRESENTE

O problema do tratamento do trauma não se limita a lidar com o passado; mais importante é melhorar a qualidade da vida no dia a dia. Um dos motivos pelos quais as memórias traumáticas se tornam dominantes no TEPT é porque a pessoa tem extrema dificuldade em sentir-se viva no presente. Se ela não consegue estar aqui de maneira plena, busca lugares onde de fato se sentiu viva, mesmo que esses lugares sejam dominados por horror e sofrimento.

Muitas linhas de tratamento do TEPT se concentram na dessensibilização dos pacientes em relação ao passado, na esperança de que a reexposição aos traumas reduza as explosões emocionais e os flashbacks. Creio que isso decorre de um mal-entendido sobre o que acontece no estresse traumático. Devemos, antes de tudo, ajudar os pacientes a viver no presente com plenitude e segurança. Para tanto, temos que trazer de volta aquelas estruturas cerebrais que os abandonaram quando eles foram atingidos pelo trauma. A dessensibilização pode torná-los menos reativos, mas se eles não conseguem sentir prazer com coisas comuns e cotidianas como dar um passeio a pé, preparar uma refeição ou brincar com os filhos, vão passar pela vida em brancas nuvens.

5
AS CONEXÕES ENTRE O CORPO E O CÉREBRO

> Vida é ritmo. Vibramos, nosso coração bombeia sangue. Somos uma máquina rítmica, é isso que somos.
>
> Mickey Hart

Já perto do fim de sua carreira, em 1872, Charles Darwin publicou *A expressão das emoções no homem e nos animais*.[1] Um pouco antes dessa época, a maior parte do debate científico sobre suas teorias se focava em *A origem das espécies* (1859) e em *The Descent of Man* (1871). No entanto, *A expressão das emoções* constitui uma notável exploração dos fundamentos da vida emocional, com abundantes observações e relatos de casos coletados em décadas de investigação, assim como histórias sobre os filhos de Darwin e animais de estimação da família. Um dos primeiros livros ilustrados com fotografias, a obra é também um marco na história da ilustração bibliográfica. (A fotografia era uma tecnologia relativamente nova, e, como a maioria dos cientistas, ele queria usar as mais recentes técnicas para embasar sua argumentação.)

Darwin começa sua análise destacando a organização física comum a todos os mamíferos, inclusive o homem – os pulmões, os rins, o encéfalo, os órgãos digestórios e sexuais. Embora muitos cientistas de hoje pudessem acusá-lo de antropomorfismo, Darwin junta-se aos amantes dos animais quando proclama:

> O homem e os animais superiores [...] [também] têm instintos em comum. Todos têm os mesmos sentidos, as mesmas intuições, sensações, paixões, afeições e emoções, até mesmo as mais complexas, como o ciúme, a suspeita, a competição, a gratidão e a magnanimidade.[2]

Darwin observa que nós, seres humanos, exibimos alguns sinais físicos das emoções dos animais. Sentir os pelos da nuca arrepiados quando estamos assustados ou mostrar os dentes quando enraivecidos são reações que só podem ser entendidas como vestígios de um longo processo evolucionário.

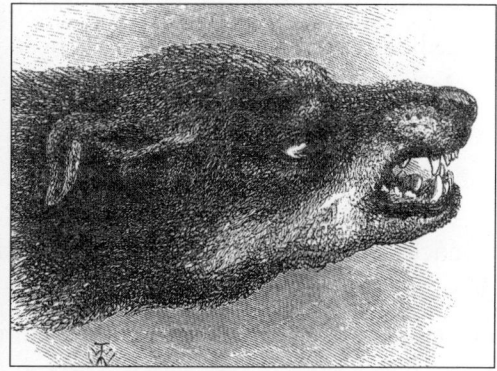

Charles Darwin, 1872: "Quando um homem olha para outro com desdém ou fúria, o dente canino está à mostra no lado voltado para o homem com quem ele fala?"

Para Darwin, as emoções dos mamíferos baseiam-se fundamentalmente na biologia: são a fonte indispensável de motivação para iniciar a ação. As emoções (do latim *emovere*, mover, perturbar os sentimentos) dão forma e direção a tudo que fazemos, e a principal expressão delas se manifesta por meio dos músculos do rosto e do corpo – são esses movimentos que comunicam aos demais nosso estado mental e nossas intenções. Expressões de fúria e posturas ameaçadoras são recomendações para recuar. Tristeza atrai carinho e atenção. Medo sinaliza desamparo e nos alerta para o perigo.

De maneira instintiva, lemos a dinâmica entre duas pessoas apenas pela tensão ou pela descontração que demonstram, pela postura e o tom de voz, pelas expressões faciais. Assistindo a um filme numa língua que não conhecemos, adivinhamos o tipo de relacionamento entre os personagens. Muitas vezes também podemos perceber a disposição de outros mamíferos, como macacos, cães e cavalos.

A seguir, Darwin afirma que o objetivo fundamental das emoções é iniciar um movimento que leve o organismo de volta à segurança e ao equilíbrio físico. Eis o que ele comenta sobre a origem daquilo que hoje chamamos de TEPT:

> Claramente, os comportamentos destinados a fugir do perigo ou evitá-lo evoluíram no sentido de tornar cada organismo competitivo em termos de sobrevivência. No entanto, um comportamento impropriamente prolongado de fuga ou para evitar um risco poria o animal em situação de desvantagem, pois a preservação bem-sucedida da espécie exige a reprodução, o que, por sua vez, depende de atividades de alimentação, abrigo e acasalamento – todas elas o inverso de evitar algo ou fugir.[3]

Em outras palavras: se as atividades de um ser vivo se reduzem à sobrevivência, suas energias se focam em combater inimigos invisíveis, o que não deixa espaço para sustento, assistência e amor. Para o homem, isso significa que enquanto a mente se defende de inimigos invisíveis, nossos laços mais fortes ficam sob ameaça, assim como a capacidade de imaginar, planejar, brincar, aprender e prestar atenção às necessidades de outras pessoas.

Darwin também escreveu sobre as conexões entre o corpo e o cérebro, aspectos que são explorados até hoje. Emoções intensas envolvem não só a mente, como o ventre e o coração:

> O coração, o ventre e o cérebro se comunicam intimamente através do nervo "pneumogástrico", o nervo crítico envolvido na expressão e na administração das emoções, tanto no caso do homem quanto no dos animais. Se o cérebro é fortemente excitado, afeta instantaneamente o estado das vísceras; por conseguinte, em condições de excitação, haverá muita ação e reação mútua entre aquele e estas, os mais importantes órgãos do corpo.[4]

Quando tomei conhecimento dessa passagem, eu a reli com crescente excitação. É claro que vivenciamos nossas emoções mais devastadoras com sentimentos e aflições viscerais. Enquanto registramos as emoções basicamente na cabeça, podemos controlá-las com bastante segurança, mas ter uma sensação de opressão no peito ou de um murro no estômago é insuportável. Faremos qualquer coisa para evitar essas sensações viscerais, seja nos apegando de maneira desesperada a outro ser humano, seja buscando a insensibilidade com álcool ou drogas, ou ainda cortando com uma faca a pele, de forma a substituir emoções insuportáveis por sensações definíveis. Quantos problemas de saúde mental – da dependência de drogas às lesões corporais autoinfligidas – não começam como tentativas de lidar com a esmagadora dor física das emoções? Se Darwin estava certo, a solução exige que se encontrem meios de ajudar a pessoa a alterar a paisagem sensorial interna de seu corpo.

Até pouco tempo atrás, a ciência ocidental praticamente ignorava essa comunicação bidirecional entre corpo e mente, ainda que durante muitos séculos seu papel tenha sido fundamental em práticas curativas tradicionais em muitas partes do mundo, sobretudo na Índia e na China. Hoje em dia ela está transformando nossa compreensão do trauma e da recuperação.

IVAN PAVLOV E O INSTINTO DE OBJETIVO

Outro dos grandes pioneiros a oferecer importantes contribuições para o entendimento das consequências do trauma foi o cientista russo Ivan Pavlov. Em 1904, ele ganhou um Prêmio Nobel por seu trabalho sobre o "reflexo condicionado", fenômeno estudado na maior parte dos cursos de introdução à psicologia: a boca começa a salivar quando a pessoa ouve o sininho chamando para o jantar, o que indica que a comida está prestes a ser servida. No entanto, se o toque do sino se tornar aleatório, ou seja, se depois de ouvi-lo a pessoa encontrar por diversas vezes uma mesa vazia, ela gradualmente aprenderá a ignorar o som, que já não provocará salivação.

A perda dessas associações automáticas aprendidas, como a que se estabelece entre o sino e o alimento, é chamada "extinção". É a pedra angular da terapia cognitivo-comportamental (TCC), na qual o paciente é exposto repetidamente a símbolos que lhe recordam o trauma passado até o sistema interpretativo do cérebro entender que, na verdade, a pessoa está em segurança, e o que percebe é simplesmente um ruído, uma sensação ou uma imagem que já não constituem uma ameaça.

Menos conhecidas são outras importantíssimas descobertas relacionadas ao trauma feitas por Pavlov em 1924. Na primavera daquele ano, o degelo provocou a cheia do rio Neva, que inundou o porão onde o cientista estabelecera seu laboratório, bem como as jaulas em que ficavam os cães que ele usava de cobaias em seus experimentos. Presos na água gelada sem poder escapar, os animais conseguiram sobreviver. No entanto, mesmo não tendo sofrido ferimentos físicos, os cães continuaram aterrorizados depois que a água se foi. Grande parte deles, embora fisicamente ilesos, entrou em "colapso" emocional, comportamental e fisiológico. Muitos ficaram estáticos, mal prestando atenção ao que ocorria ao redor.

Pavlov interpretou essa reação como indício de um terror ainda vigente que acabou por eliminar a curiosidade dos animais pelo entorno. Ora, crianças e adultos amedrontados, traumatizados, apresentam a mesma imobilidade física e a mesma falta de curiosidade. Alguns dos cães ficavam sentados tremendo no canto de sua jaula, enquanto outros, antes dóceis, avançavam para os cuidadores – manifestando comportamentos hoje bem conhecidos em crianças e adultos traumatizados.

Pavlov mostrou que, expostos a condições de estresse extremo, os animais encontravam um novo equilíbrio interno, diferente da organização anterior de seu sistema interno. Os cães traumatizados continuaram agindo como se estivessem em grave perigo por muito tempo depois que as águas do Neva haviam escoado. Ao aferir seus sinais fisiológicos, Pavlov encontrou batimentos cardíacos tanto aumentados quanto reduzidos em resposta a breves situações de estresse – o que indica instabilidade do sistema nervoso autônomo –, assim como reações de extremo temor em resposta a pequenas alterações no ambiente, como a aproximação dos assistentes do laboratório.

Essas mudanças radicais, segundo Pavlov, poderiam ser atribuídas à "existência de dois impulsos físicos conflitantes": durante a inundação, os cães enjaulados haviam ficado fisicamente imobilizados – presos em suas jaulas –, enquanto o corpo deles estava programado para fugir e escapar do perigo que os ameaçava. Isso levou a uma "colisão entre dois processos contrários: o de excitação e o de inibição, difíceis de combinar [...], [o que] causa uma ruptura do equilíbrio."⁵ Foi essa provavelmente a primeira vez que um cientista relatou o fenômeno do "choque inescapável", estado físico em que o organismo não pode fazer nada para mudar o inevitável.

Como observamos no capítulo 2, o confronto com uma realidade impossível de ser modificada leva ao "desamparo aprendido", fenômeno essencial para o entendimento e o tratamento de seres humanos traumatizados e humilhados. Afinal, a agonia dos cães em suas jaulas tomadas pelas águas não deve ter sido muito diferente da que acomete crianças que, maltratadas por seus pais e professores, não têm para onde ir, ou mulheres que, aprisionadas em relacionamentos violentos, lutam contra dois impulsos opostos: um deles, manter a ligação amorosa; o outro, fugir à dor, ao ferimento e à traição.

Pavlov observou que nem todos os animais reagiram à inundação da mesma forma – temperamentos preexistentes moldaram as reações. Ele classificou seus cães em quatro temperamentos básicos: colérico, sanguíneo, fleumático e melancólico. Cada tipo reagiu diferentemente ao estresse. Alguns já não respondiam a seus cuidadores ou a sons altos. Outros sofriam de "inibição paradoxal", em que estímulos fracos, como sons suaves, desencadeavam respostas extremas, enquanto sons que incomodam a maior parte dos cães lhes provocavam a menor das reações. Vemos respostas semelhantes em pessoas traumatizadas: uma mulher espancada pelo namorado na véspera pode ficar furiosa comigo por causa de um atraso de cinco minutos em nossa consulta, embora mal tenha esboçado qualquer reação à violência do namorado.

Pavlov admitiu uma outra reação, que ele chamou de estágio "ultraparadoxal", no qual os animais davam respostas positivas a estímulos negativos, como barulho muito forte ou fome, algo que me lembra os correspondentes de guerra, que sofrem por ter visto a morte de amigos, porém mal podem esperar pelo momento de voltar a uma zona de combate, pois é a única coisa que os faz se sentir vivos.

A observação das reações de seus cães à inundação acabou levando Pavlov à última de suas grandes obras: o Reflexo de Objetivo, que ele chamou de "o mais importante fator de vida".⁶

Todas as criaturas precisam de um objetivo – precisam se organizar para seguir seu caminho no mundo, como preparar um abrigo para o inverno, conseguir um parceiro, construir um ninho ou uma casa, aprender técnicas que lhes proporcionem um meio de sustento. Uma das piores consequências do trauma é que ele muitas vezes danifica o reflexo de objetivo. Como podemos ajudar as pessoas a recuperar a energia necessária para retomar a vida e se desenvolver plenamente? Tal como Darwin, Pavlov entendia que o senso de objetivo envolve movimentos e emoções. As emoções nos levam a agir: as emoções positivas conduzem a estados de apetite por alimento e sexo, enquanto as emoções negativas nos protegem e nos defendem (a nós mesmos e a nossa prole). Emoções e movimentos, pois, não são apenas problemas a serem resolvidos, mas bens a serem organizados para fortalecer nosso senso de objetivo.

UMA JANELA PARA O SISTEMA NERVOSO

Todos os pequenos sinais que percebemos de maneira instintiva no interlocutor – a tensão e as contrações musculares no rosto, os movimentos oculares, a dilatação das pupilas, o tom e a velocidade da fala –, bem como as flutuações em nossa própria paisagem interior (salivação, deglutição, respiração e frequência sanguínea), estão ligados por um único sistema regulador.[7] Todos eles são produto da sincronia entre os dois ramos do sistema nervoso autônomo (SNA): o simpático, que atua como o acelerador do corpo, e o parassimpático, que age como seu freio.[8] Constituem as "reações recíprocas" de que falou Darwin, e, atuando juntos, desempenham um papel de grande importância no controle do fluxo de energia do corpo: o primeiro preparando seu gasto; o segundo, sua conservação.

O sistema nervoso simpático (SNS) é responsável pelo estado de alerta, que inclui a resposta de luta ou fuga (o "comportamento de fuga ou evitação" de Darwin). Há quase 2 mil anos, o médico romano Galeno chamou-o de "simpático", ao notar que ele funcionava com as emoções (*sym pathos*). O SNS leva sangue aos músculos para uma ação imediata, em parte acionando as glândulas adrenais para liberar a adrenalina, hormônio que acelera a frequência cardíaca e eleva a pressão sanguínea.

O segundo ramo do SNA é o sistema nervoso parassimpático (SNP) ("contra emoções"), que regula funções autoconservadoras, como a digestão e a cicatrização de feridas. Ele ativa a liberação de acetilcolina para conter o alerta, desacelerar o coração, relaxar os músculos e normalizar a respiração. Como observou Darwin, as "atividades de alimentação, abrigo e acasalamento" dependem do SNP.

Há uma maneira simples que permite a qualquer um perceber esses dois sistemas. Sempre que você inspira fundo, ativa o SNS. A resultante descarga de adrenalina acelera o coração, o que explica por que muitos atletas fazem alguns movimentos respiratórios breves e profundos antes de começar a competição. A expiração, por sua vez, ativa o SNP, o que desacelera o coração. Se você faz um curso de ioga ou meditação, é provável que seu instrutor lhe recomende dedicar atenção especial à expiração, já que expirações longas e profundas o ajudarão a se acalmar. Ao respirar, aceleramos e desaceleramos o coração continuamente, e por isso o intervalo entre dois batimentos cardíacos sucessivos nunca é exatamente o mesmo. A flexibilidade desse sistema pode ser testada por uma medida chamada variabilidade da frequência cardíaca (VFC), e uma boa VFC – quando mais flutuação, melhor – indica que o freio e o acelerador em seu sistema de alerta estão atuando de forma correta e equilibrada. O Trauma Center avançou bastante quando adquirimos um instrumento para medir a VFC, e, no capítulo 16, veremos como usar a frequência cardíaca para ajudar no tratamento do TEPT.

O CÓDIGO AMOROSO NEURAL[9]

Em 1994, na mesma época em que começávamos nossos estudos sobre a VFC, Stephen Porges, então pesquisador na Universidade de Maryland, introduziu a teoria polivagal, que partia das primeiras observações de Darwin, às quais ele acrescentou os resultados de mais 140 anos de descobertas científicas. (O termo *polivagal* cobre os muitos ramos do nervo vago – o "nervo pneumogástrico" de Darwin –, que liga numerosos órgãos, entre os quais o cérebro, os pulmões, o coração, o estômago e os intestinos.) A teoria polivagal nos proporcionou uma compreensão mais avançada da biologia da segurança e do perigo, baseada na interação sutil entre, por um lado, as experiências viscerais do corpo, e, por outro, as vozes e os rostos das pessoas que nos rodeiam. Essa teoria explica o motivo pelo qual um rosto afável ou um tom de voz sereno podem alterar de maneira drástica o modo como nos sentimos. Ela esclarece a razão de nos sentirmos calmos e seguros ao saber que somos vistos e ouvidos pelas pessoas que são importantes para nós, e por que ser ignorado ou desqualificado pode precipitar reações de raiva e colapso mental. Ajudou-nos a entender por que uma sintonia fina com outra pessoa pode nos livrar de estados de desorganização e temor.[10]

Em síntese, a teoria de Porges nos fez olhar além dos efeitos da luta ou fuga, e pôs os relacionamentos sociais na vanguarda e no centro de nossa compreensão do trauma. Além disso, indicou novas abordagens terapêuticas centradas no fortalecimento do sistema pelo qual o corpo regula o estado de alerta.

Os seres humanos mostram uma assombrosa sintonia com sutis alterações emocionais de pessoas e animais. Ligeiras mudanças na tensão facial, nas rugas em torno dos olhos, na curvatura dos lábios e no ângulo do pescoço constituem para nós indicações rápidas do nível de bem-estar, desconfiança, inquietude e descontração de alguém.[11] Nossos neurônios-espelhos registram as experiências interiores do outro, e nosso próprio corpo promove ajustes internos àquilo que notamos. Do mesmo modo, os músculos de nosso rosto indicam para os outros o quanto estamos agitados ou serenos, se nosso coração está disparado ou tranquilo, se estamos mais perto de saltar sobre elas ou de sair correndo. Quando a mensagem que recebemos de outra pessoa é "Você está em segurança comigo", relaxamos. Se nossos relacionamentos forem bem-sucedidos, também nos sentimos encorajados, apoiados e fortalecidos ao fitar o outro nos olhos.

Nossa cultura nos ensina a focalizar a singularidade de cada pessoa, porém, num nível mais profundo, mal existimos como seres individuais. Nosso cérebro está constituído de forma a nos ajudar a atuar como membros de uma tribo. E fazemos parte dessa tribo mesmo quando estamos sozinhos, ouvindo música (que outra pessoa compôs), vendo um jogo de basquete na televisão (retesando nossos próprios músculos ao acompanhar as corridas e os saltos dos jogadores) ou preparando uma planilha para uma reunião de vendas (e prevendo as reações do chefe). A maior parte de nossa energia é despendida na conexão com outras pessoas.

Olhando além dos sintomas específicos que levam a diagnósticos psiquiátricos formais, constatamos que quase todo sofrimento mental envolve problemas para criar relacionamentos viáveis e satisfatórios ou dificuldades para regular o estado de alerta (como no caso de pessoas sempre irritadas, bloqueadas, superagitadas ou desorganizadas). Em geral, é uma combinação de ambos. A atitude médica convencional de procurar o medicamento mais indicado para determinado "distúrbio" costuma nos desviar da questão da interferência de nossos problemas em nossa atuação como membros da tribo.

SEGURANÇA E RECIPROCIDADE

Há alguns anos, ouvi Jerome Kagan, famoso professor emérito de psicologia infantil em Harvard, dizer ao Dalai Lama que para cada ato de crueldade no mundo há centenas de pequenos gestos de bondade e conexão. E concluiu: "Ser benevolente, em vez de malevolente, é, com toda a probabilidade, um aspecto real de nossa espécie." Sentir-se em segurança com outras pessoas talvez seja o aspecto mais importante da saúde mental; conexões seguras são fundamentais para vidas satisfatórias e plenas de sentido. Numerosos estudos sobre reações a desastres em todo o mundo mostram que o apoio social representa a proteção mais poderosa contra os efeitos devastadores do estresse e do trauma.

O apoio social não se esgota na mera presença de outras pessoas. A questão crítica é a *reciprocidade*: ser de fato ouvido e visto pelas pessoas que nos cercam, sentindo que estamos na mente e no coração de alguém. Para que nossa fisiologia se acalme, se cure e se desenvolva, precisamos de uma sensação visceral de segurança. Um médico não pode dar uma receita de amizade e amor: estamos falando de qualidades complexas, conquistadas a duras penas. Uma pessoa não precisa ter sofrido um trauma para sentir embaraço e até pânico numa festa em que não conhece ninguém – mas o trauma pode transformar toda a população do mundo num bando de estranhos.

Muitas vítimas se sentem o tempo todo fora de sintonia com as pessoas. Algumas encontram alívio em grupos nos quais conseguem reencenar as experiências de combate, estupro ou tortura com gente que tenha históricos ou experiências semelhantes. O foco numa história comum de trauma e vitimização mitiga a lancinante sensação de isolamento, mesmo ao preço de ter que renegar as diferenças pessoais: os membros do grupo só podem pertencer a ele se obedecerem ao código comum.

Isolar-se num grupo de vítimas estritamente determinado fomenta a visão de que os demais são, na melhor das hipóteses, irrelevantes ou, na pior, perigosos, o que só acaba levando a mais alienação. Gangues, partidos políticos extremistas e cultos religiosos podem proporcionar consolo, mas raramente fomentam a flexibilidade mental necessária para que seus membros se abram por completo para o que a vida tem a oferecer, e, portanto, não conseguem libertá-los de seus traumas. As pessoas saudáveis são capazes de aceitar as diferenças individuais e reconhecer a humanidade das demais.

Nas últimas duas décadas, passou-se a admitir que adultos ou crianças demasiado nervosos ou bloqueados para buscar conforto junto a outras pessoas podem ser auxiliados por vínculos com outros mamíferos. Cachorros, cavalos e até golfinhos constituem companhias menos complicadas, ao mesmo tempo que proporcionam o necessária sensação de segurança. Cachorros e cavalos, em especial, são hoje amplamente usados no tratamento de alguns grupos de pacientes de trauma.[12]

TRÊS NÍVEIS DE SEGURANÇA

Depois do trauma, o mundo é vivenciado com um sistema nervoso diferente, dotado de uma percepção alterada de risco e segurança. A fim de designar a capacidade de avaliar o perigo e a segurança relativos no ambiente, Porges cunhou o termo "neurocepção". Quando tentamos ajudar vítimas de trauma, cuja neurocepção está defeituosa, o grande obstáculo consiste em encontrar meios de reconfigurar a fisiologia dessas pessoas, de modo que seus mecanismos de sobrevivência deixem de trabalhar contra elas. É preciso ajudá-las a reagir ao perigo de maneira apropriada, mas, sobretudo, recuperar a capacidade de que sintam segurança, relaxamento e verdadeira reciprocidade.

Tive oportunidade de entrevistar longamente e de tratar seis sobreviventes de acidentes aéreos. Dois deles contaram que haviam perdido a consciência; embora não tenham se machucado, sofreram um colapso mental. Outros dois entraram em pânico e ficaram agitados, situação que permaneceu até bem depois de iniciado o tratamento. Já os dois últimos se mantiveram calmos e diligentes, ajudando a retirar outros passageiros dos destroços fumegantes. Já vi a mesma variação de reações em sobreviventes de estupro, acidentes de carro e tortura. No capítulo anterior, examinamos as reações radicalmente diferentes de Stan e Ute ao reviver o desastre que haviam sofrido. O que explica esse espectro de reações: objetivas, desmoronadas ou frenéticas?

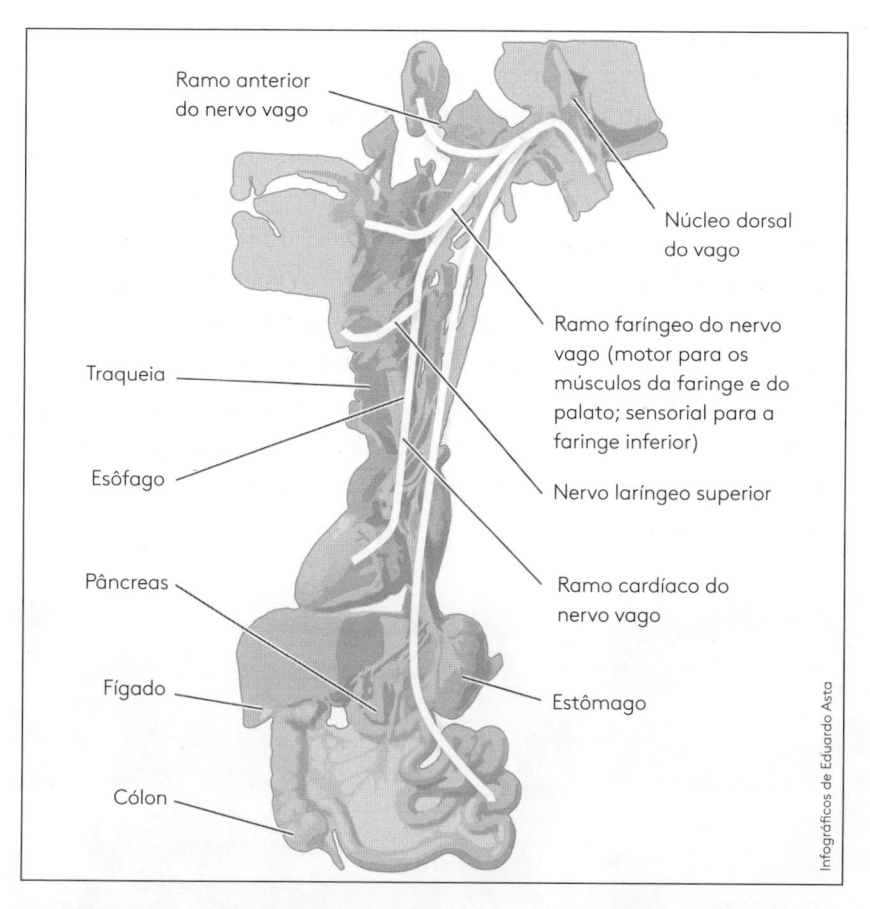

As ramificações do nervo vago. O nervo vago (que Darwin chamava de pneumogástrico) registra sensações de aflição ou intensa angústia. Quando uma pessoa está mal, a garganta fica seca, a voz se torna tensa, o coração dispara e a respiração se acelera.

A teoria de Porges explica: o sistema nervoso autônomo regula três estados fisiológicos fundamentais. O nível de segurança determina qual deles será ativado num determinado momento. Sempre que nos sentimos ameaçados, por instinto voltamos para o primeiro nível, o *envolvimento social*. Buscamos ajuda, apoio e conforto nas pessoas que nos rodeiam. Contudo, se ninguém nos acode, ou se corremos um perigo imediato, o organismo reverte a uma forma mais primitiva de sobrevivência: *lutar ou fugir*. Rechaçamos o que nos ataca ou corremos para um lugar seguro. Porém, se tal estratégia falha – se não pudermos fugir ou se formos dominados ou aprisionados –, o organismo tenta se preservar por meio de um bloqueio e um gasto mínimo de energia. Entramos então num estado de *congelamento* ou *colapso*.

É aí que entra em cena o muito ramificado nervo vago, de cuja anatomia farei uma breve descrição, pois ela é crucial para mostrar como as pessoas lidam com o trauma. O sistema de envolvimento social utiliza nervos que se originam nos centros reguladores do tronco encefálico, sobretudo o vago (também chamado de décimo nervo craniano), junto com nervos adjacentes que ativam os músculos do rosto, do pescoço, do ouvido médio e da laringe. Quando o "complexo vagal ventral" (CVV) assume o comando, sorrimos se outras pessoas nos sorriem, anuímos com a cabeça ao concordar e ficamos sérios quando os amigos falam de seus percalços. Quando o CVV está em ação, envia sinais ao coração e aos pulmões, desacelerando a frequência cardíaca e aumentando a profundidade da respiração. O resultado é nos sentirmos relaxados, centrados e prazerosamente estimulados.

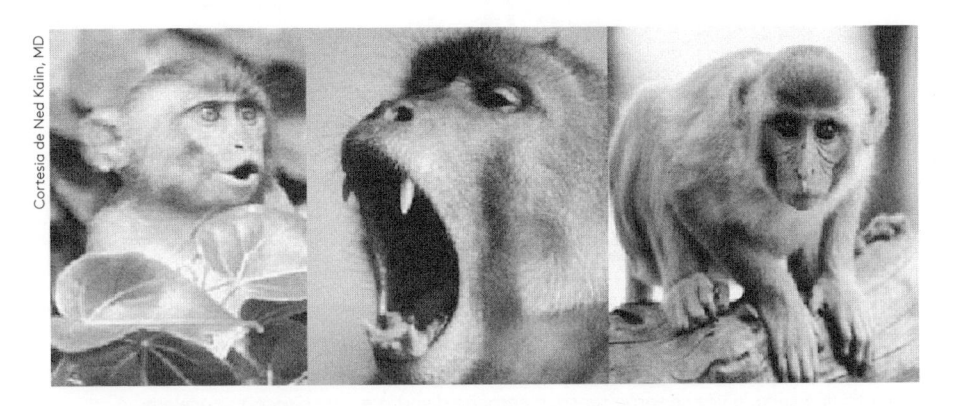

Três respostas à ameaça.
1. O sistema de envolvimento social: um macaco assustado emite sinais de perigo e pede socorro. CVV. 2. Luta ou fuga: Dentes arreganhados, expressão de raiva e terror. SNS. 3. Colapso: O corpo sinaliza derrota e o animal se afasta. CVD.

Qualquer ameaça a nossa segurança ou conexões sociais provoca mudanças nas áreas inervadas pelo CVV. Se acontece algo inquietante, sinalizamos de modo automático nossa contrariedade com expressões faciais e o tom de voz, alterações destinadas a pedir a ajuda de outras pessoas.[13] Se não há resposta a esse pedido de socorro, a ameaça aumenta, e o cérebro límbico, mais antigo, intervém. O SNS toma a frente, mobilizando músculos, coração e pulmões para luta ou fuga.[14] Nossa voz se torna mais aguda, falamos mais rápido e o coração começa a bombear o sangue mais depressa.

Um cão que estiver por perto vai se agitar e rosnar, ao perceber pelo olfato a ativação de nossas glândulas sudoríparas.

Enfim, se não houver saída e nada a fazer para protelar o inevitável, ativaremos o terceiro sistema de emergência: o complexo vagal dorsal (CVD), que desce abaixo do diafragma, chegando ao estômago, rins e intestinos, e diminui de forma drástica o metabolismo em todo o corpo. A frequência cardíaca despenca (sentimos um "peso no peito"), não conseguimos respirar e os intestinos param de funcionar ou se esvaziam (é quando, literalmente, "nos borramos de medo"). É nesse ponto que nos desligamos, desmoronamos e nos congelamos.

A REAÇÃO DE LUTA OU FUGA *VERSUS* COLAPSO

Como apontaram as tomografias cerebrais de Stan e Ute, o trauma se expressa não só como luta ou fuga, mas também como um bloqueio e uma incapacidade de envolvimento no presente. A cada uma dessas respostas corresponde um diferente nível de atividade cerebral: o sistema de luta ou fuga dos mamíferos, que é protetor e impede o bloqueio, e o cérebro reptiliano, que produz a resposta do colapso. É possível ver a diferença entre esses dois sistemas em qualquer grande loja que comercialize animais. Gatinhos, cachorrinhos, camundongos e gerbos (ou esquilos-da-mongólia) brincam sem parar; quando se cansam, encostam-se uns nos outros, amontoados. Já cobras e lagartos ficam imóveis nos cantos de suas gaiolas, insensíveis em relação ao ambiente.[15] Esse tipo de imobilização, gerado pelo cérebro reptiliano, caracteriza muitos traumatizados crônicos. É uma atitude oposta ao pânico e à fúria de mamíferos, que torna as vítimas de traumas mais recentes tão assustadas e assustadoras.

Quase todo mundo sabe como acontece uma briga de trânsito, a quintessência da resposta de luta ou fuga: uma ameaça súbita desencadeia um impulso intenso para agir e atacar. O perigo desliga nosso sistema de envolvimento social, diminui nossa reatividade à voz humana e aumenta nossa sensibilidade a sons ameaçadores. Contudo, para muitas pessoas, o pânico e a raiva são preferíveis a seu oposto: bloquear-se e morrer para o mundo. Ativar a reação de lutar ou fugir ao menos faz com que as pessoas se sintam energizadas. É por isso que muitas vítimas de abuso e de trauma se sentem plenamente vivas quando expostas a perigos reais, embora se paralisem em situações mais complexas, porém objetivamente seguras, como festas de aniversário ou jantares em família.

Quando lutar ou fugir não resolve, ativamos o último recurso – o cérebro reptiliano, o sistema de emergência final. É mais provável que a pessoa recorra a ele ao estar fisicamente imobilizada, como ocorre se um atacante domina a vítima ou quando uma criança não tem como escapar de um cuidador aterrorizante. O colapso e o "desligamento" são controlados pelo CVD, uma parte evolutivamente antiga do SNP, associada a sintomas digestivos, como diarreia e náusea. O CVD também desacelera o coração e induz uma respiração superficial. Assim que esse sistema assume o comando, a pessoa e os demais deixam de existir. A consciência é bloqueada, e a partir daí o sujeito não sente nem dor física.

O QUE NOS TORNA HUMANOS

Na teoria de Porges, o CVV se desenvolveu nos mamíferos para dar conta de uma vida social cada vez mais complexa. Todos os mamíferos, e o homem não é exceção, buscam o gregarismo para se acasalar, sustentar as crias, defender-se de predadores e coordenar as atividades de caça e obtenção de alimentos. Quanto maior a eficiência do CVV para sincronizar a atividade do SNS e do SNP, mais a fisiologia de cada indivíduo estará em sintonia com a dos demais membros da tribo.

Entender o CVV dessa forma explica por que os pais ajudam naturalmente os filhos a se regular. Os recém-nascidos não são muito sociáveis. Dormem durante a maior parte do tempo, acordando quando estão com fome ou molhados. Amamentados, podem ficar olhando em torno por alguns momentos, porém logo adormecem de novo, obedecendo a seus próprios ritmos internos. Ou seja, grande parte do começo da vida está à mercê das marés alternantes de seu SNS e seu SNP, e o cérebro reptiliano é o que mais se manifesta.

No entanto, com o passar dos dias e à medida que os acarinhamos, sorrimos e brincamos, estimulamos o avanço da sincronia no CVV em desenvolvimento. Essas interações contribuem para pôr os sistemas de alerta emocional dos bebês em sincronia com o ambiente. O CVV controla a sugação, a deglutição, as expressões faciais e os sons produzidos na laringe. Quando estimuladas num lactente, essas funções são acompanhadas da sensação de prazer e segurança, o que ajuda a criar os fundamentos de todos os futuros comportamentos sociais.¹⁶ Como meu amigo Ed Tronick me ensinou há muito tempo, o cérebro é um órgão cultural, moldado pela experiência.

Estar em sintonia com outros membros da espécie por meio do cvv é muito gratificante. O que começa como relação sintonizada de mãe e filho continua com o ritmo de uma boa partida de basquete, a sincronia da dança de um tango e a harmonia do canto coral ou da execução de uma peça de jazz ou de música de câmara, atividades que promovem uma profunda sensação de prazer e conexão.

Podemos falar de trauma quando esse sistema falha: quando você pede clemência ao abusador e ele ignora suas súplicas; quando você é uma criança na cama, aterrorizada ao ouvir os gritos de sua mãe, espancada pelo namorado; quando vê o companheiro preso sob ferragens que você não tem como mover; quando quer repelir o padre molestador mas tem medo de um eventual castigo. A imobilização está na origem da maioria dos traumas. Quando isso ocorre, é provável que o cvd assuma o comando: o coração desacelera, a respiração se torna superficial e, como um zumbi, você perde o contato consigo mesmo e com o ambiente. Dissocia-se, desmaia e entra em colapso.

DEFENDER-SE OU RELAXAR?

Steve Porges me ajudou a compreender que para os mamíferos é natural estar sempre mais ou menos em guarda. No entanto, para se sentir próximo a outro ser humano em termos emocionais, nosso sistema defensivo precisa ficar fora do ar durante algum tempo. Para nos divertir, fazer sexo e alimentar nossos filhos, o cérebro tem de desligar sua vigilância natural.

Muitas vítimas de trauma são demasiado hipervigilantes para desfrutar dos prazeres comuns que a vida tem a oferecer, ao passo que outras estão apáticas demais para absorver novas experiências – ou para estar alertas a sinais de perigo real. Quando os detectores de fumaça do cérebro enguiçam, a pessoa não sai correndo quando deveria tentar fugir, ou deixa de revidar quando deveria se defender. Um importante estudo sobre experiências infantis adversas (mais detalhes no capítulo 9) demonstrou que mulheres com histórico de abuso sexual e negligência tinham sete vezes mais probabilidade de sofrer estupros na vida adulta. Aquelas que, na infância, presenciaram a mãe ser agredida por seus parceiros tinham chances muito maiores de se tornarem vítimas de violência doméstica.[17]

Muitas pessoas se sentem seguras desde que possam limitar seus contatos sociais a conversas superficiais, porém o contato físico real pode desencadear reações intensas. Como destaca Porges, qualquer tipo de intimidade profunda – um abraço apertado, dormir com um parceiro e fazer sexo – exige que se permita experimentar a imobilização sem medo.[18] Para pessoas traumatizadas, é muito difícil discernir quando de fato elas estão em segurança e quando precisam ativar suas defesas por estar em perigo – elas precisam ter passado por experiências capazes de restaurar a sensação de segurança física, tópico que os capítulos seguintes vão retomar.

NOVOS ENFOQUES DE TRATAMENTO

Se crianças e adultos traumatizados ficam tolhidos na reação de luta ou fuga ou no bloqueio crônico, o que podemos fazer para ajudá-los a desativar essas manobras defensivas que um dia lhes garantiram a sobrevivência?

Algumas pessoas que trabalham com sobreviventes de trauma agem de maneira intuitiva. Steve Gross, que já foi responsável pelo programa de recreação no Trauma Center, perambulava pela clínica com uma bola de praia colorida e, quando via crianças zangadas ou congeladas na sala de espera, lhes dirigia um largo sorriso, raramente retribuído. Dali a pouco ele voltava e, "por acaso", deixava a bola cair perto de onde estava uma das crianças. Ao se abaixar para pegá-la, Steve a empurrava de leve em direção à criança, que em geral a devolvia com um empurrão meio indiferente. Aos poucos, ele estabelecia um jogo e logo os dois estavam sorrindo.

A partir de gestos simples, Steve havia criado um lugarzinho seguro em que o sistema de envolvimento social talvez pudesse ressurgir. Assim, pessoas com traumas graves podem se beneficiar mais ao simplesmente ajudar a arrumar as cadeiras antes de uma reunião ou, junto com outros pacientes, tamborilar um ritmo musical nos assentos, do que quando se sentam para falar sobre os fracassos de suas vidas.

Uma coisa é certa: gritar com uma pessoa descontrolada só produz mais desregulação. Do mesmo modo que seu cão se encolhe se você grita, e abana a cauda se você lhe fala em tom normal, os seres humanos reagem a vozes iradas com medo, raiva ou bloqueio, e a vozes amistosas com boa vontade e relaxamento. Nunca deixamos de reagir a esses indicadores de segurança ou perigo.

Infelizmente, nosso sistema educacional, bem como muitos métodos usados para tratar o trauma, costumam ignorar o sistema de envolvimento social e se concentram na mobilização das capacidades cognitivas da mente. Apesar dos bem documentados efeitos da raiva, do medo e da ansiedade sobre a capacidade de raciocinar, muitos programas ainda ignoram a necessidade de envolver o sistema de segurança do cérebro antes de promover novas maneiras de pensar. As últimas atividades que deveriam ser eliminadas da grade curricular são o coral, a educação física, o recreio e qualquer outra que envolva movimento, recreação e participação prazerosa. Quando as crianças se mostram antagônicas, defensivas, apáticas ou coléricas, também é importante admitir que esse "mau comportamento" talvez repita padrões a que elas recorreram para sobreviver a ameaças sérias, mesmo que sejam muito perturbadores ou irritantes.

O trabalho de Porges influenciou profundamente a orientação que meus colegas do Trauma Center e eu demos ao tratamento de crianças molestadas e de adultos traumatizados. É verdade que, em algum momento, provavelmente teríamos criado um programa terapêutico de ioga para mulheres, já que a prática se mostrara muito eficiente para acalmá-las e fazê-las retomar contato com o corpo dissociado. Talvez também tivéssemos experimentado um programa de teatro nas escolas do centro de Boston, ou um programa de defesa pessoal para vítimas de estupro, além de técnicas recreativas e atividades físicas, como a estimulação sensorial, que agora vêm sendo empregadas com sobreviventes em todo o mundo. (Tudo isso será explorado na Parte v.)

Entretanto, a teoria polivagal nos ajudou a compreender e explicar *por que* todas essas técnicas díspares e não convencionais funcionavam tão bem. A teoria nos levou a combinar enfoques de cima para baixo (que ativam o envolvimento social) com métodos de baixo para cima (que acalmam as tensões físicas). Ficamos mais abertos a outros enfoques terapêuticos antigos e não farmacológicos praticados há muito tempo fora da medicina ocidental, desde exercícios de respiração (*pranayama*) e canto em uníssono, até artes marciais como o *qigong*, toques de tambor, canto em grupo e dança. Todas essas atividades se baseiam em ritmos interpessoais, consciência visceral e comunicação vocal e facial, que ajudam a tirar pessoas de estados de luta ou fuga, a reorganizar a percepção do perigo e aumentar a capacidade de lidar com relações pessoais.

O corpo guarda as marcas do trauma.[19] Se a memória está codificada nas vísceras, em emoções dilacerantes e dolorosas, em distúrbios autoimunes e em problemas esqueléticos/musculares, e se a comunicação mental/cerebral/visceral é a estrada mestra para a regulação das emoções, é urgente uma mudança radical em nossos pressupostos terapêuticos.

6
PERDER O CORPO, PERDER O SELF

> [...] eu gostaria de lhe pedir [...] para ter paciência com relação a tudo que não está resolvido em seu coração. Peço-lhe que tente ter amor pelas próprias perguntas [...]. Viva agora as perguntas. Talvez passe, gradativamente, em um belo dia, sem perceber, a viver as respostas.
>
> Rainer Maria Rilke, *Cartas a um jovem poeta*

Sherry entrou no consultório – os ombros caídos, o queixo quase encostado no peito. Antes mesmo que trocássemos qualquer palavra, seu corpo já me dizia que ela estava com medo de enfrentar o mundo. Também notei que as mangas da blusa só cobriam parte das cicatrizes dos antebraços. Depois de se sentar, ela contou, num tom agudo e sem expressão, que não conseguia parar de futucar a pele dos braços e do peito.

A mãe de Sherry fora responsável por um lar social, e a casa com frequência abrigava até quinze crianças desconhecidas, desordeiras, assustadas e assustadoras, que desapareciam da mesma forma como haviam chegado. Ela crescera cuidando dessas crianças transitórias, sentindo que não havia lugar para ela e suas necessidades. "Eu sabia que não era desejada", ela disse.

Não sei bem quando foi que percebi, mas pensei nas coisas que minha mãe me dizia, e os sinais estavam sempre presentes. Ela vivia falando: "Sabe, acho que você não pertence a esta família. Acho que nos entregaram o bebê errado". E ela dizia isso com um sorriso. Mas, como se sabe, as pessoas muitas vezes fingem estar brincando quando falam uma coisa a sério.

No decorrer dos anos, nossa equipe de pesquisa tinha verificado, repetidas vezes, que um histórico de agressões emocionais e desatenção pode ser tão prejudicial quanto maus-tratos físicos e abuso sexual.[1] Sherry era um exemplo vivo: não ser visto, não ser conhecido e não ter onde se sentir em segurança é ruim em qualquer idade, porém particularmente destrutivo no caso de crianças que ainda procuram um lugar no mundo.

Sherry havia completado o ensino médio, mas agora exercia uma função sem graça num escritório, morava sozinha com seus gatos e não tinha amigos próximos. Quando lhe perguntei sobre namoro, contou que seu único "relacionamento" fora com um homem que a sequestrara quando ela estava em Nova Orleans numa excursão de férias do colégio. Ele a manteve em cárcere privado e a estuprou várias vezes durante cinco dias. Sherry se lembrava de ter ficado encolhida, aterrorizada e paralisada durante a maior parte do tempo, até compreender que poderia ir embora. Ela fugiu simplesmente abrindo a porta da casa enquanto ele estava no banheiro. Quando ligou a cobrar para a mãe, esta se recusou a receber a chamada. Sherry por fim conseguiu voltar para casa com a ajuda de um abrigo para vítimas de violência doméstica.

Sherry começara a ferir o próprio corpo porque lhe proporcionava certo alívio à sensação de apatia. As sensações físicas faziam com que se sentisse mais viva, porém lhe causavam profunda vergonha – ela sabia que estava viciada nesses atos, mas não conseguia parar. Antes de me consultar, havia procurado muitos profissionais de saúde mental e fora interrogada várias vezes sobre seu "comportamento suicida". Além disso, tinha sido submetida a hospitalização involuntária por um psiquiatra que se recusou a tratá-la, a menos que ela prometesse que nunca mais voltaria a se ferir. Minha experiência, porém, mostrava que pacientes que se cortam ou se ferem raramente são suicidas, estão apenas tentando se sentir melhor da única maneira que conhecem.

Muitas pessoas têm dificuldade em compreender esses gestos. Como se viu no capítulo anterior, a reação mais comum ao sofrimento consiste em procurar pessoas de quem gostamos e nas quais confiamos para que nos ajudem e nos deem coragem para ir em frente. Podemos também nos acalmar com a prática de uma atividade física, como andar de bicicleta ou frequentar uma academia. Começamos a aprender esses meios de regular os sentimentos na primeira vez que alguém nos alimenta quando temos fome, nos cobre quando temos frio ou nos embala quando estamos com dor ou amedrontados.

No entanto, se ninguém nunca o olhou com uma expressão amorosa ou sorriu ao vê-lo, se ninguém nunca correu para ajudá-lo (pelo contrário, se disse: "Pare de chorar, ou vou lhe dar um bom motivo para isso"), você precisa descobrir outros meios de se cuidar. É provável que venha a experimentar qualquer coisa – drogas, álcool, compulsão alimentar ou automutilação – que ofereça algum alívio.

Embora Sherry comparecesse às consultas e respondesse a minhas perguntas com muita sinceridade, eu não sentia que estávamos estabelecendo a conexão vital necessária para o êxito da terapia. Surpreso com seu nível de paralisação e tensão, sugeri que procurasse Liz, uma massoterapeuta com quem eu já trabalhara. Na primeira sessão, Liz lhe pediu que se deitasse na mesa de massagem; foi até a outra extremidade da maca e com suavidade segurou seus pés. Deitada e de olhos fechados, Sherry gritou de repente, em pânico: "Onde você está?" De alguma forma, ela perdera o contato com Liz, que segurava seus pés.

Sherry foi uma das primeiras pacientes em quem testemunhei a extrema desconexão do corpo, experimentada por muitas pessoas com histórico de trauma e desatenção. Descobri que minha formação profissional, com foco na compreensão e no insight, tinha praticamente ignorado a relevância do corpo vivo, da respiração nesse corpo, a base de todos nós. Ela sabia que se ferir era um ato destrutivo, relacionado à desatenção com que a mãe a tratara, mas compreender a fonte do impulso não fazia diferença alguma para ajudar a controlá-lo.

A PERDA DO CORPO

Uma vez alertado para isso, impressionou-me ouvir de muitos pacientes que eles não conseguiam sentir áreas inteiras do corpo. Às vezes eu lhes pedia que fechassem os olhos e me dissessem o que eu havia depositado em suas mãos. Chave de carro, moeda de 25 centavos ou abridor de latas, não importa, com frequência, eles não tinham ideia do que estavam segurando – suas percepções sensoriais simplesmente não funcionavam.

Conversei sobre o assunto como meu amigo Alexander McFarlane, na Austrália, que observara o mesmo fenômeno. Lá de seu laboratório em Adelaide, ele refletira: Como é que sabemos, sem olhar, que estamos segurando uma chave de carro? Reconhecer um objeto na palma da mão exige perceber sua forma, peso, temperatura, textura e posição. Cada uma dessas experiências sensoriais é transmitida para uma diferente parte do cérebro, que, a seguir, tem de integrá-las em uma única percepção. McFarlane descobriu que vítimas de TEPT costumam ter dificuldade para concatenar todos esses elementos.[2]

Quando nossos sentidos ficam abafados, deixamos de nos sentir plenamente vivos. Num artigo intitulado "*What Is an Emotion?*" (O que é uma emoção?),[3] de 1884, William James, o pai da psicologia americana, relatou um caso de "insensibilidade sensorial" numa mulher que entrevistou: "Eu não tenho [...] sensações humanas", ela lhe disse.

> [Estou] cercada por tudo que pode tornar a vida feliz e agradável e, entretanto, falta-me a capacidade de deleite e sentimento [...]. É como se todos os meus sentidos, todas as partes do meu ser, estivessem separados de mim e não pudessem me proporcionar sensação alguma; parece-me que essa impossibilidade decorre de um vazio que percebo na frente da cabeça e se deve à diminuição da sensibilidade em toda a superfície de meu corpo, uma vez que parece que nunca alcanço de fato os objetos que toco. Essas coisas teriam pouca importância, não fosse sua aterradora consequência, que é a impossibilidade de qualquer outro tipo de sensação e de qualquer espécie de prazer, muito embora a necessidade e o desejo que tenho dessas sensações e desse prazer tornem minha vida uma tortura incompreensível.

Essa reação ao trauma levanta uma pergunta importante: como as pessoas traumatizadas podem aprender a incorporar experiências sensoriais comuns, de modo a viver com o fluxo natural de sensações e se sentirem seguras e completas em seu corpo?

COMO SABEMOS QUE ESTAMOS VIVOS?

Os primeiros estudos com neuroimagens de vítimas de trauma eram, na maioria, semelhantes àqueles examinados no capítulo 3: concentravam-se na reação dos pacientes a lembranças específicas do trauma. Então, em 2004, minha colega Ruth Lanius, que fez as tomografias do cérebro de Stan e de Ute Lawrence, formulou uma nova pergunta: O que acontece no cérebro dos sobreviventes de trauma quando *não* estão pensando no passado? Os estudos da Dra. Lanius sobre o cérebro em ponto morto – o circuito funcional cerebral conhecido como estado de descanso (*rest state*) ou *default mode network* (DMN) – abriram um novo capítulo na compreensão de como o trauma afeta a autoconsciência, em especial a autoconsciência sensorial.[4]

A Dra. Lanius recrutou um grupo de dezesseis canadenses "normais", que se submeteram a tomografias cerebrais num momento em que não pensavam em nada em particular. Não é fácil para ninguém fazer isso, pois, quando estamos acordados, nosso cérebro funciona a toda, mas Ruth lhes pediu que concentrassem a atenção na respiração e tentassem esvaziar a mente o máximo possível. Depois repetiu o mesmo experimento com dezoito pessoas que tinham histórico de abusos crônicos graves na infância.

O que seu cérebro faz quando você não está pensando em nada em especial? Você acaba prestando atenção em si mesmo: o estado de descanso ativa as áreas cerebrais que colaboram para criar seu senso de "self".

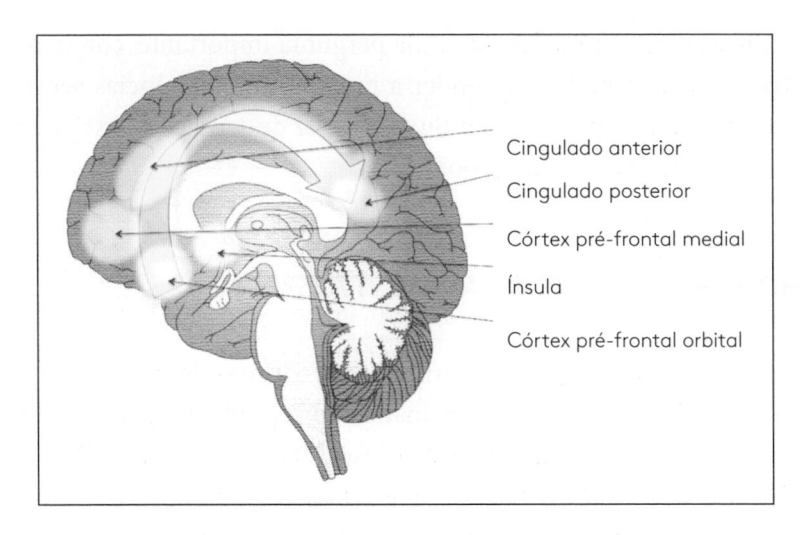

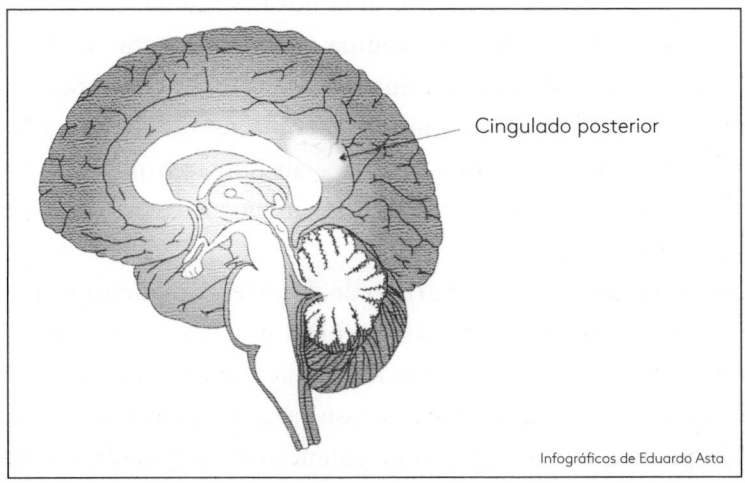

Cingulado anterior
Cingulado posterior
Córtex pré-frontal medial
Ínsula
Córtex pré-frontal orbital

Cingulado posterior

Infográficos de Eduardo Asta

A percepção do self. O moicano da autoconsciência. A partir de um ponto logo acima dos olhos, esse conjunto é formado por várias estruturas: o córtex pré-frontal orbital, o córtex pré-frontal medial, o cingulado anterior, o cingulado posterior e a ínsula. Em indivíduos com trauma crônico, as mesmas regiões mostram uma atividade praticamente nula, o que os impede de registrar estados internos e avaliar a relevância pessoal das informações recebidas.

Analisando as tomografias dos participantes normais do estudo, Ruth encontrou a ativação de regiões de DMN, já descrita por outros pesquisadores. Costumo chamá-la de moicano da autoconsciência – as estruturas da linha média do cérebro, que, partindo de um ponto logo acima dos olhos, correm pelo centro do cérebro até a nuca. Todas essas estruturas mediais estão envolvidas em nosso senso de self. A maior região brilhante no fundo do cérebro é o cingulado posterior, que nos proporciona uma sensação física de onde estamos – é o nosso GPS interno. Esse cingulado tem uma ligação estreita com o córtex pré-frontal medial (CPFM), a torre de vigia examinada no capítulo 4. (Essa conexão não aparece na tomografia porque a fMRI não tem como medi-la.) Está ligado também a áreas cerebrais que registram sensações provenientes do resto do corpo: a ínsula, que transmite mensagens das vísceras aos centros emocionais; os lobos parietais, que integram informações sensoriais; e o cingulado anterior, que coordena as emoções e o pensamento. Todas essas áreas contribuem para a consciência.

O contraste desses exames com as tomografias dos dezoito pacientes crônicos de TEPT com histórico de trauma grave na infância foi notável. Era quase nula a ativação de qualquer uma das áreas cerebrais ligadas à consciência do self: o CPFM, o cingulado anterior, o córtex parietal e a ínsula não apresentavam nenhuma iluminação; a única área que mostrava uma débil ativação era o cingulado posterior, responsável pela orientação básica no espaço.

Só podia haver uma explicação para esses resultados: em resposta ao trauma em si, e para enfrentar o medo que persistia tanto tempo depois, eles haviam aprendido a bloquear as áreas cerebrais que transmitem as sensações e emoções viscerais que acompanham e definem o terror. No entanto, na vida cotidiana, essas mesmas áreas cerebrais são responsáveis por registrar todo o leque de emoções e sensações que fundamentam nossa autoconsciência, nossa percepção de quem somos. Testemunhávamos ali uma trágica adaptação: num esforço para enxotar sensações aterrorizadoras, aqueles pacientes também abriam mão da capacidade de se sentirem plenamente vivos.

O desaparecimento da ativação pré-frontal medial poderia explicar o motivo pelo qual tantos traumatizados perdem o senso de propósito e direção. Quando comecei a atender esses pacientes, eu me surpreendia pela frequência com que eles me pediam orientação sobre as coisas mais triviais. Depois, raramente seguiam minhas instruções. Agora eu compreendia que a relação deles com sua realidade interior estava prejudicada. Como podiam tomar decisões ou pôr em prática qualquer plano, se não eram capazes de definir o que desejavam ou, para ser mais preciso, o que as sensações em seus corpos, a base de todas as emoções, estavam tentando lhes dizer?

Às vezes a ausência de autoconsciência em vítimas de trauma crônico na infância é tamanha que elas não conseguem se reconhecer num espelho.

Tomografias cerebrais mostram que isso não resulta de mera desatenção: as estruturas responsáveis pelo autorreconhecimento podem estar fora de ação, junto com aquelas que se relacionam à percepção do self.

Quando Ruth Lanius me mostrou seu estudo, recordei uma frase que ouvi no ensino médio. Consta que, falando sobre a alavanca, o matemático Arquimedes teria dito: "Dê-me um ponto de apoio e levantarei o mundo." Ou, como disse Moshe Feldenkrais, o grande pioneiro da terapia corporal no século XX: "Você não pode fazer o que deseja até saber o que está fazendo." As implicações são claras: para se sentir presente, você tem de saber onde está e ter ciência do que está acontecendo com você. Se o sistema de autopercepção enguiça, precisamos encontrar meios de consertá-lo.

O SISTEMA DE AUTOPERCEPÇÃO

Foi impressionante constatar como a massoterapia beneficiou Sherry. Ela se sentiu mais relaxada e ousada no dia a dia, também passou a se abrir mais comigo. Comprometeu-se de verdade com a terapia, mostrando uma curiosidade genuína em relação a seu comportamento, ideias e sentimentos. Parou de se ferir e, quando chegou o verão, ao anoitecer, de sua varanda, começou a conversar com vizinhos. Até começou a cantar no coral de uma igreja, uma maravilhosa experiência de sincronia grupal.

Foi mais ou menos nessa época que conheci António Damásio, num pequeno centro de estudos organizado por Dan Schacter, catedrático do Departamento de Psicologia de Harvard. Numa série de livros e artigos científicos brilhantes, Damásio esclarecia a relação entre estados físicos, emoções e sobrevivência. Neurologista que já havia tratado de centenas de pessoas com lesões cerebrais variadas, Damásio estava fascinado pela consciência e pela identificação das áreas do cérebro necessárias para uma pessoa saber como se sente. Dedicou a carreira ao mapeamento das áreas reservadas à experiência do "eu". Para mim, seu livro mais importante é *O mistério da consciência: Do corpo e das emoções ao conhecimento de si*, e lê-lo foi uma revelação.[5] Ele começa destacando a profunda cisão entre a percepção do self e a vida sensorial do corpo. Como explica, de maneira poética:

Às vezes usamos a mente não para descobrir fatos, mas para encobri-los [...]. Uma das coisas que a mente encobre com mais eficiência é o corpo, nosso próprio corpo, e com isso me refiro a seu íntimo, seu interior. Como um véu posto sobre a pele para assegurar o recato, porém não em demasia, a tela parcialmente remove da mente os estados interiores do corpo, aqueles que constituem o fluxo da vida enquanto ela segue em seu dia a dia."[6]

Em seguida, ele explica como essa "tela" pode atuar em nosso favor, ao nos permitir cuidar de problemas prementes no mundo exterior. No entanto, há um custo: "Ela tende a nos impedir de percebermos a possível origem e a natureza do que denominamos self."[7] Baseando-se no trabalho centenário de William James, Damásio afirma que o cerne de nossa autoconsciência reside nas sensações físicas que transmitem os estados internos do corpo:

Os sentimentos primordiais [...] proporcionam uma experiência direta de nosso corpo vivo, sem palavras, sem adornos e ligada tão somente à pura existência. Esses sentimentos primordiais refletem o estado corrente do corpo em várias dimensões, [...] na escala que vai da dor ao prazer, e se originam no nível do tronco cerebral, não no córtex cerebral. Todos os sentimentos de emoções são variações musicais complexas de sentimentos primordiais.[8]

O mundo sensorial começa a se formar antes mesmo do nascimento. No útero, sentimos o líquido amniótico na pele, ouvimos os débeis sons da corrente sanguínea e de um trato digestório em ação, rolamos e nos reviramos com os movimentos da mãe. Depois do nascimento, as sensações físicas definem nosso relacionamento conosco e com o ambiente. Nós começamos *sendo* umidade, fome, saciedade e sono. Uma cacofonia de imagens e sons incompreensíveis pressiona nosso incipiente sistema nervoso. Mesmo depois que adquirimos consciência e linguagem, o sistema sensório corporal proporciona um retorno crucial para nosso estado de momento a momento. Seu zumbido constante comunica alterações – nas vísceras e nos músculos do rosto, do torso, das pernas e dos braços – que indicam dor ou bem-estar, bem como impulsos como fome e excitação sexual. O que acontece ao redor também afeta nossas sensações físicas. Ver uma pessoa que reconhecemos, ouvir determinados sons – uma música, uma sirene – ou perceber uma alteração de temperatura, tudo isso modifica nosso foco de atenção e, sem que tenhamos consciência, molda nossos pensamentos e ações subsequentes.

Como vimos, cabe ao cérebro monitorar e avaliar o tempo todo aquilo que acontece dentro de nós e a nossa volta. Essas avaliações são transmitidas por mensagens químicas na corrente sanguínea e por mensagens elétricas nos nervos, causando alterações, sutis ou substanciais, em todo o corpo e no cérebro. As regiões subcorticais do cérebro são eficientíssimas na regulagem da respiração, do ritmo cardíaco, da digestão, da secreção hormonal e do sistema imunológico. Contudo, esses sistemas podem ficar sobrecarregados se confrontados com uma ameaça contínua, ou mesmo com a impressão de uma ameaça – o que explicaria o sem-número de problemas físicos que os pesquisadores têm documentado em vítimas de trauma.

No entanto, o self consciente também desempenha papel vital na manutenção de nosso equilíbrio interior: para que o corpo fique em segurança, precisamos registrar as sensações físicas e agir de acordo com elas. Perceber que estamos com frio nos impele a vestir um agasalho; sentir fome ou tontura informa que o nível de açúcar no sangue está baixo e nos incita a comer alguma coisa; a pressão da bexiga cheia nos leva ao banheiro. Damásio observa que todas as estruturas cerebrais que registram sensações de fundo localizam-se perto de áreas que controlam funções de manutenção básicas, como respiração, apetite, excreção e os ciclos de sono e vigília:

> Isso [acontece] porque as consequências de ter emoção e atenção se relacionam totalmente ao trabalho fundamental de gerir a vida no interior do organismo, enquanto, por outro lado, não é possível gerir a vida e manter o equilíbrio homeostático sem dados sobre o estado atual do corpo propriamente dito do organismo.[9]

Damásio se refere a essas áereas de manutenção do cérebro como o "protosself", pois criam o "conhecimento mudo" que está por trás da percepção consciente do self.

O SELF AMEAÇADO

No ano 2000, Damásio e colaboradores publicaram um artigo na revista *Science*, a mais relevante publicação científica do mundo, afirmando que reviver uma forte emoção negativa causa mudanças importantes nas regiões cerebrais que recebem sinais nervosos dos músculos, dos intestinos e da pele – áreas cruciais para regular funções corporais básicas. As tomografias cerebrais feitas por sua equipe demonstraram que recordar um episódio passado carregado de emoção nos leva a reviver as sensações viscerais experimentadas por ocasião do evento original. Cada tipo de emoção produzia um padrão característico, diferente dos demais. Por exemplo, uma determinada parte do tronco encefálico se mostrava "ativa na tristeza e na fúria, mas não na felicidade ou no medo".[10] Todas essas regiões cerebrais ficam sob o sistema límbico, a que atribuímos tradicionalmente as emoções, e, no entanto, admitimos o envolvimento delas toda vez que usamos expressões comuns que ligam emoções fortes ao corpo: "Você me dá nojo", "Aquilo me deixou arrepiado", "Fiquei sem fala", "Fiquei com o coração apertado", "Ele me fez ficar de cabelo em pé".

O elementar sistema do self no tronco encefálico e no sistema límbico é ativado energicamente quando as pessoas se veem diante da ameaça de aniquilamento, o que tem como resultado uma sensação avassaladora de medo e terror, acompanhada de intenso estímulo fisiológico. Para os que estão revivendo um trauma, nada faz sentido; sentem-se presos numa situação de vida ou morte, um estado de medo paralisante ou fúria cega. A mente e o corpo ficam o tempo todo estimulados, como se corressem um perigo iminente. Eles têm sobressaltos em reação aos mais leves ruídos, pequenas contrariedades os irritam. O sono se mostra cronicamente perturbado, e com frequência a comida deixa de lhes proporcionar prazer. Por sua vez, isso pode desencadear tentativas desesperadas de bloquear essas sensações mediante congelamento e dissociação.[11]

Como as pessoas recuperam o controle quando seus cérebros animais estão ocupados numa luta pela sobrevivência? Se o que acontece nas profundezas de nossos cérebros animais determina o que sentimos, e se nossas sensações são orquestradas por estruturas cerebrais subcorticais (inconscientes), qual é o nível de controle que temos realmente sobre essas sensações?

AGÊNCIA: VOCÊ NO CONTROLE DE SUA VIDA

"Agência" é o nome técnico para a sensação de efetivamente tomar conta da própria vida: sabemos em que pé estamos, sabemos que temos voz ativa em relação ao que nos acontece, que contamos com alguma capacidade de moldar nossas circunstâncias. Os veteranos que desferiam murros nas divisórias da AV estavam tentando afirmar sua agência – fazer com que alguma coisa acontecesse. Entretanto, acabavam se sentindo mais impotentes ainda, e muitos deles, antes cheios de autoconfiança, estavam presos num ciclo que ia da atividade frenética à imobilidade.

A agência começa com aquilo que os neurocientistas chamam de interocepção, a percepção de sutis sensações sensoriais, com base no corpo: quanto maior essa percepção, maior a possibilidade de controlar a vida. Saber *o que* sentimos é o primeiro passo para saber *por que* sentimos. Se estivermos conscientes das mudanças constantes no ambiente interno e externo, podemos mobilizar recursos para administrá-las. No entanto, só podemos dar conta da tarefa se nossa torre de vigia, o CPFM, aprender a observar o que acontece dentro de nós. É por isso que a prática da atenção plena, que fortalece o CPFM, é fundamental para a recuperação do trauma.[12]

Depois que vi o maravilhoso filme *A marcha dos pinguins*, pensei um bocado em alguns de meus pacientes. Os pinguins são estoicos e afetuosos, e é trágico saber que, desde tempos imemoriais, eles caminham 110 quilômetros desde o litoral até o interior da Antártida, suportam agruras indizíveis para chegar à área de procriação, perdem vários ovos viáveis devido a intempéries e depois, famintos, arrastam-se de volta para o oceano. Se os pinguins tivessem nossos lobos frontais, usariam suas pequeninas nadadeiras para construir iglus, criariam uma melhor divisão de trabalho e organizariam de outra forma seus suprimentos de alimentos. Muitos pacientes meus sobreviveram ao trauma graças a uma imensa coragem e persistência, só para incorrer nos mesmos tipos de problemas. O trauma lhes bloqueou a bússola interna e lhes roubou a imaginação de que precisariam para criar algo melhor.

A neurociência da identidade individual e da agência justifica os tipos de terapias somáticas criadas por meus amigos Peter Levine[13] e Pat Ogden.[14] Veremos essas e outras abordagens sensório-motoras com mais detalhes na Parte V, mas, em essência, elas têm três objetivos:

- extrair as informações sensoriais bloqueadas e congeladas pelo trauma;
- ajudar os pacientes a proteger (em vez de suprimir) as energias liberadas por essa experiência interior;
- completar as ações físicas autopreservadoras cerceadas quando o terror as deteve, aprisionou ou imobilizou.

Nossas sensações viscerais sinalizam o que é seguro, ameaçador ou o que garante o sustento à vida, ainda que não possamos explicar direito por que experimentamos certas sensações. Os sentidos continuam a nos enviar mensagens sutis sobre as necessidades de nosso organismo. As sensações viscerais ainda nos ajudam a avaliar o que acontece a nossa volta. Advertem que o sujeito que se aproxima parece perigoso, mas também transmitem a sensação de que o cômodo voltado para oeste e cercado de flores nos deixa mais serenos. Se você tem uma boa conexão com suas sensações interiores – se confia que elas lhe enviam informações corretas –, você se sentirá dono de seu corpo, de suas sensações e de seu self.

As vítimas de trauma, no entanto, se sentem cronicamente inseguras dentro do próprio corpo: o passado está vivo na forma de um desconforto interior corrosivo. O corpo desses indivíduos é bombardeado o tempo todo por sinais viscerais de alerta, e, numa tentativa de controlar tais processos, eles se tornam peritos em ignorar as sensações viscerais e entorpecer a percepção do que está sendo encenado dentro deles. Aprendem a se esconder de si mesmos.

Quanto mais as pessoas tentam rejeitar e ignorar os sinais interiores de alerta, mais esses sinais assumem o comando e as deixam desnorteadas, confusas e envergonhadas. As pessoas que não conseguem observar com tranquilidade o que acontece dentro delas tornam-se propensas a reagir a qualquer mudança sensorial bloqueando-se ou entrando em pânico – passam a temer o próprio medo.

Sabemos hoje que os sintomas de pânico são duradouros sobretudo porque o indivíduo teme as sensações físicas associadas a ataques de pânico. O ataque pode ser provocado por algo que ele sabe ser irracional, porém o medo faz essas sensações físicas aumentarem e se transformarem numa emergência intensa. Expressões como "morto de medo" e "se borrar de medo" (entrar em colapso e entorpecer-se) descrevem com exatidão os efeitos do terror e do trauma, descrevem o fundamento visceral dessas sensações. A experiência do medo deriva de respostas primitivas a uma ameaça da qual, por algum motivo, não havia escapatória. A vida da pessoa continuará subjugada ao medo até aquela experiência visceral mudar.

O preço de ignorar ou distorcer as mensagens do corpo é tornar-se incapaz de detectar o que é verdadeiramente perigoso ou nocivo para si e, por outro lado, o que é seguro ou propício. A autorregulação depende de um relacionamento amistoso com o corpo, caso contrário a pessoa terá de depender de regulação externa – de medicação, de drogas como o álcool, de apoio constante ou de obediência compulsiva aos desejos alheios.

Muitos de meus pacientes respondem ao estresse não ao identificá-lo e nomeá-lo, mas desenvolvendo enxaquecas ou ataques de asma.[15] Sandy, uma enfermeira de meia-idade, contou que, quando criança, se sentia aterrorizada, solitária e invisível para seus pais alcoólatras. Lidava com essa invisibilidade mostrando deferência para com todas as pessoas de quem dependia (inclusive eu, seu terapeuta). Sempre que o marido fazia um comentário depreciativo sobre ela, sofria um ataque de asma. Quando notava que não conseguia mais respirar, era tarde demais para que o inalador fizesse efeito e ela precisava ser levada ao pronto-socorro.

Reprimir nossos pedidos de socorro interiores não impede que os hormônios do estresse mobilizem o corpo. Embora Sandy tivesse aprendido a ignorar seus problemas de relacionamento e a bloquear os sinais físicos de sofrimento, eles apareciam em sintomas que exigiam sua atenção. A terapia se concentrou em identificar o elo entre suas sensações físicas e suas emoções, e eu também lhe recomendei fazer aulas de *kickboxing*. Durante os três anos em que foi minha paciente, ela não foi uma única vez ao pronto-socorro.

Sintomas somáticos sem causa física clara são mais do que comuns em crianças e adultos traumatizados. Entre eles contam-se dor crônica nas costas e no pescoço, fibromialgia, enxaqueca, problemas gastrointestinais, síndrome do cólon irritável, fadiga crônica e algumas formas de asma.[16] O índice de asma em crianças traumatizadas é cinquenta vezes maior do que entre as não traumatizadas.[17] De acordo com estudos, muitas crianças e adultos vitimados por crises fatais de asma não sabiam que tinham problemas respiratórios antes das crises.

ALEXITIMIA: AUSÊNCIA DE PALAVRAS PARA SENSAÇÕES

Uma de minhas tias, viúva, com um doloroso histórico de trauma, tornou-se avó honorária de meus filhos. Fazia-nos visitas frequentes, marcadas por muitas atividades – costurava cortinas, organizava armários da cozinha, consertava roupas das crianças – e pouquíssima conversa. Estava sempre querendo agradar, mas era difícil perceber do que *ela* gostava. Depois de vários dias de troca de amenidades, a conversa chegava ao fim, e eu precisava me esforçar para preencher os longos silêncios. No dia de sua partida, eu a levava ao aeroporto e ela me dava um abraço de despedida bem rígido, e lágrimas rolavam por seu rosto. Sem qualquer traço de ironia, ela dizia que o vento frio no Aeroporto Internacional Logan fazia seus olhos marejarem. Seu corpo sentia a tristeza que a mente não conseguia registrar – ela estava deixando nossa jovem família, seus parentes vivos mais próximos.

Os psiquiatras batizaram esse fenômeno de alexitimia, termo que designa a falta de palavras referentes a sentimentos. Muitas crianças e adultos traumatizados não têm como descrever o que sentem simplesmente porque não conseguem identificar o significado de suas sensações físicas. Podem demonstrar fúria, mas a negam; podem demonstrar terror, mas afirmam que estão bem. A incapacidade de discernir o que acontece no corpo faz com que percam o contato com suas necessidades, e, para eles, é difícil cuidar de si mesmos, assim como comer a quantidade certa de alimento na hora correta ou conciliar o sono de que necessitam.

Tal como minha tia, os alexitímicos substituem a linguagem da emoção pela da ação. À pergunta "O que você sentiria se visse uma jamanta avançando na sua direção a 130 quilômetros por hora?", a maioria das pessoas responderia "Eu ficaria assustado" ou "Morreria de medo". Um alexitímico diz: "O que eu sentiria? Não sei… Eu sairia da frente".[18] Esses indivíduos costumam registrar emoções como problemas físicos, não como sinais de alguma coisa que merece sua atenção. Em vez de sentir raiva ou tristeza, sentem dores musculares, distúrbios intestinais ou outros sintomas para os quais não há motivos. Cerca de três quartos dos pacientes com anorexia nervosa e mais de metade dos pacientes com bulimia ficam desnorteados com suas sensações emocionais e têm muita dificuldade para descrevê-las.[19] Quando pesquisadores exibiram fotos de rostos coléricos ou atormentados a alexitímicos, eles não foram capazes de avaliar o que aquelas pessoas estavam sentindo.[20]

Uma das primeiras pessoas a me falar de alexitimia foi o psiquiatra Henry Krystal, que trabalhou com mais de mil sobreviventes do Holocausto em seu estudo sobre o trauma psíquico em massa.[21] Krystal, ele próprio sobrevivente de campos de concentração, constatou que muitos de seus pacientes eram profissionais bem-sucedidos, mas seus relacionamentos mais próximos eram frios e distantes. Reprimir os sentimentos lhes permitira cuidar de suas atividades mundanas, ao preço de aprender a bloquear suas emoções antes avassaladoras. Consequentemente, não entendiam mais o que sentiam. Poucos tinham interesse por terapia.

Paul Frewen, da Universidade Western Ontario, fez uma série de tomografias cerebrais em pessoas com TEPT que sofriam de alexitimia. Uma paciente lhe disse:

> Não sei o que sinto, é como se minha cabeça e meu corpo não estivessem ligados. Vivo num túnel, num nevoeiro, e, não importa o que aconteça, a reação é sempre a mesma – torpor, nada. Tomar um banho de espuma, ser queimada ou estuprada dá no mesmo. Meu cérebro não sente.

Frewen e sua colega Ruth Lanius verificaram que, quanto mais as pessoas estavam desconectadas de suas sensações, menos atividade havia nas áreas de autopercepção do cérebro.[22]

Traumatizados costumam ter dificuldade para perceber o que se passa em seu corpo; por isso, a reação deles à frustração não tem nuances. Em geral, reagem ao estresse de duas formas: ou se "desligando" ou com fúria desmedida. Não importa a reação, muitas vezes eles não sabem dizer o que os aflige. A incapacidade de manter contato com o corpo contribui para sua bem documentada falta de autoproteção e seus elevados índices de revitimização,[23] assim como para a enorme dificuldade em sentir prazer, gratificação sensual e ter uma sensação de importância.

Alexitímicos só conseguem melhorar aprendendo a reconhecer a relação entre as sensações físicas e as emoções, mais ou menos da mesma maneira que os daltônicos penetram no mundo da cor aprendendo a distinguir e apreciar tonalidades de cinza. Como minha tia e os pacientes de Henry Krystal, em geral eles relutam em fazer isso: a maioria parece ter tomado a decisão inconsciente de que continuar a ver médicos e tratar de doenças que não passam é melhor do que o esforço doloroso de enfrentar os demônios do passado.

DESPERSONALIZAÇÃO

O próximo degrau descendente na escada que leva à perda da identidade pessoal é a despersonalização – perder a percepção de si mesmo. A tomografia do cérebro de Ute (capítulo 4) traz, com seus vazios, uma ilustração clara da despersonalização. Certa vez, tarde da noite, fui assaltado num parque perto de casa e, como se estivesse flutuando sobre a cena, me vi jogado na neve, com uma pequena ferida na cabeça, cercado por três adolescentes armados de facas. Dissociei a dor dos cortes que eles fizeram em minhas mãos e não senti medo enquanto negociava com toda a calma a devolução de minha carteira vazia.

Acredito que não me tornei uma vítima de TEPT em parte porque estava bastante curioso quanto a vivenciar uma experiência que havia estudado tão detidamente em outras pessoas, em parte porque tinha a ilusão de que seria capaz de fazer um retrato falado dos assaltantes para mostrar à polícia. É claro que eles nunca foram pegos, mas minha fantasia de vingança deve ter me proporcionado uma gratificante sensação de agência.

As vítimas de traumas não têm a mesma sorte, sentem-se separadas de seus corpos. Uma excelente descrição da despersonalização foi feita pelo psicanalista alemão Paul Schilder, que escreveu em Berlim, em 1928:[24]

> Para a pessoa despersonalizada, o mundo parece estranho, peculiar, exótico, onírico. Os objetos às vezes parecem ter-se encolhido de maneira estranha, às vezes parecem planos. Os sons parecem vir de longe [...]. Da mesma forma, as emoções sofrem acentuada alteração. Os pacientes se queixam de não sentir nem dor nem prazer [...]. Tornaram-se estranhos para si mesmos.

Fiquei impressionado quando soube que neurocientistas da Universidade de Genebra[25] haviam induzido sensações semelhantes à experiência de estar fora do corpo aplicando fracas correntes elétricas num ponto específico do cérebro, a junção têmporo-parietal. Em uma paciente, tal corrente produziu a sensação de que ela pendia do teto e olhava para seu corpo; em outra, induziu uma estranha sensação de que havia alguém de pé atrás dela. Essa pesquisa confirma o que nossos pacientes nos dizem: que o self pode se desligar do corpo e levar uma vida – como um espírito – própria. Lanius e Frewen, bem como pesquisadores da Universidade de Groningen, nos Países Baixos,[26] fizeram tomografias de pessoas que tinham dissociado seu terror e descobriram que os centros cerebrais do medo simplesmente se desligavam quando elas recordavam o evento.

SEJA AMIGO DE SEU CORPO

Traumatizados só podem se recuperar depois que se familiarizam com as sensações em seu corpo e as tratam bem. Estar assustado significa viver num corpo sempre em guarda. Indivíduos raivosos vivem num corpo raivoso. O corpo de crianças que sofreram abusos está sempre tenso e na defensiva até elas encontrarem um meio de relaxar e se sentirem seguras. Para mudar, as pessoas precisam tomar consciência de suas sensações e da maneira como o próprio corpo interage com o mundo que as rodeia. A autoconsciência física é o primeiro passo para se libertar da tirania do passado.

Como as pessoas podem se abrir e explorar seu mundo interno de sensações e emoções? No consultório, começo o processo aconselhando os pacientes a anotar e, depois, relatar as sensações do corpo – não emoções como cólera, ansiedade ou medo, mas as sensações físicas sob as emoções: pressão, calor, tensão muscular, formigamento, um vazio e assim por diante. Peço também que identifiquem sensações associadas ao relaxamento ou ao prazer, ou que prestem atenção em mudanças físicas sutis, como um aperto no peito ou um incômodo na barriga quando falam sobre fatos negativos que, segundo eles, não os incomodavam.

Dar-se conta de sensações pela primeira vez pode ser bastante aflitivo e precipitar flashbacks nos quais as pessoas se curvam ou mostram posturas defensivas. Essas posições do corpo são reencenações somáticas do trauma não digerido, e é muito provável que representem as posturas que elas tomaram quando ocorreu o episódio. Nesse ponto, imagens e sensações físicas podem dominar os pacientes, e o terapeuta deve conhecer bem os meios de deter torrentes de sensações e emoções para impedir que eles passem por um novo trauma quando revivem o passado. (Muitos professores de ensino fundamental, enfermeiros e policiais se tornam muito hábeis em acalmar reações de terror, pois lidam quase todos os dias com pessoas descontroladas ou dolorosamente desorientadas.)

Com enorme frequência, entretanto, os médicos prescrevem remédios como Abilify, Zyprexa e Seroquel, em vez de ensinar a enfrentar essas reações físicas penosas. É claro que a medicação apenas embota as sensações e em nada contribui para resolvê-las ou transformá-las em aliadas.

O caminho mais natural que os seres humanos buscam para se acalmar quando estão perturbados é procurar amparo em outra pessoa. No entanto, isso leva pacientes que foram brutalizados ou sexualmente abusados a enfrentarem um dilema: ao mesmo tempo que anseiam desesperadamente o apoio humano, aterrorizam-se com a perspectiva de contato físico. A mente precisa ser reeducada para perceber sensações físicas, enquanto o corpo tem de ser ajudado a tolerar e apreciar o aconchego do contato. Pessoas que carecem de percepção emocional podem, com a prática, relacionar suas sensações físicas a eventos psicológicos. Pouco a pouco, conseguem religar-se a si mesmas.[27]

LIGAR-SE A SI MESMO E AOS OUTROS

Encerro o capítulo com um estudo final que demonstra o custo da perda do corpo. Depois que Ruth Lanius e seu grupo escanearam o cérebro em ponto morto, concentraram-se em outra questão da vida cotidiana: o que ocorre com vítimas crônicas de trauma quando fazem contato visual?

Muitos de meus pacientes são incapazes de fazer contato visual. Percebo de imediato a gravidade de seus problemas pela dificuldade que demonstram para olhar em meus olhos. No fim das contas, eles têm nojo e não suportam que eu veja como são horríveis. Nunca tinha me ocorrido que esses sentimentos de vergonha se traduziriam em ativações anormais do cérebro. Ruth Lanius mais uma vez mostrou que a mente e o cérebro são indistinguíveis – o que acontece em um fica registrado no outro.

Lanius comprou um dispendioso instrumento com o qual apresenta um personagem em vídeo a uma pessoa que se submete a uma tomografia (nesse caso, o personagem lembrava um amável Richard Gere). O personagem pode se aproximar de frente (olhando direto para a pessoa) ou num ângulo de 45 graus, olhando de lado. Tal disposição permitia comparar os efeitos de um contato visual direto com os de um olhar lateral sobre a ativação do cérebro.[28]

A diferença mais acentuada entre sujeitos "normais" de um grupo de controle e indivíduos com trauma crônico estava na ativação do córtex pré-frontal (CPF) em resposta a um olhar direto. O CPF, em geral, nos ajuda a avaliar a pessoa que caminha em nossa direção, e nossos neurônios-espelhos auxiliam na percepção de suas intenções. No entanto, no caso dos pacientes com TEPT do experimento, nenhuma parte do lobo frontal foi ativada, o que significa que eles não sentiam curiosidade alguma em relação ao estranho. Só exibiam intensa ativação na profundeza dos cérebros emocionais, as áreas primitivas chamadas de substância cinzenta periaquedutal, que geram sobressalto, hipervigilância, a postura de se encolher de medo e outras condutas autoprotetoras. Não havia ativação alguma em qualquer parte do cérebro envolvida em relações sociais. Quando eram olhados, simplesmente entravam no modo de sobrevivência.

O que significa isso no tocante à capacidade desses indivíduos para fazer amigos e lidar com pessoas? O que isso significa para a terapia desses pacientes? Uma vítima de TEPT pode confiar ao terapeuta seus medos mais profundos? Num relacionamento autêntico, devemos ser capazes de ver o outro como alguém separado, com as próprias motivações e intenções. Embora precisemos assumir uma posição clara e firme, também precisamos reconhecer que as outras pessoas têm as próprias ideias. O trauma pode tornar tudo isso brumoso e cinzento.

PARTE III
A MENTE INFANTIL

7
ENTRAR NA MESMA ONDA: APEGO E SINTONIA

> As raízes da resiliência […] residem na sensação de ser compreendido por outra pessoa, carinhosa, controlada e sintonizada conosco, e de existir em sua mente e seu coração.
>
> Diana Fosha

A clínica infantil do CSMM vivia cheia de crianças perturbadas e perturbadoras. Eram criaturas agitadas que não conseguiam ficar paradas, que agrediam e mordiam as outras crianças e, às vezes, até os funcionários da clínica. Em certo momento, corriam e se agarravam a nós, fugindo aterrorizadas logo em seguida. Algumas se masturbavam compulsivamente; outras atacavam objetos, animais e a si mesmas. Ansiavam por afeição, mas mostravam-se coléricas e desafiadoras. Algumas meninas exibiam uma submissão dolorosa. Fossem elas refratárias ou apegadas, nenhuma parecia capaz de explorar o mundo ou brincar como as outras crianças da mesma idade. Algumas praticamente não tinham desenvolvido uma percepção do self – nem sequer se reconheciam num espelho.

Na época, eu sabia pouquíssimo a respeito de crianças, afora o que meus dois filhos pequenos estavam me ensinando. Mas tive a sorte de ter como colega Nina Fish-Murray, que havia estudado com Piaget em Genebra, além de ter cinco filhos. Piaget baseava suas teorias do desenvolvimento infantil numa observação meticulosa e direta de crianças, começando com os próprios filhos, e foi esse espírito que Nina trouxe para o incipiente Trauma Center do CSMM.

Casada com Henry Murray, um dos pioneiros da teoria da personalidade e ex-diretor do Departamento de Psicologia da Universidade Harvard, ela estimulava ativamente qualquer membro jovem do corpo docente que compartilhasse seus interesses. E dava muita atenção ao que eu dizia sobre os veteranos de guerra, que lhe lembravam as crianças problemáticas com quem ela trabalhava nas escolas públicas de Boston. Sua posição privilegiada e seu encanto pessoal nos deu acesso à clínica infantil, dirigida por psiquiatras pouco interessados em trauma.

Henry Murray se tornara famoso, entre outros motivos, por ter criado o Teste de Apercepção Temática. O TAT, considerado um teste projetivo, utiliza um conjunto de cartões com imagens para descobrir como a realidade interior de uma pessoa molda sua visão de mundo. À diferença dos cartões de Rorschach que usávamos com os veteranos, os cartões do TAT mostram cenas realistas, porém ambíguas e um tanto inquietantes: um homem e uma mulher, melancólicos, que evitam olhar um para o outro; um menino observando um violino quebrado. Pede-se aos pacientes que contem uma história sobre o que está acontecendo na imagem, o que aconteceu antes e o que acontecerá depois. Em geral, suas interpretações logo revelam os temas que os preocupam.

Nina e eu decidimos criar um conjunto de cartões destinados especificamente a crianças, com base em imagens que recortamos de revistas deixadas na sala de espera da clínica. Nosso primeiro estudo comparou doze crianças de 6 a 11 anos da clínica infantil com as de uma escola das redondezas bastante equivalentes em idade, etnia, inteligência e ambiente familiar.[1] O que distinguia nossos pacientes era o abuso de que tinham sido vítimas no seio familiar. Entre eles havia um menino que sofrera contusões graves em decorrência das repetidas surras que levava da mãe; uma menina cujo pai a molestara aos 4 anos de idade; dois garotos que haviam sido amarrados a uma cadeira e chicoteados várias vezes; e uma menina que, aos 5 anos, vira a mãe, prostituta, ser estuprada, esquartejada, queimada e metida no porta-malas de um carro. Suspeitava-se que o cafetão da mãe tivesse abusado da menina.

As crianças do grupo de controle também pertenciam a famílias pobres e moravam numa área degradada da cidade, onde com frequência testemunhavam cenas de extrema violência. Enquanto o estudo estava sendo realizado, um garoto da escola deles jogou gasolina e ateou fogo a um colega. Outro se viu no meio de um tiroteio a caminho do colégio com o pai e um amigo. Foi ferido na virilha, e o amigo morreu. Levando-se em consideração a exposição deles a esse nível de violência, suas respostas aos cartões seriam diferentes daquelas das crianças hospitalizadas?

Um dos cartões do teste mostrava uma menina e um adolescente, sorridentes, vendo o pai consertar o carro. Todas as crianças a quem mostrávamos esse cartão falavam do perigo que corria o homem debaixo do veículo. Enquanto as crianças do grupo de controle criavam histórias com finais felizes – o carro seria consertado, e talvez o pai e os filhos fossem ao McDonald's depois –, as traumatizadas vinham com fantasias medonhas. Uma garota disse que a menina estava prestes a rachar o crânio do pai com o martelo. Um menino de 9 anos, que sofrera graves maus-tratos físicos, contou uma história complexa, na qual o adolescente da foto chutaria para longe o macaco, de modo que o carro esmagaria o corpo do pai, cujo sangue esguicharia em todas as paredes e no chão da oficina.

Narrando essas histórias, nossos pacientes ficaram muito agitados e perturbados. Tivemos de interromper a sessão e afastá-los por um bom tempo, levando-os ao bebedouro e para dar uma caminhada, antes de lhes mostrar o cartão seguinte. Não era de admirar que quase todos tivessem diagnóstico de transtorno de déficit de atenção com hiperatividade (TDAH) e que a maioria fosse medicada com Ritalin [no Brasil, Ritalina], embora o remédio não parecesse atenuar suas reações à situação.

As crianças vítimas de abuso sexual fizeram comentários semelhantes sobre a imagem aparentemente inocente da silhueta de uma mulher grávida contra uma janela. Quando a mostramos à menina de 7 anos que fora molestada pelo pai aos 4, ela se pôs a falar de pênis e vaginas, e várias vezes fez a Nina perguntas como "Com quantas pessoas você já transou?". Como várias outras meninas vítimas de abuso sexual, ela ficou tão agitada que tivemos de interromper a sessão. Uma garota de 7 anos do grupo de controle captou o clima melancólico da imagem: contou a história de uma viúva que olhava, triste, pela janela, sentindo falta do marido. No fim, porém, ela encontrava um homem carinhoso que seria um bom pai para a criança.

Cartão após cartão, víamos que, embora alertas para a possibilidade de surgirem problemas, as crianças que não haviam sofrido abusos ainda confiavam num universo essencialmente benigno; eram capazes de imaginar boas saídas para situações ruins. Pareciam se sentir protegidas e seguras com a família; também se sentiam amadas por ao menos um dos pais, o que fazia uma diferença sensível em sua vontade de participar das atividades escolares e aprender.

As reações das crianças da clínica foram alarmantes. As imagens mais inocentes remetiam a intensas sensações de perigo, agressão, estímulo sexual e terror. Não havíamos selecionado aquelas figuras porque apresentassem algum sentido oculto que pessoas sensíveis pudessem perceber – eram imagens comuns do dia a dia. Só podíamos concluir que para crianças vítimas de abuso o mundo inteiro está repleto de ameaças. Como só eram capazes de imaginar resultados desastrosos para situações relativamente benignas, qualquer um que entrasse na sala, qualquer estranho, qualquer imagem, numa tela ou num cartaz de rua, poderia ser percebido como um prenúncio de catástrofes. Visto sob essa luz, o comportamento das crianças na clínica infantil fazia todo o sentido.[2]

Para meu espanto, era raro que as discussões médicas na unidade mencionassem as horrendas experiências das crianças na vida real e os impactos desses traumas nas sensações, no pensamento e na autorregulação delas. Ao contrário, os prontuários estavam repletos de diagnósticos: "transtorno de conduta" e "transtorno desafiador de oposição", no caso das crianças furiosas e rebeldes; ou "transtorno bipolar". O TDAH era um diagnóstico de "comorbidade" para quase todas. Por acaso o trauma original estaria sendo obscurecido por essa avalanche de diagnósticos?

Agora tínhamos diante de nós dois grandes desafios. O primeiro, descobrir se o modo pelo qual as crianças "normais" viam o mundo podia explicar sua resiliência e, num nível mais profundo, como cada criança cria seu mapa do mundo. O segundo, também fundamental: seria possível ajudar a mente e o espírito de crianças brutalizadas a redesenhar seus mapas internos e incorporar a eles um sentimento de confiança no futuro?

HOMENS SEM MÃES

O estudo científico da relação vital entre lactentes e suas mães foi iniciado por ingleses da elite que haviam sido separados da família na infância e matriculados em internatos, onde cresceram em ambientes masculinos, rígidos e opressivos. Em minha primeira visita à famosa Clínica Tavistock, em Londres, notei uma série de fotos em preto e branco de grandes psiquiatras do século XX na parede do corredor que levava à escadaria principal: John Bowlby, Wilfred Bion, Harry Guntrip, Ronald Fairbairn e Donald

Winnicott. Todos eles tinham estudado o processo pelo qual as primeiras experiências de uma criança se tornam modelos para todas as suas conexões posteriores, e como a mais remota percepção do self se forma nos menores diálogos com os pais ou responsáveis.

Os cientistas estudam aquilo que para eles é mais enigmático, de forma que se tornam especialistas em assuntos que outros veem como ponto pacífico. (Ou, como um dia me disse Beatrice Beebe, que pesquisa o apego, "a maior parte dos estudos é uma busca do eu".) Esses homens que estudaram o papel das mães na vida das crianças tinham sido mandados para internatos numa idade vulnerável, entre 6 e 10 anos, muito antes da época em que deveriam estar confrontando o mundo sozinhos. O próprio Bowlby me disse que talvez tivessem sido essas experiências de internato que induziram George Orwell a escrever o romance *1984*, que expressa de maneira brilhante como os seres humanos podem ser levados a sacrificar tudo o que mais amam e respeitam – inclusive seu senso de identidade – para granjearem a apreciação e a aprovação de alguém que ocupa uma posição de autoridade.

Como Bowlby era muito amigo dos Murray, sempre que ele visitava Harvard eu tinha a oportunidade de conversar sobre seu trabalho. Bowlby vinha de uma família aristocrática (seu pai era cirurgião médico da corte) e estudara psicologia, medicina e psicanálise nos melhores centros britânicos. Depois de se formar pela Universidade de Cambridge, trabalhou com delinquentes juvenis no East End de Londres, área conhecida pela violência e em grande parte destruída pelos ataques aéreos alemães na Segunda Guerra Mundial. Durante a guerra, na qual serviu como médico, e depois dela, Bowlby observou os efeitos da evacuação de amplas áreas e das grandes creches que separavam crianças pequenas da família. Estudou também o efeito da hospitalização, demonstrando que até breves separações (os pais não tinham permissão para passar a noite no hospital) elevavam o nível de sofrimento das crianças. No fim da década de 1940, Bowlby se tornara *persona non grata* na comunidade psicanalítica inglesa por defender uma tese radical: os transtornos visíveis na conduta de certas crianças eram uma reação a experiências de vida reais – negligência, brutalidade e separação –, não o resultado de fantasias sexuais infantis. Não se deixando intimidar, ele dedicou o resto da vida a elaborar sua teoria do apego.[3]

UMA BASE SEGURA

Quando chegamos ao mundo, gritamos para anunciar nossa presença. De imediato alguém nos pega, nos limpa, nos veste e enche nosso estômago. E o melhor de tudo: nossa mãe nos põe sobre a barriga ou o peito para um delicioso contato pele a pele. Somos criaturas profundamente sociais, e nossa vida consiste em encontrar nosso lugar na comunidade de seres humanos. Adoro as palavras do grande psiquiatra francês Pierre Janet: "Cada vida é uma obra de arte, montada com todos os meios disponíveis."

À medida que crescemos, aos poucos aprendemos a cuidar de nós mesmos, física e emocionalmente, mas as primeiras aulas de cuidados pessoais vêm do modo como fomos cuidados. O domínio da arte da autorregulação depende, em boa medida, da harmonia das primeiras interações com nossos cuidadores. Crianças cujos pais são fontes confiáveis de bem-estar e resistência têm uma vantagem para toda a vida – uma espécie de amortecedor contra o pior que a sorte possa lhes trazer.

John Bowlby percebeu que crianças são cativadas por rostos e vozes, e que têm uma sutil sensibilidade a expressões faciais, posturas, tons de voz, modificações fisiológicas, ritmos de movimentos e intenções. Viu essa capacidade inata como um produto da evolução, essencial para a sobrevivência dessas criaturas indefesas. Crianças também são programadas para escolher um determinado adulto (ou no máximo alguns) com quem seu sistema natural de comunicação se desenvolve. Isso cria um vínculo primário de apego. Quanto mais receptivo o adulto, maior será o apego e a probabilidade de que a criança desenvolva formas saudáveis de reagir às pessoas a seu redor.

Bowlby ia muito ao Regent's Park, em Londres, onde fazia observações sistemáticas das interações entre crianças e suas mães. Enquanto estas, nos bancos, tricotavam ou liam o jornal, as crianças se afastavam para explorar o mundo, olhando para trás de vez em quando, para se assegurar de que a mãe continuava ali. Quando uma vizinha se aproximava e começava a conversar, as crianças voltavam correndo e se punham perto da mãe, para se certificar de que ainda tinham sua atenção. Lactentes e crianças pequenas ficam nervosos ao notar que a mãe não está plenamente envolvida com eles. Quando a mãe some de vista, podem chorar e parecer inconsoláveis, mas, assim que ela reaparece, se aquietam e voltam a brincar.

Bowlby considerou o apego como a base segura a partir da qual uma criança se aventura no mundo. Ao longo das cinco décadas seguintes, a pesquisa comprovou que ter um porto seguro promove autoconfiança e instila um sentido de solidariedade e solicitude em relação a outras pessoas em dificuldades. A partir do dar e receber do vínculo de apego, as crianças aprendem que os outros têm sentimentos e ideias tanto semelhantes como diferentes dos delas mesmas. Em outras palavras, entram "em sintonia" com seu ambiente e com as pessoas que as rodeiam, adquirindo a autoconsciência, a empatia, o controle de impulsos e a automotivação que lhes permitem se tornar membros úteis da cultura social mais ampla. Eram essas qualidades que, lamentavelmente, faltavam às crianças de nossa clínica infantil.

A DANÇA DA SINTONIA

Crianças se apegam a quem quer que atue como principal responsável por seus cuidados, mas a natureza desse apego – o fato de ele ser seguro ou inseguro – faz uma enorme diferença no decurso de suas vidas. O apego seguro se desenvolve quando o cuidado inclui sintonia emocional. A sintonia começa nos mais sutis níveis físicos de interação entre os bebês e seus cuidadores e dá aos primeiros a sensação de serem atendidos e entendidos. Como disse o escocês Colwyn Trevarthen, pesquisador do apego, "o cérebro coordena movimentos corporais rítmicos e os orienta para atuar em sintonia com o cérebro de outras pessoas. Bebês ouvem e aprendem musicalidade com a conversa da mãe antes mesmo do nascimento".[4]

No capítulo 4, falei dos neurônios-espelhos, os elos de cérebro a cérebro que nos proporcionam a capacidade de empatia. Os neurônios-espelhos começam a funcionar assim que os bebês nascem. Quando o pesquisador Andrew Meltzoff, da Universidade do Oregon, comprimia os lábios ou mostrava a língua a bebês com seis horas de vida, eles prontamente imitavam seus atos.[5] (Um recém-nascido só consegue focalizar a vista em objetos situados a vinte ou trinta centímetros de distância – apenas o suficiente para ver a pessoa que o segura.) A imitação é nossa habilidade social mais fundamental. Ela garante que iremos captar e refletir automaticamente o comportamento de nossos pais, professores e pares.

A maioria dos pais se liga aos filhos de forma tão espontânea que não percebe como a sintonia se afina. No entanto, um convite de Ed Tronick, um amigo que pesquisa o apego, me permitiu estudar esse processo mais de perto. Através de um espelho unidirecional, no Laboratório de Desenvolvimento Humano, em Harvard, observei uma mãe que brincava com o filho de cinco meses, sentado numa cadeira alta diante dela.

A mãe e o bebê brincavam um com o outro e se divertiam à beça, até que ela aproximou o rosto do bebê, que, em sua excitação, puxou o cabelo dela. A mãe foi pega desprevenida e gritou de dor, empurrando a mão da criança, contorcendo o rosto de raiva. O bebê a largou no mesmo instante, e os dois se afastaram fisicamente. Para ambos, a fonte de prazer se tornara fonte de sofrimento. Obviamente assustado, o bebê levou as mãos ao rosto para não ver a zanga da mãe, que, por sua vez, sentindo a perturbação do filho, voltou a concentrar nele sua atenção, emitindo barulhinhos tranquilizantes na tentativa de reverter a situação. O bebê ainda mantinha os olhos tapados, mas sua ânsia de conexão logo reapareceu. Começou espiando de forma sorrateira, para ver se estava tudo bem, ao mesmo tempo que a mãe lhe fazia agradinhos. Quando ela começou a coçar a barriguinha dele, o bebê baixou as mãos e deu uma risadinha feliz. Com isso a harmonia se restabeleceu. Bebê e mãe voltaram a se sintonizar. Toda essa sequência de prazer, ruptura, reparação e novo prazer durou pouco menos de doze segundos.

Tronick e outros mostraram que lactentes e cuidadores em sintonia num nível emocional também estão em sintonia física.[6] Bebês não conseguem regular os próprios estados emocionais, muito menos mudanças na frequência cardíaca, nos níveis hormonais e na atividade do sistema nervoso que acompanham as emoções. Quando uma criança está em sintonia com quem cuida dela, seu senso de alegria e conexão se reflete na regularidade dos batimentos cardíacos e da respiração, bem como num baixo nível de hormônios do estresse. Seu corpo está calmo, bem como suas emoções. No momento em que esse ritmo é interrompido – o que acontece com frequência durante um dia normal –, todos esses fatores psicológicos também se alteram. Pode-se dizer que o equilíbrio foi restaurado quando a fisiologia se normaliza.

Acalmamos os recém-nascidos, mas logo começamos a ensinar os filhos a tolerar níveis mais altos de alerta, tarefa que muitas vezes cabe aos homens. (Uma vez ouvi o psicólogo John Gottman dizer: "As mães adulam, os pais açulam.") Aprender a controlar o estado de alerta é fundamental para a vida, e os pais têm de fazer isso pelos bebês antes que eles tenham autonomia para tanto. Se aquela sensação incômoda na barriga faz um bebê chorar, logo vem o peito ou a mamadeira. Se o bebê está assustado, alguém o segura e o embala até ele se acalmar. Se a fralda fica cheia, alguém aparece para limpá-lo e secá-lo. Associar sensações intensas a segurança, bem-estar e tranquilidade constitui o fundamento da autorregulação, da autotranquilização e da autoeducação, tema que retomo em todo o livro.

Um apego seguro, combinado com o cultivo da competência, constrói um *locus interno de controle*, o fator-chave para uma maneira saudável de lidar com situações durante toda a vida.[7] Crianças que desenvolvem apego seguro aprendem a distinguir o que as faz se sentir bem. Também descobrem o que faz com que elas (e os outros) se sintam mal, e adquirem um senso de agência: percebem que seus atos podem modificar o modo como se sentem e como as outras pessoas reagem. Crianças com apego seguro aprendem a diferença entre as situações que podem controlar e aquelas nas quais precisam de ajuda. Aprendem que podem exercer um papel ativo diante de situações difíceis. Crianças com histórico de abuso e negligência, ao contrário, aprendem que o terror, as súplicas e o choro não têm efeito sobre o responsável por elas. Nada que possam fazer ou dizer faz cessar os maus-tratos físicos nem lhes traz atenção e ajuda. Na realidade, estão sendo condicionadas a não reagir quando mais tarde, na vida adulta, enfrentarem desafios.

O CAMINHO PARA O REAL

O pediatra e psicanalista Donald Winnicott, contemporâneo de Bowlby, foi quem desenvolveu os modernos estudos de sintonia. Suas minuciosas observações sobre mães e filhos começaram com o modo como as mães seguram os bebês. Winnicott acreditava que essas interações físicas preparam o caminho para a consciência de self por parte do bebê – e, com isso, para um senso de identidade durante toda a vida. A forma como a mãe pega o bebê no colo condiciona "a capacidade de sentir o corpo como o lugar onde vive o psiquismo".[8] Essa sensação visceral e cinestésica de como nosso corpo é visto prepara o caminho para aquilo que experimentamos como o "real".[9]

Winnicott considerava que a maior parte das mães mostrava boa sintonia com os filhos – não é preciso talento excepcional para ser o que se chama uma "boa mãe".[10] Contudo, a situação pode se complicar bastante quando as mães são incapazes de entrar na mesma sintonia da realidade física do bebê. Se a mãe não atende aos impulsos e necessidades do filho, "o bebê aprende a tornar-se a ideia que a mãe faz dele". Ter de reduzir suas sensações interiores e tentar ajustar-se às necessidades de quem cuida dela faz a criança perceber que "alguma coisa está errada". Crianças carentes de sintonia física podem bloquear o retorno que emana de seu corpo, a sede de prazer, propósito e direção.

Desde a época em que Bowlby e Winnicott divulgaram suas ideias, pesquisas sobre o apego, no mundo inteiro, demonstraram que a vasta maioria das crianças goza de apego seguro. Quando crescem, seu histórico de cuidados confiáveis e sensíveis contribuirá para manter o medo e a ansiedade à distância. Se não ocorrer nenhum evento desastroso que danifique o sistema de autorregulação – um trauma –, essas pessoas provavelmente vão manter um estado fundamental de segurança emocional durante toda a vida. Um apego seguro constitui também um gabarito para os relacionamentos das crianças. Elas captam o que os outros estão sentindo e logo aprendem a distinguir o que é jogo e o que é realidade, e adquirem bom faro para situações e pessoas perigosas. Crianças com apego seguro, em geral, se tornam companheiras afáveis de outras crianças e têm muitas experiências de autoafirmação com seus pares. Como aprenderam a entrar em sintonia com outras pessoas, tendem a perceber mudanças sutis em vozes e expressões e a ajustar seu comportamento de forma correspondente. Aprendem a viver de acordo com uma visão compartilhada do mundo, e é provável que se tornem membros respeitados da comunidade.

No entanto, essa espiral ascendente pode ser prejudicada por abuso ou negligência. É comum que crianças vítimas de maus-tratos sejam muito sensíveis a alterações de vozes e expressões, com a tendência de ver essas mudanças como ameaças, não sinais para entrar em sintonia. O dr. Seth Pollak, da Universidade de Wisconsin, mostrou uma série de rostos a um grupo de crianças de 8 anos e comparou suas reações com as de um grupo de crianças da mesma idade, mas vítimas de abusos. Diante desse espectro de expressões, que variavam da fúria à tristeza, as crianças que sofreram abusos mostraram-se hiperalertas aos mais ligeiros sinais de fúria.[11]

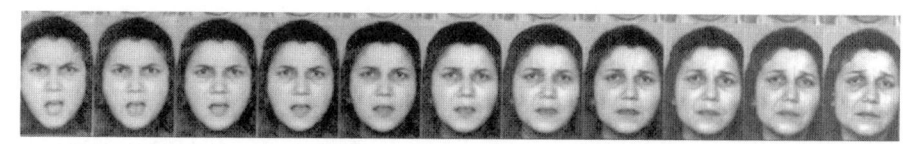

© 2000 by American Psychological Association

Essa é uma das razões por que uma criança vítima de maus-tratos fica na defensiva ou se assusta. Imaginemos como ela se sente diante de um mar de rostos no corredor da escola, tentando prever quem poderá agredi-la. É provável que crianças que reagem com exagero à agressão de um colega, que não se dão conta das necessidades de outras crianças, que com facilidade se fecham ou perdem o controle de seus impulsos sejam deixadas de lado e nunca recebam convites para brincadeiras ou festinhas na casa dos colegas. Em determinado momento podem acabar aprendendo a assumir uma fachada de agressividade a fim de encobrir seus medos. Ou podem ficar cada vez mais tempo sozinhas, vendo TV ou diante do computador, atrasando-se cada vez mais na área de qualificações interpessoais e no desenvolvimento de autorregulação emocional.

A necessidade de apego nunca diminui. A maioria das pessoas não suporta viver distante do convívio humano durante muito tempo. Quem não se liga aos outros pelo trabalho, por amizades ou pela família, em geral, busca diferentes formas de vinculação, seja por meio de doenças, causas judiciais ou brigas de família. Qualquer coisa é preferível àquela sensação desolada de irrelevância e alienação.

Há alguns anos, numa véspera de Natal, fui chamado a examinar um garoto de 14 anos na cadeia do condado de Suffolk. Jack havia sido preso por invadir a casa de vizinhos que estavam viajando, de férias. O alarme contra roubo continuava tocando quando os policiais o encontraram na sala.

A primeira pergunta que lhe fiz foi quem ele achava que iria visitá-lo na cadeia no Natal. "Ninguém", ele respondeu. "Ninguém presta atenção em mim." Vim a saber que ele tinha sido preso várias vezes por casos semelhantes de invasão de domicílio. Ele conhecia a polícia, e a polícia o conhecia. Havia prazer em sua voz ao me contar que, quando os policiais o viram de pé no meio da sala, exclamaram: "Vejam só, é Jack de novo, aquele puto!" Alguém o reconhecera. Alguém sabia seu nome. Daí a pouco ele confessou: "Sabe, é isso que faz valer a pena." Crianças farão quase tudo para serem vistas e reconhecidas.

VIVER COM OS PAIS QUE SE TEM

A criança nasce com o instinto biológico de se apegar – ela não tem opção. Sejam os pais ou responsáveis carinhosos e atentos, ou distantes, insensíveis e inclinados à rejeição ou aos maus-tratos, ela desenvolverá uma estratégia de enfrentamento na tentativa de fazer com que sejam atendidas ao menos algumas de suas necessidades.

Dispomos hoje em dia de meios confiáveis para avaliar e identificar esses estilos de enfrentamento, graças sobretudo ao trabalho de duas cientistas americanas, Mary Ainsworth e Mary Main, e também de seus colaboradores, que observaram mães e seus bebês durante milhares de horas ao longo de muitos anos. Com base nesses estudos, Ainsworth criou uma ferramenta de pesquisa, por ela chamada Situação Estranha, que examina o modo como um lactente reage à separação temporária da mãe. Como Bowlby já havia observado, bebês com apego seguro se irritam quando a mãe os deixa, mas ficam felizes quando ela volta e, depois de uma rápida confirmação, retomam a brincadeira.

Entretanto, no caso de crianças com apego inseguro, o quadro é mais complexo. Crianças cujo cuidador principal não é ágil em suas respostas ou as rejeita aprendem a lidar com a ansiedade de duas maneiras distintas. Os pesquisadores notaram que algumas pareciam cronicamente ressentidas e exigentes com as mães, enquanto outras eram mais passivas e distantes. Nesses dois grupos, o reencontro com a mãe não as satisfazia – elas não voltavam a brincar, felizes, como ocorria no caso das crianças com apego seguro.

Num padrão denominado "apego evitativo" (ou esquivo), as crianças passam a impressão de que nada as incomoda de verdade – não choram quando a mãe se afasta, e a ignoram quando ela volta. Entretanto, isso não significa que não se perturbem. Na verdade, a frequência cardíaca sempre elevada mostra que elas permanecem em constante estado de hipervigilância. Meus colegas e eu dizemos que crianças desse padrão "relacionam-se, mas não sentem".[12] A maioria das mães de bebês esquivos parece não gostar de tocar nos filhos. Têm dificuldade para acariná-los e pegá-los no colo, e não usam expressões faciais e a voz para criar ritmos prazerosos e recíprocos com os bebês.

Em outro padrão, chamado de apego "ansioso" ou "ambivalente", bebês chamam a atenção o tempo todo para si, chorando, gritando, agarrando-se à mãe ou berrando. Estes "sentem, mas não se relacionam".[13] Parecem ter aprendido que, a menos que façam um show, ninguém vai lhes dar atenção. Ficam angustiadíssimos quando não sabem onde está a mãe, mas consolam-se pouco com sua volta. E ainda que não pareçam apreciar a companhia da mãe, mantêm-se focados nela de forma passiva ou furiosa, mesmo em situações em que outras crianças prefeririam brincar.[14]

Pesquisadores do apego creem que as três estratégias "organizadas" de apego (a segura, a evitativa e a ansiosa) funcionam porque extraem o melhor que um dado cuidador é capaz de proporcionar. Bebês que se veem diante de um padrão consistente de assistência – mesmo que marcado por distância emocional ou insensibilidade – podem se adaptar para manter o relacionamento. O que não significa que não haja problemas: os padrões de apego muitas vezes persistem na vida adulta. Crianças que ao começar a andar são ansiosas tendem a se transformar em adultos ansiosos, enquanto as que são evitativas provavelmente se tornarão adultos distanciados dos sentimentos, próprios e alheios. (Como aquelas pessoas que dizem: "Uma boa surra nada tem de mau. Eu apanhava e isso fez de mim a pessoa de sucesso que sou hoje.") Na escola, crianças evitativas tendem a praticar bullying contra colegas, enquanto as ansiosas costumam ser suas vítimas.[15] Não obstante, o desenvolvimento não é linear, e muitas experiências de vida podem intervir para alterar esses resultados.

Existe, porém, um outro grupo, menos adaptado, ao qual pertence a maior parte das crianças que tratamos e um número considerável dos adultos das clínicas psiquiátricas. Há alguns anos, Mary Main e seus colaboradores em Berkeley começaram a identificar crianças (cerca de 15% das que foram estudadas) que pareciam incapazes de decidir sobre como se relacionar com seus cuidadores. A questão crítica estava no fato de que os próprios cuidadores lhes provocavam angústia ou terror.[16]

Crianças nessa situação não têm a quem recorrer e ficam diante de um dilema insolúvel: a mãe é, ao mesmo tempo, necessária para a sobrevivência delas e uma fonte de medo.[17] Tais crianças "não conseguem se aproximar (as 'estratégias' segura e ambivalente), nem desviar a atenção (a 'estratégia' evitativa), nem fugir".[18] Quem as observa numa creche ou num laboratório de apego percebe que, quando os pais entram na sala, elas olham para eles e rapidamente desviam o olhar. Incapazes de escolher entre ficar perto deles ou evitá-los, começam a engatinhar de um lado para outro, parecem entrar em transe, ficam paradas com as mãos para o alto ou se levantam para saudar o pai ou a mãe e depois caem no chão. Por não saberem quem merece confiança ou a quem pertencem, podem se mostrar muito afetuosas com estranhos ou então não confiar em ninguém. Main chamou esse padrão de "apego desorganizado". O apego desorganizado é "medo sem solução".[19]

PESSOAS QUE SE DESORGANIZAM INTERIORMENTE

É comum que pais conscienciosos se alarmem quando tomam conhecimento da teoria do apego, temendo que uma impaciência ocasional ou os eventuais lapsos de sintonia possam causar danos permanentes aos filhos. Na vida real, é inevitável haver mal-entendidos, reações infelizes e falhas de comunicação. Já que mães e pais falham aqui e ali, ou apenas estão ocupados com outros afazeres, muitas vezes os bebês têm de se virar sozinhos para se acalmar. Isso não é problema, dentro de limites. As crianças precisam aprender a resolver frustrações e desapontamentos. Com cuidadores "bons", elas aprendem que ligações rompidas podem ser reparadas. A questão crítica é se conseguem incorporar uma sensação visceral de segurança ao lado dos pais ou de outros cuidadores.[20]

Num estudo sobre padrões de apego com mais de 2 mil bebês em ambientes "normais" de classe média, concluiu-se que 62% eram seguros, 15% esquivos, 9% ansiosos (também chamados ambivalentes) e 15% desorganizados.[21] Curiosamente, esse amplo estudo revelou que o gênero e o temperamento básico da criança têm pouco efeito sobre o tipo de apego. Por exemplo, crianças com temperamentos "difíceis" não apresentam maior probabilidade de desenvolver um estilo desorganizado. Crianças de níveis socioeconômicos mais baixos têm mais probabilidade de ser desorganizadas,[22] por terem pais gravemente estressados pela instabilidade econômica e familiar.

Crianças que não se sentem seguras na infância têm problemas para regular seus humores e respostas emocionais ao crescer. No jardim de infância, muitas crianças desorganizadas se mostram agressivas ou atarantadas e distanciadas, e no futuro vêm a desenvolver um leque de problemas psiquiátricos.[23] Além disso, apresentam mais estresse fisiológico, que se manifesta em frequência cardíaca, na variação da frequência cardíaca,[24] em respostas de hormônios do estresse e na queda dos fatores imunológicos.[25]

Será que esse tipo de desregulação biológica volta ao normal automaticamente à medida que a criança amadurece ou é transferida para um ambiente seguro? Ao que se saiba, não.

O abuso por parte dos pais não é a única causa do apego desorganizado: pais preocupados com o próprio trauma, como violência doméstica ou estupro, ou a morte recente de um dos pais ou de um irmão, também podem ser fatores de instabilidade emocional que reduzem as condições para oferecer bem-estar e proteção.[26, 27] Os pais precisam de toda a ajuda que conseguirem obter para criar filhos seguros, porém, aqueles que são traumatizados, em particular, necessitam de auxílio para estar em sintonia com as necessidades dos filhos.

Muitas vezes os cuidadores não se dão conta de que estão fora de sintonia. Lembro bem de um vídeo que Beatrice Beebe me mostrou.[28] Uma jovem mãe brincava com seu bebê de três meses. Tudo ia bem até o momento em que o bebê se afastou e olhou para o outro lado, sinalizando que precisava de uma pausa. No entanto, a mãe não entendeu o sinal e intensificou seus esforços para atrair o filho, aproximando-se e aumentando o volume da voz. Ele se afastou ainda mais, e a mãe continuou a sacudi-lo e apertá-lo. O bebê por fim começou a gritar e nesse momento a mãe o pôs no chão e se afastou, parecendo desapontada. Estava claro que ela havia se sentido muito mal com aquilo, mas não havia percebido os sinais importantes. É fácil imaginar que esse tipo de dessintonia, repetido muitas vezes, pode levar a uma desconexão crônica. (Qualquer pessoa que tenha cuidado de um bebê com cólicas ou hiperativo conhece a rapidez com que o estresse aumenta quando nada parece dar resultado.) Se a mãe falha repetidas vezes nas tentativas de acalmar o bebê e criar uma interação prazerosa com ele, pode vê-lo como uma criança difícil. Logo se julga incompetente e desiste de confortar o filho.

Na prática, nem sempre é fácil distinguir problemas resultantes do apego desorganizado daqueles decorrentes de trauma, pois não é raro que esses problemas estejam entrelaçados. Minha colega Rachel Yehuda estudou índices de TEPT em nova-iorquinas adultas vítimas de agressão ou estupro.[29] Aquelas cujas mães, sobreviventes do Holocausto, tinham TEPT, apresentavam uma probabilidade muito maior de desenvolver graves problemas psicológicos depois de experiências traumáticas. A explicação mais razoável era que a criação que receberam lhes provocara uma fisiologia vulnerável, dificultando a recuperação do equilíbrio depois de serem violentadas. Yehuda encontrou vulnerabilidade semelhante em filhos de mulheres grávidas que estavam no World Trade Center naquele dia fatal de 2001.[30]

Da mesma forma, as reações de crianças a eventos dolorosos são, em grande parte, determinadas pelo grau de tranquilidade ou estresse dos pais. Meu ex-aluno Glenn Saxe, hoje diretor do Departamento de Psiquiatria de Crianças e Adolescentes na Universidade de Nova York, constatou que, num grupo de crianças hospitalizadas para tratamento de queimaduras graves, a probabilidade de que desenvolvessem TEPT era previsível com base em quanto elas se sentiam seguras junto às mães.[31] Essa segurança determinava a quantidade de morfina necessária para controlar suas dores: quanto mais seguro o apego, menor a quantidade de analgésico.

Outro colega, Claude Chemtob, que dirige o Programa de Pesquisa de Trauma Familiar no Centro Médico Langone, na Universidade de Nova York, acompanhou 112 crianças que haviam sido testemunhas oculares dos ataques terroristas do 11 de Setembro.[32] Filhos de mulheres com diagnóstico de TEPT ou depressão no período subsequente tinham seis vezes mais probabilidade de apresentar problemas emocionais graves e onze vezes mais de se tornarem hiperagressivos em reação à sua experiência. Crianças cujos pais sofriam de TEPT também tinham problemas emocionais, mas Chemtob concluiu que esse efeito era indireto e transmitido pela mãe. (Conviver com um cônjuge irascível, distante ou aterrorizado costuma impor um pesado ônus psicológico ao parceiro, o que inclui depressão.)

Quem não tem uma sensação interna de segurança apresentará dificuldade para distinguir segurança de perigo. Se a pessoa se sente cronicamente apática, situações com potencial de perigo podem lhe dar a sensação de estar viva. Se a pessoa conclui que não presta mesmo (caso contrário, por que os pais a tratavam tão mal?), passa a esperar que os outros a tratem do mesmo jeito. Já as desorganizadas com esse tipo de autopercepções estão predispostas a se traumatizarem por experiências subsequentes.[33]

OS EFEITOS A LONGO PRAZO DO APEGO DESORGANIZADO

No início da década de 1980, minha colega Karlen Lyons-Ruth, pesquisadora do apego em Harvard, começou a registrar interações face a face entre mães e seus bebês – aos 6, 12 e 18 meses. Repetiu as gravações quando as crianças estavam com 5 anos e também com 7 ou 8.[34] Todas pertenciam a famílias vulneráveis: 100% delas cumpriam os critérios federais de pobreza e quase 50% das mães eram solteiras.

O apego desorganizado assumia duas formas. Havia um grupo de mães demasiado preocupadas com seus problemas para cuidar dos bebês; mostravam-se hostis e revoltadas, ora rejeitando os filhos, ora agindo como se esperassem que eles cuidassem das necessidades *delas*. O outro grupo era composto por mães desamparadas e temerosas; meigas e frágeis, não sabiam agir como adultas e pareciam desejar que os filhos as confortassem. Não faziam afagos nos filhos depois de se ausentarem nem os pegavam no colo quando estavam angustiados. Não pareciam agir assim de propósito – apenas não sabiam como entrar em sintonia com eles e reagir a seus sinais, e por isso deixavam de confortá-los e tranquilizá-los. De modo geral, as mães hostis/revoltadas tinham um histórico de maus-tratos físicos e/ou de haver presenciado violência doméstica, enquanto as distantes/dependentes tinham um histórico de abuso sexual ou perda de pais (mas não de maus-tratos físicos).[35]

Sempre me perguntei por que alguns pais maltratam os filhos. Afinal, criar uma prole saudável está no cerne da ideia de realização humana. O que leva uma pessoa a, de maneira deliberada, ferir ou negligenciar seus filhos? A pesquisa de Karlen me deu uma resposta: assistindo a seus vídeos, vi crianças cada vez mais inconsoláveis, taciturnas ou resistentes a mães dessintonizadas. Ao mesmo tempo, as mães ficavam cada vez mais frustradas, derrotadas e impotentes em suas interações. Assim que a mãe começa a ver o filho não como seu parceiro numa relação bem sintonizada, mas como um estranho frustrante, irritante e desconectado, está montado o palco para futuros maus-tratos.

Mais ou menos dezoito anos depois, quando aquelas crianças tinham por volta de 20 anos, Lyons-Ruth fez um estudo complementar para ver como estavam se saindo. As que aos 18 meses exibiam graves problemas de comunicação emocional com a mãe haviam se tornado jovens com uma percepção instável de self, impulsividade autodestrutiva (que incluía, por exemplo, gastos excessivos, sexo promíscuo, bulimia, uso de drogas, direção perigosa), fúria desmedida e intensa, repetidos comportamentos suicidas.

Karlen e seus colegas tinham a expectativa de que o comportamento revoltado ou hostil das mães fosse o mais forte indicador de instabilidade mental em seus filhos quando adultos, mas o resultado a que chegaram foi outro. O distanciamento emocional foi o que causou impacto mais profundo e duradouro no grupo. O retraimento emocional e a inversão de papéis (mães que esperam ser cuidadas pelos filhos) estavam ligados, especificamente, nos jovens adultos, a comportamento agressivo contra si mesmos e outras pessoas.

DISSOCIAÇÃO: SABER E NÃO SABER

Lyons-Ruth estava especialmente interessada no fenômeno da dissociação, que leva a pessoa a se sentir perdida, esmagada, abandonada e desconectada do mundo, e a ver a si mesma como não apreciada, vazia, indefesa, aprisionada e imobilizada, como se carregasse um peso enorme. Encontrou uma relação "acentuada e imprevista" entre distanciamento e dessintonia por parte das mães durante os dois primeiros anos de vida dos filhos e sintomas dissociativos no começo da vida adulta desses filhos, e concluiu que bebês que não são verdadeiramente vistos e percebidos por suas mães correm alto risco de se transformar em adolescentes incapazes de perceber e ver as coisas.[36]

Um bebê que desfruta de relações seguras aprende a comunicar suas frustrações e sofrimentos e também seu self incipiente – seus interesses, preferências e metas. Ser alvo de uma reação receptiva protege bebês (e adultos) contra níveis extremos de um estado de alerta assustado. Mas se os cuidadores não dão atenção às necessidades do bebê ou se ressentem da própria existência dele, este aprende a esperar rejeição e afastamento. Ele enfrenta a situação da melhor maneira que pode, bloqueando a hostilidade ou a negligência da mãe, agindo como se isso não tivesse importância, contudo seu corpo tende a se manter num estado de alerta máximo, preparado para resistir a golpes, privações ou abandono. Dissociação significa, ao mesmo tempo, saber e não saber.[37]

Bowlby escreveu: "O que não pode ser comunicado à mãe/ao outro não pode ser comunicado ao self."[38] Quem não é capaz de tolerar o que sabe nem o que sente, tem como alternativas a negação e a dissociação.[39] É possível que o efeito de longo prazo desse bloqueio seja não se sentir real interiormente, um estado que observamos nas crianças da clínica infantil, e nas crianças e adultos que chegam ao Trauma Center. Quando a pessoa não se sente real, nada mais importa, daí a impossibilidade de se proteger do perigo. Talvez ela recorra a extremos, num esforço de sentir *alguma coisa* – mesmo que seja se cortar com gilete ou se meter em brigas com estranhos.

A pesquisa de Karlen mostrou que crianças aprendem a se dissociar cedo: abusos posteriores ou outros traumas não foram os responsáveis por sintomas dissociativos em adultos jovens.[40] Abusos e traumas explicam muitos outros problemas, mas não dissociação crônica e autolesões. O problema fundamental e crítico era que esses pacientes não sabiam como se sentir seguros. A ausência de segurança nas primeiras relações com os cuidadores leva a uma sensação prejudicada da realidade interior, à idealização excessiva de outras pessoas e ao comportamento autodestrutivo, sintomas que não são previsíveis por fatores como pobreza, ausência de uma figura parental masculina ou os transtornos psiquiátricos maternos.

Isso não significa que o abuso infantil seja irrelevante,[41] mas que a qualidade dos primeiros cuidados é de suma importância para prevenir problemas de saúde mental, independentemente de outros traumas.[42] Por isso, além das marcas de eventos traumáticos específicos, o tratamento precisa corrigir também as consequências de não se ter contado com espelhamento e sintonia, tampouco recebido cuidados consistentes e amor: dissociação e perda de autorregulação.

RESTAURAÇÃO DA SINTONIA

Os padrões de apego na primeira infância criam os mapas interiores que balizam nossos relacionamentos ao longo de toda a vida, não só em termos do que esperamos dos outros mas também do nível de bem-estar e de prazer que podemos auferir na presença deles. Duvido que o poeta e. e. cummings pudesse ter escrito aqueles seus versos tão exultantes, "*gosto de meu corpo quando ele está com teu corpo [...] os músculos melhores, os nervos ainda mais*" ["*i like my body when it is with your body... muscles better and nerves more*"], se suas primeiras experiências fossem rostos sem expressão e olhares hostis.[43] Nossos mapas de relacionamento estão implícitos, gravados no cérebro emocional, e não são reversíveis simplesmente por entendermos como foram criados. Você pode compreender que seu medo da intimidade tem alguma coisa a ver com a depressão pós-parto de sua mãe ou com o fato de ela ter sido molestada quando criança, mas é improvável que essa compreensão, por si só, lhe permita ter um envolvimento feliz e confiante com outras pessoas.

Contudo, tal entendimento pode ajudar uma pessoa a começar a explorar outras formas de conexão em relacionamentos – seja em seu próprio benefício, seja para não transmitir um apego inseguro aos filhos. Na Parte v, apresento várias abordagens para a cura de sistemas de sintonia danificados, mediante treinamento com ritmos e reciprocidade.[44] Estar em sintonia consigo mesmo e com outras pessoas exige a integração dos sentidos físicos – visão, audição, tato e equilíbrio. Se isso não ocorreu durante a infância, há uma maior probabilidade de posteriores problemas de integração sensorial (para os quais os traumas e a negligência não são, de forma alguma, os únicos caminhos).

Estar em sintonia é ressoar em meio a sons e movimentos que se conectam, que estão embutidos nos ritmos sensoriais cotidianos de cozinhar e limpar, ir dormir e se levantar. Estar em sintonia pode significar partilhar caretas e abraços, expressar prazer ou desaprovação nos momentos certos, atirar e pegar bolas ou cantar com outras pessoas. No Trauma Center, criamos programas para ajudar os pais a estabelecer conexão e sintonia, e meus pacientes me propuseram muitas outras formas de fazer isso, desde canto coral e dança de salão a jogar basquete e participar de conjuntos de jazz e grupos de música de câmara. Todas essas atividades, como disse no capítulo 5, promovem uma sensação de sintonia e de prazer comunal.

8

IMOBILIZAÇÃO EM RELACIONAMENTOS: O CUSTO DO ABUSO E DA NEGLIGÊNCIA

A "viagem marítima noturna" é a viagem a partes de nós mesmos que estão divididas, repudiadas, desconhecidas, indesejadas, banidas e exiladas nos vários mundos subterrâneos da consciência [...]. A finalidade dessa viagem é nos reencontrarmos com nós mesmos. Essa volta para casa pode ser surpreendentemente dolorosa, até brutal. Para realizá-la, temos de primeiro concordar em nada exilar.

Stephen Cope

Marilyn era uma mulher alta e de porte atlético. Trinta e poucos anos e trabalhava como instrumentadora cirúrgica numa cidade próxima. Ela me contou que, meses antes, começara a jogar tênis no clube com um bombeiro de Boston chamado Michael. De modo geral, mantinha-se distante dos homens, disse, mas aos poucos passou a se sentir bastante bem na companhia de Michael, a ponto de aceitar seus convites para uma pizza depois das partidas. Conversavam sobre tênis, filmes, seus sobrinhos – nada muito pessoal. Era evidente que Michael gostava de estar com ela, mas Marilyn repetia para si mesma que ele não a conhecia direito.

Numa noite de sábado, em agosto, depois do tênis e da pizza, ela o convidou para passar a noite em seu apartamento. Contou que se sentira "tensa e irreal" assim que se viram a sós. Lembrava-se de ter pedido a ele que fosse devagar, mas fazia pouquíssima ideia do que havia acontecido em seguida. Depois de algumas taças de vinho e de assistir à reprise de um episódio de *Law & Order*, aparentemente adormeceram juntos na cama dela. Por volta das duas da manhã, Michael virou-se durante o sono. Ao sentir o corpo dele encostar no seu, ela explodiu, esmurrando, arranhando e mordendo o rapaz, aos gritos de "Canalha, canalha!". Assustado, Michael juntou seus pertences e foi embora. Depois disso, Marilyn ficou sentada na cama durante horas, atônita. Estava profundamente envergonhada e se odiava pelo que fizera. Agora havia me procurado, buscando ajuda para lidar com seu terror em relação a homens e seus inexplicáveis ataques de raiva.

Meu trabalho com veteranos de guerra havia me preparado para escutar histórias dolorosas como a de Marilyn sem tentar intervir de imediato para resolver o problema. É comum uma pessoa recorrer à terapia após um comportamento inexplicável: atacar um namorado no meio da noite, aterrorizar-se quando alguém a encara, ver-se coberta de sangue depois de se cortar com um caco de vidro ou vomitar de propósito todas as refeições. É preciso tempo e paciência para que se revele a realidade por trás desses sintomas.

TERROR E APATIA

Marilyn contou que Michael tinha sido o primeiro homem que ela convidara à sua casa em mais de cinco anos, mas que aquela não fora a primeira vez que perdera o controle quando alguém ficava para passar a noite. Repetiu que sempre se sentia tensa e desorientada ao ficar sozinha com um homem, e que em outras ocasiões havia "dado por si" em seu apartamento, encolhida num canto e incapaz de recordar com clareza o que havia acontecido.

Ela também disse ter a impressão de estar apenas "fingindo que vivia". A não ser quando estava no clube, jogando tênis, ou trabalhando na sala de cirurgia, em geral se sentia apática. Anos antes, descobrira que essa apatia podia ser amenizada quando se cortava com uma gilete, porém se assustara ao perceber que estava se cortando cada vez mais fundo e com maior frequência para obter alívio. Também tentara o álcool, mas isso lhe recordava o pai e seu descontrole com a bebida, o que a deixava enojada.

Então começara a jogar tênis como uma louca, sempre que podia: tinha a sensação de estar viva.

Quando lhe perguntei sobre o passado, Marilyn respondeu que "devia ter vivido" uma infância feliz, mas que lembrava de pouquíssimas coisas antes dos 12 anos. Contou que fora uma adolescente tímida, até ter uma briga violenta com o pai, aos 16 anos, quando fugiu de casa. Matriculou-se numa escola pública comunitária e formou-se em enfermagem, sem qualquer ajuda dos pais. Sentia vergonha de, durante essa época, ter-se tornado um tanto promíscua, o que descrevia como "procurar amor em todos os lugares errados".

Como costumava fazer com novos pacientes, pedi-lhe para desenhar um retrato de sua família, e quando vi o desenho (reproduzido acima) decidi avançar bem devagar. Era evidente que Marilyn guardava lembranças terríveis, mas não se permitia reconhecer o que a imagem revelava. Ela havia desenhado uma criança extremamente aterrorizada, presa numa espécie de jaula e ameaçada por três figuras de pesadelo – uma delas sem olhos – e um enorme pênis ereto que adentrava seu espaço. E, no entanto, essa mulher dizia que "devia ter vivido" uma infância feliz.

Como escreveu o poeta W. H. Auden, "*A verdade, como o amor e o sono, abomina/ Aproximações demasiado intensas* [*"Truth, like love and sleep, resents/ Approaches that are too intense"*].[1]

Chamo isso de "regra de Auden" e, respeitando-a, não pressionei Marilyn a me contar o que recordava. Na verdade, descobri que não é importante que eu conheça todos os detalhes do trauma de um paciente. É fundamental que ele mesmo aprenda a suportar sentir o que sente e saber o que sabe. Pode levar semanas ou até anos. Resolvi começar o tratamento convidando-a a participar de um grupo de terapia já em andamento, no qual ela poderia encontrar apoio e aceitação antes de enfrentar o motor de sua insegurança, vergonha e raiva.

Como eu supunha, Marilyn chegou apavorada à primeira reunião, com uma expressão muito parecida à da figura central de seu retrato de família; distante, não se aproximou de ninguém. Eu havia escolhido aquele grupo porque seus integrantes sempre haviam se mostrado solícitos e acolhiam bem novos participantes cujo medo os impedia de falar. Sabiam, por experiência própria, que destravar segredos é um processo gradual. Dessa vez, entretanto, eles me surpreenderam, fazendo tantas perguntas intrometidas sobre a vida amorosa de Marilyn que me lembrei da menina do desenho sendo atacada. Foi quase como se, sem querer, Marilyn tivesse pedido que o grupo revivesse seu passado traumático. Intervim para ajudá-la a impor certos limites, e ela começou a ficar mais à vontade.

Três meses depois, Marilyn contou que havia tropeçado e caído algumas vezes na calçada entre o metrô e o consultório. Temia que sua visão estivesse ficando ruim, porque, havia algum tempo, também vinha errando várias bolas ao jogar tênis. Lembrei de novo do desenho da criança assustada, de olhos esbugalhados e aterrorizada. Seria um tipo de "reação de conversão", que leva alguns pacientes a expressar seus conflitos perdendo a função de uma parte do corpo? Muitos soldados nas duas guerras mundiais haviam sofrido paralisias que não podiam ser atribuídas a lesões físicas, e eu vira casos de "cegueira histérica" no México e na Índia.

Ainda assim, como médico, eu não estava inclinado a concluir, sem maiores dados, que isso "estava dentro da cabeça dela". Encaminhei-a a colegas da enfermaria de oftalmologia e otorrinolaringologia, pedindo-lhes exames rigorosos. Semanas depois, recebi os resultados. Marilyn tinha lúpus eritematoso na retina, doença autoimune que estava acabando com sua visão, e precisava de tratamento urgente. Fiquei consternado: naquele ano, ela era a terceira pessoa que, segundo eu suspeitava, tinha um histórico de incesto e recebia um diagnóstico de doença autoimune – uma doença em que o corpo ataca a si mesmo.

Depois de me certificar de que Marilyn estava recebendo assistência médica adequada, consultei dois colegas do Hospital Geral de Massachusetts, o psiquiatra Scott Wilson e o diretor do laboratório de Imunologia, Richard Kradin. Contei-lhes a história dela, mostrei-lhes o desenho e pedi que colaborassem num estudo. Eles generosamente se dispuseram a contribuir com seu tempo e as despesas vultosas de exames imunológicos adicionais. Recrutamos doze mulheres com histórico de incesto que não estavam tomando nenhuma medicação, além de outras doze que nunca tinham passado por traumas e também não tomavam medicamentos – um grupo de controle surpreendentemente difícil de formar. (Marilyn não fazia parte do estudo; em geral, não pedimos a nossos pacientes clínicos que participem de nossas iniciativas de pesquisa.)

Completado o estudo e analisados os dados, Rich disse que o grupo de vítimas de incesto apresentava uma proporção anormal de células de CD45 RA e RO em comparação com o grupo de não traumatizadas. As células CD45 são as "células de memória" do sistema imunológico. Algumas delas, as chamadas células RA, foram ativadas por exposição a toxinas no passado e reagem com rapidez a ameaças ambientais que já enfrentaram. As células RO, por sua vez, são reservadas para novos desafios; o corpo recorre a elas para lidar com ameaças nunca enfrentadas. A razão RA-RO é o equilíbrio entre células que reconhecem toxinas conhecidas e células que estão à espera de novas informações para serem ativadas. Em pacientes com histórico de incesto, o número de células RA prontas para entrar em ação é maior que o normal. Em decorrência disso, o sistema imunológico fica supersensível a ameaças, o que o predispõe a montar uma defesa quando não é preciso, mesmo que signifique atacar as células do próprio corpo.

Nosso estudo mostrou que, num nível profundo, o corpo da vítima de incesto tem dificuldade para distinguir entre perigo e segurança. Ou seja: a marca do trauma passado não consiste apenas em percepções distorcidas de informações que vêm do exterior; o próprio organismo não sabe como se sentir em segurança. O passado está gravado não só na mente das vítimas e em interpretações errôneas de fatos corriqueiros (como aconteceu quando Marilyn atacou Michael porque ele a tocou sem querer enquanto dormia) como também no próprio núcleo do ser de cada uma dessas vítimas: na segurança de seu corpo.[2]

UM MAPA-MÚNDI RASGADO

Como as pessoas aprendem o que é ou não seguro, o que é interior e o que é exterior, a que se deve resistir e o que se pode aceitar? A melhor maneira de entender o impacto do abuso infantil e da negligência é ouvindo o que pessoas como Marilyn podem nos ensinar. Ao conhecê-la melhor, compreendi claramente que ela desenvolvera uma maneira peculiar de perceber como o mundo funciona.

Quando crianças, estamos no centro de nosso universo e interpretamos tudo o que acontece de uma perspectiva egocêntrica. Nossos pais e avós não param de dizer que somos as coisas mais engraçadinhas e lindas do mundo, e não contestamos a avaliação deles – devemos ser mesmo. E no fundo, seja o que for que venhamos a saber sobre nós, levaremos conosco essa ideia: somos adoráveis. E ficamos indignados se mais tarde nos ligamos a alguém que nos trata mal. Como assim? Não nos parece certo: não nos é familiar, não é como era em nossa casa. Entretanto, se fomos maltratados ou ignorados quando bebês, ou se crescemos numa família em que a sexualidade era vista com repulsa, nosso mapa interior contém uma mensagem diferente. A percepção do self é marcada por desprezo e humilhação, e o mais provável é pensar que "ele (ou ela) sabe muito bem como é que eu sou", e não protestar se somos maltratados.

O passado de Marilyn moldava sua visão de todos os relacionamentos. Ela estava convencida de que os homens não davam a mínima para os sentimentos alheios e conseguiam tudo o que queriam. Tampouco as mulheres mereciam confiança. Fracas demais para se defender, vendiam o corpo a fim de que os homens cuidassem delas. Se você enfrentasse dificuldades, elas não levantavam um dedo para ajudar. Essa visão de mundo se manifestava na forma como Marilyn tratava os colegas de trabalho: suspeitava das intenções de qualquer um que fosse amável com ela, e criticava-os se cometessem o mais leve desvio em relação às normas de enfermagem. Com relação a si mesma, considerava-se uma semente ruim, uma pessoa essencialmente tóxica que trazia o mal para quem a cercava.

Até então eu costumava censurar pessoas que pensavam como Marilyn e tentava ajudá-las a encarar o mundo de maneira mais positiva e flexível. Um dia, porém, uma paciente, Kathy, me corrigiu. Uma moça do grupo tinha chegado atrasada porque seu carro enguiçara, e Kathy, de imediato, assumiu a culpa: "Na semana passada, vi que seu carro estava prestes a enguiçar. Eu sabia que devia ter-lhe oferecido uma carona." Sua autocrítica foi num crescendo até chegar ao ponto de, minutos depois, ela se declarar responsável pelo abuso sexual de que fora vítima: "Eu fui a culpada: tinha 7 anos e adorava meu pai. Queria que ele me amasse, e fiz o que ele queria que eu fizesse. Foi tudo culpa minha." Quando intervim para apaziguá-la, dizendo: "Ora, vamos, você era apenas uma garotinha… Cabia a seu pai manter os limites", Kathy voltou-se para mim. "Sabe, Bessel", ela disse,

> entendo que para você é importante ser um bom terapeuta, por isso, quando você faz comentários idiotas como esse, em geral, eu lhe agradeço muito. Afinal de contas, sou uma sobrevivente de incesto… Fui treinada para atender às necessidades de homens adultos inseguros. Mas acho que, depois de dois anos, confio em você o suficiente para lhe dizer que esses seus comentários me fazem sentir muito mal. É, é verdade. Eu me culpo, instintivamente, por tudo de ruim que acontece às pessoas que me cercam. Sei que não é racional, e me sinto mesmo idiota por agir assim, mas é o que eu faço. Quando você tenta me convencer a ser mais sensata, eu me sinto ainda mais solitária e isolada… E sua atitude confirma a sensação de que ninguém, no mundo inteiro, jamais vai compreender como é que eu sou.

Agradeci a Kathy, sinceramente, por seu desabafo, e desde então tento não dizer a meus pacientes que não devem sentir o que sentem. Kathy me ensinou que minha responsabilidade vai muito mais fundo: preciso ajudá-los a reconstruir seu mapa-múndi interior.

Como expus no capítulo anterior, pesquisadores do apego demonstraram que nossos primeiros cuidadores não apenas nos alimentam, nos vestem e nos consolam se estamos descontentes; eles moldam a forma como nosso cérebro, em rápida formação, percebe a realidade. As interações entre nós e nossos cuidadores ensinam o que é seguro e o que é perigoso: com quem podemos contar e quem não nos ajudará; aquilo de que precisamos para que nossas necessidades sejam atendidas. Essas informações estão incrustadas na rede dos circuitos de nosso cérebro e formam o padrão de como pensamos a respeito de nós próprios e do mundo ao redor. Esses mapas interiores mostram uma estabilidade notável ao longo do tempo.

Isso não quer dizer, porém, que esses mapas não possam ser modificados pela experiência. Uma relação amorosa profunda, sobretudo durante a adolescência, quando o cérebro atravessa, de novo, um período de alteração exponencial, pode de fato nos transformar. A mesma mudança pode ser causada pelo nascimento de uma criança, já que com frequência nossos bebês nos ensinam a amar. Adultos vítimas de abusos ou de negligência na infância podem descobrir a beleza da intimidade e da confiança mútua ou viver uma experiência espiritual profunda que ampliem seu universo. Por outro lado, mapas infantis não contaminados podem ser tão distorcidos por um estupro ou pela agressão cometidos por um adulto que todas as estradas se redirecionam para o terror ou o desespero. Tais reações não são racionais e, por isso, não podem ser alteradas por uma simples correção de convicções irracionais. Nosso mapa-múndi está codificado no cérebro emocional, e alterá-lo exige a reorganização dessa parte do sistema nervoso central (como se verá na Parte v).

Não obstante, aprender a reconhecer ideias e comportamentos irracionais pode ser um primeiro passo. Pessoas como Marilyn descobrem que suas premissas não são iguais às de outras pessoas. Se tiverem sorte, amigos e colegas lhes dirão, com palavras, não atos, que a falta de confiança e o autodesprezo delas dificultam a colaboração. Todavia, é raro que isso aconteça, e a experiência de Marilyn foi típica: depois de agredir Michael, ela não teve nenhum interesse em pôr tudo em pratos limpos, e ficou sem o amigo e parceiro preferido de tênis. É nesse ponto que pessoas inteligentes e corajosas como ela, que não perdem a curiosidade e a determinação, apesar de derrotas seguidas, começam a procurar ajuda.

Em geral, o cérebro racional é capaz de se sobrepor ao cérebro emocional, desde que nossos medos não nos sequestrem. (Por exemplo, o medo de um motorista de ser parado pela polícia pode se transformar, instantaneamente, em gratidão se o guarda lhe avisa que ocorreu um acidente à frente.) Entretanto, no momento em que nos sentimos aprisionados, furiosos ou rejeitados, ficamos propensos a ativar mapas antigos e seguir suas instruções. A mudança começa quando aprendemos a ser "donos" de nosso cérebro emocional, ou seja: quando aprendemos a observar e suportar as sensações dilacerantes que indicam sofrimento e humilhação.

Só depois de aprender a tolerar o que sucede dentro de nós é que começamos a acolher, em vez de ocultar, as emoções que mantêm nossos mapas fixos e imutáveis.

APRENDER A LEMBRAR

Mais ou menos um ano depois de Marilyn ingressar no grupo, outra participante, Mary, disse que desejava falar sobre o que lhe acontecera quando tinha 13 anos. Mary trabalhava como carcereira e estava envolvida numa relação sadomasoquista com outra mulher. Queria que as pessoas conhecessem seus antecedentes, na esperança de que se tornassem mais tolerantes em relação a suas reações extremadas, como sua tendência a se calar ou explodir à mais leve provocação.

Lutando para pronunciar as palavras, Mary nos contou que certa noite, quando tinha 13 anos, ela fora estuprada pelo irmão mais velho e por uma turma de amigos dele. O estupro resultou em gravidez, e a mãe lhe fez um aborto em casa, na mesa da cozinha. Sensibilizado, o grupo sintonizou-se com o que ela, aos soluços, estava compartilhando, e consolou-a. Fiquei muitíssimo comovido com a empatia que demonstravam – estavam confortando Mary de uma maneira que deviam desejar que alguém os tivesse acolhido ao se confrontarem pela primeira vez com seus traumas.

Expirado o tempo, Marilyn perguntou se poderia usar mais alguns minutos para falar sobre o que havia sentido durante a sessão. O grupo concordou e então ela disse: "Ouvindo essa história, fiquei pensando se fui mesmo vítima de abuso sexual." Devo ter ficado boquiaberto. Com base naquele seu desenho, eu sempre imaginara que ela estivesse ciente, ao menos em algum nível, do que ocorrera. Marilyn reagira como uma vítima de incesto em sua resposta a Michael, e se comportava cronicamente como se o mundo fosse um lugar aterrorizante.

No entanto, embora tivesse desenhado uma menina molestada sexualmente, ela – ou pelo menos seu self cognitivo, verbal – não fazia ideia do que de fato sucedera. Tudo nela – o sistema imunológico, os músculos e o sistema de medo – trazia as marcas, mas sua mente consciente carecia de uma história capaz de comunicar a experiência. Ela reencenava o trauma no seu dia a dia, mas não tinha narrativa alguma a que se reportar. Como se verá no capítulo 12, a memória traumática difere de lembranças normais de modos complexos e envolve várias camadas de mente e cérebro.

Encorajada pelo depoimento de Mary e estimulada pelos pesadelos que se seguiram, Marilyn começou a fazer terapia individual para enfrentar o passado. De início, sofreu ondas de terror intenso e generalizado. Interrompeu as sessões por várias semanas, mas, ao constatar que não conseguia dormir e teria de tirar uma licença do trabalho, foi adiante. Como me disse mais tarde: "Meu único critério para decidir se uma situação é nociva consiste em sentir 'Isso vai me matar se eu não pular fora'."

Comecei a ensinar a ela técnicas de tranquilização, como concentrar-se em inspirar e expirar profundamente seis vezes por minuto; e ao mesmo tempo eu a guiava, perguntando sobre as sensações da respiração em seu corpo. Esse exercício se combinava com batidinhas em pontos de acupuntura, o que a ajudava a se acalmar. Trabalhamos também com atenção plena: aprender a manter a mente viva, enquanto permitia que o corpo sentisse o que ela passara a temer, aos poucos levou Marilyn a conseguir observar sua experiência, em vez de ser imediatamente sequestrada por suas sensações. Ela tentara embotar ou abolir essas sensações com álcool e exercícios, mas aos poucos veio a se sentir segura o suficiente para começar a lembrar o que lhe acontecera quando menina. Ao adquirir domínio sobre as sensações físicas, também pôde perceber a diferença entre passado e presente: agora, se sentisse a perna de alguém roçar a sua de noite, poderia reconhecê-la como a perna de Michael, a perna do belo parceiro de tênis que ela convidara para ir a seu apartamento. A perna não era de nenhuma outra pessoa, e seu toque não significava que alguém estivesse tentando molestá-la. Permanecer imóvel permitiu-lhe saber – saber de maneira plena, física – que era uma mulher de 34 anos, não uma menininha.

Quando Marilyn por fim começou a ter acesso a suas memórias, elas surgiram como flashbacks do papel de parede em seu quarto de menina. Ela compreendeu que foi nesse papel de parede que ela, aos 8 anos, se concentrara enquanto o pai a violentava. O estupro a aterrorizara além de sua capacidade de tolerância, de modo que fora obrigada a expulsar aquilo de seu banco de memórias. Afinal de contas, teria de continuar vivendo com esse homem, seu pai, que a estuprara. Lembrava ter procurado a mãe em busca de proteção, mas só recebeu um abraço frouxo ao correr para ela e se esconder com o rosto enterrado em sua saia. Às vezes a mãe ficava em silêncio, às vezes chorava e, zangada, repreendia Marilyn por "deixar papai tão chateado". A criança aterrorizada não achava ninguém que a protegesse, que lhe desse ânimo ou abrigo.

Como Roland Summit escreveu em seu clássico estudo *The Child Sexual Abuse Accomodation Syndrome* [Síndrome da acomodação ao abuso sexual infantil],

> a iniciação, a intimidação, a estigmatização, o isolamento, o desamparo e a autorrecriminação baseiam-se numa terrível realidade de abuso sexual infantil. Qualquer tentativa da criança de divulgar o segredo será neutralizada por uma conspiração de silêncio e descrença por parte dos adultos. "Não pense nisso; é uma coisa que nunca aconteceria em nossa família." "Como é que você pode pensar uma coisa tão horrível?" "Nunca mais me venha com uma história dessas de novo!" Normalmente a criança nunca pergunta e nunca conta.[3]

Depois de quarenta anos como terapeuta, de vez em quando ainda me pego dizendo "Não pode ser!" ao ouvir certos pacientes. Às vezes eles ficam tão incrédulos quanto eu: como foi possível que figuras parentais infligissem tal tortura e terror ao próprio filho? Alguns continuam insistindo: certamente imaginaram a experiência ou estão exagerando. Todos sentem vergonha do que lhes aconteceu e se recriminam, culpam a si mesmos – num certo nível, acreditam piamente que essas coisas horríveis lhes foram feitas porque eles são pessoas horríveis.

A seguir, Marilyn começou a analisar como a criança impotente aprendera a se bloquear por completo e aquiescer a tudo o que lhe era pedido. Para tanto, ela desaparecia: a partir do momento em que ouvia os passos do pai no corredor chegando a seu quarto, ela "punha a cabeça nas nuvens". Outra paciente minha, que teve uma experiência semelhante, fez um desenho que mostra como funciona o processo. Quando o pai começava a tocá-la, ela dava um jeito de sumir; subia como um balão para o teto, vendo dali outra menina na cama.[4] Ficava feliz por não estar ali – era uma outra que estava sendo molestada.

Ver essas cabeças separadas do corpo por um nevoeiro impenetrável realmente abriu meus olhos para a experiência da dissociação, tão comum entre vítimas de incesto. A própria Marilyn mais tarde percebeu que, adulta, continuara a subir para o teto quando se via numa situação sexual. No período em que esteve mais sexualmente ativa, de vez em quando um parceiro comentava, surpreso, como ela mudava na cama e que ele mal a reconhecia, pois ela até falava diferente. Em geral, ela não se lembrava do que tinha acontecido, mas em outras ocasiões ficava aborrecida e agressiva. Marilyn não tinha a menor ideia de quem ela de fato era do ponto de vista da sexualidade, de modo que pouco a pouco se afastou totalmente dos homens – até conhecer Michael.

ÓDIO AO LAR

Crianças não escolhem os pais, nem conseguem entender que eles podem simplesmente estar deprimidos, furiosos ou desnorteados demais para lhes dar atenção, ou que o modo como se comportam às vezes tem pouco a ver com os filhos. A única opção que lhes resta é se organizar para sobreviver na família que têm. Ao contrário dos adultos, para elas não há autoridade a quem pedir ajuda – seus pais *são* a autoridade. As crianças não podem alugar um apartamento ou se mudar para a casa de outra pessoa. A sobrevivência delas depende de seus cuidadores.

Crianças percebem – mesmo que não sejam ameaçadas de maneira explícita – que, se contarem aos professores que sofrem espancamentos ou abusos sexuais, serão castigadas. Assim, focam suas energias em *não* pensar sobre o que aconteceu e em não sentir os resíduos de terror e pânico no corpo. Como não conseguem suportar a consciência do que lhes aconteceu, também não têm como compreender que a raiva ou o terror que sentem têm a ver com o ocorrido. Elas se calam; agem e lidam com suas sensações por meio da raiva, do bloqueio ou do desafio.

Crianças são também programadas para ser fundamentalmente leais a seus cuidadores, mesmo que sofram abusos em suas mãos. O terror aumenta a necessidade de apego, muito embora a fonte de conforto seja também a fonte de terror. Nunca vi uma criança com menos de 10 anos que, mesmo sofrendo torturas em casa (apresentando marcas dos maus-tratos, como fraturas e queimaduras), não preferisse permanecer com a família em vez de ser direcionada para um lar de acolhimento. É claro que se agarrar ao abusador não é uma escolha exclusiva de crianças. Reféns já pagaram fiança para libertar seus sequestradores, já manifestaram o desejo de se casar ou se envolveram sexualmente com eles; vítimas de violência doméstica muitas vezes procuram proteger quem as maltrata. Com frequência juízes me contam o quanto se sentem frustrados quando, depois de expedirem ordens de restrição para proteger vítimas de violência doméstica, descobrem que muitas delas permitem em segredo que seus parceiros voltem para casa.

Marilyn levou muito tempo até se dispor a falar do abuso de que fora vítima: não estava pronta para violar sua lealdade à família – no fundo, achava que ainda precisava dela para se proteger de seus medos. O preço dessa lealdade são sensações intoleráveis de solidão, desespero e a inevitável raiva da impotência. A raiva que não tem alvo é direcionada contra o self, na forma de depressão, ódio a si mesmo e comportamentos autodestrutivos. Uma de minhas pacientes disse: "É como odiar sua casa, sua cozinha com suas panelas e caçarolas, sua cama, suas cadeiras, sua mesa, seus tapetes." Nada parece seguro – muito menos o próprio corpo.

Aprender a confiar é difícil. Outra paciente, uma professora primária cujo avô a estuprava repetidamente quando ela tinha menos de 6 anos, mandou-me o seguinte e-mail: "Enquanto voltava para casa, depois da sessão, comecei a refletir sobre o perigo de me abrir com o senhor, e então, ao chegar à rodovia 124, me dei conta de que tinha violado a regra de não me apegar, nem ao senhor nem a meus alunos."

Em nosso encontro seguinte, ela me disse que também tinha sido estuprada por seu instrutor de laboratório na faculdade. Perguntei-lhe se tinha procurado ajuda e prestado queixa contra ele. "Eu não conseguia atravessar a rua para ir à clínica", ela respondeu. "Precisava desesperadamente de ajuda, mas, ali, de pé, senti que eu só ia me machucar ainda mais. E é bem possível que fosse verdade. É claro que tive de esconder de meus pais... e de todo mundo o que tinha acontecido."

Depois que lhe falei de minha preocupação com o que estava havendo com ela, recebi outro e-mail:

> Estou tentando lembrar a mim mesma que não fiz nada para merecer esse tratamento. Não acho que alguém, algum dia, tenha olhado para mim desse jeito e dito que se preocupava comigo, e estou me agarrando a isso como a um tesouro: a ideia de que mereço ser motivo de preocupação de alguém que respeito e que compreende o quanto estou lutando.

Para saber quem somos – para ter uma identidade –, precisamos saber (ou ao menos julgar que sabemos) o que é e o que foi "real". Temos de observar e classificar o que vemos ao redor de maneira correta; precisamos também ser capazes de confiar em nossas memórias e distingui-las da imaginação. Perder a capacidade de fazer essas distinções é um sinal daquilo que o psicanalista William Niederland chamou de "assassinato da alma". Apagar a consciência e cultivar a negação são, muitas vezes, medidas essenciais para a sobrevivência, mas há um preço: perde-se o rastro de quem se é, do que se está sentindo e das pessoas em que se pode confiar.[5]

A REPRODUÇÃO DO TRAUMA

Uma lembrança do trauma de infância de Marilyn lhe ocorreu num sonho em que ela se sentia sufocar e não conseguia respirar. Uma toalhinha de chá, branca, envolvia suas mãos, e a seguir ela foi erguida no ar com a toalha em torno do pescoço, impossibilitada de tocar o chão com os pés. Acordou tomada de pânico, certa de que morreria. Seu sonho me lembrou os pesadelos que veteranos de guerra me contavam, nos quais viam as imagens precisas e não adulteradas de rostos e partes de corpos com que tinham deparado em batalha. Esses sonhos eram tão assustadores que eles procuravam não dormir à noite, valendo-se de cochilos de dia. Como não estavam associadas a emboscadas noturnas, essas sonecas pareciam mais ou menos seguras.

Durante essa fase da terapia, Marilyn foi repetidamente dominada por imagens e sensações relacionadas com seu sonho de sufocação. Lembrava-se de estar sentada na cozinha, aos 4 anos, com os olhos inchados, dor de garganta e o nariz sangrando, enquanto o pai e o irmão riam dela e a chamavam de boba. Um dia Marilyn me contou:

Enquanto eu escovava os dentes, na noite passada, fui tomada pela sensação de me debater. Eu me sentia como um peixe fora d'água, agitando-me de forma violenta por causa da falta de ar. Eu soluçava e sufocava ao escovar os dentes. Um pânico crescia no meu peito, junto com a sensação de me debater. Tive de usar todas as minhas energias para não gritar "NÃONÃONÃONÃONÃONÃO" ali junto da pia.

Foi se deitar e dormiu, mas acordou a cada duas horas, como se um despertador soasse, durante toda a noite.

O trauma não fica armazenado como uma narrativa ordenada, com começo, meio e fim. Como se verá nos capítulos 11 e 12, no começo as memórias voltam como aconteceu no caso de Marilyn: flashbacks com fragmentos da experiência, imagens isoladas, sons e sensações físicas que a princípio só trazem medo e pânico. Quando Marilyn era criança, não tinha como exprimir o indizível, e de qualquer modo não faria diferença nenhuma – ninguém prestava atenção.

Como tantos sobreviventes de abuso na infância, Marilyn exemplificava o poder da força vital, a vontade de viver e de governar a própria vida, a energia que neutraliza o aniquilamento do trauma. Aos poucos vim a compreender que a única coisa que torna viável a tarefa de curar o trauma é o respeito pela luta de sobrevivência que permitia a meus pacientes resistir ao abuso de que tinham sido vítimas e, depois, suportar as noites escuras da alma, que inevitavelmente ocorrem no caminho da recuperação.

9
O QUE O AMOR TEM A VER COM ISSO?

> A iniciação, a intimidação, a estigmatização, o isolamento, o desamparo e a autorrecriminação se baseiam numa terrível realidade de abuso sexual infantil [...]. "Não pense nessas coisas; isso nunca aconteceria em nossa família." "Como é que você pode pensar uma coisa tão horrível?" "Nunca mais me venha com uma história dessas de novo!" Normalmente a criança nunca pergunta e nunca conta.
>
> Roland Summit, *The Child Sexual Abuse Accomodation Syndrome*

Como organizamos nossas ideias em relação a pessoas como Marilyn, Mary e Kathy? O que podemos fazer para ajudá-las? A maneira como definimos seus problemas – nossos diagnósticos – vão determinar a abordagem da terapia. Em geral, esses pacientes recebem cinco ou seis diagnósticos diferentes no decorrer do tratamento. Se o médico se concentrar em suas oscilações de humor, serão vistos como bipolares e receberão uma prescrição de lítio ou valproato. Se o desespero deles impressionar demais o profissional, ele lhes dirá que estão sofrendo de depressão grave e lhes administrará antidepressivos. Se o médico atentar sobretudo para a agitação e a falta de atenção que manifestam, eles poderão ouvir um diagnóstico de

TDAH e ser tratados com Ritalina ou outros psicoestimulantes. E se o paciente der informações relevantes e o médico escutar uma história de trauma, poderá receber um diagnóstico de TEPT. Nenhum desses diagnósticos estará de todo equivocado e nenhum definirá com clareza quem são esses pacientes e qual é o mal de que padecem.

A psiquiatria, como especialidade da medicina, pretende definir a doença mental com a mesma exatidão com que outras áreas definem o câncer de pâncreas ou a infecção pulmonar por estreptococos. No entanto, em vista da complexidade da mente, do cérebro e dos sistemas humanos de apego, não chegamos nem perto de alcançar esse grau de precisão. Hoje em dia, compreender o que está "errado" com as pessoas é mais uma questão da atitude mental do médico (e das despesas que os planos de saúde se dispõem a reembolsar) do que de fatos objetivos e verificáveis.

A primeira tentativa séria de criar um manual sistemático de diagnósticos psiquiátricos data de 1980, com a publicação da terceira edição do *Manual diagnóstico e estatístico de transtornos mentais* (*DSM-3*), a lista oficial de todas as doenças mentais reconhecidas pela Associação Psiquiátrica Americana (APA). O preâmbulo do *DSM-3* advertia de modo explícito que as classificações não tinham precisão suficiente para ser usadas em causas judiciais ou para discussão sobre plano de saúde. Não obstante, aos poucos ele se tornou um instrumento de poder colossal: para fins de reembolso de despesas médicas, os planos de saúde exigem um diagnóstico com base no *DSM*; até pouco tempo atrás, todos os financiamentos de pesquisas se baseavam em diagnósticos homologados pelo *DSM*; programas acadêmicos eram planejados em torno das categorias do *DSM*. Além disso, os rótulos do *DSM* logo chegaram à cultura popular: milhões de pessoas sabem que Tony Soprano sofria ataques de pânico e crises de depressão, e que Carrie Mathison, da série *Homeland*, luta contra o transtorno bipolar. O manual se transformou numa indústria virtual que já rendeu à APA mais de 100 milhões de dólares.[1] Será que proporcionou aos pacientes benefícios comparáveis?

Um diagnóstico psiquiátrico tem consequências bastante sérias: ele determina o tratamento, e o tratamento errado pode ter efeitos desastrosos. E mais: os diagnósticos quase sempre ficam colados às pessoas para o resto da vida e têm influência profunda na forma como elas próprias se definem. Muitos pacientes já me disseram que "são" bipolares, que "têm" transtorno de personalidade limítrofe (*borderline*) ou que "têm" TEPT, como se estivessem condenados a permanecer numa masmorra pelo resto da vida, como o conde de Monte Cristo.

Nenhum desses diagnósticos leva em conta os talentos que muitos deles desenvolvem ou a energia criativa que mobilizaram para sobreviver. Os diagnósticos não passam de listas de sintomas, o que faz pacientes como Marilyn, Kathy e Mary serem consideradas mulheres descontroladas, que precisam de ajustes.

O dicionário define diagnóstico como "1. Ato ou processo de identificar ou determinar a natureza e a causa de uma afecção ou lesão por meio de avaliação da história do paciente, de seu exame e da revisão de dados laboratoriais. 2. A opinião derivada de tal avaliação".[2] Neste capítulo e também no seguinte, vou analisar o abismo entre os diagnósticos oficiais e o que nossos pacientes de fato sofrem, além de mostrar os recursos empregados por mim e meus colegas para modificar a maneira de chegar ao diagnóstico de pacientes com histórico de trauma crônico.

A COMPILAÇÃO DE UM HISTÓRICO DE TRAUMA

Em 1985, comecei a colaborar com a psiquiatra Judith Herman, que publicara pouco antes seu primeiro livro, *Father-Daughter Incest* (Incesto entre pai e filha). Nós trabalhávamos no Hospital de Cambridge, um dos hospitais universitários de Harvard, e, interessados em verificar como o trauma afeta a vida das pessoas, passamos a nos encontrar com regularidade e a comparar anotações. Ficamos impressionados com o número de pacientes que, com um diagnóstico de transtorno de personalidade limítrofe (TPL), nos contavam histórias horrendas sobre a infância. O TPL se caracteriza por medo de abandono, mas também por relacionamentos muito instáveis, oscilações extremas de humor e comportamento autodestrutivo, o que inclui automutilação e tentativas de suicídio. Com o intuito de determinar se havia, de fato, uma relação entre trauma de infância e TPL, planejamos um estudo científico formal e submetemos uma proposta de financiamento aos Institutos Nacionais de Saúde. Nossa proposta foi rejeitada.

Judy e eu decidimos então financiar nós mesmos o estudo, e achamos um aliado em Chris Perry, diretor de pesquisas do Hospital de Cambridge. Perry tinha um financiamento do NIMH para estudar o TPL e correlatos, os chamados transtornos de personalidade, em pacientes recrutados no Hospital de Cambridge. Ele havia reunido volumes de dados valiosos sobre esses temas, mas nunca investigara abusos e negligência na infância. Embora cético quanto à nossa ideia, foi muito generoso e nos permitiu entrevistar 55 pacientes externos do hospital, autorizando-nos a comparar nossas conclusões com os registros do enorme banco de dados que reunira.

A primeira pergunta que Judy e eu enfrentamos foi: como se compila um histórico de trauma? Não se pode perguntar a um paciente, à queima-roupa: "Você sofreu abuso sexual quando criança?" ou "Seu pai espancava você?". Quantas pessoas se disporiam a confiar a um estranho informações tão delicadas? Tendo em mente que todo mundo tem vergonha dos traumas que sofreu, formulamos um instrumento de entrevista, o Questionário de Antecedentes Traumáticos (QAT).[3] A entrevista começava com uma série de perguntas simples: "Onde você mora e com quem?", "Quem paga as contas e quem cozinha e limpa a casa?". Aos poucos, as perguntas se tornavam mais reveladoras: "Quem o ajuda na vida diária? Por exemplo, quando você está doente, quem faz as compras ou leva você ao médico?", "Com quem você conversa quando se aborrece? Em outras palavras, quem lhe proporciona apoio emocional e prático?". Alguns pacientes davam respostas surpreendentes: "Meu cachorro", "Meu terapeuta" ou "Ninguém".

Seguiam-se perguntas semelhantes a respeito da infância: "Quem morava na mesma casa que você?", "Com que frequência vocês se mudavam?", "Quem era o principal responsável por você?". Muitos falavam de mudanças frequentes, que exigiam trocar de escola no meio do ano. Vários tiveram ex-presidiários, ex-pacientes de hospitais psiquiátricos ou ex-militares como cuidadores principais. Outros passavam de um lar de acolhimento para outro ou haviam morado com uma série de parentes diferentes.

A seção seguinte abordava os relacionamentos na infância: "Em sua família, quem demonstrava carinho por você?", "Quem tratava você como uma pessoa especial?". Vinha então uma pergunta crítica, a qual, penso, nunca havia sido proposta num estudo científico: "Havia alguém com quem você se sentia em segurança na infância?" Um em cada quatro entrevistados não se lembrava de ninguém com quem se sentisse em segurança. Registrávamos a resposta "ninguém" em nossas planilhas e não comentávamos nada, mas ficávamos atônitos. Imagine ser criança e não dispor de nenhuma fonte de segurança, abrindo caminho no mundo, sem proteção e invisível.

As perguntas continuavam: "Quem ditava regras e impunha disciplina em casa?", "Como as crianças eram mantidas na linha: mediante conversa, repreensões, surras, agressões ou outros castigos?", "Como seus pais resolviam as discórdias?". A essa altura, em geral as comportas já estavam abertas, e muitos pacientes forneciam informações sobre a infância, com detalhes. Uma mulher tinha visto a irmã menor ser estuprada; outra nos contou que tivera a primeira experiência sexual aos 8 anos – com o avô. Homens e mulheres falavam de não dormir à noite, ouvindo a gritaria e a quebradeira de móveis promovida pelos pais; um rapaz, ao descer à cozinha, encontrara a mãe jogada numa poça de sangue. Outros contavam ter sido esquecidos na escola ou terem passado a noite sozinhos, pois ao voltarem para casa encontraram-na vazia. Uma mulher que ganhava a vida como cozinheira aprendera a preparar as refeições da família depois que a mãe foi para a cadeia, condenada por tráfico de drogas. Outra tinha 9 anos quando agarrou o volante do carro numa ocasião em que a mãe, embriagada, ziguezagueava numa rodovia de quatro pistas na hora do rush.

Nossos pacientes não haviam tido a opção de sair de casa ou fugir; não tinham ninguém a quem recorrer, nem onde se esconder. No entanto, precisavam administrar de alguma forma o terror e o desespero. É provável que fossem para a escola na manhã seguinte, fingindo que estava tudo bem. Judy e eu percebemos que os problemas do grupo de TPL – dissociação, dependência desesperada de qualquer pessoa que pudesse ser convocada a ajudar – haviam provavelmente começado como meios de lidar com emoções avassaladoras e uma brutalidade inescapável.

Feitas as entrevistas, nós nos reuníamos para codificar as respostas – ou seja, traduzi-las em números para análise computacional –, e Chris Perry depois as cotejava com as amplas informações sobre os entrevistados armazenadas no computador de Harvard. Certa manhã de abril, um sábado, Chris nos enviou uma mensagem pedindo que passássemos em seu escritório. Encontramos muitas folhas impressas, sobre as quais Chris pusera uma charge de Gary Larson: cientistas pesquisavam golfinhos e estavam intrigados com "sons estranhos, parecidos com 'a bla es span iol', emitidos pelos animais". Os dados o haviam convencido de que, a menos que entendêssemos a linguagem do trauma e do abuso, não poderíamos de fato entender o TPL.

Como mais tarde relatamos num artigo no *American Journal of Psychiatry*, 81% dos pacientes do Hospital de Cambridge com diagnóstico de TPL narraram histórias de abuso sexual ou negligência na infância; na grande maioria desses casos, os maus-tratos começaram antes dos 7 anos.[4] Esse dado revestiu-se de especial importância, por dar a entender que o impacto do abuso depende, ao menos em parte, da idade em que inicia. Pesquisas posteriores de Martin Teicher, no Hospital McLean, mostraram que diferentes formas de abuso exercem impactos diferentes em várias áreas cerebrais em distintos estágios do desenvolvimento.[5] Embora diversos estudos tenham, desde então, corroborado nossas conclusões,[6] ainda hoje recebo para revisão, em geral, artigos científicos que afirmam coisas como "já se aventou a hipótese de que pacientes com transtornos de personalidade limítrofe possam ter um histórico de trauma infantil". Quando é que uma hipótese se transforma num fato cientificamente comprovado?

Nosso estudo corroborou claramente as conclusões de John Bowlby.

> Se uma criança está sempre zangada, se sente culpada ou vive assustada com a possibilidade de abandono, ela realmente teve essas sensações, ou seja, experimentou-as. Por exemplo, se uma criança teme ser abandonada, isso não se dá em contrarreação a impulsos homicidas intrínsecos; é provável que derive do fato de ela já ter sido abandonada física ou psicologicamente, ou de ter sido várias vezes ameaçada de abandono. Quando crianças mostram raiva constante, esse sentimento se deve a rejeição ou tratamento hostil. Se experimentam intenso conflito interno em relação a seus sentimentos de fúria, é provável que isso aconteça porque expressá-los pode ser proibido ou até perigoso.

Bowlby observou que, quando crianças precisam renegar experiências fortes pelas quais passaram, desenvolvem problemas graves, como "desconfiança crônica em relação a outras pessoas, inibição da curiosidade, suspeita quanto aos próprios sentidos e tendência a considerar tudo irreal".[7] Como se verá, essa negação traz implicações relevantes para o tratamento.

O estudo conduziu nossas reflexões para além do impacto deste ou daquele evento horrendo – o foco do diagnóstico de TEPT –, levando-nos a examinar os efeitos a longo prazo da brutalização e da negligência nos relacionamentos entre cuidadores e crianças. E também suscitou outra pergunta fundamental: Quais são as terapias eficazes para pessoas com histórico de abuso, em especial aquelas com ideias suicidas crônicas e que se mutilam deliberadamente?

AUTOMUTILAÇÃO

Quando eu era estudante de medicina, durante três noites consecutivas fui tirado da cama às três horas da manhã para suturar uma mulher que cortava seu pescoço com qualquer objeto afiado que encontrasse. Ela me disse, com certo ar de triunfo, que se machucar fazia com que se sentisse muito melhor. Desde então tenho me perguntado por que algumas pessoas combatem a contrariedade jogando três sets de tênis ou preparando para si um martíni bem forte, enquanto outras retalham os braços com giletes. Nosso estudo demonstrou que um histórico de abuso sexual e maus-tratos na infância era um forte indicador da probabilidade de repetidas tentativas de suicídio e automutilação.[8] Eu me perguntava se as ideias suicidas dessas pessoas teriam surgido quando elas ainda eram muito pequenas e se elas encontravam consolo em planejar uma fuga através da morte ou se ferindo. Por acaso se ferir começa como uma tentativa desesperada de obter alguma sensação de controle?

O banco de dados de Chris Perry continha dados sobre todos os pacientes que haviam sido tratados nas clínicas ambulatoriais do hospital, o que incluía relatórios sobre impulsos suicidas e conduta autodestrutiva. O que me interessava agora era saber quais membros do grupo haviam se beneficiado da terapia e quais mantiveram a conduta suicida e autodestrutiva. A comparação do comportamento atual dos pacientes com nossas entrevistas baseadas no QAT ofereceu algumas respostas. Pacientes que continuavam autodestrutivos relataram não se lembrar de se sentir em segurança com alguém na infância; haviam sido abandonados, transferidos de um lugar para outro e, de modo geral, deixados entregues à própria sorte.

Concluí que se uma pessoa traz consigo a lembrança de ter se sentido em segurança com alguém há muito tempo, na vida adulta os vestígios daquele antigo afeto podem ser reativados em relacionamentos sintonizados, quer ocorram na vida diária, quer numa boa terapia. Contudo, se a pessoa não tem uma recordação nítida de se sentir amada e em segurança, os receptores cerebrais que reagem à bondade humana podem simplesmente não se desenvolver.[9] Nesse caso, como ela poderá aprender a se acalmar e a se sentir firme em seu corpo? Isso também tem implicações importantes para a terapia, e voltaremos a essa questão em toda a Parte v.

O PODER DO DIAGNÓSTICO

Nosso estudo também confirmou que havia um grupo de traumatizados bastante diferente dos veteranos de guerra e das vítimas de acidentes, para os quais o diagnóstico de TEPT fora criado. Pessoas como Marilyn e Kathy, bem como os pacientes que Judy e eu havíamos estudado e as crianças da clínica ambulatorial do CSMM (capítulo 7), não recordam necessariamente seus traumas (um dos critérios para o diagnóstico de TEPT), ou pelo menos não se preocupam com lembranças específicas dos abusos que sofreram, mas continuam a se comportar como se ainda estivessem em perigo. Vão de um extremo a outro; têm dificuldade para prestar atenção no que estão fazendo e investem sem cessar contra si mesmas ou contra outras pessoas. Até certo ponto, seus problemas são semelhantes aos dos veteranos, porém são também bastante diferentes, pois o trauma de infância as impediu de desenvolver algumas capacidades mentais que os militares adultos possuíam antes dos episódios traumáticos.

Ao constatarmos isso, formamos um grupo para se reunir com Robert Spitzer, que, depois de orientar a preparação do *DSM-3*, vinha revisando o manual.[10] Spitzer ouviu com atenção o que lhe relatamos. Acreditava que, por levarem o dia tratando de uma determinada população de pacientes, médicos desenvolvam uma considerável capacidade de compreender os problemas que os afligem. Propôs que realizássemos um estudo, o chamado teste de campo, para comparar os problemas de diferentes grupos de pessoas traumatizadas[11] e me encarregou de coordenar o projeto. Antes de mais nada, criamos uma escala de classificação que incorporava todos os sintomas de trauma já mencionados em estudos científicos; depois, entrevistamos 525 pacientes adultos, em cinco cidades do país, para determinar se certas populações sofriam diferentes classes de problemas. Definimos três grupos: pessoas com histórico de maus-tratos físicos ou abuso sexual na infância; vítimas recentes de violência doméstica; e vítimas de algum desastre natural recente.

Havia diferenças claras entre esses grupos, em particular entre os que se situavam nos dois extremos do espectro: vítimas de abuso sexual na infância e adultos sobreviventes de desastres naturais. Os que haviam sofrido abuso sexual na infância tinham dificuldade para se concentrar, queixavam-se de nervosismo constante e viviam tomados de sentimentos negativos sobre si mesmos. Apresentavam enorme dificuldade para levar adiante relacionamentos íntimos, oscilando entre envolvimentos sexuais indiscriminados, de alto risco e insatisfatórios, e o total bloqueio sexual. Também exibiam grandes lacunas de memória, entregavam-se a comportamentos autodestrutivos e sofriam de uma série de problemas de saúde. Esses sintomas eram relativamente raros nos sobreviventes de desastres naturais.

Para cada diagnóstico importante do *DSM* havia um grupo de trabalho incumbido de propor revisões na edição seguinte. Submeti os resultados do teste de campo ao grupo que revia o TEPT para a próxima edição, e aprovamos por 19 votos a 2 a criação de um novo diagnóstico para vítimas de trauma interpessoal: "Transtornos de Estresse Extremo, não Especificados de Outra Forma" ou "TEPT Complexo".[12, 13] Passamos então a aguardar, ansiosos, a publicação do *DSM-4* em maio de 1994. Para nossa surpresa, porém, o diagnóstico que nosso grupo de trabalho aprovara por uma margem de votos tão ampla não constava do produto final. Nenhum de nós fora consultado.

Vimos o fato como uma trágica exclusão. Significava que muitos pacientes não receberiam um diagnóstico correto e que médicos e pesquisadores não teriam como criar terapias cientificamente adequadas para eles. Não se pode criar um tratamento para um distúrbio que não existe. Não dispor de um diagnóstico leva os terapeutas a enfrentar um sério dilema: como tratar pessoas que se confrontam com as consequências de abuso, traição e abandono se somos obrigados a diagnosticar depressão, transtorno de pânico, transtorno bipolar ou personalidade limítrofe, que na realidade não são os problemas que elas estão enfrentando?

As consequências do abuso e da negligência dos cuidadores são muito mais comuns e complexas do que o impacto de furacões ou acidentes de carro. Contudo, as autoridades médicas responsáveis por determinar o formato de nosso sistema de diagnósticos decidiram não reconhecer esse fato óbvio. Até hoje, mais de vinte anos depois e com várias revisões feitas desde então, o *DSM* e todo o sistema que nele se baseia ignoram as vítimas de abuso infantil e de negligência – tal como ignoravam as atribulações dos veteranos de guerra antes que o TEPT fosse reconhecido em 1980.

A EPIDEMIA OCULTA

De que forma um recém-nascido, com todas as suas infinitas e promissoras capacidades, se transforma num bêbado sem-teto aos 30 anos? Como já ocorreu em muitas descobertas importantes, foi por acidente que o clínico Vincent Felitti se deparou com a resposta.

Em 1985, Felitti era chefe do Departamento de Medicina Preventiva do plano de saúde Kaiser Permanente em San Diego, na época o maior programa de triagem médica do mundo. Também dirigia uma clínica de obesidade que utilizava uma técnica chamada "jejum absoluto suplementado" para obter uma drástica perda de peso sem necessidade de cirurgia. Um dia, uma auxiliar de enfermagem de 28 anos apareceu em seu consultório. Felitti aceitou sua declaração de que a obesidade era seu principal problema e a incluiu no programa. Durante as 51 semanas seguintes, o peso dela caiu de 185 para 60 quilos.

Contudo, quando Felitti voltou a vê-la, meses depois, ela recuperara mais peso do que ele considerava biologicamente possível em tão pouco tempo. O que acontecera? Felitti soube então que a esbeltez recém-adquirida da mulher atraíra a atenção de um colega de trabalho, que passara a namorá-la e lhe propusera fazer sexo. Ela foi para casa e começou a comer. Entupia-se de comida de dia e continuava a comer em episódios de sonambulismo à noite. Felitti decidiu investigar essa reação extrema, e ela lhe revelou uma história de incesto com o avô.

Esse era apenas o segundo caso de incesto que Felitti registrara em 23 anos de clínica médica, mas dez dias depois ele ouviu uma história semelhante. Felitti e sua equipe então fizeram investigações e descobriram que a maioria de suas pacientes de obesidade mórbida sofrera abuso sexual na infância. Além de um sem-fim de outros problemas familiares.

Em 1990, numa reunião da Associação Norte-Americana para o Estudo da Obesidade, em Atlanta, Felitti apresentou dados colhidos nas primeiras 286 entrevistas de pacientes feitas por sua equipe e espantou-se com a reação violenta de alguns especialistas. Por que ele acreditava nessas mulheres? Não percebia que inventavam qualquer explicação para suas vidas fracassadas? Um epidemiologista dos CDC, porém, incentivou-o a empreender um estudo mais amplo, com base na população em geral, e o convidou a se reunir com um pequeno grupo de pesquisadores naquela instituição. O resultado foi o monumental inquérito de Experiências Adversas na Infância (Adverse Childhood Experiences), conhecido como ACE, uma colaboração entre os CDC e o Kaiser Permanente, representado pelos médicos Robert Anda e Vincent Felitti.

Mais de 50 mil pacientes do Kaiser passavam pelo Departamento de Medicina Preventiva a cada ano para uma avaliação detalhada, preenchendo um extenso questionário médico. Felitti e Anda dedicaram mais de um ano na formulação de dez novos quesitos[14] que cobriam categorias cuidadosamente definidas de experiências adversas na infância, entre as quais abusos físicos e sexuais, negligência física e emocional e disfunção familiar, como ter pais divorciados, com doenças mentais, toxicômanos ou presos. Depois perguntaram a 25 mil pacientes se estavam dispostos a falar de episódios da infância; 17.421 concordaram. Suas respostas foram então comparadas com os pormenorizados prontuários médicos que o Kaiser mantinha sobre todos os pacientes.

O estudo ACE revelou que as experiências traumáticas durante a infância e a adolescência eram muito mais comuns do que se pensava. Os entrevistados eram na maioria brancos de classe média, de meia-idade, instruídos e com condições financeiras para pagar bons planos de saúde. Apenas um terço deles relatou não ter vivido experiências adversas na infância.

- Uma entre dez pessoas respondeu afirmativamente à pergunta "Um dos pais ou outro adulto na casa com frequência ou com muita frequência o xingava, insultava ou humilhava?".
- Mais de um quarto respondeu afirmativamente às perguntas "Um de seus pais com frequência ou com muita frequência o empurrava, agarrava, esbofeteava ou atirava alguma coisa em você?" e "Um de seus pais com frequência ou com muita frequência lhe batia com tanta força que deixava marcas ou o feria?". Em outras palavras, é provável que mais de um quarto da população americana tenha sofrido maus-tratos físicos na infância.
- Às perguntas "Um adulto ou uma pessoa pelo menos cinco anos mais velha que você algum dia tocou seu corpo com intenção sexual?" e

"Um adulto ou uma pessoa pelo menos cinco anos mais velha que você algum dia tentou ter uma relação oral, anal ou vaginal com você?", 28% das mulheres e 16% dos homens responderam afirmativamente.
- Uma entre oito pessoas respondeu afirmativamente às perguntas "Quando criança, você viu alguém, às vezes, com frequência ou com muita frequência, empurrar, agarrar, esbofetear sua mãe ou atirar algum objeto nela?" e "Quando criança, às vezes, com frequência ou com muita frequência, você viu sua mãe ser chutada, mordida, esmurrada ou atingida com um objeto pontiagudo?".[15]

Cada resposta afirmativa valia um ponto, em uma escala que ia de zero a dez. Por exemplo, uma pessoa que tivesse sido alvo de maus-tratos verbais frequentes, tivesse mãe alcoólatra e pais divorciados teria três pontos na pesquisa ACE. Entre os dois terços de entrevistados que relataram uma experiência adversa, 87% ficaram com dois pontos ou mais. Uma pessoa entre seis marcou quatro pontos ou mais.

Em suma, Felitti e sua equipe haviam constatado que experiências adversas se inter-relacionam, embora quase sempre sejam estudadas separadamente. Em geral, as pessoas não crescem numa casa em que um irmão está na cadeia, mas de resto está tudo bem. Tampouco pertencem a famílias em que a mãe é espancada com frequência, mas fora isso a vida é um mar de rosas. Os episódios de abuso nunca são isolados. E cada experiência adversa adicional relatada aumenta o custo em danos posteriores.

Felitti e sua equipe verificaram que os efeitos do trauma na infância apareciam primeiro na escola. Mais de metade daqueles com um mínimo de quatro pontos disseram ter problemas de aprendizado ou de comportamento, em comparação com 3% daqueles com pontuação zero. Ao crescer, as crianças não "deixavam para trás" os efeitos de suas primeiras experiências. Como observa Felitti, "muitas vezes as experiências traumáticas se perdem no tempo ou são encobertas por vergonha, segredo e tabu social", mas o estudo revelou que o impacto do trauma impregnava a vida adulta. Verificou-se, por exemplo, que pontuações elevadas no ACE apontavam para mais faltas ao trabalho, problemas financeiros e menos conquistas ao longo da vida.

No tocante ao sofrimento pessoal, os resultados eram devastadores. À medida que a pontuação no ACE crescia, a depressão crônica na vida adulta também aumentava bastante. Nos que tinham quatro pontos ou mais de ACE, o índice de depressão era de 66% entre as mulheres e 35% entre os homens, em comparação com um índice geral de 12% nas pessoas sem pontuação ACE. A probabilidade de uso de antidepressivos ou de analgésicos prescritos também crescia de maneira proporcional. Como Felitti notou, é possível que estejamos tratando hoje experiências que ocorreram há cinquenta anos, e a um custo cada vez mais alto. Antidepressivos e analgésicos constituem uma parcela substancial de nossos gastos nacionais cada vez maiores em assistência médica.[16] (Por ironia, as pesquisas têm mostrado que pacientes deprimidos sem história prévia de abuso ou negligência costumam responder muito melhor aos antidepressivos do que pacientes com esses antecedentes.)[17]

A confissão dos entrevistados sobre tentativas de suicídio aumentou exponencialmente conforme os pontos do ACE. Entre zero ponto e seis pontos há um aumento de 5.000% na probabilidade de tentativas de suicídio. Quanto mais só e desprotegido se sente um indivíduo, mais a morte lhe parecerá a única saída. Se uma pesquisa informa que determinada questão ambiental leva a um aumento de 30% na probabilidade de se contrair algum tipo de câncer, a notícia logo vira manchete, mas esses números, muito mais assustadores, não despertam interesse.

Como parte da avaliação clínica inicial, perguntava-se aos participantes do estudo: "Algum dia você já se considerou alcoólatra?" Pessoas com quatro pontos de ACE tinham uma probabilidade sete vezes maior de serem alcoólatras do que adultos com zero ponto. O uso de drogas injetáveis crescia de maneira exponencial: entre os que tinham seis pontos ou mais, a probabilidade do consumo de drogas intravenosas era 4.600% maior do que no caso de pessoas com zero ponto.

As mulheres que participaram do estudo foram interrogadas a respeito de estupro na vida adulta. Entre as que não tinham pontos na pesquisa ACE, o índice de estupro foi de 5%; já entre as que tinham quatro pontos ou mais, o número subiu para 33%. Por que meninas que sofreram abuso sexual ou negligência têm muito mais probabilidade de serem vítimas de estupro na vida adulta? As respostas a essa pergunta contêm implicações que vão muito além do estupro. Vários estudos mostraram que meninas que testemunharam violência doméstica na infância correm um risco bem maior de terminar, elas próprias, em relacionamentos marcados pela violência. Já o risco de que meninos que assistiram a cenas de violência doméstica venham a maltratar suas parceiras é multiplicado por sete.[18] Mais de 12% dos homens que participaram do estudo haviam visto a mãe sofrer violência.

A lista de comportamentos de alto risco previstos pela pontuação na pesquisa ACE incluía tabagismo, obesidade, gravidez não intencional, multiplicidade de parceiros sexuais e exposição a doenças sexualmente transmissíveis. Por fim, o custo dos problemas graves de saúde era impressionante: pessoas que marcaram seis pontos ou mais tinham uma probabilidade de 15% ou mais, na comparação com as que não pontuaram, de estar sofrendo uma das dez principais causas de óbito nos Estados Unidos, entre as quais doença pulmonar obstrutiva crônica, doença cardíaca isquêmica e doença hepática. Entre elas, a probabilidade de ter câncer era duas vezes maior, além de quatro vezes maior de sofrer de enfisema. O estresse físico permanente continua a cobrar seu preço.

PROBLEMAS QUE NA VERDADE SÃO SOLUÇÕES

Doze anos depois de tê-la tratado, Felitti voltou a ver a mulher cuja drástica perda de peso e posterior recuperação deram origem à sua pesquisa. Ela lhe disse que fizera uma cirurgia bariátrica, mas que, após perder 43 quilos, adquirira impulsos suicidas que a levaram a cinco hospitalizações em instituições psiquiátricas e a três sessões de eletrochoques para controlá-los. Felitti destaca que a obesidade, considerada um grave problema de saúde pública, pode, de fato, ser vista como uma solução para muita gente. Vejamos as implicações: se você encara a solução encontrada por alguém como um problema a ser eliminado, é provável que essa pessoa não só deixe de se tratar – o que tantas vezes acontece em programas de tratamento de dependência de drogas –, como podem surgir outros problemas.

Uma mulher, vítima de estupro, disse a Felitti: "O sobrepeso torna a pessoa invisível, e é isso que eu quero que aconteça comigo."[19] O peso também protege os homens. Felitti lembra-se de dois carcereiros de uma prisão estadual que participaram de seu programa de controle da obesidade. Eles logo recuperaram o peso, pois se sentiam muito mais seguros sendo os grandalhões do pavilhão. Outro paciente tornou-se obeso depois que os pais se divorciaram e ele foi morar com o avô, um homem violento e alcoólatra.

"Não que eu comesse porque tinha fome, ou algo assim. Era só porque comendo eu me sentia seguro. Desde o jardim de infância eu vivia apanhando. Quando engordava, isso não acontecia", explicou.

O grupo de estudos da pesquisa ACE concluiu:

> É dificílimo abandonar essas adaptações [como tabagismo, alcoolismo, dependência de drogas ou obesidade], embora, em geral, elas sejam vistas como prejudiciais à saúde. Pouco se leva em consideração o fato de muitos riscos à saúde a longo prazo representarem um benefício no curto prazo. Nossos pacientes nos falam repetidas vezes dos benefícios desses "riscos para a saúde". Embora compreensivelmente chocante para muitas pessoas, a ideia de que o problema seja uma solução com certeza se harmoniza com o fato de que forças opostas coexistem de modo rotineiro em sistemas biológicos. [...]. Aquilo que se vê, o problema em questão, em geral, é apenas o sinal do problema real, que jaz soterrado no tempo, escondido pela vergonha, pelo segredo e às vezes pela amnésia do paciente – sem esquecer o frequente desconforto do clínico.

ABUSO DE CRIANÇAS: O MAIOR PROBLEMA DE SAÚDE PÚBLICA DOS ESTADOS UNIDOS

A primeira vez que Robert Anda apresentou os resultados do estudo ACE, ele não conseguia conter as lágrimas. Em sua carreira nos CDC, Anda já atuara em diversas áreas de risco, como pesquisas sobre tabagismo e saúde cardiovascular. Contudo, quando os dados do estudo começaram a aparecer na tela de seu computador, ele percebeu que os pesquisadores haviam tropeçado no mais grave e dispendioso problema de saúde pública nos Estados Unidos: o abuso infantil. Anda calculou que o custo geral do problema superava o do câncer e o das doenças cardíacas, e que a erradicação do abuso infantil no país reduziria em mais de metade o índice geral de depressão, em dois terços o de alcoolismo e em três quartos os de suicídio, de consumo de drogas injetáveis e de violência doméstica.[20] E teria efeito substancial sobre a eficiência no trabalho, além de considerável redução do número de presidiários.

Em 1964, a publicação do relatório do Serviço Público de Saúde dos Estados Unidos sobre tabagismo e saúde desencadeou uma campanha judicial e médica que durou décadas e mudou a rotina e as perspectivas de saúde a longo prazo de milhões de americanos. O número de fumantes adultos no país caiu de 42% em 1965 para 19% em 2010, e estima-se que quase 800 mil mortes causadas por câncer de pulmão foram evitadas entre 1975 e 2000.[21]

O estudo ACE, entretanto, não teve esse efeito. Pesquisas de seguimento e teses complementares ainda estão surgindo, mas a realidade do dia a dia de crianças como Marilyn e as atendidas em clínicas ambulatoriais e centros de tratamento residenciais em todo o país permanece praticamente a mesma. Só que agora elas recebem altas doses de psicotrópicos, o que as torna mais tratáveis, mas também prejudica a capacidade delas de sentir prazer e curiosidade, de crescer, de se desenvolver em termos emocionais e intelectuais e de se tornarem membros úteis da sociedade.

10
TRAUMA DE DESENVOLVIMENTO: A EPIDEMIA OCULTA

A ideia de que experiências adversas na primeira infância levam a perturbações substanciais no desenvolvimento é mais uma intuição clínica do que um fato com base em pesquisas. Não existe prova conhecida de perturbações no desenvolvimento que tenham sido precedidas no tempo, de forma causal, por qualquer tipo de síndrome de trauma.

Trecho da rejeição, pela Associação Psiquiátrica Americana, do diagnóstico de transtorno de trauma de desenvolvimento, maio de 2011

A pesquisa sobre os efeitos dos maus-tratos na primeira infância conta uma história diferente: eles têm efeitos negativos duradouros no desenvolvimento cerebral. Nosso cérebro é esculpido pelas primeiras experiências. Os maus-tratos são um cinzel que molda o cérebro para enfrentar conflitos, mas ao custo de lesões profundas e duradouras. O abuso infantil não é coisa de que uma pessoa "se recupere". Trata-se de um mal que temos de reconhecer e enfrentar se pretendemos fazer alguma coisa em relação ao ciclo descontrolado de violência neste país.

Dr. Martin Teicher, revista *Scientific American*

Existem centenas de milhares de crianças como as dos próximos parágrafos, e elas absorvem recursos colossais, muitas vezes sem que se constate qualquer benefício. Acabam lotando nossas cadeias, onerando os gastos com bem-estar social e fazendo fila em nossas clínicas médicas. A maior parte das pessoas só as conhece como estatísticas. Dezenas de milhares de professoras primárias, agentes de liberdade condicional, assistentes sociais, juízes e profissionais de saúde pública passam o dia tentando ajudá-las, e os contribuintes pagam as contas.

Anthony tinha 2 anos e meio quando uma creche o encaminhou ao Trauma Center, pois ninguém conseguia controlar suas mordidas e empurrões, sua recusa a tirar sonecas e suas constantes crises de choro e de agitação. Ele não se sentia em segurança com ninguém na creche e oscilava entre a total apatia e acessos de fúria.

Durante a primeira consulta, ele se agarrou à mãe com ansiedade, escondendo o rosto, enquanto ela não parava de dizer: "Não seja assim tão nenezinho." Anthony se sobressaltou quando uma porta bateu no corredor e se agarrou com mais força à mãe. Quando ela o afastou, ele se sentou num canto e se pôs a bater a cabeça. "Ele só faz isso para me chatear", comentou a mãe. Indagada sobre seu próprio histórico, contou que fora abandonada pelos pais e criada por parentes que batiam nela, ignoravam-na e começaram a abusar dela sexualmente aos 13 anos. Ficou grávida de um namorado bêbado, que a deixou quando ela lhe contou que estava esperando um filho dele. Anthony era igual ao pai, ela disse – um inútil. Ela tivera incontáveis brigas violentas com outros namorados, mas estava certa de que ocorreram bem tarde, à noite, e Anthony não teria notado.

Se fosse internado num hospital, é bem provável que Anthony recebesse uma série de diagnósticos de diferentes transtornos psiquiátricos: depressão, transtorno desafiador de oposição, ansiedade, transtorno de apego reativo, transtorno de déficit de atenção com hiperatividade e transtorno de estresse pós-traumático. Nenhum deles, porém, esclareceria o que havia de errado com o menino: ele estava morto de medo e lutava pela vida, e não acreditava que a mãe pudesse ajudá-lo.

Houve também o caso de Maria, latina de 15 anos, uma entre mais de 500 mil adolescentes nos Estados Unidos que crescem em lares de acolhimento e programas de tratamento residencial. Obesa e agressiva, seu histórico era de abuso sexual, físico e emocional; desde os 8 anos, havia morado em mais de vinte casas. A pilha de prontuários que chegou junto com ela a descrevera como muda, vingativa, impulsiva, descuidada e dada a condutas automutilantes, com temperamento explosivo e extremas oscilações de humor. Referia-se a si mesma como "inútil, imprestável e rejeitada".

Depois de várias tentativas de suicídio, Maria foi alojada em um de nossos centros de tratamento residenciais. De início, ficava calada e distante, mas tornava-se violenta quando as pessoas se aproximavam muito dela. Depois do insucesso de outras abordagens, foi incluída num programa terapêutico com equinos; todos os dias ela cuidava de seu cavalo e tinha alunas de adestramento. Dois anos depois, conversamos durante sua formatura no ensino médio. Fora aceita para um curso superior de quatro anos. Perguntei-lhe o que mais a tinha ajudado, e ela disse: "O cavalo do qual eu cuidava." Contou que havia começado a se sentir segura com o animal; ele estava lá todos os dias, esperando-a com paciência e parecendo feliz quando ela se aproximava. Começou a sentir uma conexão visceral com outra criatura e a conversar com o cavalo como se fosse um amigo. Aos poucos passou a falar com outros jovens no programa e, por fim, com seu conselheiro.

E Virginia. Uma adolescente branca, adotada, de 13 anos, tirada de casa porque a mãe biológica era dependente de drogas. Depois que a primeira mãe adotiva adoeceu e morreu, ela pulou de um lar de acolhimento para outro, antes de ser adotada de novo. Procurava seduzir todo homem que cruzasse seu caminho, e relatou ter sofrido abuso sexual e físico por parte de vários cuidadores. Chegou ao tratamento residencial depois de 13 hospitalizações por tentativas de suicídio. A equipe do programa a descrevia como isolada, controladora, explosiva, sexualizada, importuna, vingativa e narcisista. Ela se descrevia como desagradável e dizia que gostaria de estar morta. Seu prontuário registrava transtorno bipolar, transtorno explosivo intermitente, transtorno de apego reativo, transtorno de déficit de atenção (TDA) do tipo hiperativo, transtorno desafiador de oposição e transtorno por uso de substâncias psicoativas. No entanto, quem era mesmo Virginia? Como poderíamos esperar que ela tivesse uma vida?[1]

Só poderemos ter esperanças de solucionar os problemas dessas crianças e adolescentes se definirmos de forma correta o que está acontecendo com eles e fizermos algo além de criar novos medicamentos para controlá-los e tentar descobrir "o" gene responsável pela "doença" que os aflige. O desafio está em encontrar meios de ajudá-los a levar uma vida produtiva e, com isso, poupar milhões de dólares dos contribuintes. Esse processo começa com o enfrentamento da verdade.

GENES RUINS?

Diante de problemas tão generalizados e de pais tão disfuncionais, poderíamos ser tentados a atribuir a situação dessas pessoas simplesmente a genes ruins. A tecnologia sempre produz novas direções para pesquisas, e, quando surgiram os testes genéticos, a psiquiatria passou a buscar causas genéticas para doenças mentais. Encontrar um elo genético parecia relevante sobretudo no caso da esquizofrenia, forma de doença mental que, além de grave e desconcertante, é bastante comum (afeta cerca de 1% da população) e comprovadamente acomete várias pessoas na mesma família. No entanto, depois de trinta anos e milhões e milhões de dólares gastos em pesquisas, não achamos padrões genéticos consistentes para a esquizofrenia – nem, aliás, para qualquer outra doença psiquiátrica.[2] Colegas meus também se esforçaram para descobrir fatores genéticos que predispusessem as pessoas a ser vitimadas por estresse traumático.[3] A busca continua, mas até agora não produziu nenhuma resposta robusta.[4]

Pesquisas recentes puseram fim à ideia simplista de que "ter" determinado gene leve a determinado resultado. Ocorre que muitos genes interagem para influenciar um único resultado. Mais importante ainda, os genes não são fixos, já que fatos ocorridos podem disparar mensagens bioquímicas que os ligam ou desligam – adicionando grupos de metila (aglomerado de átomos de carbono e hidrogênio) ao exterior do gene (processo chamado metilação) e alterando, para mais ou para menos, a sensibilidade do gene a mensagens vindas do corpo. Situações da vida podem mudar o comportamento do gene, mas não modificam sua estrutura fundamental. Todavia, os padrões de metilação podem ser transmitidos à prole, fenômeno conhecido como epigenética. Mais uma vez, o corpo guarda as marcas nos níveis mais profundos do organismo.

Um dos mais citados experimentos de epigenética foi feito por Michael Meaney, pesquisador da Universidade McGill que estuda ratos recém-nascidos e suas mães.[5] Meaney descobriu que o tempo que a mãe dedica a lamber os filhotes e a cuidar deles nas 12 horas que se seguem ao nascimento afeta de maneira permanente as substâncias químicas que reagem ao estresse e modifica a configuração de mais de mil genes. Ratinhos cujas mães os lambiam intensamente são mais corajosos e produzem menos hormônios do estresse em situações estressantes do que aqueles cujas mães foram menos dedicadas. Além disso, recuperam-se mais depressa e conservam essa capacidade por toda a vida. Adquirem conexões mais densas no hipocampo, um centro vital para o aprendizado e a memória, e se saem melhor num teste importante para os roedores: achar o caminho num labirinto.

Estamos apenas começando a entender que experiências estressantes afetam a expressão genética também nos seres humanos. Crianças cujas mães tinham ficado presas em casas sem aquecimento durante uma nevasca prolongada em Québec, no Canadá, mostravam mudanças epigenéticas acentuadas em comparação com os filhos de donas de casa cujo aquecimento havia sido restaurado no mesmo dia.[6] O pesquisador Moshe Szyf, da Universidade McGill, comparou os perfis epigenéticos de centenas de crianças de famílias situadas nos extremos opostos da pirâmide social no Reino Unido e mediu os efeitos do abuso infantil nos dois grupos. As diferenças de classe social estavam ligadas a perfis epigenéticos nitidamente distintos, porém as crianças que sofreram abusos, de ambos os grupos, tinham em comum modificações específicas em 73 genes. Segundo Szyf, "grandes mudanças em nosso organismo podem ser causadas não só por substâncias químicas e toxinas como também pela maneira como o mundo social conversa com o mundo impresso nos circuitos cerebrais".[7, 8]

MACACOS ESCLARECEM VELHAS QUESTÕES RELATIVAS AO DEBATE NATUREZA *VERSUS* CRIAÇÃO

Uma das melhores explicações sobre a influência da qualidade dos cuidados parentais e do ambiente na expressão dos genes vem de Stephen Suomi, chefe do Laboratório de Etologia Comparada dos Institutos Nacionais de Saúde.[9] Faz mais de quarenta anos que Suomi investiga a transmissão de traços de personalidade ao longo de gerações de macacos *rhesus*, que têm 95% dos genes humanos, número apenas excedido pelos chimpanzés e bonobos. Tal como o homem, macacos *rhesus* vivem em grandes grupos sociais, com alianças e relacionamentos hierárquicos de alta complexidade, e só os membros do grupo capazes de sincronizar seu comportamento com as demandas do bando sobrevivem e se desenvolvem.

Macacos *rhesus* também se assemelham ao homem em suas formas de apego. As crias precisam de contato físico íntimo com as mães e, assim como Bowlby observou nos seres humanos, os pequenos se desenvolvem explorando suas reações ao meio ambiente e correndo para as mães sempre que se sentem assustados ou perdidos. Assim que se tornam mais independentes, as brincadeiras com os pares são a principal fonte de aprendizado de conduta na vida.

Suomi identificou dois tipos de personalidade que sempre arrumavam problemas: indivíduos tensos e ansiosos, que ficam temerosos, retraídos e deprimidos até em situações nas quais outros macacos brincam e exploram; e indivíduos altamente agressivos, que provocam tanta confusão que muitas vezes são evitados, surrados ou mortos. Do ponto de vista biológico, os dois tipos diferem de seus pares. Anormalidades em níveis de alerta, secreção de hormônios do estresse e metabolismo de substâncias químicas cerebrais, como a serotonina, podem ser detectadas já nas primeiras semanas de vida, e nem a biologia nem o comportamento tendem a se alterar à medida que os animais amadurecem. Suomi descreveu uma ampla gama de condutas geneticamente determinadas. Por exemplo, aos 4 anos, macacos tensos (classificados como tais com base tanto no comportamento quanto nos altos níveis de cortisol aos 6 meses de idade) consomem mais álcool em situações experimentais do que os outros. Macacos geneticamente agressivos também exageram nesse quesito, mas bebem até perder a consciência, ao passo que os macacos tensos bebem apenas para se acalmar.

O ambiente social, porém, também contribui para o comportamento e a biologia. Fêmeas tensas e ansiosas não lidam bem com as demais. Por isso, muitas vezes, lhes falta apoio social quando dão à luz, o que faz com que elas tendam a negligenciar ou maltratar os primogênitos. Contudo, quando essas fêmeas pertencem a um grupo social estável, é mais provável que se tornem mães diligentes e cuidem das crias com atenção. Em certas condições, uma mãe ansiosa pode redundar numa proteção muito necessária. Por outro lado, uma mãe agressiva não proporciona nenhuma vantagem social: muito punitiva com os filhos, ela os cria com tapas, chutes e mordidas. Se os bebês sobrevivem, as mães, em geral, impedem que façam amizade com seus pares.

Na vida real é impossível dizer se o comportamento agressivo ou tenso das pessoas resulta dos genes dos pais ou da criação por uma mãe que maltrata os filhos – ou de ambos. No entanto, num laboratório de etologia, recém-nascidos com genes vulneráveis podem ser separados das mães biológicas, quando então são criados por mães cuidadosas ou entre seus pares.

Macaquinhos tirados da mãe ao nascer e criados apenas entre seus pares tornam-se intensamente apegados a eles. Unem-se uns aos outros de maneira desesperada e não se desgrudam nem para se arriscar em explorações e brincadeiras saudáveis. Suas poucas brincadeiras, quando existem, carecem da complexidade e da imaginação típicas das praticadas por macacos em condições normais. Esses macaquinhos crescem nervosos e tensos: assustam-se com situações novas e não demonstram curiosidade. Independentemente da predisposição genética, macacos criados entre os pares reagem de forma exagerada a pequenos estresses: em resposta a ruídos altos, o nível de cortisol aumenta muito mais neles do que nos macacos criados com as mães. Seu metabolismo de serotonina é ainda mais anormal do que o dos macacos geneticamente predispostos à agressividade mas criados pelas próprias mães. Daí se conclui que, ao menos no caso de macacos, as primeiras experiências têm pelo menos tanto impacto sobre a biologia quanto a hereditariedade.

Macacos e seres humanos têm as mesmas variantes (duas) do gene da serotonina (chamadas de alelos transportadores de serotonina curto e longo). No ser humano, o alelo curto vem sendo associado a impulsividade, agressão, busca de sensações, tentativas de suicídio e depressão grave. Suomi demonstrou que, ao menos em macacos, o ambiente molda a ação desses genes sobre o comportamento. Macacos com alelo curto criados por uma mãe adequada tinham comportamento normal e não apresentavam nenhum déficit no metabolismo da serotonina. Os que haviam sido criados entre seus pares vinham a ser agressivos e gostavam de correr riscos.[10] Da mesma forma, o pesquisador neozelandês Alec Roy constatou que seres humanos com o alelo curto apresentavam índices de depressão mais elevados, mas só se tinham um histórico de abuso ou negligência na infância. A conclusão é clara:

crianças com a sorte de ter como um dos genitores uma pessoa sintonizada e atenta não serão acometidas desse problema de origem genética.[11]

O trabalho de Suomi ratifica tudo o que aprendemos com nossos colegas que estudam o apego humano e em nossa própria pesquisa clínica: relacionamentos seguros e protetores são cruciais para evitar que crianças enfrentem problemas a longo prazo. Além disso, até pais com as próprias vulnerabilidades genéticas podem transmitir essa proteção à geração seguinte, desde que esta tenha o apoio correto.

A REDE NACIONAL DE ESTRESSE TRAUMÁTICO INFANTIL

Para quase toda doença, de câncer a retinite pigmentar, existem grupos que promovem o estudo e o tratamento de cada afecção em particular. Todavia, até 2001, quando o Congresso americano criou a Rede Nacional de Estresse Traumático Infantil (National Child Traumatic Stress Network, NCTSN), não havia nos Estados Unidos nenhuma organização ampla e abrangente dedicada à pesquisa e ao tratamento de crianças traumatizadas.

Em 1998, Adam Cummings, da Fundação Nathan Cummings, me telefonou para dizer que a instituição estava interessada em estudar os efeitos do trauma sobre o aprendizado. Informei que, embora existissem estudos excelentes sobre o tema,[12] não havia nenhum fórum que oferecesse aplicação prática às descobertas já feitas. O desenvolvimento mental, biológico ou moral de crianças traumatizadas não estava sendo ensinado de forma sistemática ao pessoal dos centros de assistência infantil, a pediatras ou nas instituições de pós-graduação em psicologia ou serviço social.

Ambos concordamos que era preciso remediar esse problema. Cerca de oito meses depois, reunimos um grupo que incluía representantes do Departamento de Saúde e Serviços Humanos e do Departamento de Justiça, o assessor de saúde do senador Ted Kennedy e alguns colegas meus especializados em trauma infantil. Todos estávamos familiarizados com os dados básicos a respeito dos efeitos do trauma sobre o desenvolvimento da mente e do cérebro, e cientes de que o trauma infantil difere radicalmente do estresse traumático em adultos. O grupo concluiu que, se esperávamos chamar a atenção para a questão do trauma infantil, era preciso criar uma organização nacional que promovesse tanto o estudo do problema quanto a educação de professores, juízes, líderes religiosos, pais adotivos, médicos, agentes de liberdade condicional, enfermeiros e profissionais de saúde pública – qualquer pessoa que lidasse com crianças vítimas de abusos e traumatizadas.

Um dos membros de nosso grupo, Bill Harris, tinha ampla experiência com leis referentes a crianças e foi trabalhar com a equipe do senador Kennedy a fim de transformar nossas ideias em leis. Aprovado no Senado com apoio total dos dois partidos, o projeto de criação da NCTSN desde 2001 vem crescendo: passou de uma rede colaborativa de 17 postos para mais de 150 centros em todo o país. Dirigida por centros coordenadores que têm como bases a Universidade Duke e a Universidade da Califórnia em Los Angeles, a NCTSN compreende hospitais, universidades, órgãos indígenas, programas de recuperação de toxicômanos, clínicas de saúde mental e instituições de pós-graduação. Cada um dos centros, por sua vez, colabora com sistemas municipais de educação, órgãos de assistência social, abrigos de sem-teto, programas de justiça para menores e abrigos para pessoas ameaçadas por violência doméstica, num total de mais de 8.300 parceiros afiliados.

Com a criação e o funcionamento da NCTSN, tivemos condições de traçar um perfil mais claro das crianças traumatizadas em todas as partes do país. Joseph Spinazzola, meu colega no Trauma Center, dirigiu um levantamento que examinou os dados de quase 2 mil crianças e adolescentes, fornecidos por instituições de toda a rede.[13] Logo vimos confirmado aquilo de que suspeitávamos: a grande maioria dessas crianças e adolescentes vinha de famílias extremamente disfuncionais. Mais da metade sofrera abuso emocional e/ou estivera entregue a um cuidador extremamente ineficiente para atender a suas necessidades. Quase 50% deles ficaram por conta própria em algum momento – os responsáveis estavam presos, submetendo-se a tratamentos ou prestando serviço militar – e tinham sido cuidados por estranhos, em lares de acolhimento, ou por parentes distantes. Quase metade relatava ter assistido a cenas de violência doméstica, e um quarto sofrera abuso sexual ou maus-tratos físicos. Em outras palavras, aquelas crianças e adolescentes eram espelhos dos pacientes de meia-idade e de classe média da Kaiser Permanente com altas pontuações que Vincent Felitti pesquisara no estudo ACE.

O PODER DO DIAGNÓSTICO

Na década de 1970 não havia meios de classificar os diversificados sintomas de centenas de milhares de veteranos que voltavam do Vietnã. Como vimos nos capítulos iniciais, os médicos eram obrigados a improvisar o tratamento e estavam impedidos de estudar de maneira sistemática quais enfoques funcionavam. Adotado pelo *DSM-3* em 1980, o diagnóstico de TEPT levou a amplos estudos científicos e a criação de tratamentos eficazes, relevantes não só para os veteranos de guerra como para vítimas de uma ampla gama de eventos traumáticos, entre os quais estupro, agressão e acidentes com veículos automotores.[14] Um exemplo da importância de um diagnóstico específico é o fato de que entre 2007 e 2010 o Departamento de Defesa gastou mais de 2,7 bilhões de dólares no tratamento e na pesquisa sobre TEPT em veteranos de guerra, enquanto só no ano fiscal de 2009 o Departamento de Assuntos de Veteranos despendeu 24,5 milhões de dólares em pesquisa interna sobre TEPT.

A definição que o *DSM* dá ao TEPT é bastante objetiva: uma pessoa é exposta a um fato horrendo "que envolveu a morte, a ameaça de morte, uma lesão grave ou uma ameaça à integridade física de si mesmo ou de outras pessoas", causando "medo intenso, impotência ou horror" que resulta em várias manifestações: reviver o evento (flashbacks, pesadelos, sensação de que o evento está ocorrendo), evitamento persistente e incapacitante (de pessoas, lugares, pensamentos ou sensações associados ao trauma, às vezes com amnésia de partes importantes do evento) e aumento do nível de alerta (insônia, hipervigilância ou irritabilidade). Essa descrição sugere um enredo claro: a pessoa experimenta de maneira súbita e inesperada um evento aterrorizante e nunca mais volta a ser a mesma. O trauma pode ter passado, mas continua a ser reproduzido em lembranças que se reciclam sem cessar e num sistema nervoso reorganizado.

Qual a relevância dessa definição para as crianças que tratávamos? Depois de um único incidente traumático – uma mordida de cachorro, um acidente ou um tiroteio na escola –, crianças podem apresentar sintomas básicos de TEPT semelhantes aos de adultos, mesmo que vivam em lares seguros. O diagnóstico de TEPT nos permite hoje tratar esses problemas com bastante eficácia.

Em crianças perturbadas, com histórico de abuso e negligência, espalhadas em clínicas, escolas, hospitais e delegacias, as raízes traumáticas de seus comportamentos são menos óbvias, sobretudo porque elas raramente falam sobre terem sido agredidas, abandonadas ou molestadas, mesmo quando interrogadas. Entre as crianças traumatizadas atendidas na NCTSN, 82% não atendem aos critérios de diagnóstico de TEPT.[15] Por serem em geral retraídas, desconfiadas ou agressivas, recebem diagnósticos pseudocientíficos, do tipo "transtorno desafiador de oposição", que quer dizer "Esse menino me odeia e não me obedece", ou "transtorno contestador de desregulação de humor", que significa que tem acessos de raiva. Como têm diversos problemas, ao longo do tempo essas crianças acumulam numerosos diagnósticos. Antes dos 20 e poucos anos muitos desses pacientes já acumularam quatro, cinco, seis ou mais desses rótulos bombásticos, que nada significam. Quando submetidas a tratamento, terá sido algum que está na última moda: medicação, modificação de comportamento ou terapia de exposição. Prescrições que quase nunca funcionam e muitas vezes agravam os problemas.

À medida que a NCTSN tratava de um número cada vez maior de crianças, foi ficando evidente que precisávamos de um diagnóstico que capturasse a realidade da experiência delas. Começamos com um banco de dados de quase 20 mil crianças que estavam sendo tratadas em vários centros da rede e juntamos todas as pesquisas que pudemos encontrar sobre crianças vítimas de abuso e negligência. Após uma triagem, esses textos foram reduzidos a 130 estudos de especial relevância abrangendo um contingente de 100 mil crianças e adolescentes em todo o mundo. Um grupo de trabalho formado por 12 médicos/pesquisadores especializados em trauma de infância reuniu-se então duas vezes por ano,[16] ao longo de quatro anos, a fim de formular uma proposta para um diagnóstico apropriado, que decidimos chamar de transtorno de trauma de desenvolvimento (TTD).[17]

Organizando nossas conclusões, definimos um perfil constante: 1) um padrão difuso de desregulação; 2) problemas de atenção e concentração; e 3) dificuldades de relacionamento consigo mesmo e com outras pessoas. Os humores e sentimentos dessas crianças variavam com rapidez de um extremo a outro: de ataques de raiva e pânico a indiferença, descaso e dissociação. Quando ficavam irritadas (o que acontecia na maior parte do tempo), não conseguiam se acalmar nem explicar o que sentiam.

Um sistema biológico que não para de bombear hormônios do estresse para lidar com ameaças reais ou imaginárias leva a problemas físicos: sono difícil, cefaleias, dores inexplicáveis, hipersensibilidade ao toque ou a sons. Tanta agitação e bloqueio não permite que essas crianças foquem a atenção ou se concentrem. Para aliviar a tensão, não param de se masturbar, de se sacudir ou de mutilar o próprio corpo (mediante mordidas, cortes, queimaduras e autolesões, arrancando o cabelo ou ferindo a pele até sangrar). Esse comportamento também leva a problemas com o processamento da linguagem e da coordenação motora fina. Como gastam toda a energia para manter o controle, em geral têm dificuldade em prestar atenção no que não esteja diretamente ligado à sobrevivência, como trabalhos escolares. A hiperatividade faz com que se distraiam com facilidade.

O fato de terem sido muitas vezes negligenciadas ou abandonadas torna essas crianças "grudentas" até em relação a quem as maltratou. Surras, estupros e outras formas de violência habituais fizeram com que elas se qualifiquem como inúteis e sem valor. Acreditam, sinceramente, que são pessoas marcadas pela inutilidade e pela desimportância. É de admirar que não confiem em ninguém? Por fim, o fato de basicamente se julgarem desprezíveis, junto com a reação exagerada a pequenas frustrações, lhes dificulta fazer amigos.

Criamos uma escala de classificação válida,[18] publicamos os primeiros artigos sobre nossas conclusões e juntamos dados sobre cerca de 350 crianças e seus pais ou pais adotivos para mostrar que o TTD cobria toda a gama do que havia de errado com elas. Com isso, poderíamos lhes dar um único diagnóstico, em vez de múltiplos rótulos, e definiríamos a origem de seus problemas com segurança, como uma combinação de trauma e apego prejudicado.

Em fevereiro de 2009, submetemos nossa proposta da criação do diagnóstico de TTD à AAP, declarando o seguinte numa carta de encaminhamento:

> Crianças que se desenvolvem em ambiente de perigo continuado, maus-tratos e assistência conturbada estão sendo mal atendidas pelos sistemas atuais de diagnóstico, que enfatizam o controle comportamental, sem reconhecimento do trauma interpessoal. Estudos sobre sequelas de traumas infantis, no contexto de abuso ou negligência por parte de cuidadores, mostram problemas crônicos e graves quanto à regulação de emoções, ao controle de impulsos, atenção e cognição,

dissociação, relações interpessoais e esquemas de autoconsciência e relacionais. Na ausência de um diagnóstico específico para trauma, essas crianças recebem hoje em dia um diagnóstico com três a oito transtornos comórbidos. A manutenção da prática da aplicação de diagnósticos de comorbidades múltiplas e distintas a crianças traumatizadas tem sérias consequências: atenta contra o princípio de economia, obscurece a clareza etiológica e cria o perigo de relegar o tratamento e a intervenção a um aspecto restrito da psicopatologia da criança, em vez de promover uma abordagem terapêutica abrangente.

Logo depois de enviar nossa proposta, fiz uma palestra sobre o TTD em Washington, DC, num encontro de comissários de saúde mental de todo o país. Diversos participantes do encontro se dispuseram a apoiar nossa iniciativa, enviando à AAP uma carta que começava destacando que a Associação Nacional de Diretores de Programas Estaduais de Saúde Mental atendia 6,1 milhões de crianças por ano, com um orçamento de 29,5 bilhões de dólares, e concluía:

> Instamos a AAP a acrescentar o trauma de desenvolvimento à sua lista de prioridades para esclarecer e melhor caracterizar seu processo e suas sequelas clínicas e também para enfatizar a premente necessidade de se abordar o trauma de desenvolvimento na avaliação dos pacientes.

Eu estava certo de que essa carta garantiria que a AAP levasse a sério nossa proposta, mas, meses depois, Matthew Friedman, diretor executivo do Centro Nacional de TEPT e presidente do subcomitê relevante do *DSM*, informou-nos que era improvável que o TTD fosse incluído no *DSM-5*. O consenso, escreveu ele, era de que não havia necessidade de um novo diagnóstico para preencher um "nicho de diagnóstico ausente". Um milhão de crianças que eram vítimas de abusos e negligência a cada ano nos Estados Unidos seriam um "nicho de diagnóstico"?

A carta continuava:

> A ideia de que experiências adversas na primeira infância levam a perturbações substanciais no desenvolvimento é mais uma intuição

clínica do que um fato com base em pesquisas. [...] Essa afirmativa se faz com frequência, mas não encontra sustentação em estudos prospectivos.

Na verdade, havíamos incluído em nossa proposta vários estudos prospectivos. Vejamos apenas dois.

COMO RELACIONAMENTOS MOLDAM O DESENVOLVIMENTO

A partir de 1975, e ao longo de quase trinta anos, Alan Sroufe e colaboradores acompanharam 180 crianças e suas famílias no Estudo Longitudinal de Minnesota de Risco e Adaptação.[19] Na época em que o estudo começou, travava-se um intenso debate quanto ao papel, no desenvolvimento humano, da natureza *versus* o da educação, e o do temperamento *versus* o do ambiente; esse estudo pretendia responder a essas dúvidas. O trauma ainda não era uma questão muito pesquisada, e o abuso e a negligência de crianças não eram o foco principal do estudo – pelo menos no início, até ficar evidente que eram os mais importantes indicadores da saúde mental dos adultos.

Trabalhando com instituições médicas e sociais municipais, os pesquisadores recrutaram mães primíparas (brancas) cuja renda era restrita o suficiente para receber assistência pública. Essas mulheres tinham diferentes antecedentes e dispunham de diferentes tipos e níveis de apoio para o cuidado dos filhos. O estudo começou três meses antes do nascimento das crianças e acompanhou-as até os 30 anos de idade, avaliando e, nos casos relevantes, medindo todos os aspectos importantes da saúde mental dessas pessoas e todas as circunstâncias significativas da vida delas. O estudo considerava várias questões básicas: como as crianças aprendiam a prestar atenção, ao mesmo tempo que regulavam seu estado de alerta (isto é, evitando altos e baixos extremos) e controlavam seus impulsos? De que tipos de apoio precisavam, e quando estes se tornavam necessários?

Depois de entrevistas bem detalhadas e testes com futuros pais, o estudo decolou de verdade no berçário, onde os pesquisadores observaram os recém-nascidos e entrevistaram as enfermeiras que cuidavam deles.

Visitaram os pais no sétimo e no décimo dia de vida das crianças. Antes que entrassem no primeiro ano da escola, elas e os pais foram cuidadosamente avaliados nada menos que quinze vezes. A partir daí, as crianças foram entrevistadas e examinadas a intervalos regulares até os 28 anos de idade. Mães e professores também forneceram informações.

Sroufe e seus colegas constataram que a qualidade dos cuidados e os fatores biológicos apresentavam estreita inter-relação. É interessante observar que os resultados de Minnesota reiteram, embora com muito mais complexidade, o que Stephen Suomi descobriu no laboratório de primatas. Nada estava gravado na pedra. A personalidade da mãe, as anomalias neurológicas da criança ao nascer, seu QI, seu temperamento e mesmo seu nível de atividade e sua reatividade ao estresse – nada disso indicava que uma criança teria sérios problemas de comportamento na adolescência.[20] A questão-chave era a natureza da relação entre pais e filhos: o que os pais sentiam em relação aos filhos e como interagiam com eles. Como no caso dos macacos de Suomi, a combinação bebês vulneráveis e cuidadores inflexíveis levava a filhos carentes e tensos. Um comportamento insensível, impositivo e invasivo por parte dos pais aos 6 meses de idade de uma criança apontava para problemas de hiperatividade e atenção no jardim de infância e depois.[21]

Detendo-se em muitos aspectos do desenvolvimento, sobretudo relacionamentos com cuidadores, professores e pares, Sroufe e seu grupo concluíram que cuidadores não só contribuem para manter o estado de alerta em limites controláveis como ajudam os lactentes a desenvolver a capacidade de regular o estado de alerta. Crianças habitualmente forçadas além do limite e levadas a um nível de alerta exagerado e à desorganização não desenvolviam uma sintonia adequada entre seus sistemas cerebrais de inibição e excitação, e cresciam com a expectativa de que perderiam o controle se acontecesse algo perturbador. Era um grupo vulnerável, e no fim da adolescência metade tinha problemas de saúde mental diagnosticáveis. Havia padrões claros: bebês que receberam cuidados constantes tornaram-se crianças bem reguladas, enquanto cuidados irregulares produziram crianças em crônico estado de alerta fisiológico. Filhos de pais instáveis estavam sempre reclamando por atenção e demonstravam intensa frustração ante pequenas dificuldades. O alerta constante os deixava cronicamente ansiosos. A busca constante de tranquilização atrapalhava as brincadeiras e a exploração, e em decorrência disso eles cresciam nervosos e tímidos.

A negligência parental ou um tratamento rude na primeira infância levavam a problemas de comportamento na escola e constituíam indicadores de dificuldades com os colegas e insensibilidade ao sofrimento alheio.[22] Assim se cria um círculo vicioso: o crônico estado de alerta em que viviam, combinado com a falta de consolo por parte dos pais, tornava-os contestadores, antagonísticos e agressivos. Crianças contestadoras e agressivas não são simpáticas e provocam mais rejeição e castigos, não só por parte de seus cuidadores, como também dos professores e colegas.[23]

Sroufe também aprendeu muito a respeito de resiliência: a capacidade de lidar com a adversidade e dar a volta por cima. O mais importante indicador da capacidade daquelas crianças para enfrentar as inevitáveis frustrações da vida era, sem a menor dúvida, o nível de segurança estabelecido com o cuidador principal durante os dois primeiros anos de vida. Informalmente, Sroufe me disse que julgava que a resiliência na vida adulta podia ser prevista pelo modo como mães carinhosas avaliavam os filhos aos 2 anos de idade.[24]

OS EFEITOS DE LONGO PRAZO DO INCESTO

Em 1986, Frank Putnam e Penelope Trickett, sua colega no NIMH, deram início ao primeiro estudo longitudinal do impacto do abuso sexual sobre o desenvolvimento feminino.[25] Até a publicação dos resultados desse estudo, tudo o que sabíamos sobre os efeitos do incesto se baseava em declarações de crianças que haviam sido molestadas e em relatos de mulheres que, anos ou mesmo décadas depois, descreviam as consequências do incesto na vida delas. Nenhum estudo havia acompanhado meninas para examinar como o abuso sexual afetava o desempenho escolar, as relações com colegas e o conceito que elas faziam de si mesmas, tanto na fase de amadurecimento como mais tarde, no início da vida sexualmente ativa. Putnam e Trickett também analisaram as mudanças ocorridas em suas pacientes, no decorrer do tempo, com relação a hormônios do estresse, hormônios reprodutivos, funções imunológicas e outras medidas fisiológicas. Além disso, exploraram possíveis fatores de proteção, como inteligência e apoio prestado por familiares e pares.

Putnam e Trickett selecionaram 84 adolescentes indicadas pelo Departamento de Serviços Sociais do Distrito de Columbia, todas com histórico confirmado de abuso sexual por um membro da família. Também reuniram um grupo de controle formado por 82 adolescentes da mesma idade, etnia, classe socioeconômica e ambiente familiar, mas que não haviam sofrido abuso. No início, a média de idade era de 11 anos. Ao longo dos vinte anos seguintes, os dois grupos foram rigorosamente avaliados seis vezes, uma vez por ano nos três primeiros anos e de novo aos 18, 19 e 25 anos. As mães dessas jovens participaram das primeiras avaliações. A última avaliação ouviu os filhos dessas mulheres. Nada menos que 96% delas, agora adultas – um índice notável –, mantiveram-se nos grupos do estudo desde o começo.

Os resultados não deixavam dúvidas: comparadas com moças da mesma idade, etnia e circunstâncias sociais, as adolescentes vitimadas por abuso sexual sofrem uma ampla gama de efeitos negativos, como déficit cognitivo, sintomas dissociativos, depressão, perturbações no desenvolvimento sexual, altos índices de obesidade e automutilação. Elas contraíam maior número de doenças e utilizavam mais os serviços de saúde, e os índices de abandono do ensino médio eram mais elevados que os do grupo de controle. Também apresentavam anormalidades nas respostas de hormônios do estresse; a puberdade começava mais cedo e reuniam grande número de diagnósticos psiquiátricos, à primeira vista não relacionados entre si.

A pesquisa revelou minúcias a respeito das consequências do abuso sobre o desenvolvimento. Por exemplo, a cada avaliação, pedia-se às moças dos dois grupos que falassem sobre o que de pior lhes acontecera durante o ano anterior. Enquanto narravam suas histórias, os pesquisadores observavam seu nível de agitação e faziam medições fisiológicas. Na primeira avaliação, todas reagiram com aflição. Três anos depois, em resposta ao mesmo pedido, as do grupo de controle mais uma vez revelaram sinais de sofrimento, mas as que tinham sofrido abuso se fecharam e ficaram apáticas. Seus dados fisiológicos correspondiam às reações observadas: durante a primeira avaliação, todas mostraram aumento no nível de cortisol, um hormônio do estresse; três anos depois, o cortisol baixou entre as vítimas de abuso no momento em que falavam sobre o fato mais estressante do ano anterior. Com o tempo, o corpo se ajusta ao trauma crônico. Uma das decorrências da apatia é a probabilidade de que professores, amigos e outras pessoas não notem a perturbação da pessoa; é possível que nem ela perceba. A apatia faz com que se deixe de reagir ao sofrimento como deveria. Por exemplo, fazendo algo para se proteger.

O estudo de Putnam também detectou os efeitos difusos do incesto, a longo prazo, sobre amizades e relacionamentos. Antes da puberdade, meninas não vitimadas em geral têm várias amigas, além de um amigo do sexo masculino, que funciona como uma espécie de espião que lhes informa como pensam e agem aquelas estranhas criaturas, os rapazes. Depois que entram na adolescência, o contato com meninos aumenta. Por outro lado, antes da puberdade, meninas que sofreram abuso raramente têm amigos íntimos, independentemente do sexo, e a adolescência traz muitos contatos caóticos – e com frequência traumatizantes – com rapazes.

Não ter amigos no ensino fundamental faz uma diferença crucial. Sabemos hoje como meninas do terceiro, quarto e quinto anos podem ser cruéis. É uma época complexa, em que os amigos de repente se voltam uns contra os outros e as alianças se dissolvem em exclusões e traições. Contudo, há um lado positivo: quando as garotas chegam ao sexto ano, a maioria delas já começou a dominar um repertório amplo de aptidões sociais, entre as quais a capacidade de identificar o que sentem, negociar relações com outras pessoas, fingir que gostam de pessoas de que não gostam, etc. E a maioria delas formou uma rede de apoio bastante firme, integrada por meninas que se tornam sua equipe de análise de estresses. À medida que vão penetrando no mundo do sexo e dos namoros, essas relações lhes proporcionam espaço para reflexão, mexericos e discussão sobre o significado de tudo isso.

Meninas que sofreram abuso sexual seguem um caminho de desenvolvimento totalmente diverso. Elas não têm amigas nem amigos, pois não confiam em ninguém; odeiam a si mesmas, e a biologia se volta contra elas, levando-as a reagir de forma exagerada ou a se tornarem apáticas. Não conseguem participar em igualdade de condições dos jogos de inclusão/exclusão acionados pela inveja, nos quais os jogadores têm de se manter calmos mesmo sob estresse. As outras crianças em geral não querem saber delas – elas lhes parecem esquisitas demais.

Mas isso é apenas o começo dos problemas. Violentadas e isoladas, meninas com histórico de incesto amadurecem sexualmente um ano e meio mais cedo do que as que não foram vitimadas. O abuso acelera o relógio biológico e a secreção de hormônios sexuais. No começo da puberdade, adolescentes que sofreram abusos têm níveis de testosterona e androstenediona, os hormônios que alimentam o desejo sexual, três a cinco vezes maiores que as garotas do grupo de controle.

O estudo de Putnam e Trickett é um importante guia para aqueles que lidam com meninas vítimas de abuso sexual. No Trauma Center, por exemplo, um de nossos clínicos informou numa manhã de segunda-feira que uma paciente chamada Ayesha tinha sido estuprada, de novo, no fim de semana. Após fugir da casa de seu grupo às cinco da tarde do sábado, ela fora a um lugar de Boston onde se reúnem viciados em drogas, fumara um baseado e consumira outras substâncias. Depois, saíra de carro com um bando de rapazes. Às cinco da manhã do domingo, eles a haviam estuprado. Como muitos adolescentes que tratamos, Ayesha não é capaz de articular o que deseja ou necessita, nem consegue pensar em como poderia se defender. Vive num mundo de ações. Tentar explicar seu comportamento em termos de vítima/atacante em nada ajuda, e o mesmo se pode dizer de rótulos como "depressão", "transtorno desafiador de oposição", "transtorno explosivo intermitente", "transtorno bipolar" ou qualquer uma das outras opções que os manuais de diagnóstico nos oferecem. O trabalho de Putnam nos ajudou a entender como Ayesha vivencia o mundo – por que não consegue nos dizer o que está acontecendo com ela, por que é tão impulsiva e carente de autoproteção, e por que nos considera assustadores e intrometidos, não pessoas que podem ajudá-la.

O DSM-5: UMA VERDADEIRA MISCELÂNEA DE "DIAGNÓSTICOS"

As 945 páginas do *DSM-5*, publicado em maio de 2013, registram cerca de trezentos transtornos. O manual oferece uma verdadeira miscelânea de rótulos possíveis para os problemas associados a trauma severo na infância, entre os quais alguns novos, como transtorno disruptivo da desregulação do humor,[26] autolesão não suicida, transtorno explosivo intermitente, transtorno de interação social desinibida e transtorno disruptivo do controle de impulsos.[27]

Até o fim do século XIX, os médicos classificavam as doenças de acordo com suas manifestações superficiais, como febres ou pústulas, o que não deixava de ser razoável, uma vez que eles não tinham muito mais a que recorrer.[28] A coisa mudou de figura quando cientistas como Louis Pasteur e Robert Koch descobriram que muitas enfermidades eram causadas por bactérias invisíveis a olho nu. A medicina então se transformou, tentando descobrir meios de eliminar esses organismos, e não ficar apenas nas pústulas e febres por eles causadas. Com o *DSM-5*, a psiquiatria regressou, sem dúvida, à prática médica do começo do século XIX. Ainda que conheçamos a origem de muitos problemas que o manual identifica, seus "diagnósticos" descrevem fenômenos superficiais que ignoram por inteiro as causas básicas.

Antes da publicação do *DSM-5*, o *American Journal of Psychiatry* divulgou os resultados dos testes de eficácia de vários diagnósticos, que mostravam que falta ao *DSM* aquilo que o mundo da ciência conhece como "confiabilidade" – a capacidade de produzir resultados consistentes e passíveis de reprodução. Em outras palavras, o manual carece de validade científica. Estranhamente, a falta de confiabilidade e de eficácia não impediu que o *DSM-5* fosse publicado na data prevista, apesar do consenso quase universal de que ele em nada melhorava o sistema de diagnóstico anterior.[29] Será que esse novo sistema veio a existir porque a AAP ganhou 100 milhões de dólares com o *DSM-4* e previa repetir esses ganhos com o *DSM-5*, já que todos que trabalham na área de saúde mental, além de muitos advogados e outros profissionais, serão obrigados a comprar a nova edição?

A confiabilidade do diagnóstico não é uma questão acadêmica: se os médicos não puderem entrar em acordo sobre o que aflige seus pacientes, não terão como lhes oferecer o tratamento adequado. Quando não há relação entre o diagnóstico e a cura, um paciente mal diagnosticado será fatalmente tratado de maneira errônea. Ninguém desejaria submeter-se a uma cirurgia de retirada de apêndice quando sofre de cálculos renais, nem ser rotulado como "opositivo" quando, na realidade, seu comportamento tem raízes numa tentativa de se proteger de um perigo real.

Numa declaração emitida em junho de 2011, a Sociedade Britânica de Psicologia queixou-se à AAP de que o *DSM-5* afirmava que as fontes de sofrimento psicológico localizavam-se "dentro das pessoas" e ignorava a "inegável origem social de muitos problemas".[30] Essa queixa se somou à enxurrada de protestos de profissionais americanos, entre os quais líderes da Associação Americana de Psicologia e da Associação Americana de Aconselhamento. Por que as relações ou condições sociais são desconsideradas?[31] Se atentarmos apenas para falhas biológicas e genes defeituosos como causas de problemas mentais, desdenhando o abandono, o abuso e a privação, é provável que acabemos em becos sem saída como ocorria com gerações anteriores, que punham toda a culpa em mães assustadoras.

A mais contundente rejeição do *DSM-5* partiu do NIMH, que financia a maior parte das pesquisas psiquiátricas nos Estados Unidos. Em abril de 2013, poucas semanas antes da divulgação formal do *DSM-5*, o diretor do NIMH, Thomas Insel, anunciou que a instituição deixaria de respaldar os "diagnósticos baseados em sintomas" do manual.[32] Em vez disso, concentraria seus aportes nos chamados projetos de Pesquisa em Domínio de Critérios (Research Domain Criteria – RDoC)[33] a fim de criar um marco para a pesquisa passando por cima de categorias diagnósticas hoje correntes. Por exemplo, um dos domínios do NIMH é "Sistemas de Alerta/Modulatórios (Alerta, Ritmo Circadiano, Sono e Vigília)", que aparecem perturbados, em graus variados, em muitos pacientes.

Tal como o *DSM-5*, o RDoC conceitua as doenças mentais unicamente como transtornos cerebrais. Isso significa que no futuro as pesquisas financiadas explorarão os circuitos cerebrais "e outras medidas neurobiológicas" que são a base dos problemas mentais. Para Insel, esse é o primeiro passo para o tipo de "medicina de precisão que transformou o diagnóstico e o tratamento do câncer". No entanto, a doença mental não é exatamente como o câncer: o ser humano é um animal social, e os problemas mentais envolvem a incapacidade de lidar com outras pessoas, se ajustar, participar, e, de forma geral, se sintonizar com o que o está a seu redor.

Tudo em nós – cérebro, mente, corpo – está orientado para a colaboração com sistemas sociais. É a nossa estratégia de sobrevivência mais poderosa, a chave para nosso êxito como espécie. Pois é exatamente neste ponto que apresenta defeito na maioria das manifestações de sofrimento mental. Como vimos na Parte II, as conexões neurais no cérebro e no corpo são vitais para compreender o sofrimento humano. No entanto, é importante não ignorar os fundamentos de nossa humanidade: os relacionamentos e as interações que moldam nosso cérebro e mente na juventude e que dão substância e sentido a toda a vida.

Pessoas com passado de abuso, negligência e privação grave continuarão misteriosas e praticamente sem tratamento até darmos ouvidos à advertência de Alan Sroufe:

Entender plenamente como nos tornamos quem somos – a evolução complexa e paulatina de nossas orientações, capacidades e comportamento – requer mais do que uma lista de ingredientes, apesar da importância de cada um deles. Requer uma compreensão do processo de desenvolvimento, de como todos esses fatores atuam em conjunto e de forma permanente ao longo do tempo.[34]

Profissionais da linha de frente da saúde mental – assistentes sociais e terapeutas, todos sobrecarregados e mal remunerados – parecem concordar com esse enfoque. Logo depois que a AAP rejeitou nossa proposta de inclusão do TTD no *DSM*, milhares de clínicos de todo o país enviaram pequenas contribuições para o Trauma Center, com o intuito de colaborar para um alentado estudo científico, chamado teste de campo, que tem por objeto o transtorno de trauma do desenvolvimento. Essa ajuda nos permitiu entrevistar centenas de crianças, pais, pais adotivos e funcionários de instituições de saúde mental em cinco centros da rede por cinco anos, empregando instrumentos de entrevista formulados segundo princípios científicos.[35]

QUE DIFERENÇA FARIA O TTD?

Uma resposta a essa pergunta é que a adoção do conceito de TTD concentraria a pesquisa e o tratamento (e também o financiamento das pesquisas) nos princípios centrais que constituem a base dos sintomas multiformes de crianças e adultos com trauma crônico: desregulação biológica e emocional generalizada, apego falho ou perturbado, problemas para manter o foco e o rumo, uma noção bastante deficiente de identidade pessoal coerente e de competência. Essas questões transcendem e incluem quase todas as categorias diagnósticas, porém um tratamento que não lhes dê destaque e centralidade quase com certeza será ineficiente. Nosso grande desafio está em aplicar as lições da neuroplasticidade – a flexibilidade dos circuitos cerebrais – a fim de reprogramar o cérebro e reorganizar a mente de pessoas que a própria vida programou para ver os outros como ameaças e a si mesmas como indefesas.

O apoio social é uma necessidade biológica, não uma opção, e essa realidade deveria ser a espinha dorsal da prevenção e do tratamento. Reconhecer os efeitos profundos do trauma e da privação no desenvolvimento infantil não leva forçosamente a culpar os pais. Podemos pressupor que estes fazem o melhor que podem, mas todos precisam de ajuda para criar os filhos. Quase todos os países industrializados, salvo os Estados Unidos, reconhecem esse fato e proporcionam alguma forma de apoio garantido às famílias. James Heckman, detentor do Prêmio Nobel de Economia de 2000, demonstrou que bons programas de amparo à infância, envolvendo os pais e promovendo qualificações básicas em crianças desfavorecidas, mais do que se pagam em termos de melhores resultados.[36]

No começo da década de 1970, o psicólogo David Olds trabalhava numa creche de Baltimore onde muitas crianças vinham de lares destruídos pela pobreza, violência doméstica e drogas. Consciente de que remediar os problemas das crianças apenas na escola não bastava para melhorar suas condições domésticas, ele criou um programa de visitas às famílias – enfermeiras treinadas ajudavam as mães a oferecer um ambiente seguro e estimulante aos filhos, e, nesse processo, as mães imaginavam um futuro melhor para si mesmas. Vinte anos depois, os filhos dessas mães não só eram mais saudáveis, como tinham menos probabilidade de relatar abusos ou negligência em comparação com um grupo semelhante cujas mulheres não haviam sido visitadas. Além disso, tinham mais probabilidade de concluir um curso, evitar a prisão e ter empregos bem remunerados. Economistas já calcularam que cada dólar investido em visitas domésticas de boa qualidade, creches e programas pré-escolares resultam em sete dólares de economia em gastos de seguridade social, despesas de assistência médica, recuperação de dependentes de drogas e encarceramento, além de maiores receitas tributárias decorrentes de empregos de maior remuneração.[37]

Quando dou cursos na Europa, é comum que agentes dos ministérios da Saúde dos países escandinavos, do Reino Unido, da Alemanha ou dos Países Baixos me procurem, pedindo que passe uma tarde com eles para lhes transmitir as mais recentes pesquisas sobre o tratamento de crianças e adolescentes traumatizados, assim como de suas famílias. O mesmo acontece com muitos colegas meus. Esses países já contam com sistemas de assistência de saúde universal, garantem à população um salário mínimo, preveem licença de trabalho para pais e mães após o nascimento de seus filhos, além de creches de qualidade para todos os filhos de mães que trabalham.

Teria essa atitude em relação à saúde pública algo a ver com o fato de que a taxa de encarceramento seja, para cada 100 mil habitantes, de 71 na Noruega, de 81 nos Países Baixos e de 781 nos Estados Unidos, enquanto a taxa de criminalidade naqueles países é muito inferior à americana e o custo da assistência médica é mais ou menos a metade? Na Califórnia, 70% dos presidiários passaram algum tempo em lares sociais quando jovens. Os Estados Unidos gastam 84 bilhões de dólares anuais com seu sistema penitenciário, a um custo aproximado de 44 mil dólares a cada ano por preso; os países da Europa setentrional gastam uma fração disso. Preferem investir em assistência social para que os pais criem seus filhos num ambiente seguro e previsível. As pontuações em testes de aproveitamento escolar e as taxas de criminalidade parecem refletir o êxito desses investimentos.

PARTE IV
A MARCA DO TRAUMA

11
SEGREDOS DESVENDADOS: O PROBLEMA DA LEMBRANÇA TRAUMÁTICA

> É estranho que todas as lembranças tenham essas duas propriedades. São sempre muito silenciosas, e isso é o mais impressionante; e mesmo que as coisas não tenham se passado desse jeito na realidade, ainda assim elas têm essa propriedade. São aparições mudas, que me falam por meio de olhares e gestos, sem palavras e silenciosas – e é precisamente esse silêncio que me perturba.
>
> Erich Maria Remarque, *Nada de novo no front*

No primeiro semestre de 2002, pediram-me para examinar um jovem que alegava ter sido molestado sexualmente, quando pré-adolescente, por Paul Shanley, padre católico da paróquia de Newton, Massachusetts. Agora com 25 anos, o rapaz parecia ter esquecido o episódio até ouvir dizer que o padre estava sendo investigado por abusar de outros meninos. O problema que eu enfrentava era o seguinte: mesmo que ele tivesse, aparentemente, "reprimido" o abuso por mais de uma década, seriam suas lembranças dignas de crédito, e estaria eu disposto a afirmar isso diante de um juiz?

Com base em minhas anotações da época, compartilho a seguir o que esse homem, a quem chamarei de Julian, me contou. (Seu nome real foi divulgado pela imprensa, porém uso um pseudônimo na esperança de que, com o tempo, ele tenha readquirido um pouco de privacidade e paz.)[1]

As experiências pelas quais Julian passou ilustram as complexidades da memória traumática. As controvérsias em torno do processo contra o padre Shanley também são típicas das paixões que têm agitado essa questão desde as últimas décadas do século XIX, quando os psiquiatras descreveram a natureza inusitada das memórias traumáticas.

UM DILÚVIO DE SENSAÇÕES E IMAGENS

Em 11 de fevereiro de 2001, Julian servia como policial militar numa base da Força Aérea. Conversava todo dia com a namorada, Rachel, que, uma vez, se referiu a uma reportagem que lera no *Boston Globe*. Um tal padre Shanley, suspeito de molestar crianças, estava sendo investigado. Ele não lhe falara de um padre Shanley, pároco de sua igreja em Newton? "Ele algum dia fez alguma coisa a você?", ela perguntou. De início, Julian se lembrou do padre Shanley como um homem amável, que lhe dera muito apoio depois do divórcio de seus pais. Entretanto, conforme a conversa prosseguia, começou a entrar em pânico. De repente, viu a silhueta de Shanley no vão de uma porta, com os braços estendidos em 45 graus, fitando Julian, que urinava. Dominado pela emoção, disse a Rachel: "Preciso desligar." Chamou seu superior, que chegou acompanhado do primeiro-sargento. Depois de conversar com os dois homens, eles o levaram ao capelão da base. Julian lembra-se de lhe ter dito: "Sabe o que está acontecendo em Boston? Aconteceu comigo também." No instante em que se ouviu pronunciando essas palavras, teve certeza de que Shanley o molestara, ainda que não se lembrasse dos detalhes. Sua reação emocional o constrangia muitíssimo. Sempre fora um garoto forte, que guardava tudo.

Naquela noite, sentou-se na beirada da cama, curvado, temendo estar perdendo o juízo e apavorado com a possibilidade de vir a ser preso. Durante a semana seguinte, sua mente se inundou de imagens, ele temia um colapso total. Pensava em enfiar uma faca na perna, só para pôr fim àquele pesadelo. Em seguida, os ataques de pânico começaram a ser acompanhados de convulsões, a que ele se referia como "acessos epilépticos". Arranhava o corpo até sangrar. Sentia-se o tempo todo afogueado, suado e agitado. Entre os ataques de pânico, Julian se "sentia um zumbi"; observava-se à distância, como se o que estava vivenciando estivesse acontecendo a outra pessoa.

Em abril, recebeu baixa administrativa, apenas dez dias antes de atender aos requisitos para ter direito a todos os benefícios.

Quando Julian entrou em meu consultório, quase um ano depois, vi um rapaz bem-apessoado e musculoso que parecia deprimido e derrotado. Logo me disse que se sentia péssimo por ter deixado a Força Aérea. Seu sonho fora fazer carreira, e sempre tivera excelentes avaliações. Gostava dos desafios e do trabalho em equipe, e tinha saudade da vida militar.

Julian nasceu num bairro residencial de classe média de Boston, era o segundo de cinco filhos. O pai deixara a família quando o menino estava mais ou menos com 6 anos, por não suportar viver com a mulher, emocionalmente instável. Julian e o pai se dão muito bem, mas às vezes ele o censura por ter trabalhado demais para manter a família e por abandoná-lo aos cuidados da mãe perturbada. Nem os pais nem qualquer um dos irmãos precisaram alguma vez de ajuda psiquiátrica ou se envolveram com drogas.

No ensino médio, Julian foi um atleta admirado. Embora tivesse muitos amigos, sentia-se mal consigo mesmo e acobertava com bebida e festas o fato de não ser um bom aluno. Sentia vergonha de se aproveitar de sua popularidade e de sua aparência para levar muitas garotas para a cama. Contou sentir vontade de procurar várias delas a fim de pedir desculpas por tê-las tratado mal.

Lembrava-se de sempre ter odiado o próprio corpo. No colégio, tomava esteroides para desenvolver a musculatura e fumava maconha quase todo dia. Não fez faculdade, e depois de se formar no ensino médio ficou quase um ano praticamente sem ter onde morar porque não aguentava mais a mãe. Alistou-se na Força Aérea como uma tentativa de botar a vida nos trilhos.

Conheceu o padre Shanley aos 6 anos, na aula de catecismo na igreja da paróquia. O padre sempre o tirava da aula para se confessar. Raramente usava batina, e Julian se lembrava da calça azul-escura de brim que ele usava. Iam para uma sala espaçosa com duas cadeiras forradas de vermelho, uma de frente para a outra, e um genuflexório com uma almofada de veludo vermelho. Jogavam baralho, um jogo que se transformava em *strip poker*. Julian se lembrava de ficar em pé diante de um espelho naquela sala. Shanley o fazia curvar-se. Lembrou que o padre metia o dedo em seu ânus.

Não acredita que o padre algum dia o tenha penetrado com o pênis, mas imagina que ele lhe tenha introduzido o dedo várias vezes.

Afora isso, suas lembranças eram muito incoerentes e fragmentárias. Julian tinha flashes do rosto de Shanley e de incidentes isolados: o padre de pé na porta do banheiro; pondo-se de joelhos e remexendo "aquilo" de um lado para outro com a língua. Julian não sabia dizer qual era sua idade quando do ocorrido. Lembrava-se do padre lhe ensinando a fazer sexo oral, mas não se recorda de realmente ter feito isso. Lembrava-se de distribuir panfletos na igreja e, depois, do padre Shanley sentado a seu lado num banco, acariciando-o e mantendo sua mão contra o corpo dele. Lembrava-se, já um pouco maior, que o padre passava perto dele e acariciava seu pênis. Julian não gostava daquilo, mas não sabia o que fazer. Afinal, disse, "o padre Shanley era o que havia de mais próximo de Deus no bairro onde eu morava".

Além dessas lembranças fragmentárias, vestígios do abuso sexual que Julian sofrera estavam sendo claramente ativados e reproduzidos. Às vezes, quando fazia sexo com a namorada, a imagem do padre surgia em sua cabeça e, em suas palavras, ele "perdia a vontade". Uma semana antes de eu entrevistá-lo, sua namorada enfiara um dedo em sua boca e dissera, brincando: "Você chupa bem". Julian deu um salto e gritou: "Se você algum dia disser isso de novo, eu te mato, porra!" Depois, assustados, os dois caíram no choro. A essa cena seguiu-se um dos seus "ataques epilépticos" – ele se punha em posição fetal, em convulsões, gemendo como um bebê. Ao me contar o incidente, parecia muito pequeno e aterrorizado.

Alternava-se entre a compaixão que sentia pelo velho no qual o padre Shanley se transformara e sua vontade de "levá-lo para uma sala em algum lugar e matá-lo". Além disso, não parava de falar da vergonha que sentia, da dificuldade em admitir que não era capaz de se proteger: "Ninguém se mete comigo, e agora eu tenho de lhe contar essas coisas." Sua autoimagem era a de um Julian corpulento e forte.

O que pensar de uma história como a dele: anos de aparente esquecimento, seguidos por imagens fragmentadas e perturbadoras, sintomas físicos intensos e súbitas revivescências? Como terapeuta, meu objetivo maior não é determinar exatamente o que aconteceu a pessoas com um passado de trauma, mas ajudá-las a tolerar seus sentimentos, emoções e reações, sem ser o tempo todo sequestradas por elas. Quando o tema da culpa vem à tona, em geral a questão central a ser solucionada é a autorresponsabilização – aceitar que o trauma não se deu por culpa da vítima, que não foi causado por algum defeito dela e que ninguém jamais mereceria aquilo que lhe aconteceu.

No entanto, no caso de um processo judicial, a determinação de culpabilidade é fundamental, e, com ela, a admissibilidade de evidências comprobatórias. Antes disso, eu havia examinado doze pessoas que, quando crianças, haviam sido vítimas de abusos sádicos num orfanato católico de Burlington, Vermont. Elas denunciaram tais crimes (junto com muitos outros queixosos) mais de quatro décadas depois, e, embora nenhuma tivesse mantido contato com as outras até a primeira queixa chegar à justiça, suas lembranças eram espantosamente semelhantes: todas citavam os mesmos nomes e os abusos específicos que cada freira ou padre cometera – nos mesmos cômodos, com os mesmos móveis e como parte das mesmas rotinas diárias. A maioria dos queixosos mais tarde aceitou um acordo extrajudicial proposto pela diocese de Vermont.

Antes de uma causa ir a julgamento, o juiz faz a chamada audiência Daubert, a fim de definir as normas para a apresentação de pareceres de peritos aos jurados. Num processo de 1996, eu havia conseguido convencer o juiz de uma vara federal em Boston de que era comum pessoas traumatizadas perderem todas as lembranças do episódio, só recuperando o acesso a elas, em fragmentos, muito tempo depois. As mesmas normas seriam aplicáveis na ação de Julian. Meu parecer, que submeti ao advogado dele, continua confidencial, mas estava baseado em décadas de experiência clínica e em pesquisas sobre a memória traumática, incluindo o trabalho de alguns dos grandes pioneiros da psiquiatria moderna.

LEMBRANÇA NORMAL *VERSUS* LEMBRANÇA TRAUMÁTICA

Todos sabemos o quanto a memória é fugidia. Nossas histórias se alteram e são constantemente revistas e atualizadas. Todas as vezes que meus irmãos, minhas irmãs e eu conversamos sobre fatos de nossa infância, ficamos com a impressão de que somos de famílias diferentes, pois muitas lembranças não batem. Essas memórias autobiográficas não constituem reflexos exatos da realidade; são antes histórias que contamos para transmitir opiniões pessoais sobre nossa experiência.

O Estudo Grant de Desenvolvimento Adulto, que pesquisou de maneira sistemática a saúde psicológica e física de mais de duzentos estudantes de Harvard, desde 1939-44, quando estavam no segundo ano da universidade, até o presente,[2] ilustra a inacreditável capacidade que a mente humana tem de reescrever a memória. É claro que os idealizadores do estudo não tinham como prever que a maioria dos participantes haveria de combater na Segunda Guerra Mundial, mas podemos agora rastrear a evolução de suas memórias de combate. Os homens foram entrevistados em detalhe sobre suas experiências de guerra em 1945-46 e de novo em 1989-90. Quatro décadas e meia depois, a maioria deles deu versões bem diferentes das narrativas feitas em suas entrevistas logo após a guerra: com a passagem do tempo, os fatos haviam se descorado, perdendo as notas de horror. Já aqueles que voltaram traumatizados e depois apresentaram TEPT não alteraram seus relatos. Suas lembranças estavam preservadas e praticamente intactas 45 anos depois do fim da guerra.

O fato de recordar ou não de determinado evento e a precisão dessa lembrança depende, em larga medida, do quanto ele foi significativo e do grau de emoção que suscitou na época. O fator fundamental é o nosso nível de alerta. Todo mundo tem recordações de pessoas, músicas, cheiros e lugares que guarda por muito tempo. Quase todo mundo lembra com exatidão de onde estava e o que fazia na terça-feira, 11 de setembro de 2001, mas pouquíssimas pessoas recordarão algo em especial associado a 10 de setembro.

A maioria dos acontecimentos cotidianos logo cai no esquecimento. Em dias comuns, não temos muito o que contar ao chegar em casa à noite. A mente trabalha de acordo com esquemas ou mapas, e incidentes que não se encaixam na norma estabelecida têm maior probabilidade de prender nossa atenção. Se recebemos um aumento de salário, ou se um amigo nos dá uma notícia surpreendente, somos capazes de reter os detalhes, pelo menos por algum tempo. Lembramos melhor de insultos e mágoas: a adrenalina que secretamos para nos defender de ameaças potenciais nos ajuda a memorizar esses incidentes. Mesmo que o conteúdo de uma injúria se desvaneça, a antipatia pela pessoa que a proferiu, em geral, persiste.

Quando acontece algo assustador, como ver uma criança ou um amigo se ferir num acidente, guardamos por muito tempo uma lembrança intensa e em grande parte correta do acontecido. James McGaugh e colaboradores mostraram que, quanto mais adrenalina uma pessoa secreta, mais exata será a sua lembrança.[3] No entanto, isso só é verdadeiro até certo ponto. Confrontado com o horror – sobretudo com o horror do "choque inescapável" –, esse sistema se sobrecarrega e entra em pane.

Evidentemente, não podemos monitorar o que acontece durante uma experiência traumática, mas é possível reativar o trauma em laboratório, como se fez para produzir as tomografias cerebrais mencionadas nos capítulos 3 e 4. Quando se reativam vestígios da memória dos sons, imagens e sensações originais, o lobo frontal se fecha, incluindo a região que traduz sensações em palavras,[4] a região que cria nosso senso de localização no tempo e o tálamo, que integra as sensações recebidas como dados brutos. Nesse ponto, o cérebro emocional, que não é controlado de maneira consciente e não se comunica com palavras, assume o comando. O cérebro emocional (a área límbica e o tronco encefálico) expressa sua ativação alterada através de mudanças no estado de alerta emocional, na fisiologia e na ação muscular. Em condições normais, esses dois sistemas de memória – o racional e o emocional – colaboram para produzir uma resposta integrada. Contudo, um intenso estado de alerta não só altera o equilíbrio entre eles mas também desconecta outras áreas cerebrais necessárias para a integração e o armazenamento corretos da informação recebida, como o hipocampo e o tálamo.[5] Por isso, as marcas das experiências traumáticas não se organizam como narrativas lógicas e coerentes, mas como vestígios sensoriais e emocionais fragmentários: imagens, sons e sensações físicas.[6] Julian via um homem com braços estendidos, um banco de igreja, uma escadaria, um jogo de *strip poker*; era acometido por uma sensação no pênis, um sentimento apavorante de medo. Mas havia pouca ou nenhuma história.

A REVELAÇÃO DOS SEGREDOS DO TRAUMA

No fim do século XIX, quando a medicina deu início ao estudo sistemático dos problemas mentais, a natureza da lembrança traumática era um dos principais tópicos em discussão. Na França e na Inglaterra, publicou-se um número prodigioso de artigos sobre uma síndrome conhecida como "espinha de estrada de ferro", consequência psicológica de acidentes ferroviários que inclui perda de memória.

Contudo, os maiores avanços vieram com o estudo da histeria, transtorno mental caracterizado por explosões emocionais, suscetibilidade à sugestão, contrações e paralisias musculares que não podiam ser explicadas por simples questões anatômicas.[7] Visto no passado como um problema de mulheres instáveis ou que se fingiam de doentes (a palavra histeria vem do grego *hyster*, "útero"), a histeria tornou-se uma janela para os mistérios da mente e do corpo. Pioneiros da neurologia e da psiquiatria, Jean-Martin Charcot, Pierre Janet e Sigmund Freud contribuíram para a descoberta de que na origem da histeria está o trauma, em especial o trauma do abuso sexual na infância.[8] Esses primeiros pesquisadores referiam-se às lembranças traumáticas como "segredos patogênicos"[9] ou "parasitas mentais",[10] porque, por mais que as pacientes desejassem esquecer o que acontecera, suas lembranças insistiam em aflorar na consciência, aprisionando-as num presente sempre renovado de horror existencial.[11]

O interesse pela histeria era particularmente forte na França e, como acontece com frequência, suas origens estavam na política da época. Jean-Martin Charcot, considerado o pai da neurologia – cujos alunos, como Gilles de la Tourette, têm seus nomes ligados a numerosas doenças neurológicas –, também participava ativamente da vida política. À abdicação de Napoleão III, em 1870, seguiu-se a luta entre monarquistas (a velha ordem, apoiada pelo clero) e defensores da incipiente República Francesa, que lutava pela ciência e pela democracia secular. Charcot acreditava que as mulheres seriam um fator crítico na luta, e sua pesquisa sobre a histeria "proporcionava uma explicação científica para fenômenos como estados de possessão demoníaca, bruxaria, exorcismo e êxtase religioso".[12]

Charcot fez estudos meticulosos sobre as correlações fisiológicas e neurológicas da histeria, tanto em homens como em mulheres, e todas elas enfatizavam a lembrança corporalizada e uma ausência de linguagem. Em 1889, ele publicou o caso de um paciente chamado Lelog, que apresentara paralisia nas pernas depois de se envolver num acidente de trânsito com uma carroça puxada por um cavalo. Embora Lelog tivesse caído ao chão e perdido a consciência, suas pernas aparentemente não haviam sofrido nada. Também não havia sinais neurológicos que apontassem uma causa física para sua paralisia. Charcot veio a saber que, pouco antes de desfalecer,

Lelog vira as rodas da carroça se aproximando e julgou que seria atropelado. Observou que "o paciente [...] não preserva recordação alguma [...]. Perguntas feitas a ele sobre esse ponto não levam a qualquer resultado. Ele não sabe nada, ou quase nada".[13] Como muitos outros pacientes do Hôpital de La Salpêtrière, Lelog expressava sua experiência fisicamente: em vez de se lembrar do acidente, suas pernas se paralisaram.[14]

Pintura de Andre Brouillet

Jean-Martin Charcot apresenta o caso de uma paciente com histeria. Charcot transformou La Salpêtrière, antigo asilo de pobres em Paris, num hospital moderno. Cabe notar a postura dramática da paciente.

Para mim, entretanto, o verdadeiro herói dessa história é Pierre Janet, que ajudou Charcot a criar, na Salpêtrière, um laboratório de pesquisa dedicado ao estudo da histeria. Em 1889, mesmo ano da inauguração da Torre Eiffel, Janet publicou o primeiro livro científico sobre o estresse traumático: *L'Automatisme psychologique.*[15] Propunha que na origem do que hoje chamamos TEPT estava a experiência de "emoções veementes" ou um intenso estímulo emocional. Esse tratado explicava que, depois de sofrer um trauma, a pessoa costumava repetir de maneira automática certas ações, emoções e sensações relacionadas a ele. E ao contrário de Charcot, cujo interesse era basicamente medir e documentar os sintomas físicos dos pacientes, Janet dedicava horas e horas a conversas com os doentes, tentando descobrir o que ocorria na mente deles. Também em contraste com Charcot, cuja pesquisa se concentrava na compreensão do fenômeno da histeria, Janet era antes de tudo um clínico interessado em curar seus pacientes. Por isso estudei com afinco seus casos, e por isso ele se tornou um de meus mais importantes mestres.[16]

AMNÉSIA, DISSOCIAÇÃO E REENCENAÇÃO

Janet foi o primeiro a apontar a diferença entre a "lembrança narrativa" – aquilo que as pessoas contam sobre o trauma – e a própria lembrança traumática. Um de seus casos clínicos dizia respeito a Irène, uma jovem internada depois da morte da mãe tuberculosa.[17] Irène cuidara da mãe por muitos meses enquanto continuava a trabalhar fora para pagar seus cuidados médicos e sustentar o pai alcoólatra. Quando a mãe enfim morreu, Irène, exausta pelo estresse e pela privação de sono, passou horas buscando fazer o cadáver reviver, chamando pela mãe e tentando forçá-la a tomar remédios. Houve um momento em que o corpo sem vida dela caiu da cama; o pai de Irène, bêbado, perdeu a consciência. Mesmo depois que uma tia chegou e começou a preparar o corpo para ser sepultado, Irène persistiu em negar a morte da mãe. Convencida a assistir ao enterro, riu durante todo o serviço fúnebre. Semanas depois foi levada à Salpêtrière, quando então Janet assumiu o caso.

Além da amnésia sobre o falecimento da mãe, Irène apresentava outro sintoma: várias vezes por semana, olhava, como que em transe, para uma cama vazia, ignorava tudo o que acontecia à sua volta e cuidava de uma pessoa imaginária. Mais do que recordar, reproduzia de maneira meticulosa os detalhes da morte da mãe.

A memória das vítimas de trauma é, ao mesmo tempo, quase nula e excessiva. Por um lado, Irène não tinha nenhuma lembrança consciente da morte da mãe – não conseguia contar o que tinha acontecido. Por outro, era compelida a encenar, em termos físicos, os pormenores do fato. O termo de Janet – "automatismo" – transmite bem a natureza involuntária, inconsciente, de seus atos.

Ele tratou Irène durante vários meses, sobretudo com hipnose. No fim, voltou a lhe perguntar sobre a morte da mãe. Ela começou a chorar e disse: "Não me lembre essas coisas horríveis [...]. Minha mãe estava morta e meu pai completamente embriagado, como sempre. Tive de cuidar do corpo dela durante a noite toda. Fiz uma porção de bobagens para fazê-la reviver [...]. De manhã, perdi o juízo." Irène não só foi capaz de contar a história como havia recuperado as emoções: "Eu me sentia muito triste e abandonada." Ela declarou que sua memória estava "completa", pois agora se fazia acompanhar das sensações apropriadas.

Janet apontou diferenças importantes entre a memória comum e a traumática. As lembranças traumáticas são desencadeadas por disparadores específicos. No caso de Julian, o disparador foram os comentários sedutores da namorada; no de Irène, uma cama. Quando um elemento da experiência traumática é ativado, em geral outros o seguem.

A lembrança traumática não é condensada: Irène precisou de três a quatro horas para reencenar sua história, mas quando afinal pôde contar o que sucedera, narrou tudo em menos de um minuto. A encenação traumática não tem nenhuma função. Por outro lado, a lembrança comum é adaptativa; nossas histórias são flexíveis e podem ser alteradas de acordo com as circunstâncias: no caso de Irène, para conseguir apoio e reconforto de seu médico; no de Julian, para contar com minha ajuda em sua busca de justiça e vingança. Contudo, a lembrança traumática nada tem de social. A fúria de Julian ao ouvir o comentário da namorada não atendia a nenhuma finalidade útil. As reencenações estão congeladas no tempo, imutáveis, e são sempre experiências solitárias, humilhantes e alienadoras.

Janet criou o termo "dissociação" para designar a cisão e o isolamento das marcas de memória que via em seus pacientes. Também anteviu o alto custo de manter essas lembranças traumáticas em xeque. Escreveu mais tarde que, quando os pacientes dissociam sua experiência traumática, ficam "presos a um obstáculo intransponível":[18]

> Incapazes de integrar suas lembranças traumáticas, parecem perder a capacidade de assimilar também novas experiências. É como [...] se sua personalidade parasse para sempre num certo ponto e não pudesse se ampliar com a adição ou a assimilação de novos elementos.[19]

Além disso, Janet previu que se eles não se tornassem conscientes dos elementos cindidos e os integrassem numa história ocorrida no passado, mas agora terminada, experimentariam um lento declínio em sua atuação pessoal e profissional. Esse fenômeno tem sido bem documentado pela pesquisa moderna.[20]

Janet descobriu que, embora seja normal que as lembranças de uma pessoa mudem e se distorçam, as vítimas de TEPT não conseguem parar de pensar no episódio real, a fonte daquelas recordações. A dissociação impede que o trauma se integre aos depósitos da memória autobiográfica, conglomerados e em constante mutação, o que, em essência, cria um duplo sistema de memória. A memória normal integra os elementos de cada experiência no fluxo contínuo da experiência pessoal, mediante um processo complexo de associação; é como uma rede densa, mas flexível, em que cada elemento influencia de modo sutil muitos outros. No caso de Julian, porém, sensações, pensamentos e emoções do trauma estavam armazenados separadamente, como fragmentos congelados, quase incompreensíveis. Se o problema do TEPT é *dissociação*, a meta do tratamento há de ser *associação*: integrar os elementos cindidos do trauma na narrativa contínua da vida, para que o cérebro entenda que "isso foi no passado, e estamos no presente".

AS ORIGENS DA CURA PELA PALAVRA

A psicanálise nasceu nos pavilhões da Salpêtrière. Em 1885, Freud se mudou para Paris, a fim de trabalhar com Charcot, e, depois, acabou dando a seu primogênito o nome de Jean-Martin, em homenagem ao mestre. Em 1893, Freud e Josef Breuer, seu mentor vienense, citaram tanto Charcot quanto Janet num trabalho brilhante sobre a causa da histeria. "É sobretudo de reminiscências que sofrem os histéricos", proclamam, observando em seguida que essas lembranças não estão sujeitas ao "processo de desgaste" das lembranças normais, mas "persistem por longo tempo e com espantoso frescor". Tampouco os traumatizados podem controlar quando essas recordações vão emergir (todos os grifos nas passagens citadas são de Breuer e Freud):

> Cumpre [...] mencionar outro fato digno de nota [...] a saber, que essas lembranças, ao contrário de outras lembranças da vida pregressa, não estão à disposição dos pacientes. Pelo contrário, *essas experiências se acham de todo ausentes da memória dos pacientes quando*

estão num estado psíquico normal, ou só se fazem presentes de forma altamente sumária.[21]

Breuer e Freud acreditavam que as lembranças traumáticas desapareciam da consciência usual porque "as circunstâncias impossibilitavam uma reação" ou porque tinham início durante "emoções fortemente paralisantes, como o medo". Em 1896, Freud fez uma declaração ousada: "A causa por excelência da histeria é sempre a sedução da criança por um adulto."[22] Depois disso, diante de sinais de uma epidemia de abuso nas melhores famílias de Viena – uma epidemia que, como ele observou, envolveria o próprio pai –, Freud logo começou a recuar. A psicanálise passou a dar ênfase a desejos e fantasias inconscientes, embora Freud não deixasse de reconhecer a realidade ocasional do abuso sexual.[23] Depois que os horrores da Primeira Guerra Mundial o confrontaram com a realidade de neuroses de guerra, Freud reafirmou que a ausência de memória verbal ocupa um lugar central no trauma e que, quando a pessoa não se lembra, tende a representar: ela "reproduz [o fato gerador] não como uma lembrança, mas como uma ação; ela a repete, sem saber, é claro, que a está repetindo, e ao fim, entendemos que essa é a sua forma de lembrar".[24]

O legado duradouro do estudo de Breuer e Freud, de 1893, é o que hoje chamamos de "cura pela palavra":

> Descobrimos, para nossa surpresa, que *cada um dos sintomas isolados de histeria desaparecia de forma imediata e permanente quando conseguíamos trazer claramente à luz a lembrança do fato que o provocara e despertar seu afeto concomitante, e quando o paciente descrevia aquele fato com o maior número possível de detalhes e expressava o afeto em palavras* [grifo do original]. A lembrança sem afeto quase sempre não produz resultado algum.

Breuer e Freud explicam que, se não houver uma "reação vigorosa" ao evento traumático, o afeto "permanece preso à memória" e não pode ser liberado. A reação pode ser desencadeada por uma ação – "desde lágrimas a atos de vingança". "Contudo, a linguagem serve de substituto à ação; com a ajuda da linguagem, um afeto pode ser objeto de 'ab-reação' quase com a mesma eficácia." "Compreende-se agora", concluem eles, o motivo pelo qual o procedimento psicoterapêutico que descrevemos nestas páginas tem efeito curativo. *Ele põe fim à força operativa* [...] *que não passou por ab-reação na primeira instância* [isto é, na época do trauma], *ao permitir que seu afeto estrangulado achasse uma saída por meio da fala; e submete essa força à correção associativa, ao introduzi-la na consciência normal.*

Embora a psicanálise esteja hoje eclipsada, a "cura pela palavra" continua viva, e psicólogos, em geral, acreditam que a narração detalhada da história do trauma ajude as pessoas a relegá-lo ao passado. Essa é também uma premissa fundamental da terapia cognitivo-comportamental (TCC), hoje ensinada em todo o mundo nos cursos de pós-graduação em psicologia.

Os nomes dos transtornos podem ter mudado, mas continuamos a ver pacientes semelhantes aos descritos por Charcot, Janet e Freud. Em 1986, meus colegas e eu apresentamos em livro o caso de uma mulher que tinha sido vendedora de cigarros na boate Cocoanut Grove, em Boston, incendiada em 1942.[25] Durante as décadas de 1970 e 1980, uma vez ao ano, a mulher reencenava sua fuga do incêndio na rua Newbury, a alguns quarteirões do local original da boate, o que a levou a ser hospitalizada com diagnósticos como esquizofrenia e transtorno bipolar. Em 1989, publiquei um artigo sobre um veterano do Vietnã que todo ano encenava um "roubo à mão armada" no dia exato em que morrera um amigo seu.[26] Metia um dedo no bolso da calça, dizia ser uma arma e ordenava a um lojista que esvaziasse a caixa registradora – dando-lhe tempo de sobra para chamar a polícia. Essa tentativa inconsciente de cometer "suicídio pelas mãos de policiais" chegou ao fim depois que um juiz mandou o veterano a meu consultório para que fizesse tratamento. Depois de resolvermos o problema da culpa que ele sentia pela morte do amigo, cessaram as encenações.

Esses incidentes levantam uma questão crítica: como podem médicos, policiais ou assistentes sociais reconhecer que alguém está sofrendo de estresse traumático se a pessoa faz uma reencenação, em vez de lembrar? Como podem os próprios pacientes identificar a fonte de seu comportamento? Se a história dessas pessoas não for conhecida, o mais provável é que elas sejam rotuladas como malucas ou punidas como criminosas em vez de ajudadas a integrar o passado.

LEMBRANÇA TRAUMÁTICA EM JULGAMENTO

Ao menos duas dezenas de homens afirmaram ter sido molestados pelo padre Paul Shanley, e muitos deles fizeram acordos extrajudiciais com a arquidiocese de Boston. Julian foi a única vítima chamada a depor no julgamento de Shanley. Em fevereiro de 2005, o ex-padre foi considerado culpado em duas acusações de estupro de uma criança e duas acusações de tentativa de lesão corporal contra uma criança. Recebeu uma sentença de 12 a 15 anos de reclusão.

Em 2007, o advogado Robert F. Shaw Jr. entrou com um pedido de novo julgamento, arguindo que as condenações de Shanley haviam sido erros de justiça. Shaw Jr. tentou argumentar que "lembranças reprimidas" não eram um consenso na comunidade científica, que as condenações se basearam em "ciência espúria" e que antes do julgamento houvera insuficiência de pareceres sobre a validade científica do conceito de lembranças reprimidas. O recurso foi rejeitado pelo mesmo juiz que proferira a sentença após o julgamento, porém, dois anos depois, foi aceito pelo Supremo Tribunal de Justiça de Massachusetts. Quase cem destacados psiquiatras e psicólogos dos Estados Unidos e oito do exterior assinaram um sumário de *amicus curiae*, afirmando que a "lembrança reprimida" não deveria ter sido acolhida como evidência, uma vez que sua existência nunca fora comprovada. Não obstante, em 10 de janeiro de 2010, o tribunal manteve por unanimidade a condenação de Shanley, declarando que "em suma, a conclusão do juiz segundo a qual uma pessoa pode apresentar amnésia dissociativa foi corroborada nos autos [...]. Não houve abuso de arbítrio na admissão de pareceres de peritos sobre o tema da amnésia dissociativa".

No capítulo seguinte, teremos oportunidade de nos estender mais a respeito da memória e do esquecimento e sobre como continua a ser travado ainda hoje o debate, que começou com Freud, em torno da lembrança reprimida.

12
O INSUSTENTÁVEL PESO DA LEMBRANÇA

Nossos corpos são textos que conduzem às memórias; portanto, lembrar é nada menos que reencarnar.

Katie Cannon

O interesse científico pelo trauma tem variado bastante ao longo dos últimos 150 anos. A morte de Charcot, em 1893, e a ênfase de Freud em atribuir a origem do sofrimento mental a conflitos internos, defesas e instintos explicam apenas parcialmente a gradual perda de interesse sobre o assunto pela corrente dominante da medicina. A psicanálise ganhou rápida popularidade. Em 1911, um psiquiatra de Boston, Morton Prince, que estudara com William James e Pierre Janet, queixou-se de que aqueles que se interessavam pelos efeitos do trauma eram como "mariscos carregados pela maré crescente no porto de Boston".

Esse descaso, porém, não durou mais do que alguns anos, pois a eclosão da Primeira Guerra Mundial, em 1914, mais uma vez confrontou a medicina e a psicologia com centenas de milhares de homens portadores de bizarros sintomas psicológicos, problemas médicos inexplicados e perda de memória. Uma nova tecnologia, o cinema, permitiu filmar esses soldados, e hoje os vemos no YouTube com posturas físicas esquisitas, falas estranhas, expressões aterrorizadas e tiques – a expressão física, corporalizada, do trauma: "Uma imagem que se acha inscrita ao mesmo tempo na mente, em imagens e palavras interiores, como também no corpo".[1]

No começo do conflito, os britânicos criaram o diagnóstico de *shell shock*, que conferia a veteranos de guerra direito a tratamento e pensão por invalidez. O diagnóstico alternativo era "neurastenia", que lhes autorizava o tratamento, mas não lhes pagava pensão. A opção por um ou outro ficava a critério do médico.[2]

Mais de 1 milhão de soldados britânicos serviram na frente ocidental. Só nas primeiras horas de 1º de julho de 1916, na Batalha do Somme, o Exército britânico sofreu 57.470 baixas, entre as quais 19.240 mortos, o dia mais sangrento de sua história. A respeito do comandante desses homens, o marechal de campo Douglas Haig, cuja estátua hoje domina Whitehall, em Londres – rua que um dia foi o centro do Império Britânico –, o historiador John Keegan diz: "Nem em sua postura pública nem em seus diários privados percebia-se ou percebe-se sombra de preocupação com o sofrimento humano." No Somme, "ele mandara a flor da juventude britânica para a morte ou a mutilação".[3]

Com o prosseguimento da guerra, a eficiência das forças combatentes viu-se cada vez mais minada pelo *shell shock*. Dividido entre levar a sério o sofrimento dos soldados e buscar a vitória sobre os alemães, em junho de 1917 o Estado-Maior britânico baixou a Ordem Geral 2.384, que declarava: "Em nenhuma circunstância a expressão '*shell shock*' será usada verbalmente ou constará de qualquer informe regimental ou de outra natureza sobre baixas, ou de qualquer documento oriundo de hospital ou outra fonte médica." Todos os soldados com problemas psiquiátricos deveriam receber um único diagnóstico, o de "NYDN", acrônimo em inglês para "Ainda Sem Diagnóstico, Nervoso" [Not Yet Diagnosed, Nervous].[4] Em novembro de 1917, o Estado-Maior não autorizou [o médico] Charles Samuel Myers, que visitara quatro hospitais de campanha, a submeter ao *British Medical Journal* um artigo sobre o *shell shock*. Os alemães eram mais rigorosos ainda e tratavam o transtorno como um defeito de caráter, a ser controlado por meio de vários tratamentos dolorosos, entre os quais eletrochoque.

Em 1922, o governo britânico publicou o Relatório Southborough, que visava coibir o diagnóstico de *shell shock* em guerras futuras e, assim, evitar novos pedidos de pensão. O documento propunha o expurgo da expressão em todas as publicações oficiais e insistia em não classificar esses casos "como baixa de batalha, da mesma forma que um mal-estar ou uma doença não são assim considerados".[5] Na visão oficial, soldados bem treinados e corretamente comandados não sofreriam de *shell shock*; aqueles que haviam sucumbido ao transtorno eram indisciplinados e refratários. Embora a tempestade política a respeito da legitimidade do *shell shock* prosseguisse ainda por muitos anos, textos sobre a melhor forma de tratamento desapareceram das revistas e livros científicos.[6]

Também nos Estados Unidos a sorte dos veteranos se viu cercada de problemas. Em 1918, ao retornarem da França e de Flandres, eles foram saudados como heróis, como os que tempos depois voltaram do Iraque e do Afeganistão. Em 1924, o Congresso aprovou um projeto que lhes concederia um bônus de 1,25 dólar por dia servido em além-mar, porém o pagamento foi adiado para 1945.

Em 1932, o país estava mergulhado na Grande Depressão, e, em maio daquele ano, cerca de 15 mil veteranos desempregados e sem dinheiro acamparam no Mall, em Washington, DC, exigindo o pagamento imediato do bônus. Por 62 votos a 18, o Senado derrotou o projeto que determinava o desembolso. Um mês depois, o presidente Hoover ordenou ao Exército que retirasse os homens do acampamento. As tropas, apoiadas por seis tanques, eram comandadas pelo general Douglas MacArthur, chefe do Estado-Maior do Exército. O major Dwight D. Eisenhower atuava como intermediário com a polícia de Washington, e o major George Patton estava no comando da cavalaria. Soldados com baionetas caladas investiram contra a multidão de veteranos, utilizando também bombas de gás lacrimogêneo. Na manhã seguinte, o Mall estava deserto, e o acampamento, em chamas.[7] Aqueles homens jamais receberam suas pensões.

Enquanto a política e a medicina davam as costas para os veteranos, os horrores da guerra eram registrados pela literatura e pelas artes plásticas. Em *Nada de novo no front*,[8] romance sobre as experiências de guerra de soldados no campo de batalha, do escritor alemão Erich Maria Remarque, o protagonista, Paul Bäumer, falou por toda uma geração:

> Estou ciente de que, sem me dar conta disso, perdi meus sentimentos...
> Não faço mais parte daqui, vivo em outro mundo. Prefiro ser deixado a sós, sem que ninguém me perturbe. As pessoas falam demais... Não consigo entendê-las... Só se ocupam de superficialidades.[9]

Publicado em 1929, o romance logo se tornou um best-seller internacional. A versão cinematográfica, rodada em Hollywood (1930), ganhou o Oscar de melhor filme.

Quando Hitler assumiu o poder anos depois, porém, *Nada de novo no front* foi um dos primeiros livros "degenerados" que os nazistas queimaram em praça pública diante da Universidade Humboldt, em Berlim.[10] Evidentemente, informações a respeito dos devastadores resultados da guerra sobre a mente dos soldados prejudicaria o mergulho dos nazistas em outra rodada de insanidade.

Negar as consequências do trauma pode esgarçar seriamente o tecido social. A recusa a encarar os danos causados pela guerra e a intolerância em relação à "fraqueza" tiveram um papel crucial na ascensão do fascismo e do militarismo em todo o mundo na década de 1930. As abusivas reparações de guerra impostas pelo Tratado de Versalhes humilharam ainda mais uma Alemanha afundada em mil problemas. A sociedade alemã, por sua vez, tratou sem piedade os próprios veteranos traumatizados, vistos como criaturas inferiores. Essa cascata de humilhações dos indefesos preparou o terreno para a suprema degradação dos direitos humanos no regime nazista: a justificativa moral para que os fortes subjugassem os inferiores, fundamento lógico da guerra que viria.

A NOVA FACE DO TRAUMA

A irrupção da Segunda Guerra Mundial induziu Charles Samuel Myers e o psiquiatra americano Abram Kardiner a publicarem os relatos do trabalho que fizeram com soldados e veteranos durante a Primeira Guerra. *Shell Shock in France 1914-1918* (1940)[11] e *The Traumatic Neuroses of War* (1941)[12] serviram como principais guias para os psiquiatras que tratavam, no novo conflito, os soldados com "neuroses de guerra". O esforço de guerra americano foi prodigioso, e os avanços na psiquiatria na linha de frente refletiam esse empenho. Aqui também, o YouTube oferece uma janela direta para o passado: o documentário de John Huston *Let There Be Light* [Faça-se a luz] (1946) mostra o principal tratamento para as neuroses de guerra na época: a hipnose.[13]

No filme de Huston, rodado quando ele servia no Corpo de Sinaleiros do Exército, os médicos ainda são paternais, e os pacientes, jovens aterrorizados.

Contudo, eles expressam seus traumas de maneira diferente. Enquanto os soldados da Primeira Guerra Mundial se debatem, têm tiques faciais e desmoronam com o corpo paralisado, a geração seguinte conversa e se encolhe. Os corpos ainda guardam as marcas: o estômago revirado, o coração disparado e, sobretudo, o pânico. Entretanto, o trauma não afetou apenas o corpo. O estado de transe induzido pela hipnose lhes possibilitou encontrar palavras para expressar o que o medo não os deixava recordar: o horror que sentiam, a culpa do sobrevivente, as lealdades conflitantes. Também me dei conta de que aqueles soldados pareciam esconder muito mais a raiva e a hostilidade do que os veteranos mais jovens com os quais eu trabalhara. A cultura molda a expressão do estresse traumático.

A feminista Germaine Greer escreveu a respeito do tratamento do TEPT do pai depois da Segunda Guerra Mundial:

> Quando [os médicos militares] examinavam homens que apresentavam perturbações graves, quase sempre localizavam a causa fundamental em experiências anteriores à guerra: os homens doentes não eram guerreiros de primeira categoria [...]. A ideia dos militares é que não é a guerra que torna os homens doentes, mas que homens doentes não podem lutar em guerras.[14]

Parece improvável que os médicos tenham prestado alguma ajuda a esse homem, mas o esforço de Germaine em entender o sofrimento do pai sem dúvida a ajudou na análise da dominação sexual em todas as deploráveis manifestações de estupro, incesto e violência doméstica.

Quando trabalhei na Administração de Veteranos, uma coisa me intrigava: a grande maioria dos pacientes no serviço de psiquiatria era formada de jovens veteranos do Vietnã, que haviam dado baixa pouco tempo antes, enquanto os corredores e elevadores que levavam aos departamentos médicos viviam cheios de homens de idade. Curioso em relação a essa disparidade, em 1983 fiz um levantamento sobre os veteranos da Segunda Guerra Mundial nas clínicas médicas. Segundo as escalas de classificação que eu administrava, a grande maioria era formada por vítimas de TEPT, porém o tratamento era focado em queixas médicas, não psiquiátricas. O sofrimento desses veteranos se manifestava com dores no estômago e no peito, não em pesadelos e fúria, que, segundo minha pesquisa, eles também apresentavam. Médicos dão forma à maneira como seus pacientes comunicam o sofrimento: se um sujeito se queixa de pesadelos tenebrosos e o médico pede uma radiografia de tórax, ele entende que receberá melhor tratamento caso se concentre em seus problemas físicos. Tal como meus parentes que lutaram ou foram capturados na Segunda Guerra Mundial, a maioria desses homens mostrava uma relutância extrema em narrar suas experiências. Meu palpite era que nem eles nem seus médicos queriam se lembrar da guerra.

Contudo, as autoridades militares e civis voltaram da Segunda Guerra Mundial com importantes lições que a geração anterior não havia percebido. Depois da derrota da Alemanha nazista e do Japão imperial, os Estados Unidos ajudaram a reconstruir a Europa por meio do Plano Marshall, que lançou os alicerces econômicos dos cinquenta anos seguintes de relativa paz. Nos Estados Unidos, a Lei de Reajustes dos Militares de 1944 proporcionou a milhões de veteranos educação e financiamento para aquisição de casa própria, o que promoveu o bem-estar econômico geral e criou uma classe média ampla e instruída. As Forças Armadas lideraram o campo da integração racial e a busca de oportunidades. A AV construiu hospitais em todo o país para proporcionar assistência médica aos veteranos. Todavia, apesar de toda essa atenção aos veteranos, as cicatrizes psicológicas das guerras não foram reconhecidas, e as neuroses traumáticas sumiram por completo da nomenclatura psiquiátrica oficial. O último livro científico sobre trauma de combate depois da Segunda Guerra Mundial foi publicado em 1947.[15]

A REDESCOBERTA DO TRAUMA

Como já disse, quando comecei a trabalhar com veteranos do Vietnã, não havia um só livro sobre trauma de combate na biblioteca da AV, mas a Guerra do Vietnã deu origem a numerosos estudos, à criação de organizações acadêmicas e à inclusão de um diagnóstico de trauma, o TEPT, no *DSM*. Ao mesmo tempo, explodia o interesse do público pelo assunto.

Em 1974, o *Comprehensive Textbook of Psychiatry* (Manual completo de psiquiatria), de Freedman e Kaplan, afirmava que "o incesto era raríssimo, e seu índice de ocorrência não ultrapassa um caso para cada grupo de 1,1 milhão de pessoas".[16] Como apontei no capítulo 2, esse conceituado compêndio louvava, então, os possíveis benefícios do incesto: "Essa atividade incestuosa reduz a chance de psicose por parte da paciente e permite um melhor ajuste ao mundo externo [...]. A experiência não agravou em nada o estado da grande maioria delas."

O crescimento do movimento feminista e a percepção do trauma em veteranos que voltavam do Vietnã revelaram o absurdo dessas afirmativas ao estimular dezenas de milhares de vítimas de abuso sexual infantil, violência doméstica e estupro a compartilhar suas experiências. Formaram-se grupos de conscientização e de vítimas, e vários livros de sucesso, entre os quais *The Courage to Heal* (Coragem para se curar), de 1988, de Ellen Bass e Laura Davis, best-seller de autoajuda destinado a vítimas de incesto, e *Trauma and Recovery* (Trauma e recuperação), de 1992, de Judith Herman, examinaram com fartura de detalhes os estágios de tratamento e recuperação.

Acautelado pelos exemplos da História, comecei a me perguntar se não estaríamos às vésperas de outra negação da realidade do trauma, como em 1895, 1917 e 1947. E o que eu temia aconteceu: no início da década de 1990 começaram a surgir em muitos jornais e revistas de prestígio, nos Estados Unidos e na Europa, artigos a respeito de uma suposta Síndrome da Falsa Memória, que levaria pacientes psiquiátricos a forjar, com muitos pormenores, falsas lembranças de abuso sexual, que, antes de ser recuperadas, teriam estado reprimidas durante muitos anos.

O que saltava aos olhos nesses artigos era a certeza com que se declarava não haver nenhum indício de que as pessoas lembram do trauma de modo diferente de como lembram de fatos corriqueiros. Recordo com clareza o telefonema que recebi de uma conhecida revista semanal de Londres; pretendiam publicar um artigo sobre a lembrança traumática na edição seguinte e o jornalista me perguntou se eu queria fazer algum comentário sobre o assunto. Entusiasmado, respondi que a perda de memória de eventos traumáticos tinha sido estudada pela primeira vez na Inglaterra, mais de um século antes. Falei do trabalho de John Erich Erichsen e Frederic Myers sobre acidentes ferroviários nas décadas de 1860 e 1870, e dos amplos estudos de Charles Samuel Myers e W. H. R. Rivers com soldados da Primeira Guerra Mundial que apresentavam problemas de memória. Sugeri ainda que consultasse um artigo publicado na revista *The Lancet* em 1944, sobre a retirada de todo o Exército britânico das praias de Dunquerque em 1940. Depois da evacuação, mais de 10% dos soldados manifestaram grave perda de memória.[17] Na semana seguinte, a revista informava a seus leitores que não havia qualquer prova de que às vezes as pessoas perdiam, em todo ou em parte, a memória de fatos traumáticos.

A questão da lembrança retardada do trauma não era particularmente controversa quando esse fenômeno foi descrito pela primeira vez, por Myers e Kardiner, em seus livros sobre neuroses de combate na Primeira Guerra Mundial. Uma grave perda de memória foi observada depois da retirada de Dunquerque, assim como quando escrevi sobre veteranos do Vietnã ou a respeito da sobrevivente do incêndio da boate Cocoanut Grove. No entanto, na década de 1980 e começo da década de 1990, problemas de memória análogos passaram a ser documentados em mulheres e crianças no contexto de abuso doméstico. Os esforços das vítimas para buscar a condenação dos supostos perpetradores desses abusos transferiram a questão, até então restrita à ciência, para o campo da política e do direito. Foi nesse contexto que vieram à tona os escândalos de pedofilia na Igreja Católica, responsáveis por transformar tribunais de muitos estados americanos e, mais tarde, da Europa e da Austrália, em arenas onde especialistas em memória se digladiavam.

Peritos que depunham a favor da Igreja alegavam que as lembranças de abuso sexual na infância eram, na melhor das hipóteses, duvidosas, e que as queixas das supostas vítimas provavelmente resultavam de falsas lembranças implantadas em suas mentes por terapeutas muito complacentes, crédulos ou movidos por interesses próprios. Naquele período, examinei mais de cinquenta adultos que, tal como Julian, lembravam de ter sido molestados por padres. As afirmações dessas pessoas foram rejeitadas em cerca de metade dos casos.

A CIÊNCIA DA LEMBRANÇA REPRIMIDA

Centenas de estudos científicos, publicados ao longo de bem mais de um século, documentam que, na verdade, a lembrança do trauma pode ser reprimida, mas volta a aflorar anos ou décadas depois.[18] A perda de memória foi relatada no caso de pessoas que passaram por desastres naturais, acidentes, trauma de guerra, sequestro, tortura, campos de concentração ou abuso físico e sexual. A perda total de memória é mais comum em casos de abuso sexual infantil, com uma incidência que varia de 19% a 38%.[19] Essa questão não é particularmente controversa. Já em 1980, o *DSM-3* admitia nos critérios de diagnóstico de amnésia dissociativa a perda de memória de eventos traumáticos: "Incapacidade de recordar informações pessoais importantes, em geral de natureza traumática ou estressante, numa amplitude grande demais para ser explicada por esquecimento normal." A perda de memória faz parte dos critérios para TEPT desde a criação do diagnóstico.

Um interessantíssimo estudo sobre a repressão da lembrança foi iniciado por Linda Meyer Williams no começo da década de 1970, quando fazia pós-graduação em sociologia na Universidade da Pensilvânia. Williams entrevistou 206 meninas, de 10 a 12 anos, que tinham dado entrada no pronto-socorro depois de serem vítimas de abuso sexual. Os arquivos médicos do hospital ainda conservam seus exames laboratoriais, assim como as entrevistas com as crianças e seus pais. Dezessete anos depois, ela conseguiu localizar 136 daquelas meninas, com as quais fez extensas entrevistas de controle.[20] Mais de um terço delas (38%) não se lembrava do abuso documentado nos prontuários, enquanto 15 (12%) disseram que nunca haviam sofrido abusos na infância. Mais de dois terços (68%) relataram outros incidentes de abuso sexual quando meninas. As mulheres com mais probabilidade de esquecer o abuso eram as mais novas na época do ocorrido ou as que tinham sido molestadas por algum conhecido.

O estudo também examinou até que ponto as lembranças recuperadas eram dignas de crédito. Uma em cada dez mulheres (16% das que recordavam o abuso) relatou tê-lo esquecido em algum momento, porém mais tarde o recordou. Comparadas às mulheres que sempre se lembraram do incidente, as que o haviam esquecido em algum período eram as mais novas na época do abuso e tinham menos probabilidade de receberem apoio das mães. Linda Williams determinou também que as lembranças recuperadas eram quase tão precisas quanto as que nunca haviam sido perdidas. As recordações de todas as mulheres eram corretas em relação aos fatos centrais do abuso, mas nenhum relato repetia todos os detalhes documentados nos prontuários.[21]

As descobertas de Linda Williams são corroboradas por pesquisas recentes de neurocientistas, segundo as quais, em geral, as reminiscências recuperadas retornam ao banco de memórias, com modificações.[22] Enquanto uma lembrança está inacessível, a mente não tem como alterá-la. Não obstante, assim que uma história começa a ser contada, sobretudo quando é contada repetidas vezes, ela se altera – o próprio ato de contar muda a narrativa. A mente não pode deixar de dar sentido ao que sabe, e o sentido que damos à nossa vida altera os fatos que recordamos e como os lembramos.

Em vista de tantas comprovações de que o trauma pode ser esquecido, mas aflorar anos depois, por que quase cem neurocientistas respeitáveis, de diversos países, deram todo o apoio ao recurso de revisão criminal para anular a condenação do padre Shanley, alegando que a ideia de "lembranças reprimidas" se fundamentava em "ciência espúria"? Como a perda de memória e a rememoração retardada de experiências traumáticas nunca haviam sido documentadas em laboratório, alguns cientistas cognitivos negaram com obstinação que esses fenômenos existissem[23] ou que lembranças traumáticas recuperadas pudessem ser corretas.[24] Entretanto, o que médicos veem em prontos-socorros, pavilhões psiquiátricos e campos de batalha difere bastante do que cientistas observam em laboratórios protegidos e organizados.

Vejamos, por exemplo, a situação conhecida como "perder-se no shopping center". Pesquisadores já demonstraram ser relativamente fácil implantar lembranças de fatos que nunca ocorreram, como ter se perdido num shopping quando criança.[25] Cerca de 25% das pessoas nesses estudos mais tarde se "lembram" de ficarem assustadas e chegam a narrar detalhes do episódio, mas essas rememorações nem chegam perto do terror visceral que sentiria uma criança realmente perdida.

Outra linha de pesquisa documentou o potencial de falha do testemunho ocular. Os pesquisadores mostravam às pessoas o vídeo de um carro trafegando numa rua e depois lhes perguntavam se haviam visto uma placa indicando parada obrigatória ou um sinal de trânsito. Crianças eram perguntadas sobre o que estava vestindo um homem que havia visitado a sala de aula. Outros experimentos de testemunho ocular demonstraram que as perguntas feitas a testemunhas eram capazes de modificar o que elas afirmavam recordar. Esses estudos foram importantes para questionar muitos procedimentos em distritos policiais e tribunais, mas eram de pouca relevância para a lembrança traumática.

O problema fundamental é o seguinte: situações que acontecem em laboratório não podem ser consideradas equivalentes àquelas que provocaram as lembranças traumáticas. O terror e a inevitabilidade associados ao TEPT não podem ser reproduzidos em tal ambiente. É possível estudar em laboratório os efeitos de traumas já existentes, como fizemos em nossos estudos roteirizados de flashbacks, mas a marca original do trauma não pode ser gravada ali. O dr. Roger Pitman promoveu em Harvard um experimento com estudantes universitários. Após terem assistido ao filme *As faces da morte*, com cenas de mortes violentas e execuções tiradas de cinejornais – filme hoje proibido em grande número de instituições e países, pois mostra o máximo de violência admitido por qualquer órgão de classificação –, os espectadores voluntários recrutados por Pitman não apresentaram sintomas de TEPT. Quem desejar estudar a lembrança traumática terá de estudar as memórias de pessoas realmente traumatizadas.

Curiosamente, assim que diminuiu o clima de emoção e a lucratividade dos depoimentos em juízo, a controvérsia "científica" também desapareceu, e os clínicos voltaram a cuidar dos estragos causados pela lembrança traumática.

LEMBRANÇA NORMAL *VERSUS* LEMBRANÇA TRAUMÁTICA

Em 1994, eu participei de um grupo de colegas do Hospital Geral de Massachusetts que decidiu empreender um estudo sistemático comparando recordações das pessoas sobre experiências, tanto agradáveis quanto horrendas. Espalhamos em jornais de bairro, lavanderias automáticas e quadros de avisos de grêmios estudantis anúncios que diziam: "Você já passou por alguma experiência terrível que não consegue esquecer? Ligue 727-5500. Pagamos dez dólares por sua participação." Em resposta ao primeiro anúncio, apareceram 76 voluntários.[26]

Depois de nos apresentarmos, fizemos a seguinte pergunta a cada um: "Pode nos falar de um acontecimento que, em sua opinião, sempre será lembrado, mas que não foi traumático?" Uma das voluntárias sorriu e respondeu: "O nascimento de minha filha." Outros mencionaram o dia do casamento, jogar num time campeão ou ter sido o orador da turma do colégio. A seguir, pedimos que se concentrassem em detalhes sensoriais específicos desses acontecimentos, como, por exemplo: "Já aconteceu de você estar em algum lugar e, de repente, ter uma imagem vívida da aparência de seu marido no dia do casamento?" As respostas foram sempre negativas. Uma das perguntas provocou olhares atravessados: "Como você se lembra do contato com o corpo de seu marido na noite de núpcias?" Continuamos: "Você recorda com precisão o discurso que fez na formatura?" "Já teve sensações intensas ao lembrar do nascimento de seu primeiro filho?" As respostas foram todas negativas.

Perguntamos então sobre os traumas que os participantes tinham trazido para o estudo – muitos eram estupros. "Você se lembra, às vezes, do cheiro de seu estuprador?" "Você às vezes tem as mesmas sensações físicas do momento em que foi estuprada?" Tais perguntas desencadeavam fortes reações emocionais: "Por isso não consigo mais ir a festas, o cheiro de álcool no hálito de alguém me dá a sensação de que meu corpo está sendo violentado outra vez", ou "Não consigo mais fazer sexo com meu marido, pois, se ele me toca de determinado jeito, é como se eu estivesse sendo estuprada outra vez".

Havia duas diferenças importantes no modo como as pessoas falavam sobre as recordações de experiências positivas ou traumáticas: 1) a forma como as lembranças se organizavam; e 2) as reações físicas a elas. Casamentos, nascimentos e formaturas eram lembrados como eventos do passado, histórias com começo, meio e fim. Ninguém disse que em certos períodos se esquecera por completo desses acontecimentos.

Por outro lado, as lembranças traumáticas eram desorganizadas. Os participantes recordavam muito bem certos detalhes (o cheiro do estuprador, a ferida na testa de uma criança morta), mas não conseguiam lembrar a sequência de eventos ou outros detalhes vitais (a primeira pessoa que chegou para ajudar, se embarcaram numa ambulância ou num carro da polícia).

Também perguntamos como eles se lembravam do trauma em três momentos: logo após o evento; quando se sentiram mais perturbados pelos sintomas; durante a semana antes do estudo. Todos disseram que logo depois do episódio não conseguiam narrar o ocorrido a ninguém. (O que não surpreende quem trabalha ou já trabalhou num pronto-socorro ou num serviço de ambulâncias: pessoas que chegam depois de um acidente de carro em que uma criança ou um amigo morreu se mantêm num silêncio aturdido, emudecidas de terror.) Quase todos tinham flashbacks reincidentes: sentiam-se atordoados por imagens, sons, sensações e emoções. Com o tempo, mais detalhes sensoriais e sentimentos eram ativados, e a maioria dos participantes passava a lhes dar algum sentido. Começavam a "saber" o que sucedera e a ter condições de relatar o episódio a outros, uma história do que chamamos "a lembrança do trauma".

Aos poucos, as imagens e os flashbacks escasseavam, mas a melhora maior ocorria na capacidade de concatenar os detalhes e a sequência do acontecimento. Na época de nosso estudo, 85% dos participantes contavam uma história coerente, com começo, meio e fim. Poucos desses relatos careciam de detalhes importantes. Percebemos que as narrativas dos cinco voluntários que diziam ter sido vítimas de abuso quando crianças eram as mais fragmentárias – as lembranças ainda vinham como imagens, sensações e emoções intensas.

Em essência, nosso estudo confirmou o sistema duplo de memória que Janet e seus colegas da Salpêtrière haviam descrito mais de cem anos antes: as lembranças traumáticas eram fundamentalmente diferentes das histórias que contamos sobre o passado. São dissociadas: as sensações que entraram em nosso cérebro por ocasião do trauma não se amalgamaram de forma adequada numa história, num trecho de autobiografia.

Talvez a constatação mais importante do estudo tenha sido que a recordação de um trauma, com todos os seus comprometimentos associados, não o resolve necessariamente, como Breuer e Freud afirmaram em 1893. Nossa pesquisa não respaldou a ideia de que a linguagem pudesse substituir a ação. A maioria dos voluntários era capaz de contar uma história coerente e também experimentar a dor associada a essas histórias, mas eles continuavam a ser assaltados por imagens e sensações físicas insuportáveis. A pesquisa sobre o tratamento contemporâneo por exposição, o principal elemento da terapia cognitivo-comportamental, teve resultados igualmente desapontadores: a maioria dos pacientes tratados com esse método continuava a apresentar severos sintomas de TEPT três meses depois de encerrado o tratamento.[27] Como se verá, encontrar palavras que descrevam o que aconteceu pode ser conveniente, mas nem sempre acaba com os flashbacks ou melhora a concentração, estimula o envolvimento na própria vida ou reduz a hipersensibilidade a decepções e ao que se percebe como agravo.

OUVINDO OS SOBREVIVENTES

Ninguém quer recordar o trauma. Nesse aspecto, a sociedade não difere das próprias vítimas. Todos queremos viver num mundo seguro, controlável e previsível, e as vítimas nos lembram que as coisas nem sempre se passam assim. Para compreender o trauma, temos de superar nossa relutância natural em confrontar aquela realidade e cultivar a coragem de ouvir os testemunhos dos sobreviventes.

Em seu livro *Holocaust Testimonies: The Ruins of Memory* (Testemunhos do Holocausto: As ruínas da memória), de 1991, Lawrence Langer escreve sobre seu trabalho no Fortunoff Video Archive na Universidade Yale:

> Ouvindo relatos sobre o Holocausto, trazemos à luz um mosaico de evidências que somem o tempo todo em camadas intermináveis de incompletude.[28] Lutamos com os começos de uma história que não acaba, repleta de intervalos incompletos, defrontando-nos com o espetáculo de uma testemunha hesitante, que as solicitações insuportáveis da memória profunda muitas vezes reduzem a um silêncio dolorido.

Como diz uma de suas testemunhas, "se você não esteve lá, é difícil descrever e dizer como era. Como os homens agem sob tal estresse é uma coisa, mas comunicar e exprimir essa experiência para alguém que nunca soube que esse grau de brutalidade existe parece uma fantasia".

Outra sobrevivente, Charlotte Delbo, descreve sua existência dupla depois de Auschwitz:

> O "eu" que estava no campo não sou eu, não é a pessoa que está aqui, diante de você. Não, é incompreensível demais. E tudo o que aconteceu a esse outro "eu", a pessoa que esteve em Auschwitz, não diz mais respeito ao eu de agora, *a mim*, não tem nada a ver comigo, tão diferentes são a memória profunda e a memória comum [...]. Sem essa separação, eu não teria sido capaz de voltar à vida.[29]

Ela comenta que até as palavras têm um duplo sentido:

> De outra forma, alguém [nos campos] que foi atormentado pela sede durante semanas nunca mais seria capaz de dizer: "Estou com sede. Vamos preparar uma xícara de chá". Sede [depois da guerra] tornou-se de novo um termo corrente. Por outro lado, se sonho com a sede

que sentia em Birkenau [as instalações de extermínio em Auschwitz], eu me vejo como estava naquele tempo, emaciada, destituída de raciocínio, cambaleante.[30]

Langer conclui com pungência:

Quem é capaz de encontrar para esses mosaicos feridos da mente um túmulo adequado onde possam descansar? A vida continua, mas em duas direções temporais ao mesmo tempo, ficando o futuro incapaz de escapar à pressão de uma memória carregada de dor.[31]

A essência do trauma consiste em ser esmagador, inacreditável e insuportável. Cada paciente exige que suspendamos nossa percepção de normalidade e aceitemos que estamos lidando com uma realidade dupla: a realidade de um presente relativamente seguro e previsível que convive com um passado desastroso.

A HISTÓRIA DE NANCY

Poucos pacientes expressaram essa dualidade de maneira tão vívida como Nancy, chefe de enfermagem num hospital do Meio-Oeste que com frequência vinha a Boston para se consultar comigo. Algum tempo após o nascimento de seu terceiro filho, ela submeteu-se a um procedimento rotineiro em pacientes de ambulatório: uma ligação tubária laparoscópica – as trompas uterinas são cauterizadas para impedir uma futura gravidez. Porém, por lhe ter sido administrada anestesia insuficiente, Nancy acordou depois de iniciada a cirurgia e assim permaneceu quase até o fim, às vezes caindo no que ela chamou de "um sono leve" ou "um sonho", às vezes dando-se conta do horror da situação. Não tinha como alertar a equipe de cirurgia mexendo-se ou gritando, pois recebera um relaxante muscular para impedir contrações musculares durante a cirurgia.

Estima-se hoje que algum grau de "consciência anestésica" ocorra em cerca de 30 mil pacientes de cirurgia nos Estados Unidos a cada ano,[32] e antes disso eu já havia prestado depoimento em juízo em favor de várias pessoas que tinham ficado traumatizadas ao viver experiências dessa natureza.

Nancy, porém, não queria processar o cirurgião ou o anestesista. Só desejava trazer à consciência a realidade do trauma, a fim de poder se libertar dele. Eu gostaria de encerrar este capítulo citando vários trechos de uma série de e-mails em que ela descreveu sua torturante jornada até a recuperação.

No começo, Nancy não sabia o que lhe acontecera.

> Quando voltamos para casa, eu ainda estava atordoada, fazendo as tarefas típicas de uma dona de casa, mas sem sentir, de verdade, que estava viva ou que era real. Naquela noite tive dificuldade para dormir. Durante dias permaneci em meu próprio mundinho desconectado. Não podia usar o secador de cabelo, a torradeira, o fogão, qualquer coisa que esquentasse. Não conseguia me concentrar no que as pessoas estavam fazendo ou me dizendo. Não me importava com nada. Estava cada vez mais ansiosa. Dormia cada vez menos. Sabia que estava me comportando de forma estranha e só queria entender o que me assustava tanto.
>
> Na quarta noite depois da operação, por volta das três da manhã, comecei a me dar conta de que o sonho em que eu vivia o tempo todo se relacionava às conversas que eu tinha ouvido na sala de cirurgia. De repente fui transportada de volta àquele ambiente e senti meu corpo paralisado queimando. Estava presa num mundo de terror e horror.

A partir daí, disse Nancy, sua vida passou a ser invadida por memórias e flashbacks.

> Era como se a porta se abrisse um pouquinho, permitindo a intrusão. Havia uma mistura de curiosidade e fuga. Eu continuava a ter medos irracionais. Sentia um medo mortal de dormir; tinha uma sensação de terror ao ver a cor azul. Meu marido, infelizmente, arcava com as piores consequências de minha doença. Eu me zangava com ele, embora não o quisesse. Dormia no máximo de duas a três horas, e a vigília era tomada por horas de flashbacks. Mantinha-me cronicamente hiperalerta, sentindo-me ameaçada por meus próprios pensamentos e querendo fugir deles. Perdi dez quilos em três semanas. As pessoas comentavam sobre minha aparência o tempo todo.

Comecei a pensar em morrer. Passei a ter uma visão muito distorcida da minha vida, todos os meus êxitos diminuíam e velhos fracassos eram ampliados. Eu estava ferindo meu marido e já não podia proteger meus filhos de minha raiva.

Três semanas depois da cirurgia, retomei o trabalho no hospital. A primeira vez que vi alguém com uma roupa cirúrgica foi no elevador. Quis sair dali no mesmo instante, mas é claro que não podia. Então fui invadida pela vontade irracional de agredir aquela pessoa, e só me contive com muito esforço. Esse episódio desencadeou cada vez mais flashbacks, terror e dissociação. Ao voltar para casa, chorei o tempo todo. Depois disso, me aperfeiçoei em atitudes de fuga. Jamais pisava num elevador, nunca ia à lanchonete, evitava os andares cirúrgicos.

Aos poucos, Nancy conseguiu juntar seus flashbacks e criar uma lembrança compreensível, ainda que medonha, de sua cirurgia. Recordou as palavras tranquilizadoras das enfermeiras da sala de cirurgia e um breve período de sono depois de iniciado o efeito da anestesia. Então lembrou como começou a acordar.

Toda a equipe estava rindo do namoro de uma das enfermeiras. Senti o toque do bisturi, depois o corte, e a seguir o sangue quente escorrendo em minha pele. Tentei desesperadamente me mexer, falar, mas meu corpo não reagia. Não conseguia entender o que ocorria. Senti uma dor mais profunda, das camadas de músculos se separando por sua própria tensão. Eu sabia que não deveria sentir o que estava sentindo.

Nancy lembrou-se em seguida de alguém "remexendo" em sua barriga e identificou os movimentos como a inserção de instrumentos laparoscópicos. Sentiu sua trompa esquerda ser pinçada.

De repente senti uma dor intensa de queimação. Tentei fugir, mas a ponta do cautério me perseguia, queimando sem parar. Não existem palavras para descrever o terror dessa experiência. Essa dor não estava no mesmo campo de outras que eu tinha sentido e superado, como as de um osso quebrado ou do parto natural. Ela começa como uma dor extrema, depois continua, incessante, à medida que vai queimando a trompa. A dor de ser cortada com o bisturi empalidece diante desse sofrimento atroz.

Aí, de repente, a trompa direita sentiu o impacto da ponta cauterizante. Ao ouvir o pessoal rir, por algum tempo perdi a noção de onde estava. Pensei estar numa sala de tortura, e não entendia por que me torturavam e não pediam a informação que queriam [...]. Meu mundo se reduziu a uma pequena esfera em torno da mesa de operação. Fiquei sem noção de tempo, de passado, de futuro. Só existia dor, terror e horror. Eu me sentia isolada da humanidade, profundamente só, apesar de cercada de tanta gente. A esfera se fechava a meu redor.

Em minha agonia, devo ter feito algum movimento. Escutei a enfermeira da anestesia dizer ao anestesiologista que eu estava "leve". Ele ordenou mais anestesia e, em seguida, disse à meia-voz: "Não é preciso pôr nada disso na ficha." Essa foi a última lembrança que recuperei.

Em e-mails posteriores que me mandou, Nancy lutava para capturar a realidade existencial do trauma.

Quero lhe descrever como é um flashback. É como se o tempo se dobrasse ou se deformasse, de modo que passado e presente se fundem, por assim dizer, como se eu fosse transportada fisicamente ao passado. Os símbolos relacionados ao trauma original, por mais benignos que sejam na realidade, estão totalmente contaminados e, por isso, se tornam objetos a ser odiados, temidos, se possível destruídos; no mínimo, evitados. Por exemplo, um ferro de qualquer tipo – um brinquedo, um ferro de passar ou uma chapinha de cabelo – passa a ser visto como um instrumento de tortura. Cada vez que via uma roupa cirúrgica eu ficava à parte da realidade, confusa, fisicamente doente, e, às vezes, conscientemente furiosa.

Meu casamento está se deteriorando aos poucos – meu marido passou a representar as pessoas sem coração que riam [a equipe cirúrgica] e que me magoaram. Eu existo num estado duplo. Uma apatia generalizada me cobre com uma manta. No entanto, o toque de uma criancinha me traz de volta ao mundo. Por um momento, estou presente e sou parte da vida, não mera observadora.

Curiosamente, vou muito bem no trabalho e o tempo todo recebo avaliações positivas. A vida continua, com seu clima de falsidade.

Essa existência dupla é estranha, bizarra. Eu me canso dela. Entretanto, não posso desistir da vida, não posso me iludir e acreditar que basta ignorar a fera para que ela vá embora. Muitas vezes acreditei que lembrava tudo a respeito da cirurgia, só para descobrir mais uma coisa nova.

São muitos os trechos daqueles 45 minutos de minha vida que permanecem desconhecidos. Minhas lembranças ainda estão incompletas e fragmentadas, mas já não penso que preciso saber de tudo para compreender o que aconteceu.

Quando o medo diminui, eu me dou conta de que posso lidar com ele, embora parte de mim duvida que eu consiga. O chamado para o passado é forte; é o lado negro de minha vida; tenho de morar ali de vez em quando. A luta também pode ser uma forma de saber que sobrevivi – uma reprodução da luta para sobreviver, uma luta que aparentemente ganhei, mas não posso admitir.

Nancy precisou submeter-se a outra operação, esta de maior porte. Escolheu fazê-la num hospital de Boston; convocou uma reunião prévia com os cirurgiões e o anestesista para expor sua experiência anterior, e pediu permissão para que eu ficasse na sala de cirurgia. Pela primeira vez em muitos anos vesti um traje cirúrgico e a acompanhei enquanto a anestesia era administrada. Dessa vez, ela acordou com uma sensação de segurança.

Dois anos depois, escrevi a ela pedindo autorização para usar seu relato de consciência anestésica. Nancy respondeu, me atualizando quanto ao progresso de sua recuperação:

Eu gostaria de poder dizer que a cirurgia a que o senhor teve a bondade de me acompanhar encerrou meus sofrimentos. Infelizmente, não foi o caso. Depois de mais ou menos seis meses, tomei duas decisões que se mostraram providenciais. Deixei meu terapeuta cognitivo-comportamental e procurei um psiquiatra de linha psicodinâmica; também me matriculei em aulas de pilates.

No último mês de terapia, perguntei a meu psiquiatra por que ele não tentava me curar como todos os outros haviam tentado, em vão. Ele disse que partira do princípio de que eu, como fora capaz de cuidar de meus filhos e de minha carreira, tinha resiliência suficiente para me curar sozinha desde que se criasse um ambiente protegido. Aquela hora, a cada semana, se tornou um refúgio no qual eu podia desvendar o mistério de como ficara tão lesionada e, depois, havia reconstruído uma ideia sobre mim mesma que era una, não fragmentada; pacífica, não atormentada. Com o pilates, encontrei um núcleo físico mais forte, assim como o encontrei numa comunidade de mulheres que de bom grado me deram uma aceitação e um apoio social que estavam distantes de minha vida desde o trauma. Essa combinação de fortalecimento – psicológico, social e físico – proporcionou uma sensação de segurança pessoal e domínio, relegando minhas lembranças para o passado distante, permitindo que emergissem o presente e o futuro.

PARTE V
CAMINHOS PARA A RECUPERAÇÃO

13
A CURA DO TRAUMA: A REALIZAÇÃO DE SEU POTENCIAL

Não vou à terapia para descobrir que sou meio banana
Se vou é para descobrir uma única resposta a cada semana
E quando falo de terapia, sei que vocês me julgam elitista
Que isso só me faz mais presunçosa e apaixonada por meu analista
Ah, mas eu passei a amar todo mundo
Quando falar de mim virou meu único assunto

                          Dar Williams, *What Do You Hear in These Sounds*

Ninguém pode "tratar" uma guerra, um abuso, um molestamento, um estupro, nem, aliás, qualquer outro incidente horrendo. O que aconteceu não pode ser desfeito. É preciso lidar com as marcas do trauma que ficam no corpo, na mente e na alma: a sensação de pressão no peito, que se pode chamar de ansiedade ou depressão; o medo de perder o controle; a vigilância constante contra o perigo ou a rejeição; o autodesprezo; os pesadelos e os flashbacks; o nevoeiro que impede o encerramento de uma tarefa ou se concentrar plenamente no que está fazendo; a incapacidade de abrir o coração por inteiro.

    O trauma lhe rouba a sensação de que você é senhor de si, o que nos capítulos seguintes chamarei de autoliderança.[1] O desafio da recuperação está em restabelecer a propriedade do corpo e da mente – do self. Sentir-se livre para saber o que você sabe e sentir o que sente sem ficar arrasado ou sucumbir à raiva, à vergonha ou ao colapso. Para a maior parte das pessoas, esse processo envolve: 1) encontrar um meio de ficar calmo e focado; 2) aprender a manter-se tranquilo ao reagir a imagens, pensamentos, sons e sensações físicas que lembram o passado; 3) buscar uma maneira de estar plenamente vivo no presente e envolvido com as pessoas ao redor; e 4) não precisar esconder segredos de si mesmo, inclusive segredos sobre os artifícios usados para sobreviver.

Essas metas não são passos a serem dados, um a um, numa sequência fixa. Elas se sobrepõem, e talvez algumas sejam mais difíceis do que outras, a depender de circunstâncias pessoais. Nos capítulos seguintes, vou apresentar métodos ou enfoques específicos para alcançá-las. Espero que sejam úteis tanto para vítimas de traumas quanto para os terapeutas que as tratam, bem como para aqueles sob estresse temporário. Já utilizei todos com pacientes e também os experimentei em mim mesmo. Alguns melhoram ao adotar apenas uma dessas medidas, porém a maioria se beneficia de diferentes enfoques em diferentes estágios da recuperação.

Fiz estudos científicos sobre muitos dos tratamentos aqui descritos, cujos resultados foram publicados em periódicos científicos revistos por meus pares.[2] Meu objetivo neste capítulo é dar uma visão geral de seus princípios básicos, uma prévia do que virá e fazer breves comentários sobre métodos que não abordarei em profundidade.

UM NOVO FOCO PARA A RECUPERAÇÃO

Quando conversamos sobre trauma, muitas vezes começamos com uma história ou com uma pergunta: "O que aconteceu durante a guerra?", "Você já foi molestado?", "Fale daquele acidente ou daquele estupro" ou "Alguém em sua família teve problemas com bebida?". Entretanto, trauma é muito mais do que uma narrativa sobre algo ocorrido há muito tempo. As emoções e as sensações físicas gravadas não são experimentadas como lembranças, mas como reações físicas perturbadoras no presente.

Para recuperar o controle sobre si, é preciso revisitar o trauma: mais cedo ou mais tarde, você terá de confrontar o que lhe aconteceu, mas só quando se sentir seguro e souber que não enfrentará um novo trauma. A primeira medida é encontrar meios de enfrentar a sensação de ser esmagado pelas emoções associadas ao passado.

Como se viu até agora, os motores das reações pós-traumáticas se localizam no cérebro emocional. Em contraste com o racional, que se expressa em pensamentos, ele se manifesta em reações físicas: sensações viscerais, palpitação cardíaca, respiração acelerada, sensações de aflição, voz tensa e aguda, e ainda os típicos movimentos corporais que indicam colapso, rigidez, raiva ou atitude defensiva.

Por que não se pode simplesmente ser racional? E entender a ajuda? O cérebro racional, executivo, sabe nos auxiliar a compreender de onde vêm as sensações ("Fico com medo quando estou perto de um homem porque meu pai abusou de mim" ou "Tenho dificuldade para expressar meu amor por meu filho porque me sinto culpado de ter matado uma criança no Iraque"), mas não consegue *anular* emoções, sensações ou pensamentos (viver com uma leve sensação de ameaça ou com a convicção de que você é uma pessoa horrível, ainda que racionalmente saiba que não pode assumir a culpa por ter sofrido um estupro). Compreender *por que* você se sente de determinada forma não muda *como* você se sente. Mas pode evitar que você ceda a reações intensas (agredir um chefe que lhe lembre um estuprador, romper com um namorado à primeira discussão ou saltar para os braços de um estranho). Entretanto, quanto mais bombardeados estamos, mais o cérebro racional assume uma posição subordinada em relação a nossas emoções.[3]

TERAPIA DO SISTEMA LÍMBICO

O problema fundamental na resolução do estresse traumático está em restaurar o equilíbrio adequado entre o cérebro racional e o emocional, de modo que você possa se sentir no comando de suas reações e da orientação de sua vida. Se somos levados a estados hipo ou hiperalerta, somos ejetados de nossa "janela de tolerância": a faixa ideal para as funções normais.[4] Tornamo-nos reativos e desorganizados; nossos filtros param de funcionar – sons e luzes nos incomodam, imagens indesejadas do passado se intrometem em nossa mente, entramos em pânico ou temos acessos de raiva. Se estivermos bloqueados, o corpo e a mente se entorpecem; o pensamento se torna lento e temos dificuldade para nos levantar.

Caso estejam hiperalertas ou bloqueadas, as pessoas não conseguem aprender com a experiência. Mesmo que mantenham o controle, ficam tão tensas (os Alcoólicos Anônimos chamam de "sobriedade ansiosa") que se tornam inflexíveis, teimosas e deprimidas. A recuperação do trauma envolve restaurar as funções executivas e, com elas, a autoconfiança e a capacidade de bom humor e criatividade.

Se desejarmos modificar as reações pós-traumáticas, temos de alcançar o cérebro emocional e fazer a "terapia do sistema límbico": consertar os sistemas de alarme defeituosos e devolver ao cérebro emocional sua missão de ser uma plácida presença de fundo que cuida da arrumação do corpo, fazendo-nos comer, dormir, nos relacionar, proteger os filhos e nos defender dos perigos.

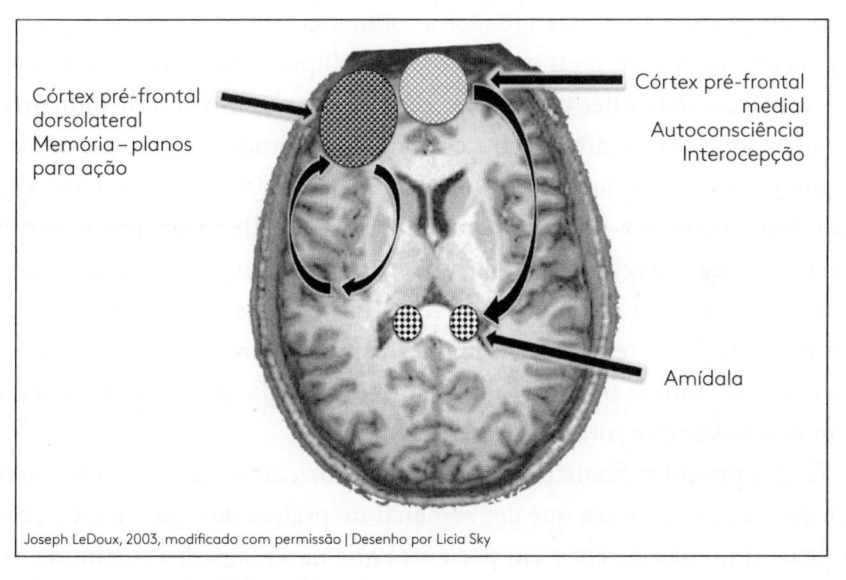

[Figura: Córtex pré-frontal dorsolateral — Memória – planos para ação; Córtex pré-frontal medial — Autoconsciência, Interocepção; Amídala. Joseph LeDoux, 2003, modificado com permissão | Desenho por Licia Sky]

Acessando o cérebro emocional. A parte racional e analítica do cérebro, localizada no córtex pré-frontal dorsolateral, não tem conexão direta com o cérebro emocional, que é onde as marcas do trauma residem. Mas o córtex pré-frontal medial, o centro de autoconsciência, tem essa conexão.

O neurocientista Joseph LeDoux e seus colaboradores mostraram que só se tem acesso ao cérebro emocional pela autoconsciência, isto é, mediante a ativação do córtex pré-frontal medial, a parte do cérebro que percebe o que ocorre dentro de nós e, assim, nos permite sentir o que estamos sentindo.[5] (O termo técnico, como se viu no capítulo 6, é "*interocepção*", que significa "olhar para o interior".) A maior parte de nosso cérebro consciente se volta para o mundo exterior: lidar com os outros e fazer planos para o futuro. Contudo, isso não nos ajuda a nos administrar. Pesquisas na área de neurociência demonstram que só há uma maneira de modificar o modo como nos sentimos: ter consciência de nossa experiência *interior* e aprender a acolher o que acontece dentro de nós.

TRATE BEM O CÉREBRO EMOCIONAL

1. LIDANDO COM O ESTADO HIPERALERTA

Nas últimas décadas, a psiquiatria vem se concentrando no emprego de medicamentos para mudar a maneira como nos sentimos, método que vem sido aceito para lidar com o estado hiper e hipoalerta. Mais adiante volto aos fármacos, mas antes preciso ressaltar que temos um grande número de aptidões internas para manter a estabilidade. Vimos no capítulo 5 como as emoções se registram no corpo. Cerca de 80% das fibras do nervo vago (que liga o cérebro a muitos órgãos internos) são aferentes, isto é, correm do corpo para o cérebro.[6] Ou seja: podemos treinar nosso sistema de alerta pela respiração, por cânticos e movimentos, técnicas que têm sido utilizadas desde tempos remotos em lugares como China e Índia, assim como em todas as práticas religiosas que conheço, mas que a cultura ocidental vê com desconfiança e rotula de "alternativo".

Numa pesquisa financiada pelos Institutos Nacionais de Saúde, meus colegas e eu concluímos que dez semanas de prática de ioga reduziam bastante os sintomas de TEPT em pacientes que não reagiam a nenhuma medicação ou outros tratamentos.[7] (A ioga será tratada no capítulo 16.) O neurofeedback, tema do capítulo 19, também pode ser muito eficaz no caso de crianças e adultos tão hiperalertas ou bloqueados que têm dificuldades para se concentrar ou estabelecer prioridades.[8]

Aprender a respirar com calma e permanecer num estado de relaxamento físico relativo, mesmo quando se está explorando lembranças dolorosas e horripilantes, é um caminho essencial para a recuperação.[9] Quando você faz movimentos respiratórios lentos e profundos, nota os efeitos do freio parassimpático em seu estado de alerta (visitados no capítulo 5). Quanto mais permanecer focado em sua respiração, mais se beneficiará, sobretudo se prestar atenção ao que está fazendo até o fim da expiração e esperar um momento antes de voltar a inspirar. À medida que continua respirando e atentando para o ar que entra e sai dos pulmões, pense no papel que o oxigênio desempenha ao nutrir seu corpo e banhar seus tecidos com a energia necessária para que você se sinta vivo e ativo. O capítulo 16 documenta todos os efeitos físicos dessa técnica simples.

Como a regulação emocional é o ponto crítico no controle dos efeitos do trauma e do abandono, seria de máxima importância que professores, sargentos-instrutores, pais adotivos e profissionais de saúde mental fossem bem versados em técnicas de regulação emocional. Hoje em dia, elas são praticadas sobretudo por cuidadoras em creches e jardins de infância. Lidando todos os dias com cérebros imaturos e condutas impulsivas, esses profissionais se tornam hábeis no uso dessas técnicas.[10]

A psiquiatria ocidental dominante e as tradições de cura psicológica têm dado pouca atenção ao autocontrole. Em contraste com o crédito que o Ocidente dá a fármacos e a terapias verbais, outras tradições, mundo afora, confiam na atenção plena, no movimento, nos ritmos e na ação. A ioga na Índia, o *tai chi* e o *qigong* na China e o ritmo de tambores em toda a África são alguns exemplos. As culturas do Japão e da península coreana criaram artes marciais cujos praticantes fazem movimentos com objetivos determinados e aprendem a se fixar no presente, habilidades difíceis de serem adquiridas por vítimas de traumas. O aiquidô, o judô, o *tae kwon do*, o kendo e o jiu-jítsu, assim como a capoeira, são exemplos de técnicas que envolvem movimentos físicos, respiração e meditação. Com exceção da ioga, poucas dessas tradições terapêuticas não ocidentais foram estudadas de modo sistemático para o tratamento do TEPT.

2. EFEITOS DA ATENÇÃO PLENA SOBRE A MENTE

A essência da recuperação é a autoconsciência. As frases mais importantes na terapia do trauma são "Note que" e "E depois, o que acontece?". Traumatizados experimentam sentimentos aparentemente insuportáveis: sentem-se angustiados e têm sensações intoleráveis na boca do estômago ou aperto no peito. Evitar essas sensações físicas aumenta nossa vulnerabilidade a elas.

A consciência do corpo nos conecta com nosso mundo interior, com a paisagem de nosso organismo. Perceber a irritação, a ansiedade ou o nervosismo já nos ajuda de imediato a mudar de perspectiva e abre novas alternativas, diferentes das reações automáticas habituais. A atenção plena nos conecta com a natureza transitória de nossos sentimentos e percepções. Quando prestamos atenção em nossas sensações físicas, podemos reconhecer o fluxo e refluxo de nossas emoções e, com isso, controlá-las melhor.

É frequente que traumatizados tenham medo de sensações. O inimigo agora não é o criminoso (que – tomara! – não está mais por ali para lhes fazer mal), mas as sensações físicas. O medo de ser subjugado por sensações desconfortáveis mantém o corpo congelado e a mente bloqueada. Embora o trauma seja um episódio do passado, o cérebro emocional guarda sensações geradoras que fazem a pessoa se sentir desamparada e com medo. Não surpreende que tantas vítimas de trauma sejam glutões ou beberrões compulsivos, que temem praticar sexo e evitam muitas atividades sociais. Grande parte do mundo sensorial dessas pessoas se acha interditada.

Para mudar, você tem de se abrir à sua experiência interior. O primeiro passo é permitir que a mente se concentre em suas sensações e perceba que, diferentemente da experiência atemporal e onipresente do trauma, as sensações físicas são transitórias e reagem a ligeiras modificações na posição do corpo, na respiração e no pensamento. Depois que você observar com atenção suas sensações físicas, o próximo passo é rotulá-las. Por exemplo: "Quando fico ansioso, experimento uma sensação de compressão no peito." Posso então dizer a um paciente: "Concentre-se nessa sensação e note como ela muda quando você respira fundo, ou quando dá batidinhas no peito logo abaixo da clavícula, ou quando se permite chorar." Praticar a atenção plena acalma o SNP, de modo que diminui a probabilidade de que você seja lançado numa situação de luta ou fuga.[11] Aprender a observar e tolerar as reações físicas é um pré-requisito para revisitar o passado em segurança. Se você não suporta o que está sentindo agora, abrir a porta para o passado só vai aumentar o sofrimento e traumatizá-lo ainda mais.[12]

Podemos tolerar desconforto desde que estejamos conscientes de que as reações do corpo se alteram o tempo todo. Num determinado momento, seu peito se comprime, mas, depois de respirar fundo e soltar o ar, a sensação se abranda e você pode observar outra coisa, talvez uma tensão no ombro. Agora você pode explorar o que acontece ao respirar profundamente e perceber que sua caixa torácica se expande.[13] Quando se sentir mais calmo e curioso, pode voltar àquela sensação no ombro. Não se surpreenda se surgir uma lembrança em que, de alguma forma, esse ombro esteja envolvido.

Um passo adiante está em observar a interação entre os pensamentos e as sensações físicas. Como determinados pensamentos se registram em seu corpo? (Pensamentos como "Meu pai me ama" ou "Minha namorada terminou comigo" produzem sensações diferentes?) Perceber como seu corpo organiza determinadas emoções ou memórias favorece a liberação de sensações e impulsos que você um dia bloqueou a fim de sobreviver.[14] No capítulo 20, sobre os benefícios do teatro, desenvolvo esse tópico.

Em 1979, Jon Kabat-Zinn, um dos pioneiros da medicina mente-corpo, fundou no Centro Médico da Universidade de Massachusetts o programa de Redução de Estresse com Base na Atenção Plena (Mindfulness-Based Stress Reduction, MBSR). Seu método vem sendo estudado em detalhes há mais de três décadas. Ele diz: "Uma forma de pensar nesse processo de transformação é ver a atenção plena como uma lente que focaliza energias dispersas e reativas de sua mente numa fonte coerente de energia para viver, solucionar problemas e recuperar a saúde."[15]

Comprovou-se que a atenção plena exerce um efeito positivo sobre numerosos sintomas psiquiátricos, psicossomáticos e relacionados ao estresse, como depressão e dor crônica.[16] Ela tem efeitos benéficos sobre a saúde física, a resposta imune, a pressão sanguínea e os níveis de cortisol,[17] além de ativar as regiões cerebrais envolvidas na regulação emocional[18] e propiciar mudanças nas regiões relacionadas com a percepção corporal e o medo.[19] Pesquisas de Britta Hölzel e Sara Lazar, minhas colegas de Harvard, constataram que a prática da atenção plena chega a diminuir a atividade da amídala, o detector de fumaça do cérebro, o que reduz a reação a possíveis desencadeadores.[20]

3. RELACIONAMENTOS

Muitos estudos mostram que uma boa rede de apoio constitui a melhor proteção contra o trauma. Segurança e terror são incompatíveis. Se estamos assustados, nada nos acalma tanto como a voz tranquilizadora ou o abraço firme de alguém em quem confiamos. Adultos atemorizados reagem aos mesmos confortos que crianças aterrorizadas: um abraço carinhoso, uma voz firme e a certeza de que uma pessoa maior e mais forte está cuidando de tudo, e assim podemos dormir em paz. Para se recuperar, mente, corpo e cérebro têm de estar convencidos de que estão em segurança. O que só ocorre quando você se sente seguro em nível visceral e permite a si mesmo relacionar essa sensação de segurança a lembranças da impotência anterior.

Depois de um trauma contundente, como assalto, acidente ou desastre natural, as vítimas necessitam de pessoas, rostos e vozes conhecidas, contato físico, alimento, abrigo, um lugar seguro e tempo para dormir. É fundamental entrar em contato com entes queridos, próximos e distantes, e, assim que possível, reunir-se com parentes e amigos num local que transmita segurança. Nossos vínculos de apego são a maior proteção contra a ameaça. Por exemplo, é provável que crianças separadas dos pais após um evento traumático venham a sofrer graves efeitos negativos a longo prazo. Segundo estudos realizados na Inglaterra durante a Segunda Guerra Mundial, as crianças que moravam em Londres na época dos bombardeios e que foram enviadas para o interior para não ficarem expostas aos ataques alemães sofreram muito mais do que aquelas que permaneceram com os pais e tiveram de passar noites em abrigos antiaéreos e ver imagens apavorantes de mortos e prédios destruídos.[21]

Pessoas traumatizadas começam a se recuperar no contexto de relacionamentos: com parentes, entes queridos, reuniões dos Alcoólicos Anônimos, organizações de veteranos, comunidades religiosas ou terapeutas profissionais. O papel dessas pessoas ou grupos é proporcionar segurança física e emocional, inclusive para que a vítima não se sinta envergonhada, censurada ou julgada, além de infundir-lhe coragem para tolerar, enfrentar e processar a realidade do que aconteceu.

Como vimos, grande parte dos circuitos cerebrais é dedicada a sintonizar-se com as outras pessoas. A recuperação do trauma envolve (re)conectar-se com os demais. Por isso, em geral, o trauma ocorrido dentro de relacionamentos é mais difícil de tratar do que o decorrente de acidentes ou desastres naturais. Em nossa sociedade, os traumas mais comuns em mulheres e crianças ocorrem por atos de companheiros ou genitores. Abuso infantil, estupro e violência doméstica são infligidos por pessoas que supostamente amam a vítima. Assim a proteção mais importante contra o trauma cai por terra: aquela prestada pelas pessoas que você ama.

Se as pessoas a quem você naturalmente recorre em busca de carinho e proteção se tornam fontes de terror ou rejeição, é preciso aprender a se bloquear e ignorar o que se sente.[22] Como vimos na Parte III, quando seus cuidadores se voltam contra você, urge encontrar meios alternativos de lidar com a sensação de medo, fúria ou frustração. Gerenciar o terror sem ajuda alheia dá origem a outro conjunto de problemas: dissociação, desespero, consumo de drogas, sensação crônica de pânico e relacionamentos marcados por alienação, desconexão e explosões. Pacientes com esses históricos raramente fazem a conexão entre os que lhes aconteceu há muito tempo e como estão se sentindo e se comportando agora. Tudo parece impossível de ser administrado.

O alívio não vem enquanto esses pacientes não forem capazes de compreender o que aconteceu e reconhecer os demônios invisíveis que estão enfrentando. Lembremos, por exemplo, os homens molestados por padres pedófilos (capítulo 11). Exercitavam-se com regularidade, tomavam esteroides anabolizantes e eram fortes como touros. No entanto, nas consultas, muitas vezes, agiam como meninos assustados. Os meninos feridos que havia dentro deles ainda se sentiam indefesos.

Embora o contato humano e a sintonia sejam a fonte da autorregulação fisiológica, a perspectiva de intimidade muitas vezes provoca o medo de vivenciar novamente situações de mágoa, traição e abandono. A vergonha exerce um papel importante: "Você vai descobrir a pessoa abjeta e repulsiva que eu sou e vai me descartar assim que me conhecer direito." O trauma não resolvido cobra um preço alto nos relacionamentos. Se você ainda está magoado porque sofreu nas mãos de alguém que amava, é provável que se preocupe em não se machucar de novo e tenha medo de se abrir para outra pessoa. Na verdade, você pode, sem querer, machucar essa pessoa antes que ela tenha a possibilidade de machucar você.

Isso cria uma dificuldade real para a recuperação. Assim que você reconhecer que as reações pós-traumáticas começaram como esforços para salvar sua vida, poderá juntar coragem para ouvir sua música (ou cacofonia) interior, mas precisará de ajuda. Você terá de encontrar uma pessoa em quem confie para lhe fazer companhia, alguém que seja capaz de ajudá-lo a ouvir as mensagens dolorosas enviadas por seu cérebro emocional. Precisará de alguém que não tenha medo de seu terror e que possa conter sua raiva mais tenebrosa, alguém que possa salvaguardar a sua integridade enquanto você explora as experiências fragmentadas que teve de esconder até de si mesmo durante tanto tempo. A maioria das pessoas traumatizadas precisa de uma âncora e de muita ajuda para transpor essa fase.

A escolha de um terapeuta profissional

A formação de terapeutas de trauma competentes exige conhecimento sobre os impactos do trauma, do abuso e da negligência, bem como domínio de técnicas para: 1) estabilizar e acalmar os pacientes; 2) ajudar a pôr fim a lembranças e reencenações do trauma; e 3) reconectar os pacientes às demais pessoas. Em termos ideais, o terapeuta também terá sido ajudado, como paciente, pela terapia que pratica.

Embora seja impróprio e antiético que terapeutas contem aos pacientes detalhes de suas batalhas pessoais, nada impede que os pacientes perguntem aos médicos quais as formas de terapia compreendidas em sua formação, onde estudaram e se perceberam benefícios pessoais na terapia que pretendem usar.

Não existe nenhuma "terapia recomendada" para o trauma, e qualquer um que acredite que seu método é a única resposta para o problema do paciente é suspeito de ser um ideólogo em vez de uma pessoa interessada em fazer o que puder para que a vítima se cure. Nenhum terapeuta pode conhecer bem todos os tratamentos eficazes, e deve se dispor a aceitar que você explore opções diferentes da que ele propõe. Deve também estar disposto a aprender com você. Gênero, raça e histórico pessoal só são relevantes se interferirem na ajuda ao paciente para se sentir seguro e compreendido.

Você se sente bastante à vontade com o terapeuta? Ele parece se sentir à vontade consigo mesmo e com você como ser humano? Sentir-se em segurança é uma condição necessária para que você confronte seus medos e ansiedades. Diante de uma pessoa severa, intolerante, agitada ou rude, é provável que você se intimide, se sinta sozinho e humilhado, o que não o ajudará a resolver seu estresse traumático. Haverá momentos em que antigas sensações serão revolvidas, em que você terá a impressão de que seu terapeuta se parece com alguém que um dia o feriu. Se isso acontecer, espero que vocês dois possam trabalhar a questão juntos, pois, em minha experiência, os pacientes só melhoram quando tem sentimentos positivos em relação ao terapeuta. Não creio também que você possa crescer e mudar se não sentir que exerce algum impacto sobre a pessoa que está tratando você.

A pergunta fundamental é a seguinte: Seu terapeuta demonstra curiosidade em descobrir quem é *você* e do que *você*, e não um genérico "paciente de TEPT", precisa? Você é apenas uma lista de sintomas num manual de diagnóstico ou seu terapeuta dedica tempo a descobrir por que você faz o que faz e pensa o que pensa? A terapia é um processo colaborativo – uma exploração mútua de seu ser.

É frequente que pacientes brutalizados por seus cuidadores quando crianças não se sintam em segurança com ninguém. Pergunto-lhes se recordam alguém com quem se sentiam seguros na infância. Muitos guardam na memória um professor, vizinho, comerciante, treinador de esportes ou pastor de igreja – homens ou mulheres – que demonstrava interesse genuíno por eles, e essa lembrança é, muitas vezes, o primeiro passo para a recuperação. O ser humano sempre tem esperança. Na superação do trauma, é tão importante pensar em como sobrevivemos quanto naquilo que foi abalado.

Peço também que se imaginem quando bebês – se eram adoráveis e felizes. Todos acreditam que sim e guardam uma imagem de como eram antes de ser magoados.

Algumas pessoas não se lembram de ninguém com quem se sentissem seguros. Para elas, lidar com cavalos ou cães é muito mais confiável do que com seres humanos. Essa prática vem sendo usada hoje em dia, com muita eficácia, em ambientes como prisões, programas de tratamento residencial e reabilitação de veteranos de guerra. No capítulo 10, vimos como, em sua formatura, Maria, da primeira turma do Centro Van der Kolk[23] – que, quando lá chegou, era uma adolescente descontrolada e muda de 14 anos –, declarou que ter a responsabilidade de cuidar de um cavalo foi para ela o primeiro passo para sua recuperação. Seu vínculo cada vez maior com o animal a ajudou a sentir segurança para começar a se relacionar com a equipe do centro, ter concentração nas aulas, fazer provas e ser aceita por uma faculdade.[24]

4. RITMOS COMUNAIS E SINCRONIA

A partir do instante em que nascemos, nossos relacionamentos se mostram fisicamente por meio de expressões, gestos e toques. Como vimos no capítulo 7, eles são os fundamentos do apego. O trauma acarreta uma quebra da sincronia física sintonizada: ao se entrar na sala de espera de uma clínica de TEPT, é possível distinguir os pacientes e os funcionários da instituição pelas expressões faciais congeladas e o corpo contraído (embora, ao mesmo tempo, agitado). Infelizmente, muitos terapeutas ignoram essas comunicações físicas e se concentram apenas nas palavras.

O poder terapêutico da comunidade, expresso em música e ritmos, ficou bem nítido para mim em meados de 1997, quando acompanhei o trabalho da Comissão da Verdade e da Reconciliação na África do Sul. Visitamos certos lugares em que a violência ainda prosseguia. Certo dia, cuidei de um grupo de vítimas de estupro no pátio de uma clínica numa vila nos arredores de Joanesburgo. Ouvíamos o barulho de tiros disparados a certa distância, enquanto a fumaça subia do outro lado dos muros do local e o cheiro de gás lacrimogêneo pairava no ar. Mais tarde ouvimos dizer que quarenta pessoas haviam sido mortas.

Embora o ambiente fosse desconhecido e aterrorizante, eu reconhecia muito bem aquele grupo: as mulheres estavam sentadas, de ombros caídos – tristes e imóveis –, como tantos grupos de terapia de estupro que eu vira em Boston. Fui tomado por uma familiar sensação de impotência, e, cercado de pessoas incapacitadas, senti-me mentalmente incapacitado também. Foi então que uma das mulheres começou a emitir um *vocalise* a *bocca chiusa*, ao mesmo tempo que se balançava, com suavidade, para a frente e para trás. Devagar, um ritmo se afirmou; pouco a pouco, o canto de outras mulheres se juntou ao da primeira. Não demorou e todo o grupo estava cantando, se mexendo e levantando para dançar. Foi uma transformação assombrosa: pessoas recobrando a vida, rostos se sintonizando, a vitalidade voltando aos corpos. Decidi utilizar o que estava testemunhando ali e estudar de que forma o ritmo, o canto e o movimento poderiam ajudar a curar o trauma.

No capítulo 20, sobre teatro, mostrarei como grupos de jovens – entre os quais delinquentes juvenis e adolescentes em situação de risco – aprendem aos poucos a trabalhar em conjunto e a depender uns dos outros, seja como parceiros das lutas de espadas em peças de Shakespeare, seja como roteiristas e atores em espetáculos musicais. Vários pacientes já comentaram comigo o quanto o coral, o aiquidô, o *kickboxing* e as aulas de tango os ajudaram, e é com todo o prazer que transmito suas recomendações a outros.

Aprendi outra lição importante sobre ritmo e terapia quando médicas do Trauma Center receberam a missão de tratar de uma menina muda de 5 anos, Ying Mee, que fora adotada, vinda de um orfanato na China. Após meses de tentativas de estabelecer contato com ela, minhas colegas Deborah Rozelle e Liz Warner compreenderam que o sistema de envolvimento rítmico da menina não funcionava – ela não era capaz de entrar em consonância com as vozes e expressões das pessoas ao redor. Recorreram então à terapia sensório-motora.[25]

A clínica de integração sensorial em Watertown, Massachusetts, é uma magnífica área de recreação em local fechado, cheia de balanços, piscinas de bolinhas multicoloridas (tão profundas que se pode desaparecer dentro delas), traves de equilíbrio, túneis de plástico onde se entra rastejando, escadas com trampolins para mergulhar em colchões gigantescos. O pessoal da clínica colocou Ying Mee na piscina de bolinhas, o que a ajudou a perceber sensações na pele; puseram-na a brincar nos balanços e a rastejar sob mantas pesadas. Depois de seis semanas, alguma coisa mudou – e ela começou a falar.[26]

A fantástica melhora de Ying Mee nos estimulou a criar uma clínica de integração sensorial no Trauma Center, que hoje também usamos em nosso programa de tratamento residencial. Ainda não exploramos até que ponto a integração sensorial é útil para adultos traumatizados, mas, em geral, incluo experiências de integração sensorial e de dança em meus seminários.

Aprender a se sintonizar oferece a pais (e a seus filhos) a experiência visceral da reciprocidade. A terapia de interação de pais e filhos é um tratamento interativo que promove essa sintonia, da mesma forma que o tratamento sensório-motor de regulação do estado de alerta, criado por colegas meus no Trauma Center.[27]

Quando brincamos ou jogamos com outras pessoas, nós nos sentimos sintonizados fisicamente e experimentamos uma sensação de conexão e alegria. Exercícios de improvisação, como os encontrados no site learnimprov.com, são também excelentes para ajudar as pessoas a explorar e se alegrar. Assim que um grupo de cara amarrada cair na risada, pode ter certeza de que o manto do sofrimento foi rasgado.

5. CONTATO FÍSICO

O tratamento convencional do trauma pouco tem incentivado pacientes aterrorizados a vivenciar em segurança suas sensações e emoções. Medicamentos como bloqueadores da recaptação de serotonina, como Respiridol e Seroquel têm sido cada vez mais recomendados, em detrimento da aprendizagem para lidar com o mundo sensorial.[28] Contudo, a maneira mais natural de ajudar outros seres humanos a reduzir seu sofrimento é tocando-os, abraçando-os e embalando-os. É um procedimento útil no caso de alerta excessivo e faz com que se sintam salvos, seguros, protegidos e senhores de si.

Rembrandt van Rijn, *A cura da sogra de Pedro*. Gestos de reconforto são reconhecidos universalmente e refletem o poder curativo do toque sintonizado.

O toque, o instrumento mais elementar de que dispomos para nos acalmar, é proibido na maioria das práticas terapêuticas. No entanto, uma pessoa não pode se recuperar por completo se não se sentir segura em seu corpo. Por isso, incentivo todos os pacientes a fazer algum tipo de terapia corporal, seja massagem terapêutica, método Feldenkrais ou integração craniossacral.

Pedi a uma profissional de terapia corporal, Licia Sky, a quem admiro, que me falasse de sua experiência com vítimas de trauma. A seguir, alguns de seus comentários:

Nunca começo uma sessão de massagem sem criar uma relação pessoal. Não peço que me contem uma história, nem tento descobrir o quanto a pessoa está traumatizada ou o que foi que lhe aconteceu. Verifico como ela está em relação ao corpo naquele momento. Pergunto se quer que eu dê atenção a alguma parte em particular. Durante todo o tempo, avalio a postura dela; se me olha nos olhos; se está tensa ou relaxada; se está se ligando a mim ou não.

A primeira coisa que procuro decidir é se ela se sentirá mais segura de bruços ou de costas. Se não a conheço, em geral, começo com ela de costas. Tomo todo o cuidado com relação às partes do corpo que serão cobertas; faço questão que ela se sinta segura, que esteja com qualquer peça de roupa que quiser manter. São limites importantes a fixar logo de saída.

Em seguida, no primeiro toque, faço um contato firme e seguro. Nada que seja forçado ou brusco. Nada rápido demais. O toque é lento, suavemente rítmico, para que o cliente o acompanhe com facilidade. Pode ser forte como um aperto de mão. O primeiro ponto que toco costuma ser a mão e o antebraço, porque esses são os mais seguros para tocar em qualquer pessoa, os mesmos que elas também podem tocar no corpo do terapeuta.

É preciso achar o ponto de resistência, o local onde há mais tensão, e tocá-lo com uma energia equivalente. Isso libera a tensão congelada. Não se pode hesitar, pois a hesitação transmite falta de confiança em você mesmo. Movimentos vagarosos e uma sintonia prudente com o cliente são uma coisa, hesitação é outra. É preciso tratar os clientes com enorme confiança e empatia, fazer com que a pressão de seu toque corresponda à tensão que eles trazem no corpo.

Em que a terapia corporal beneficia as pessoas? Licia responde:

Da mesma forma que se sente sede de água, pode-se sentir sede de toque. É uma tranquilização a ser ministrada de forma confiante, profunda, firme, suave e sensível. O contato físico cuidadoso, da mesma forma que movimentos conscientes, acalma as pessoas e as faz descobrir tensões que elas sentem há tanto tempo que nem as percebiam mais. Quando você é tocada, você desperta a parte do corpo que foi tocada.

O corpo fica fisicamente travado quando as emoções se acumulam em seu interior. Os ombros ficam rígidos; os músculos faciais, tensos. As pessoas despendem uma enorme energia para reter as lágrimas – ou qualquer som ou movimento capaz de trair o que se passa em seu interior. Liberada a tensão física, as sensações podem ser liberadas. O movimento ajuda a tornar a respiração mais profunda, e com a liberação das tensões fluem sons expressivos. O corpo fica mais livre – respirando com mais liberdade, fluindo melhor. O contato físico permite viver num corpo capaz de se mover, que responda quando for movido.

Pessoas aterrorizadas precisam sentir onde está seu corpo no espaço e sentir seus limites. Um contato firme e reconfortante faz com que saibam onde estão essas fronteiras: o que está fora delas, onde seu corpo termina. Elas descobrem que não precisam pensar o tempo todo em quem são e onde estão. Descobrem que têm um corpo sólido e que não precisam estar o tempo todo em guarda. O contato físico lhes permite saber que estão em segurança.

6. AÇÕES CORRETIVAS

O corpo reage a situações extremas secretando hormônios do estresse, que com frequência são acusados de serem responsáveis por doenças subsequentes. No entanto, esses hormônios existem para nos dar a força e a resistência de que precisamos para reagir a condições excepcionais. As pessoas que *fazem* ativamente alguma coisa para lidar com um desastre – resgatando entes queridos ou estranhos, transportando vítimas a um hospital, integrando uma equipe médica, armando barracas ou preparando refeições – usam seus hormônios do estresse para a finalidade certa, e por isso correm muito menos risco de ficarem traumatizadas. (Contudo, todos têm seu ponto de ruptura, e até a pessoa mais bem preparada pode ser dominada pela magnitude do desafio.)

A impotência e a imobilização impedem que as pessoas usem seus hormônios do estresse para se defender. Quando isso acontece, estes continuam a ser secretados, mas as ações que deveriam promover não ocorrem. Por fim, os padrões de ativação que deveriam alavancar o enfrentamento se voltam contra o organismo e fomentam respostas impróprias de luta ou fuga, bem como de paralisação. Para um retorno ao funcionamento adequado, essa persistente resposta de emergência tem de cessar. O corpo precisa restaurar um estado básico de segurança e relaxamento, a partir do qual possa se mobilizar para agir em resposta ao perigo real.

Para resolver esse problema, Pat Ogden e Peter Levine, meus amigos e professores, criaram terapias eficazes baseadas no corpo: a psicoterapia sensório-motora[29] e a experiência somática.[30] Nessas duas modalidades, a história do que aconteceu ocupa uma posição secundária em relação à exploração de sensações físicas e à descoberta do local e da forma das marcas deixadas pelo trauma no corpo. Antes que os pacientes mergulhem numa exploração completa do próprio trauma, os terapeutas os ajudam a acumular recursos internos que promovam um acesso seguro às sensações e emoções que os dominaram na época do ocorrido. Levine chama esse processo de *pendulação* – a atitude de alcançar com suavidade sensações interiores e lembranças traumáticas e também com suavidade se afastar delas, o que ajuda os pacientes a expandir de maneira gradual sua janela de tolerância.

Em geral, quando suportam ter consciência das experiências físicas geradas pelo trauma, os pacientes descobrem poderosos impulsos físicos – como revidar, empurrar ou correr –, que brotaram durante o evento gerador do trauma, mas foram reprimidos em favor da sobrevivência. Esses impulsos se manifestam em movimentos corporais sutis, como contorções, giros e recuos. Ampliar esses movimentos e experimentar meios de modificá-los desencadeia o processo de levar até o fim a incompleta "predisposição para ação" relacionada ao trauma e pode, eventualmente, permitir a resolução dele. As terapias somáticas ajudam os pacientes a se relocalizar no presente – por terem compreendido que são capazes de se movimentar com segurança. Sentir o prazer de empreender uma ação eficaz restaura um sentido de agência e a sensação de que eles podem se defender e proteger de maneira ativa.

Em 1893, Pierre Janet, o primeiro grande explorador do trauma, escreveu sobre "o prazer da ação concluída". Observo com regularidade esse prazer no emprego da psicoterapia sensório-motora e a experiência somática: ao vivenciar fisicamente como teriam se sentido revidando ou fugindo, os pacientes relaxam, sorriem e expressam uma sensação de completude.

Quando as pessoas são forçadas a se submeter a uma força dominadora, como ocorre na maioria dos casos de crianças que sofreram abuso sexual, mulheres vítimas de violência doméstica e homens e mulheres encarcerados, elas, muitas vezes, sobrevivem graças a uma anuência resignada. A melhor forma de superar padrões arraigados de submissão consiste em restaurar a capacidade física de lutar e se defender. Um de meus recursos prediletos para obter respostas eficazes de luta ou fuga é o programa-modelo de assalto, no qual mulheres (e, cada vez mais, homens) aprendem a revidar de maneira ativa um ataque simulado.[31] O programa teve início em Oakland, na Califórnia, em 1971, depois que uma mulher, faixa-preta no quinto *kyu* do caratê, foi estuprada. Tentando entender como isso tinha acontecido com alguém que, em teoria, seria capaz de matar o atacante com as mãos, seus amigos concluíram que o medo a levara a esquecer tudo o que sabia. Nos termos deste livro, suas funções executivas – seus lobos frontais – se desconectaram e ela congelou. O programa-modelo de assalto ensina às mulheres os meios de recondicionar a resposta de congelamento mediante muitas repetições de uma situação em que ela se encontra na "hora zero" (termo militar que designa o momento exato de um ataque), transformando o medo numa energia positiva de luta.

Uma paciente minha, universitária com histórico de contínuo abuso sexual na infância, fez o curso. Quando a conheci, estava deprimida e exageradamente submissa. Três meses depois, na cerimônia de formatura, ela conseguiu derrotar um agressor gigantesco, que terminou encolhido no chão (uma roupa de tecido bem grosso o protegia dos golpes que ela desferia). Ela fitava o agressor com os braços erguidos numa postura de caratê, e bradava com calma e clareza: "Não!"

Pouco tempo depois, ela precisou ficar na biblioteca até tarde. Era mais de meia-noite quando saiu da biblioteca e foi caminhando para casa, De repente, três homens saltaram de trás de arbustos, gritando: "Piranha, passa o dinheiro." Mais tarde ela me contou que assumiu a mesma postura de caratê e gritou de volta: "Eu estava esperando esse momento. Quem vem primeiro?" Os homens fugiram correndo. Se você se encolhe e demonstra estar com medo, torna-se presa fácil do sadismo de certas pessoas. Porém, quando projeta a mensagem "Não se meta comigo", é pouco provável que se torne um alvo.

A INTEGRAÇÃO DE LEMBRANÇAS TRAUMÁTICAS

As pessoas só deixam para trás os eventos traumáticos quando são capazes de admitir o que aconteceu e começam a reconhecer os demônios invisíveis contra os quais estão lutando, como escrevi pouco antes. A psicoterapia tradicional tem se concentrado sobretudo em construir uma narrativa que explique por que uma pessoa sente isso ou aquilo, ou, como Sigmund Freud escreveu em *Recordar, repetir e elaborar*:[32] "Embora o paciente vivencie [o trauma] como algo verdadeiro e atual, temos de cumprir a tarefa terapêutica, que consiste sobretudo em traduzi-lo em termos do passado." Contar a história é importante; sem histórias, a memória congela; sem memória não se pode imaginar como tudo podia ser diferente. No entanto, como vimos na Parte IV, contar uma história sobre o evento não garante o sepultamento das lembranças traumáticas.

Existe um motivo para isso. Quando recordam um fato corriqueiro, as pessoas não revivem as sensações físicas, as emoções, as imagens, os cheiros ou os sons associados àquele episódio. Já quando relembram seus traumas, elas "têm" a experiência: são engolfadas pelos elementos sensoriais ou emocionais do passado. As tomografias cerebrais de Stan e Ute Lawrence, as vítimas de acidente narrado no capítulo 4, mostram como isso acontece. Quando Stan estava lembrando seu horrível acidente, duas áreas fundamentais de seu cérebro ficaram vazias: a que cria uma sensação de tempo e perspectiva, que permitia saber que "isso aconteceu naquele tempo, agora estou em segurança", e a outra, que integra as imagens, os sons e as sensações do trauma numa história coerente. Quando essas duas áreas do cérebro são postas fora de combate, as pessoas experimentam algo não como um evento com princípio, meio e fim, mas em fragmentos de sensações, imagens e emoções.

Um trauma só pode ser processado com êxito se todas essas estruturas cerebrais se mantiverem ligadas. No caso de Stan, a dessensibilização e o reprocessamento por movimentos oculares (EMDR) lhe permitiram ter acesso às lembranças do acidente sem ser esmagado por elas. Se as áreas cerebrais cuja ausência é responsável por flashbacks puderem ser mantidas em funcionamento enquanto recordam o que aconteceu, as pessoas conseguem integrar suas lembranças traumáticas como uma coisa do passado.

A dissociação de Ute (como o leitor lembra, ela se bloqueou por completo) complicou a recuperação. Nenhuma das estruturas cerebrais necessárias para atuar no presente estava funcionando, de modo que lidar com o trauma era impossível. Sem um cérebro alerta e presente não pode haver integração e resolução. Ute precisava de ajuda para aumentar sua janela de tolerância antes de conseguir lidar com seus sintomas de TEPT.

A hipnose passou a ser o tratamento mais comum do trauma de fins do século XIX, época de Pierre Janet e Sigmund Freud, até depois da Segunda Guerra Mundial. Ainda se pode assistir no YouTube ao documentário *Let There Be Light*, do grande diretor de Hollywood John Huston, que mostra homens submetidos à hipnose para tratar a "neurose de guerra" (capítulo 12). A hipnose caiu em desuso no começo da década de 1990, e não há estudos recentes sobre sua eficácia no tratamento de TEPT. No entanto, essa técnica é capaz de induzir um estado de relativa calma a partir do qual os pacientes conseguem observar suas experiências traumáticas sem que elas os esmaguem. Como essa capacidade de fazer a vítima observar a si mesma com tranquilidade é um fator crítico na integração das lembranças traumáticas, é provável que a hipnose, em alguma forma, seja um dia retomada.

TERAPIA COGNITIVO-COMPORTAMENTAL

Na maioria das faculdades, a formação dos psicólogos inclui a terapia cognitivo-comportamental. A TCC foi criada visando ao tratamento de fobias, como, por exemplo, o medo de aranhas, de lugares altos e de viajar de avião, a fim de ajudar os pacientes a comparar seus medos irracionais com realidades inócuas. Procura-se aos poucos reduzir esses medos fazendo-os pensar naquilo que mais temem, usando suas narrativas e imagens ("exposição imaginal"), colocando-os em situações reais, mas na verdade seguras, que provoquem ansiedade ("exposição *in vivo*"), ou expondo-os a cenários de realidade virtual, simulados por computador.

A ideia básica por trás da terapia cognitivo-comportamental é que os pacientes, expostos repetidas vezes ao estímulo sem que coisas ruins realmente aconteçam, aos poucos fiquem menos perturbados; as memórias ruins se associarão a informações "corretivas" de segurança.[33] A TCC também procura ajudar os pacientes a lidar com sua tendência a evitar o assunto, dizendo, por exemplo, "Não quero falar sobre isso".[34] Parece simples, mas, como vimos, reviver o trauma reativa o sistema de alarme do cérebro e desliga áreas cerebrais críticas, necessárias à integração do passado, o que torna mais provável que o paciente reproduza o trauma em vez de resolvê-lo.

A exposição prolongada ou inundação (*flooding*) tem sido estudada com mais rigor do que qualquer outro tratamento de TEPT. Pede-se aos pacientes que "concentrem sua atenção no material traumático e [...] não se distraiam com outros pensamentos ou atividades".[35] As pesquisas demonstram que são necessários cem minutos de inundação (durante a qual apresentam-se, de forma intensa e contínua, situações provocadoras de ansiedade) antes de haver redução da ansiedade.[36] A exposição às vezes ajuda a lidar com o medo e a ansiedade, mas não existem provas de que seja eficaz no caso de culpa e outras emoções complexas.[37]

Se, por um lado, a TCC tem se mostrado eficaz ao tratar de medos irracionais, como a aracnofobia (medo mórbido de aranhas), ela não tem dado tão bons resultados em relação a pacientes traumatizados, sobretudo com os que têm histórico de abuso infantil. Apenas uma entre três vítimas de TEPT que vão até o fim das pesquisas sobre o problema mostra alguma melhora.[38] As que completam o tratamento, em geral, têm menos sintomas de TEPT, porém é raro que a recuperação seja total: a maioria continua com graves problemas de saúde, de bem-estar mental ou dificuldades no trabalho.[39]

No maior estudo publicado sobre a TCC para TEPT, mais de um terço dos pacientes abandonou o tratamento; os demais tiveram um número substancial de reações adversas. A maior parte das mulheres não mostrou melhora alguma três meses depois de iniciado o estudo, e apenas 15% delas deixaram de apresentar sintomas pronunciados de TEPT.[40] Análises rigorosas de todos os estudos científicos sobre a TCC mostram que o método atinge mais ou menos os mesmos resultados quando usado como terapia de apoio.[41] Os resultados mais fracos em tratamento de exposição ocorrem no caso de pacientes que sofrem de "derrota mental" – aqueles que desistiram.[42]

O trauma não é apenas uma questão de se estar preso ao passado, mas também de não se estar plenamente vivo no presente. Uma forma de tratamento de exposição é a terapia de realidade virtual, na qual os veteranos usam óculos que permitem reproduzir a Batalha de Faluja, no Iraque, como se fosse ao vivo. Que eu saiba, os fuzileiros navais se saíram muito bem em combate. O problema é que eles não suportam estar em casa. Estudos recentes com veteranos australianos mostram que o cérebro deles está reconfigurado para se manter alerta em relação a emergências, e não se focar nos pequenos detalhes da vida cotidiana.[43] (O tema será desenvolvido no capítulo 19, sobre neurofeedback.) Mais do que terapia de realidade virtual, esses pacientes precisam de terapia de "mundo real", para que, ao andar no supermercado do bairro ou ao brincar com os filhos sintam-se tão vivos quanto nas ruas de Bagdá.

Os pacientes só se beneficiam ao reviver o trauma quando não se sentem esmagados pela experiência. Um bom exemplo disso é o estudo sobre veteranos do Vietnã do início da década de 1990, que meu colega Roger Pitman fez no começo da década de 1990.[44] Naquela época, eu ia a seu laboratório toda semana, pois estávamos desenvolvendo um estudo sobre opioides em TEPT (capítulo 2). Ele me mostrava os vídeos de suas sessões e discutíamos o que observávamos. Roger e seu grupo faziam os veteranos repetir várias vezes os detalhes de suas experiências no Vietnã, mas os pesquisadores tinham de interromper porque os flashbacks levavam vários pacientes ao pânico, e o pavor com frequência persistia depois das sessões. Alguns nunca voltavam, enquanto muitos dos que continuavam se tornavam mais deprimidos, violentos e amedrontados; outros enfrentavam o agravamento de seus sintomas aumentando o consumo de álcool, o que levava a mais violência e humilhação, já que a família chamava a polícia para levá-los a um hospital.

DESSENSIBILIZAÇÃO

Nas duas últimas décadas, o principal tratamento ensinado aos estudantes de psicologia tem sido alguma forma de dessensibilização sistemática: ajudar os pacientes a se tornarem menos reativos a certas emoções e sensações. Entretanto, será essa a meta correta? Talvez o objetivo não deva ser dessensibilização, mas integração: pôr o evento traumático em seu devido lugar no contexto da vida da pessoa.

A dessensibilização me faz pensar no garotinho de mais ou menos 5 anos que vi pouco tempo atrás em frente da minha casa. O pai, um brutamontes, gritava com ele a plenos pulmões enquanto o menino andava de velocípede na calçada. O menino não lhe dava a menor atenção, e meu coração disparava e eu reprimia a vontade de esmurrar o sujeito. Quanta brutalidade fora necessária para tornar apática uma criança tão pequena em relação à grosseria do pai? Sua indiferença aos gritos dele devia ser resultado de uma prolongada exposição. Mas, eu pensava, a que preço? Sim, podemos tomar medicamentos que embotam nossas emoções ou podemos aprender a nos dessensibilizar. Na faculdade, fomos ensinados a nos concentrar na parte analítica quando tratávamos de crianças com queimaduras de terceiro grau. Todavia, como mostrou o neurocientista Jean Decety, da Universidade de Chicago, a dessensibilização à dor, nossa ou de outras pessoas, tende a levar a um embotamento da sensibilidade emocional.[45]

De acordo com um informe de 2010 sobre 49.425 veteranos do Iraque e do Afeganistão que procuraram a ajuda da AV e tiveram diagnóstico de TEPT, menos de 10% chegaram a completar o tratamento prescrito.[46] Como no caso dos veteranos do Vietnã de Pitman, o tratamento de exposição, tal como praticado na atualidade, raramente funciona. Só podemos processar experiências horrendas se elas não nos esmagarem. O que significa que são necessários outros enfoques.

MEDICAMENTOS PARA ACESSAR O TRAUMA COM SEGURANÇA?

Ainda estudante de medicina, passei o verão de 1966 trabalhando com Jan Bastiaans, professor da Universidade de Leiden, nos Países Baixos, conhecido por tratar sobreviventes do Holocausto com LSD. Bastiaans alegava ter obtido ótimos resultados, mas, quando colegas seus inspecionaram os arquivos, encontraram poucos dados que abonassem essas afirmações. Depois disso, a utilização de substâncias psicoativas no tratamento do trauma foi deixada de lado até 2000, quando Michael Mithoefer e colaboradores, da Carolina do Sul, tiveram permissão da Food and Drug Administration (FDA) para fazer um experimento com a metilenodioximetanfetamina (MDMA) ou *ecstasy*. A MDMA foi classificada como substância controlada em 1985, depois de ter sido usada durante anos como droga "recreativa". Tal como no caso do Prozac e de outros agentes psicotrópicos, não sabemos muito bem como ela atua, mas sabe-se que aumenta as concentrações de vários hormônios importantes, entre os quais a oxitocina, a vasopressina, o cortisol e a prolactina.[47] No tratamento do trauma, o mais relevante é que a MDMA aumenta a percepção que as pessoas têm de si mesmas; são frequentes os relatos de uma sensação ampliada de energia emocional, acompanhada de curiosidade, clareza, confiança, criatividade e comunicação. Mithoefer e seus colegas estavam em busca de uma droga que aumentasse a eficácia da psicoterapia e se interessaram pela MDMA porque ela reduz o medo, a atitude defensiva e a apatia, além de ajudar a acessar experiências interiores.[48] Julgaram que os pacientes permaneceriam dentro da janela de tolerância, de modo que pudessem revisitar suas lembranças traumáticas sem chegar a um estado de alerta fisiológico e emocional acachapante.

Os estudos-piloto iniciais confirmaram essa expectativa.[49] O primeiro deles, com veteranos de combate, bombeiros e policiais que tinham TEPT, alcançaram resultados positivos. No estudo seguinte, com um grupo de vinte vítimas de assalto que não haviam respondido a outras formas de terapia, 12 pacientes receberam MDMA, e oito, um placebo. Sentados ou deitados numa sala confortável, todos eram submetidos a duas sessões de psicoterapia de oito horas, nas quais se utilizava sobretudo a terapia dos sistemas familiares internos (IFS), que abordo no capítulo 17. Dois meses depois, 83% dos pacientes tratados com MDMA e psicoterapia foram considerados completamente curados, contra 25% dos integrantes do grupo do placebo. Nenhum sofreu efeitos colaterais adversos. O mais interessante, talvez, foi que, quando voltaram a ser entrevistados, mais de um ano depois do fim do estudo, eles conservavam os ganhos.

Por serem capazes de observar o trauma no estado calmo e de atenção plena que a IFS chama de self (capítulo 17), a mente e o cérebro estão em condições de integrá-lo no enredo geral da vida, o que difere bastante das técnicas tradicionais de dessensibilização, que embotam a resposta a horrores passados. O que temos na IFS é associação e integração – transformam um acontecimento tenebroso, que destroçou o indivíduo no passado, na lembrança de um fato que aconteceu há muito tempo.

Entretanto, substâncias psicodélicas são agentes poderosos com uma história complicada. Podem facilmente ser usadas de maneira imprópria, se administradas de forma descuidada e fora dos limites terapêuticos. Cabe esperar que o MDMA não seja outra cura mágica tirada da caixa de Pandora.

O QUE DIZER DAS MEDICAÇÕES?

As pessoas sempre se valeram de narcóticos para lidar com o estresse traumático. Cada cultura e cada geração tem suas preferências – gim, vodca, cerveja ou uísque; haxixe ou maconha; cocaína; opioides como a oxicodona; tranquilizantes, entre eles Valium, Xanax [no Brasil, Frontal] e Klonopin [Rivotril]. Quando as pessoas estão desesperadas, fazem qualquer coisa para se sentirem mais calmas e seguras.[50]

A psiquiatria segue essa tradição. Nos anos 2000, nos Estados Unidos, o Departamento de Defesa e o Departamento de Assuntos dos Veteranos gastaram juntos mais de 4,5 bilhões de dólares em antidepressivos, antipsicóticos e ansiolíticos. Em junho de 2010, um relatório interno divulgado pelo Centro Famacoeconômico, do Departamento de Defesa, em Fort Sam Houston, em San Antonio, mostrou que 213.972 pessoas (ou seja, 20% de 1,1 milhão de militares da ativa analisados) estavam tomando algum tipo de psicotrópico: antidepressivos, antipsicóticos, hipnóticos sedativos ou outras substâncias controladas.[51]

Contudo, medicamentos não "curam" o trauma; o que fazem é moderar as expressões de uma fisiologia perturbada. Tampouco ensinam as lições duradouras da autorregulação. Conseguem ajudar a controlar sensações e comportamentos, mas sempre a um preço – porque atuam bloqueando os sistemas químicos que regulam o comprometimento, a motivação, a dor e o prazer. Alguns colegas são otimistas: participo de reuniões em que cientistas sérios buscam uma pílula mágica que, por milagre, haverá de reparar os circuitos do medo do cérebro (como se o estresse traumático envolvesse apenas um único circuito cerebral simples). Também receito medicamentos com frequência.

Praticamente todos os grupos de agentes psicotrópicos já foram utilizados para tratar algum aspecto do TEPT.[52] Os inibidores seletivos da recaptação de serotonina (ISRSs), como Prozac, Zoloft, Effexor [no Brasil, Efexor] e Paxil, foram estudados a fundo e podem tornar as sensações menos intensas e mais controláveis. Pacientes tratados com ISRSs muitas vezes se sentem mais calmos e mais senhores de si. Sentir-se menos oprimido, com frequência, facilita a participação na terapia. Outros se sentem embotados por essa classe de medicamentos – dizem estar "perdendo o pique". Entendo isso como uma questão empírica: vamos ver o que dá certo, e só o paciente pode dizer. Por outro lado, se um ISRS não funciona, vale a pena tentar outro, pois todos eles têm efeitos ligeiramente diferentes. É curioso que os ISRSS sejam muito usados para tratar a depressão; num estudo em que comparamos o Prozac com a dessensibilização e reprocessamento por movimentos oculares (EMDR) para o tratamento de pessoas com TEPT, muitas delas também deprimidas, a EMDR mostrou ser um antidepressivo bem mais eficaz do que o Prozac.[53] Voltaremos ao tema no capítulo 15.[54]

Fármacos que têm como alvo o sistema nervoso autônomo, como o propranolol e a clonidina, podem ajudar a diminuir o estado hiperalerta ou a reatividade ao estresse.[55] Remédios dessa família bloqueiam os efeitos físicos da adrenalina, o combustível do alerta, e assim reduzem os pesadelos, a insônia e a reatividade aos desencadeadores do trauma.[56] Bloquear a adrenalina pode contribuir para manter conectado o cérebro racional e possibilitar escolhas: "Será que quero fazer isso mesmo?" Desde que a atenção plena e a ioga passaram a integrar minha prática, uso esses medicamentos com menos frequência, apenas para ajudar os pacientes a dormir melhor.

Pacientes de transtorno de estresse pós-traumático costumam gostar de medicamentos tranquilizantes, benzodiazepinas como Klonopin, Valium, Xanax e Ativan [no Brasil, Lorax]. Em vários sentidos, eles agem como o álcool, já que fazem as pessoas se sentirem mais calmas e afastam suas preocupações. (Os cassinos adoram clientes que tomam benzodiazepinas: não se perturbam ao perder e continuam jogando.) Entretanto, como o álcool, esses remédios diminuem as inibições que nos impedem de magoar pessoas que amamos. A maior parte dos médicos civis reluta em receitá-los, pois eles têm um alto potencial para criar dependência e podem também interferir no processamento do trauma. Pacientes que deixam de tomá-los depois de uso prolongado, em geral, têm reações de abstinência manifestas em agitação e no aumento dos sintomas pós-traumáticos.

Às vezes prescrevo a meus pacientes doses baixas de benzodiazepinas para serem utilizadas quando necessário, mas não todos os dias. Eles têm de escolher quando consumir seu precioso suprimento, e peço-lhes que mantenham um diário e registrem o que ocorre quando decidem tomar o comprimido. Assim, temos a oportunidade de conversar sobre os incidentes que levaram à decisão de usar o medicamento.

Alguns estudos demonstraram que anticonvulsivantes e estabilizadores de humor, como o lítio ou o valproato, podem ter efeitos ligeiramente positivos, amenizando o estado hiperalerta e o pânico.⁵⁷ Os chamados agentes antipsicóticos de segunda geração, como Risperdal e Seroquel, os medicamentos psiquiátricos mais vendidos nos Estados Unidos (14,6 bilhões de dólares em 2008), são os mais polêmicos. Em doses baixas, podem ser úteis para acalmar veteranos de combate e mulheres com TEPT decorrente de abuso na infância.⁵⁸ Seu uso às vezes se justifica, por exemplo, quando os pacientes se sentem inteiramente descontrolados e incapazes de dormir, ou quando outros métodos não deram resultados.⁵⁹ Contudo, é importante ter em mente que esses remédios atuam bloqueando o sistema de dopamina, o motor do prazer e da motivação.

Medicamentos antipsicóticos como Risperdal, Abilify e Seroquel amortecem bastante o cérebro emocional e, assim, tornam os pacientes menos nervosos ou furiosos, mas também interferem na capacidade de apreciar sinais sutis de prazer, perigo ou satisfação. Também podem levar a ganho de peso, aumentar a possibilidade de desenvolver diabetes e tornar os pacientes fisicamente inertes, o que tende a agravar a sensação de alienação. Tais drogas têm amplo emprego no trato de crianças vítimas de abusos que receberam um diagnóstico equivocado de transtorno bipolar ou de transtorno de desregulação de humor. Mais de meio milhão de crianças e adolescentes nos Estados Unidos toma hoje antipsicóticos para manter a calma; no entanto, também interferem em competências de aprendizado compatíveis com a idade e na capacidade de fazer amizade com pessoas de sua faixa etária.⁶⁰ Um estudo recente da Universidade Columbia verificou que o número de receitas desses remédios para crianças de 2 a 5 anos com planos de saúde privados dobrou entre 2000 e 2007.⁶¹ Apenas 40% delas haviam recebido uma avaliação adequada de saúde mental.

Até perder sua patente, o laboratório farmacêutico Johnson & Johnson distribuía entre psiquiatras pediátricos blocos de Lego com o nome Risperdal para as salas de espera. Crianças de famílias de baixa renda têm quatro vezes mais probabilidade de receber antipsicóticos do que as com planos de saúde privados. Em apenas um ano, o Medicaid gastou no estado do Texas 96 milhões de dólares com esses remédios prescritos a adolescentes e crianças – entre os quais três bebês com menos de 1 ano.⁶² Não existem estudos sobre os efeitos de psicotrópicos sobre o cérebro em desenvolvimento. Em geral, não há qualquer melhora nos quadros de dissociação, automutilação, fragmentação de memórias e amnésia.

Um estudo sobre o Prozac (capítulo 2) descobriu que civis traumatizados costumam responder muito melhor a medicações do que veteranos de combate.[63] Desde então, outros apontaram discrepâncias semelhantes. Diante disso, causa preocupação que o Departamento de Defesa e a AV prescrevam enormes quantidades de medicamentos a soldados de combate e a veteranos, muitas vezes sem lhes proporcionar outras formas de terapia. Entre 2001 e 2011, a AV desembolsou cerca de 1,5 bilhão de dólares em Seroquel e Risperdal, enquanto a Defesa gastou cerca de 90 milhões no mesmo período, muito embora um documento de pesquisa publicado em 2001 mostrasse que o Risperdal não era mais eficaz do que um placebo no tratamento do TEPT.[64] Do mesmo modo, entre 2001 e 2012, a AV gastou 72,1 milhões, e a Defesa, 44,1 milhões em benzodiazepinas[65] – fármacos que os clínicos evitam receitar para civis com TEPT devido a seu potencial de dependência e à ausência de eficácia significativa para sintomas desse transtorno.

O CAMINHO DA RECUPERAÇÃO É A ESTRADA DA VIDA

No primeiro capítulo, falei de Bill, um paciente que conheci há mais de trinta anos na AV. Ele se tornou um de meus pacientes-mestres de longa data, e nossa ligação é também a história de minha evolução no tratamento do trauma.

Bill servira como paramédico no Vietnã em 1967-71 e, depois que voltou para os Estados Unidos, quis aproveitar as qualificações que adquirira no Exército numa unidade de queimados de um hospital em Boston. O trabalho de enfermagem o deixava arrasado, explosivo e muito tenso, mas ele não fazia ideia de que essas manifestações tivessem alguma coisa a ver com o que ele vivera na guerra. Afinal, o diagnóstico de TEPT ainda não existia, e os irlandeses da classe operária de Boston não consultavam psiquiatras. Os pesadelos e a insônia de Bill melhoraram um pouco depois que ele deixou a enfermagem e se matriculou num seminário para se tornar pastor. Mas ele só procurou ajuda após o nascimento de seu primeiro filho, em 1978.

O choro do bebê provocava flashbacks incessantes, nos quais através da visão, da audição e do olfato ele revivia cenas de crianças queimadas e mutiladas. Estava tão descontrolado que alguns colegas na AV queriam interná-lo para tratar o que consideravam ser uma psicose. No entanto, quando começamos a trabalhar juntos e ele passou a se sentir em segurança comigo, aos poucos pôs-se a falar do que tinha visto no Vietnã e a suportar seus sentimentos sem se sentir destroçado. Voltou a se concentrar em sua família e decidiu concluir a formação como pastor. Dois anos depois, tinha sua paróquia e demos nosso trabalho por encerrado.

Não tivemos mais contato até o dia em que ele me telefonou, exatos 18 anos depois do primeiro encontro. Apresentava os mesmos sintomas que tivera quando do nascimento do bebê – flashbacks, pesadelos terríveis, sensação de que estava enlouquecendo. O ex-bebê acabara de completar 18 anos e Bill o acompanhara para fazer o alistamento militar – na mesma unidade que o despachara para o Vietnã. A essa altura, eu sabia muito mais sobre o tratamento do estresse traumático, e Bill e eu lidamos com suas lembranças específicas da guerra – as imagens, os sons e os cheiros –, detalhes que o pavor o fizera não querer recordar na época em que nos conhecemos. Podíamos agora integrar essas lembranças com a EMDR, de modo que se tornassem histórias do que ocorrera havia muito tempo, em vez de viagens instantâneas para o inferno do Vietnã. Assim que se sentiu mais estável, ele quis lidar com sua infância: a criação brutal e a culpa por, ao se alistar para o Vietnã, ter deixado o irmão menor, esquizofrênico, desprotegido contra as explosões violentas do pai.

Outro tema importante em nossas sessões era a dor que Bill enfrentava como pastor – ter de enterrar adolescentes mortos em acidentes de carro, poucos anos depois de batizá-los, ou ver casais que ele unira em matrimônio procurá-lo de novo em crises desencadeadas por violência doméstica. Ele criou um grupo de apoio para outros líderes religiosos que enfrentavam problemas semelhantes, e tornou-se um elemento importante em sua comunidade.

O terceiro tratamento de Bill começou cinco anos depois, quando surgiu uma grave doença neurológica. Estava com 53 anos e, de repente, começou a apresentar episódios de paralisia em várias partes do corpo. Já começava até a aceitar a ideia de que talvez viesse a depender de uma cadeira de rodas pelo resto da vida. Imaginei que seus problemas pudessem advir de esclerose múltipla, mas os neurologistas não encontravam lesões específicas e declararam não haver cura para seu estado. Bill me disse que estava muito grato pelo apoio da mulher, que já providenciara a construção de uma rampa na entrada da cozinha.

Em vista de seu prognóstico, recomendei-lhe que procurasse um meio de aceitar plenamente as penosas sensações físicas, da mesma forma como aprendera a suportar as dolorosas lembranças da guerra e conviver com elas. Sugeri que telefonasse para um fisioterapeuta que tinha me apresentado o método Feldenkrais, um enfoque suave para a reabilitação de sensações físicas e movimentos musculares. Quando Bill me ligou para dizer como vinha se sentindo, estava encantado com a melhora de seu senso de controle. Contei-lhe que, pouco antes, eu mesmo começara a fazer ioga e que tínhamos acabado de abrir um programa de ioga no Trauma Center. Convidei-o a explorar essa técnica como passo seguinte.

Bill entrou para uma turma de ioga Bikram, uma técnica cansativa, em geral reservada a pessoas jovens e cheias de energia. Sentiu-se bem com ela, embora certas posturas o obrigassem a interromper as sessões. Apesar da deficiência física, ganhou uma sensação de prazer e domínio corporal que nunca sentira até então.

O tratamento psicológico de Bill o ajudara a deixar para trás as horrendas experiências do Vietnã. Naquele momento, cuidar do corpo estava evitando que ele organizasse a vida em torno da perda do controle físico. Resolveu fazer um curso de instrutor de ioga e começou a dar aulas numa unidade do Exército para veteranos que voltavam do Iraque e do Afeganistão.

Hoje, dez anos depois, Bill segue levando uma vida ativa, com os filhos e netos, o trabalho com os veteranos e a igreja. Enfrenta suas limitações físicas como um simples estorvo. Já deu aulas de ioga para mais de 1.300 veteranos. Ainda sofre da súbita fraqueza nas pernas e braços que exige que ele se sente ou deite. Entretanto, como suas lembranças da infância e do Vietnã, esses problemas não dominam sua existência. São apenas parte da história de sua vida.

14
LINGUAGEM: MILAGRE E TIRANIA

Expressa teu sofrimento! A dor sufocada em teu peito machuca teu coração até dilacerá-lo.

William Shakespeare, *Macbeth*

Mal suportamos olhar. A sombra pode levar o melhor da vida que não vivemos. Desça ao porão, suba ao sótão, vá ao quarto de despejo. Ache ouro ali. Ache um animal a quem não deram comida ou água. Você! Esse animal negligenciado, faminto de atenção, é parte de seu ser.

Marion Woodman (citada por Stephen Cope em *The Great Work of Your Life*)

Em setembro de 2001, diversas organizações, entre as quais os Institutos Nacionais de Saúde, o laboratório Pfizer e a New York Times Company Foundation, criaram grupos de peritos para recomendar os melhores tratamentos para pessoas traumatizadas pelos ataques ao World Trade Center. Como muitas intervenções relacionadas ao trauma nunca haviam sido avaliadas com rigor por várias comunidades (ao contrário de pacientes que buscam ajuda psiquiátrica), achei que aquela seria uma excelente oportunidade para comparar as diversas abordagens. Meus colegas foram mais conservadores, e, depois de longos debates, as comissões recomendaram apenas duas formas de tratamento: a terapia de orientação psicanalítica e a terapia cognitivo-comportamental. Por que a terapia analítica pela palavra? Como Manhattan é um dos últimos redutos da psicanálise freudiana, seria um erro político excluir uma parcela substancial dos profissionais locais da saúde mental. Por que a TCC? Como esse tratamento pode ser decomposto em passos concretos e "manualizados" em protocolos uniformes, é o predileto dos pesquisadores acadêmicos, outro grupo que não podia ser ignorado. Aprovadas as recomendações, ficamos à espera de que os nova-iorquinos buscassem os consultórios dos terapeutas. Quase ninguém apareceu.

O dr. Spencer Eth, que dirige o departamento de psiquiatria do hoje extinto St. Vincent's Hospital, em Greenwich Village, ficou intrigado: onde os sobreviventes tinham procurado ajuda? No começo de 2002, auxiliado por alguns estudantes de medicina, ele fez um estudo com 225 pessoas que haviam conseguido fugir das Torres Gêmeas. Indagados sobre o que fora mais útil para superar os efeitos daquela experiência, os sobreviventes citaram acupuntura, massagem, ioga e EMDR, nessa ordem.[1] Entre os socorristas, as massagens foram a solução preferencial. A pesquisa de Eth leva a crer que as intervenções mais úteis se concentravam em aliviar os problemas físicos gerados pelo trauma. A disparidade entre as escolhas dos sobreviventes e as recomendações dos especialistas é curiosa. É evidente que não sabemos quantos acabaram procurando terapias mais tradicionais. No entanto, o evidente desinteresse pela terapia pela palavra suscita uma pergunta fundamental: até que ponto vale a pena conversar sobre o trauma?

A VERDADE INEXPRIMÍVEL

Terapeutas confiam cegamente na capacidade da palavra para curar o trauma. Essa confiança remonta a 1893, quando Freud e seu mentor, Breuer, escreveram que o trauma

> desaparecia de forma imediata e permanente quando conseguíamos trazer à luz, claramente, a memória do fato que o provocara

e despertar seu afeto concomitante, e quando o paciente descrevia aquele fato com o máximo possível de detalhes e expressava o afeto em palavras.[2]

Infelizmente, as coisas não são tão simples. Para qualquer pessoa, não apenas os acometidos de TEPT, é quase impossível expressar os eventos traumáticos em palavras. As marcas iniciais dos acontecimentos do 11 de Setembro não foram histórias, mas imagens: gente em pânico correndo pelas ruas, com o rosto coberto de cinza; um jato comercial chocando-se contra a Torre Um; pontinhos ao longe que eram pessoas saltando do edifício. Essas imagens foram reproduzidas repetidas vezes, em nossa mente e na tela da TV, até o prefeito Giuliani e os meios de comunicação nos ajudarem a criar uma narrativa que podíamos dividir uns com os outros.

Em *Os sete pilares da sabedoria*, T. E. Lawrence falou sobre suas experiências de guerra:

> Descobrimos que havia dores desmedidamente cruciantes, sofrimentos demasiado profundos, êxtases sublimes demais para serem registrados por nossos seres finitos. Quando a emoção alcançava esse nível, a mente se sufocava; e a memória se obliterava até as circunstâncias se tornarem de novo triviais.[3]

Embora o trauma nos deixe mudos, saímos dele por um caminho pavimentado de palavras, reunidas aos poucos, com cuidado, até que a história possa ser revelada.

A QUEBRA DO SILÊNCIO

Na primeira campanha pela conscientização do problema da aids, os ativistas criaram um slogan forte: "Silêncio = Morte". O silêncio em relação ao trauma também leva à morte – a morte da alma. O silêncio reforça o isolamento do trauma. Ser capaz de dizer a outro ser humano, em alto e bom som, "Fui estuprada" ou "Meu marido me espancou" ou "Meus pais diziam que era disciplina, mas eram maus-tratos" ou "Não consigo transar desde que voltei do Iraque" é um sinal de que a cura pode começar.

Podemos pensar que somos capazes de controlar o sofrimento, o terror ou a vergonha mantendo silêncio, mas dar nome às coisas abre a possibilidade de um tipo diferente de controle. No *Gênesis*, o primeiro ato de Adão, quando o reino animal fica a seus cuidados, é dar nome a todas as criaturas vivas.

Se você foi magoado, precisa admitir o que lhe aconteceu e dar um nome a isso. Falo por experiência própria: enquanto não houve espaço para que eu pudesse admitir o que senti quando meu pai me prendeu no porão de casa por vários erros que cometi, aos 3 anos, permaneci preocupado com a possibilidade de ser exilado e abandonado. Só quando pude falar sobre o que o garotinho tinha sentido, só quando fui capaz de perdoá-lo por ser tão medroso e submisso, foi que comecei a desfrutar do prazer de minha própria companhia. Sentir que somos ouvidos e compreendidos muda nossa fisiologia; poder articular um sentimento complexo e ter nossos sentimentos reconhecidos ilumina nosso cérebro límbico e cria um "momento de triunfo". Por outro lado, ser recebido com silêncio e incompreensão mata o espírito. Ou, como John Bowlby expressou com muita felicidade, "o que não pode ser dito ao outro não pode ser dito a si mesmo".

Se você esconde de você que um tio o molestou na infância, está sujeito a reagir como um animal durante uma trovoada: com uma resposta de corpo inteiro aos hormônios que sinalizam "perigo". Sem linguagem e contexto, sua percepção pode se restringir a "Estou com medo". No entanto, decidido a manter o controle, é provável que evite qualquer pessoa ou qualquer coisa que lhe recorde, ainda que de maneira vaga, seu trauma. Você também pode se alternar entre a inibição e o nervosismo, ou entre a reação e a explosão – sempre sem saber por quê.

Enquanto mantiver segredos e reprimir informações, você estará, basicamente, em guerra consigo mesmo. Esconder os sentimentos mais profundos consome uma energia gigantesca, exaure a motivação para buscar metas e provoca sentimentos de enfado e bloqueio. Ao mesmo tempo, hormônios do estresse inundam seu corpo, provocando dores de cabeça e dores musculares, problemas intestinais ou sexuais – além de comportamentos irracionais que talvez venham a lhe causar embaraço e magoar outras pessoas. Só depois de identificar a fonte dessas reações é que você conseguirá usar suas sensações como sinais de problemas que requerem atenção urgente.

Desprezar sua realidade interior também corrói seu senso de self, de identidade e de objetivo. A psicóloga clínica Edna Foa criou, com colaboradores, o Inventário de Cognições Pós-Traumáticas para avaliar o que os pacientes pensam de si mesmos.[4] Os sintomas de TEPT com frequência incluem declarações como "Eu me sinto morto por dentro", "Nunca mais serei capaz de sentir emoções normais de novo", "Mudei para pior, e para sempre", "Eu me sinto um objeto, não uma pessoa", "Não tenho futuro nenhum", "É como se eu não me conhecesse mais".

O fundamental é permitir-se saber o que se sabe. No livro *What It Is Like to Go to War* (Como é ir para a guerra), Karl Marlantes, veterano do Vietnã, luta com suas lembranças de integrar uma competente e destacada unidade de combate dos fuzileiros navais, enfrentando a terrível cisão que descobriu dentro de si:

> Durante anos, não percebi a necessidade de curar aquela cisão, e não houve ninguém, depois que voltei, que chamasse minha atenção para isso [...]. Por que supus que existisse uma única pessoa dentro de mim? [...]. Há uma parte de mim que simplesmente adora mutilar, matar e torturar. Essa parte de mim não sou eu inteiro. Tenho outros elementos que, na verdade, são o exato oposto disso, e dos quais me orgulho. Então, sou um assassino? Não, mas parte de mim é. Sou um torturador? Não, mas parte de mim é. Sinto horror e tristeza ao ler no jornal que uma criança foi vítima de maus-tratos. Sinto. Mas será que fico fascinado?[5]

Marlantes diz que sua trajetória para a recuperação exigiu aprender a dizer a verdade, mesmo quando era brutalmente dolorosa.

A morte, a destruição e a amargura precisam ser o tempo todo justificadas se não houver um sentido que dê conta do sofrimento. A ausência desse sentido preponderante leva a inventar, mentir, preencher o vazio de significado.[6]

> Eu nunca fui capaz de dizer a alguém o que se passava dentro de mim. Por isso reprimi essas imagens, afastei-as, durante anos. Só comecei a reintegrar aquela parte cindida de minha experiência depois que me pus a imaginar aquele garoto como um garoto, talvez meu filho. Foi então que surgiu essa tristeza imensa – e a cura. Integrar à ação os sentimentos de tristeza, de raiva e tudo o mais deveria ser o

procedimento operacional padrão para todos os soldados que já mataram alguém. Não é preciso nenhuma formação psicológica sofisticada. Basta formar grupos dirigidos por um camarada da companhia ou do pelotão que tenha passado por alguns dias de treinamento como líder de um grupo e estimular as pessoas a falar.[7]

Ver o próprio terror em perspectiva e dividir essa visão com outros pode restabelecer a sensação de que você faz parte da espécie humana. Depois que os veteranos do Vietnã de quem tratei participaram de um grupo de terapia em que podiam dividir as atrocidades que tinham visto e cometido, conseguiram começar a abrir o coração para as namoradas.

O MILAGRE DA AUTODESCOBERTA

Descobrir o self com palavras é sempre uma epifania, embora encontrar as palavras para descrever a realidade interior possa ser um processo aflitivo. É por isso que considero tão fascinante o relato de Helen Keller a respeito de como ela "nasceu para a linguagem".[8]

Quando Helen estava com 19 meses e começava a falar, uma infecção viral tirou-lhe a visão e a audição. Cega, surda e muda, essa criança linda e ativa se transformou numa criatura indócil e isolada. Depois de cinco anos de desespero, sua família convidou como preceptora da menina uma professora parcialmente cega, Anne Sullivan. Anne se mudou de Boston para a casa deles na zona rural do Alabama e logo começou a ensinar à menina o alfabeto manual, escrevendo palavras em sua mão, letra a letra. Foram necessárias dez semanas de tentativas de conexão com a criança selvagem antes que ocorresse o grande salto, que aconteceu quando Anne escreveu *água* numa das mãos de Helen enquanto mantinha a outra sob a bomba d'água.

Mais tarde, Helen relembrou aquele momento em *A história de minha vida*:

Água! Aquela palavra sacudiu minha alma, que despertou, cheia do espírito da manhã [...]. Até aquele dia, minha vida fora um cômodo às escuras, esperando que nele entrassem palavras que acendessem a lâmpada, que é o pensamento. Aprendi muitas, muitas palavras naquele dia.

Aprender os nomes das coisas possibilitou à criança não só criar uma representação interior da realidade física invisível e inaudível que a rodeava, como encontrar a si própria: seis meses depois, ela já empregava o pronome da primeira pessoa: "eu".
Essa história lembra a das crianças vítimas de violência sexual, recalcitrantes e não comunicativas que vemos nos programas de tratamento residencial. Antes de ter acesso à linguagem, Helen era desnorteada e autocentrada. Revendo seu passado, ela chamou aquela criatura de "Fantasma". Com efeito, nossas crianças se comportam como fantasmas até descobrirem quem são e se sentirem seguras a ponto de comunicar o que ocorre com elas.
Num livro posterior, *The World I Live In* (O mundo em que vivo), Helen Keller descreveu mais uma vez sua transformação:

Antes da chegada de minha professora, eu não sabia que eu existia. Vivia num mundo que era um não mundo [...]. Não tinha vontade nem intelecto [...]. Lembro de tudo isso não porque soubesse que era assim, mas porque tenho memória tátil. Ela me permite lembrar que eu nunca contraía a testa ao pensar.[9]

As lembranças "táteis" de Helen – memórias baseadas apenas no tato – não podiam ser compartilhadas. Entretanto, a linguagem lhe abriu a possibilidade de participar de uma comunidade. Aos 8 anos, quando foi com Anne para o Instituto Perkins de Cegos, em Boston (onde a própria Anne recebera formação), Helen pôde, pela primeira vez, se comunicar com outras crianças: "Ah, que felicidade!", escreveu. "Conversar livremente com outras crianças! Sentir-se em casa com o mundo tão vasto!"
Sua descoberta da linguagem, com a ajuda de Anne Sullivan, capta a essência de uma relação terapêutica: encontrar palavras onde antes elas faltavam e, assim, conseguir dividir as dores e os sentimentos mais profundos com outro ser humano. Uma das experiências mais significativas que podemos ter, essa ressonância, na qual palavras até então não emitidas podem ser descobertas, pronunciadas e recebidas, é fundamental para curar o isolamento do trauma – sobretudo se outras pessoas em nossa vida nos

ignoraram ou silenciaram. Comunicar-se plenamente é o oposto de estar traumatizado.

CONHECER A SI MESMO OU CONTAR SUA HISTÓRIA? NOSSO SISTEMA DUPLO DE PERCEPÇÃO

Toda pessoa que começa uma terapia pela palavra se confronta quase de imediato com as limitações da linguagem. Foi o que aconteceu em minha própria psicanálise. Embora eu fale com facilidade e seja capaz de narrar histórias interessantes, logo compreendi a dificuldade em perceber de maneira profunda meus sentimentos e, ao mesmo tempo, relatá-los a outra pessoa. Em contato com os momentos mais íntimos, dolorosos ou desconcertantes, muitas vezes eu era obrigado a escolher: ou me concentrava em reviver antigas cenas e me permitia perceber o que tinha sentido naquele tempo, ou dizia a meu analista, com lógica e coerência, o que havia acontecido. Se escolhia esse segundo caminho, perdia o contato comigo e passava a me focar na opinião *dele* sobre o que eu estava lhe dizendo. O menor sinal de dúvida ou avaliação me silenciava, e eu transferia a atenção para reconquistar sua aprovação.

Desde então, a neurociência constatou que temos duas formas de autopercepção: uma que rastreia o self no tempo, outra que mantém contato com o self no momento presente. A primeira, nosso self autobiográfico, cria conexões entre experiências e as reúne numa história coerente. Esse sistema tem raízes na linguagem. Nossas narrativas mudam com a narração, assim como nossa perspectiva se modifica quando incorporamos novas informações.

O outro sistema, a autopercepção de momento a momento, se baseia sobretudo em sensações físicas, mas, se nos sentimos em segurança e não nos precipitamos, encontramos palavras para comunicar também essa experiência. Essas duas formas de conhecimento se localizam em diferentes partes do cérebro, praticamente separadas uma da outra.[10] Só o sistema dedicado à autopercepção, com base no córtex pré-frontal medial, pode mudar o cérebro emocional.

Nos grupos de veteranos que eu coordenava, às vezes percebia esses dois sistemas trabalhando juntos. Os soldados narravam histórias tétricas de morte e destruição, mas eu notava que era habitual que seus corpos transmitissem uma sensação de orgulho e espírito de equipe. Da mesma forma, muitos pacientes elogiam as famílias felizes nas quais foram criados enquanto encolhem o corpo e falam em tom ansioso e tenso. Um sistema cria histórias para consumo público, e, se narramos essa história com frequência, é provável que passemos a acreditar nela. O outro sistema, porém, registra uma verdade diferente: a maneira como vemos essa situação dentro de nós. É este que precisa ser conectado, acolhido e reconhecido.

Há pouco tempo, eu e um grupo de residentes de psiquiatria do hospital da Universidade de Medicina de Boston, onde leciono, entrevistamos uma mulher com epilepsia do lobo temporal, em avaliação depois de uma tentativa de suicídio. Os residentes fizeram as perguntas convencionais sobre os sintomas, a medicação que estava tomando, sua idade quando foi diagnosticada, o que a levara a tentar se matar. Ela respondia num tom distante e automático: tinha 5 anos quando sua doença fora diagnosticada. Perdera o emprego, mas reconhecia que havia se desinteressado pelo trabalho. Sentia-se inútil. Não sei por que um residente lhe indagou se tinha sido vítima de abuso sexual. A pergunta me surpreendeu, pois ela não nos dera indício algum de que tivesse problemas de ordem sexual, e fiquei pensando que talvez aquela indagação apontasse para algum plano pessoal de pesquisa.

A história que a paciente contou não explicava por que ela desmoronara depois de perder o emprego. Perguntei-lhe o que a garota de 5 anos tinha sentido ao ouvir que havia algo errado em seu cérebro. A pergunta a obrigou a refletir, como se não tivesse uma resposta preparada de antemão. Com a voz bem mais baixa, ela nos contou que a pior parte de seu diagnóstico foi que, depois de revelado, seu pai não quis mais saber dela: "Ele só me enxergava como uma menina defeituosa." Ninguém tinha lhe dado apoio, ela disse, de modo que teve basicamente de se virar sozinha.

Perguntei-lhe então como se sentia agora em relação àquela garotinha que, com um diagnóstico recente de epilepsia, fora largada por conta própria. Em vez de chorar por causa de sua solidão ou de enfurecer-se pela falta de apoio, ela exclamou com veemência: "Ela era burra, chorona e dependente. O que devia ter feito era encarar as dificuldades e lutar por seus direitos." Essa exaltação vinha, é óbvio, da parte dela que tentara enfrentar os percalços com coragem, e refleti que era provável que esse enfrentamento a tivesse ajudado a sobreviver. Pedi-lhe que deixasse a menina abandonada contar como se sentira com a doença agravada pela rejeição da família. Ela começou a soluçar e se manteve em silêncio durante muito tempo, até que por fim disse: "Não, ela não merecia aquilo. Ela devia ter sido apoiada, alguém devia ter cuidado dela." Então mudou de atitude e me expôs, orgulhosa, seus feitos: tudo o que havia realizado, apesar daquela falta de apoio. A história pública e a vivência interior tinham, enfim, se encontrado.

O CORPO É A PONTE

As histórias contadas sobre o trauma reduzem o isolamento criado por ele e proporcionam uma *explicação* para o sofrimento das pessoas. Permitem aos médicos fazer diagnósticos, permitindo-lhes abordar problemas como insônia, raiva, pesadelos ou apatia. As histórias também oferecem às pessoas um alvo onde lançar a culpa. Culpar alguém ou alguma coisa é um traço humano universal que as ajuda a se sentirem bem quando estão mal, ou, como dizia meu antigo professor Semrad, "o ódio faz o mundo girar". Entretanto, as histórias também obscurecem um fato importante: o trauma muda radicalmente as pessoas. Na verdade, elas não são mais "elas mesmas".

É dificílimo expressar em palavras a sensação que uma pessoa pode ter de já não ser ela própria. A linguagem surgiu sobretudo para indicar coisas concretas e falar sobre elas, não para comunicar nossas sensações interiores, nossa interioridade. (Além disso, o centro de linguagem, no cérebro, se localiza fisicamente o mais distante possível da área mediante a qual percebemos nosso self.) Em geral, é mais fácil descrever outra pessoa do que falar de nós mesmos. Certa vez escutei Jerome Kagan, psicólogo de Harvard, dizer: "A tarefa de relatar a maior parte das experiências particulares pode ser comparada à de uma pessoa que desce por um poço profundo, calçando luvas grossas de couro, para pegar pecinhas frágeis de cristal."[11]

Podemos superar a dificuldade com as palavras mobilizando o sistema de autopercepção do self, auto-observador e baseado no corpo, que fala por sensações, tom de voz e tensões corporais. A capacidade de perceber sensações viscerais é o verdadeiro fundamento da consciência emocional.[12] Se um paciente diz que tinha 8 anos quando o pai abandonou a família, costumo parar e pedir que se pergunte: o que acontece em seu íntimo quando ele me fala daquele menino que nunca mais viu o pai? Onde aquele abandono ficou registrado em seu corpo? Ao ativar suas sensações viscerais e escutar seu coração partido – quando você segue os caminhos interoceptivos que levam a seus recessos mais recônditos –, as coisas começam a mudar.

ESCREVENDO PARA VOCÊ MESMO

Há outros meios de ter acesso ao mundo interno de sensações. Um dos mais eficazes é a escrita. Quem já não abriu o coração em mensagens coléricas, acusadoras, lastimosas ou tristes depois de ser traído ou abandonado? Quase sempre essa reação leva a sentir-se melhor, mesmo que a mensagem nunca seja enviada. Quando você escreve para si mesmo, não precisa se preocupar com o julgamento de outras pessoas – ouve os próprios pensamentos e deixa que o fluxo deles assuma o comando. Mais tarde, relendo o que escreveu, muitas vezes descobre verdades surpreendentes.

Como membros da sociedade, espera-se que sejamos "reservados" em nossas interações cotidianas e que subordinemos os sentimentos à tarefa em execução. Ao conversamos com alguém com quem não nos sentimos em total segurança, nosso editor social assume a atitude de alerta vermelho e ficamos em guarda. Escrever é diferente. Se pedir a seu editor que o deixe a sós por algum tempo, sairão coisas que você nem imaginava que existiam. Você está livre para entrar num transe no qual sua caneta (ou seu teclado) parece canalizar tudo o que borbulha e jorra do interior. Você pode conectar essas partes auto-observadoras e narrativas de seu cérebro sem se preocupar com a recepção que terá.

Na chamada escrita livre, você pode utilizar qualquer objeto – seu teste de Rorschach, por exemplo – para penetrar numa corrente de associações. Escreva a primeira ideia que lhe vier à cabeça enquanto fita um objeto e continue sem parar, sem reler ou riscar nada que tenha escrito. Uma colher de pau na bancada da cozinha pode trazer lembranças de quando você fazia molho de tomate com sua avó – ou de quando era surrado, em criança. O bule de chá que vem passando de geração a geração pode levá-lo aos cantos mais longínquos de sua mente, a entes queridos que você perdeu ou a festas de família que misturavam amor e conflito. Logo emergirá uma imagem, depois uma recordação, e aí um parágrafo para registrá-la. Tudo o que aparecer no papel será uma manifestação de associações singularmente suas.

É frequente que meus pacientes tragam fragmentos de textos e desenhos sobre memórias que eles talvez não estejam prontos para discutir. Ler o conteúdo em voz alta pode ser massacrante, mas eles querem que eu esteja a par daquilo contra o que lutam. Afirmo apreciar a coragem que mostram ao se permitirem explorar partes de sua vida até então ocultas e ao me confiarem tais revelações. Essas comunicações exploratórias orientam meu plano de tratamento – ajudando-me, por exemplo, a decidir se acrescento processamento somático, neurofeedback ou EMDR ao trabalho em andamento.

Que eu saiba, o primeiro teste sistemático do poder da linguagem para aliviar o trauma teve lugar em 1986, quando James Pennebaker transformou sua aula de introdução à psicologia da Universidade do Texas, em Austin, num laboratório experimental. Ele abriu os trabalhos com um saudável respeito pela importância da inibição, de guardar coisas para si mesmo, o que, em seu entender, era a argamassa da civilização.[13] No entanto, também considerava que as pessoas pagam um preço elevado ao tentar fingir que não veem o elefante na sala.

Pennebaker começou pedindo a cada estudante que apontasse uma experiência pessoal que considerasse estressante ou traumática. Em seguida, dividiu a turma em três grupos: um escreveria sobre o que estava ocorrendo na vida naquele momento; o segundo exporia os pormenores do fato traumático ou estressante; o terceiro narraria os fatos do episódio, comentaria seus sentimentos e emoções em relação a ele e o impacto que esse evento tinha exercido. Em quatro dias consecutivos, todos os estudantes escreveram durante quinze minutos, sozinhos, num cubículo no prédio da psicologia.

Os estudantes levaram o estudo a sério, e vários se referiram a segredos que nunca haviam revelado. Alguns choravam ao escrever, e muitos confidenciaram a assistentes do curso que tinham ficado muito envolvidos com essas experiências. Entre os duzentos participantes, 65 escreveram sobre um trauma de infância. Embora a morte de um membro da família fosse o tópico mais constante, 22% das moças e 10% dos rapazes relataram um trauma de cunho sexual antes dos 17 anos.

Os pesquisadores interrogaram os estudantes sobre sua saúde e se surpreenderam com a frequência com que eles espontaneamente relatavam histórias de problemas, graves ou não: câncer, hipertensão arterial, úlceras, gripe e dores de ouvido.[14] Os que relatavam uma experiência sexual traumática na infância haviam sido hospitalizados durante uma média de 1,7 dia no ano anterior – quase o dobro dos demais.

A equipe, então, comparou o número de visitas que os participantes tinham feito ao centro de saúde estudantil durante o mês anterior ao estudo com o número de visitas no mês que se seguiu à pesquisa. O grupo que escrevera sobre os fatos e as emoções relacionadas com seus traumas foi o que, claramente, mais se beneficiou: seus integrantes apresentavam uma queda de 50% em visitas a médicos em comparação aos outros dois grupos. Escrever sobre ideias e sensações dos traumas havia melhorado o humor deles e os levado a uma atitude mais otimista, além de melhor saúde física.

Quando se pediu que avaliassem o estudo, os estudantes deram ênfase à maneira como ele aumentara o conhecimento que tinham de si mesmos. "Ajudou-me a pensar sobre o que senti naquela época. Nunca notara o quanto aquilo me afetara." "Tive de pensar e resolver experiências passadas. Um dos resultados foi a paz de espírito. Escrever sobre emoções e sentimentos ajudou a entender o que eu sentia e por quê."[15]

Num estudo posterior, Pennebaker pediu à metade de um grupo de 72 estudantes que registrassem em áudio um relato sobre a experiência mais traumática pela qual já tinha passado; os outros alunos falaram sobre o que pretendiam fazer durante o resto do dia. Enquanto os jovens gravavam sua história, os pesquisadores monitoravam suas reações fisiológicas: pressão sanguínea, frequência cardíaca, tensão muscular e temperatura da mão.[16] Esse estudo produziu resultados semelhantes aos da pesquisa anterior: os estudantes que expuseram abertamente suas emoções mostraram acentuadas mudanças fisiológicas, tanto de imediato quanto a longo prazo. Enquanto falavam, a pressão sanguínea, a frequência cardíaca e outras funções autônomas se elevaram. Mais tarde, o estado de alerta caiu para um nível inferior ao registrado antes do começo do estudo. A queda na pressão sanguínea persistia seis semanas depois.

Há hoje um consenso de que experiências estressantes – sejam elas divórcio, exames finais ou solidão – exercem efeito negativo sobre as funções imunológicas, mas essa era uma ideia controversa na época do estudo de Pennebaker. Com base nos protocolos por ele definidos, uma equipe de pesquisadores do Colégio de Medicina da Universidade Estadual de Ohio comparou dois grupos de estudantes que escreveram sobre um trauma pessoal ou sobre um tema superficial.[17] Também nesse caso, os que escreveram sobre traumas pessoais recorreram menos ao centro de saúde estudantil, e a melhora na saúde coincidiu com uma melhora nas funções imunológicas, medida pela ação dos linfócitos T (células destruidoras naturais) e outros marcadores imunológicos no sangue. Esse efeito ficou mais evidente logo depois do estudo, mas ainda podia ser detectado seis semanas mais tarde. No mundo inteiro, pesquisas com alunos de escolas primárias, residentes em casas de repouso, estudantes de medicina, prisioneiros em instituições de segurança máxima, pessoas com artrite, mulheres que haviam acabado de dar à luz o primeiro filho, além de vítimas de estupro, mostram que escrever sobre fatos perturbadores melhora a saúde física e mental.

Outro aspecto dos estudos de Pennebaker chamou minha atenção: participantes que discorriam sobre questões íntimas ou difíceis mudavam o tom de voz e o modo de falar. As diferenças eram tão acentuadas que Pennebaker achou que talvez pudesse ter misturado as fitas. Uma moça, por exemplo, relatou seus planos para o resto do dia com voz infantil e estridente, porém, minutos depois, quando contou ter furtado cem dólares de uma caixa registradora aberta, tanto o volume quanto a altura da voz haviam baixado tanto que parecia vir de outra pessoa. As alterações no estado emocional também se refletiam na caligrafia. Ao passar de um tema a outro, os participantes trocavam a escrita cursiva por letras de fôrma, para depois voltar ao cursivo; havia variações também na inclinação das letras e na pressão da caneta.

Essas alterações, que os clínicos chamam de "desvios", são comuns em pessoas com histórico de trauma. Os pacientes ativam estados emocionais e fisiológicos claramente diferentes ao mudar de tema. Os desvios se manifestam não só em tons de voz notavelmente diferentes como também em expressões faciais e movimentos corporais. Em alguns pacientes, parece haver uma mudança de identidade pessoal, pois passam de tímidos a enérgicos e agressivos, ou de uma submissão ansiosa a uma óbvia intenção sedutora. Quando escrevem sobre seus temores mais profundos, a caligrafia costuma ser mais infantil e primitiva.

Pacientes que manifestam esses estados radicalmente diferentes costumam emudecer se acusados de simulação ou se instados a não mais mostrar suas facetas imprevisíveis e incômodas. É provável que continuem a procurar ajuda, mas, depois de terem sido silenciados, seus gritos de socorro não serão com palavras, mas atos: tentativas de suicídio, depressão e acessos de raiva. Como se verá no capítulo 17, só ocorre uma melhora se pacientes e terapeutas entenderem os papéis que esses diferentes estados desempenharam em sua sobrevivência.

ARTES VISUAIS, MÚSICA E DANÇA

Milhares de terapeutas se valem das artes visuais, da música e da dança para trabalhar com crianças vítimas de abuso, soldados com TEPT, vítimas de incesto, refugiados ou sobreviventes de tortura, e numerosos estudos científicos atestam a eficácia dessas terapias expressivas.[18] Entretanto, não sabemos quase nada sobre como elas atuam ou quais aspectos dos estresses traumáticos buscam corrigir. As pesquisas necessárias para determinar em termos científicos o valor desses trabalhos envolveriam enormes obstáculos logísticos e financeiros.

A capacidade das artes visuais, da música e da dança para superar a mudez causada pelo terror pode ser um dos motivos pelos quais culturas de todo o mundo as empreguem como tratamento para o trauma. Um dos raros estudos sistemáticos que compararam a expressão artística não verbal e a escrita foi feito por James Pennebaker e Anne Krantz, terapeuta de San Francisco que usa dança e movimento,[19] incluiu 64 estudantes, divididos em três grupos. Os membros do primeiro grupo deveriam expressar uma experiência traumática pessoal através de movimentos corporais, em três dias consecutivos, por um mínimo de dez minutos diários, e depois escrever sobre essa experiência durante dez minutos. O segundo grupo dançou, mas não escreveu; o terceiro cumpriu um programa rotineiro de exercícios. Ao longo dos três meses seguintes, todos disseram que se sentiam mais felizes e saudáveis. No entanto, somente o primeiro grupo mostrava sinais inequívocos dessas sensações: melhor saúde física e aumento da média de pontuação. (O estudo não avaliou sintomas específicos de TEPT.) Pennebaker e Anne Krantz concluíram: "A mera expressão do trauma não basta. Ao que parece, a saúde exige que as experiências sejam traduzidas em palavras."

Entretanto, não sabemos ainda se essa conclusão – de que a linguagem é essencial para a cura – é sempre verdadeira. Estudos sobre o uso de textos focados em sintomas de TEPT (não na saúde em geral) têm sido desapontadores. Quando falei sobre isso com Pennebaker, ele me advertiu de que a maioria dos estudos sobre textos com pacientes de TEPT haviam sido realizados com grupos cujos participantes pensavam que suas histórias se destinavam ao conhecimento dos demais. E reiterou o ponto que ressaltei acima – o leitor dos textos deve ser o próprio autor, para que descubra o que vinha tentando ocultar.

OS LIMITES DA LINGUAGEM

O trauma massacra tanto os ouvintes como o narrador. Em *The Great War in Modern Memory* (A Grande Guerra na memória moderna), magistral estudo sobre a Primeira Guerra Mundial, Paul Fussell faz comentários brilhantes sobre a zona de silêncio criada pelo trauma:

> Um dos pontos críticos da guerra [...] é a colisão entre os fatos e a linguagem de que se dispõe – ou tida como apropriada – para descrevê-los [...]. Não há, logicamente, razão alguma para que a língua inglesa não possa traduzir à perfeição a realidade da [...] guerra: ela é rica em vocábulos como *sangue, terror, agonia, loucura, merda, crueldade, homicídio, traição, dor* e *embuste*, assim como frases como *pernas decepadas por explosão, segurava nas mãos a massa de intestinos, gritando a noite inteira, sangrando pelo reto até morrer* e outras semelhantes [...]. O problema era menos de "linguagem" que de polidez e otimismo [...]. O verdadeiro motivo [pelo qual os soldados se calam] é que descobriram que ninguém está muito interessado nas notícias ruins que eles têm a dar. Que ouvinte quer ser dilacerado e abalado se não precisa passar por isso? Fizemos com que *indizível* signifique indescritível: na verdade a palavra quer dizer *desagradável*.[20]

Falar de fatos dolorosos não cria necessariamente comunhão de sentimentos – não é raro ocorrer justo o contrário. Famílias e organizações podem rejeitar membros que expõem a roupa suja; amigos e parentes às vezes perdem a paciência com pessoas que empacam em suas angústias ou dores. Esse é um dos motivos por que vítimas de trauma muitas vezes se retraem e suas histórias se tornam narrativas mecânicas, editadas de forma a ter menos probabilidade de provocar rejeição.

É muito difícil encontrar locais seguros onde expressar a dor do trauma, e é por isso que comunidades como Alcoólicos Anônimos, Filhos Adultos de Alcoólicos, Narcóticos Anônimos e outros grupos de apoio podem ser tão importantes. Descobrir uma comunidade receptiva a ouvir a sua verdade torna possível a recuperação. É também por essa razão que sobreviventes precisam de terapeutas profissionais treinados para escutar os detalhes torturantes da vida deles. Lembro a primeira vez que um veterano me contou ter matado uma criança no Vietnã. Experimentei um vívido flashback de quando eu tinha uns 7 anos e meu pai me disse que soldados nazistas haviam espancado até a morte uma criança vizinha, em frente à nossa casa, por tê-los desrespeitado. Minha reação à confissão do veterano foi insuportável, e foi necessário encerrar a sessão. É por isso que terapeutas precisam ter feito a própria terapia profunda para que possam cuidar de si mesmos e mostrar estabilidade emocional diante de seus clientes, mesmo quando o que eles revelam desperte sensações de raiva ou repugnância.

Às vezes surge outro problema: as vítimas emudecem, pois a área cerebral da linguagem se bloqueia.[21] Já presenciei esses silêncios em tribunais, em processos por imigração ilegal e também num processo contra um acusado de chacina em Ruanda. Chamadas a depor, as pessoas muitas vezes ficam tão perturbadas que mal emitem um som, ou são tomadas por tal estado de pânico que não conseguem articular com clareza o que lhes aconteceu. É comum que seus depoimentos acabem desconsiderados pelo tribunal por serem demasiado caóticos, confusos e fragmentados.

Outros traumatizados tentam contar sua história de uma forma que não os deixe descontrolados. Entretanto, agindo assim, parecem testemunhas evasivas e pouco confiáveis. Já vi dúzias de processos serem extintos porque indivíduos que pediam asilo político eram incapazes de fazer relatos coerentes sobre suas motivações. Sei também de diversos casos de veteranos que tiveram reivindicações rejeitadas pela AV pela incapacidade em expor com precisão o que lhes acontecera.

Desorientação e mutismo são rotina em consultórios de terapia. Sabemos muito bem que os pacientes se mostrarão atarantados se insistirmos para que exponham certos detalhes de sua história. Aprendemos a "balancear" nossa abordagem do trauma, para usar um termo criado por meu amigo Peter Levine. Não é que descartemos os detalhes, mas ensinamos as pessoas a colocar primeiro um dedo do pé na água, repetir com o outro, e assim aproximar-se da verdade de maneira gradual.

Começamos criando "ilhas de segurança" no interior do corpo.[22] Isso significa ajudar os pacientes a identificar partes do corpo, posturas ou movimentos com os quais possam contar quando se sentirem empacados, aterrorizados ou enraivecidos. Essas partes do corpo, em geral, estão fora do alcance do nervo vago, que leva as mensagens de pânico ao peito, ao abdome e à garganta, e podem atuar como aliadas na integração do trauma. Posso perguntar a uma paciente se suas mãos estão bem, e, se ela responder que sim, eu lhe pedirei que as movimente, explorando sua leveza, sua flexibilidade e seu calor. Mais adiante, se vejo seu peito se comprimir e a respiração quase cessar, posso lhe pedir que pare, concentre-se nas mãos e as movimente, de modo que ela se sinta à parte do trauma. Ou posso lhe dizer para se concentrar em sua expiração e perceber como pode mudá-la, ou que levante e abaixe os braços a cada ciclo respiratório – um movimento de *qigong*.

Para alguns, dar batidinhas em pontos de acupuntura é uma boa âncora.[23] Peço a outros que sintam o peso do corpo na cadeira ou que plantem os pés no chão. A alguém que esteja sucumbindo ao silêncio, aconselho a verificar o que acontece quando se senta com o tronco ereto. Alguns descobrem as próprias ilhas de segurança – percebem que podem criar sensações corporais para contrabalançar a sensação de perda de controle. Isso prepara o terreno para a resolução do trauma: pendular entre estados de exploração e segurança, entre linguagem e corpo, entre rememorar o passado e se sentir vivo no presente.

LIDAR COM A REALIDADE

Entretanto, lidar com lembranças traumáticas é apenas o começo do tratamento. Numerosos estudos constataram que pessoas com TEPT têm mais problemas para concentrar a atenção e adquirir novas informações.[24] Alexander McFarlane fez um teste simples: pediu a um grupo que citasse em um minuto o maior número possível de palavras começadas com a letra *B*. Pessoas normais citavam em média quinze palavras; indivíduos com TEPT, três ou quatro. Palavras ameaçadoras como "sangue", "ferida" ou "estupro" provocavam certa hesitação em pessoas normais; já as com TEPT mostravam a mesma hesitação diante de palavras inocentes como "lã", "sorvete" e "bicicleta".[25]

Depois de um tempo, a maioria das vítimas de TEPT não gasta muito tempo ou esforço lidando com o passado – seu grande problema consiste em simplesmente chegar ao fim do dia. Mesmo indivíduos traumatizados que dão contribuições reais nas áreas de ensino, negócios, medicina ou artes, e que estão se saindo bem na criação dos filhos, gastam muito mais energia nas tarefas do dia a dia do que as demais.

No entanto, outra cilada da linguagem é a ilusão de que nosso pensamento pode ser corrigido com facilidade se não "fizer sentido". A parte "cognitiva" da terapia cognitivo-comportamental se concentra em mudar esse "pensamento disfuncional". Essa é uma atitude autoritária em relação à mudança, na qual o terapeuta desafia ou "reformula" cognições negativas, como se dissesse "Vamos comparar suas sensações de que você é culpada por seu estupro com os fatos reais do incidente" ou "Vamos comparar seu terror de dirigir com as estatísticas atuais sobre segurança nas estradas".

Lembro-me da mulher desnorteada que certa vez bateu às portas de nossa clínica pedindo ajuda para lidar com seu bebê de dois meses porque ele era "muito egoísta". Será que ela conseguiria resolver a situação lendo um folheto sobre desenvolvimento infantil ou uma explicação do conceito de altruísmo? É pouco provável que esse tipo de informação a ajudasse sem que antes ela tivesse acesso às partes assustadas e abandonadas de si mesma – as partes expressadas por seu terror da dependência.

Não resta dúvida de que os traumatizados têm pensamentos irracionais: "A culpa foi minha, por ser tão sexy", "Os outros caras não tinham medo, são homens de verdade", "Eu devia ter pensado melhor e não andar por aquela rua". O melhor a fazer é encarar essas ideias como flashbacks cognitivos – não se discute com essas pessoas, da mesma forma como não discutiríamos com quem tem constantes flashbacks de um terrível acidente. São resíduos de incidentes traumáticos: pensamentos que estavam passando pela cabeça dessas pessoas quando os traumas ocorreram, ou logo depois, e que são reativados em condições de estresse. Uma forma de tratá-los é com EMDR, tema do capítulo seguinte.

O NINGUÉM SE TORNA ALGUÉM

Por que as pessoas ficam arrasadas ao contar a história de sua vida? E por que têm flashbacks cognitivos? Porque o cérebro delas mudou. Como Freud e Breuer já haviam observado, o trauma não age simplesmente como um agente liberador de sintomas. Na verdade, "o trauma psíquico – ou melhor, a lembrança do trauma – age como um corpo estranho que, muito tempo depois de sua infiltração, continua visto como um agente que ainda exerce sua função".[26] Tal como a infecção causada por uma farpa, o trauma é a resposta do corpo ao objeto estranho, uma resposta que se torna um problema maior do que o invasor.

A moderna neurociência corrobora plenamente a ideia de Freud de que muitos de nossos pensamentos conscientes são racionalizações complexas da profusão de instintos, reflexos, motivos e memórias entranhadas que emanam do inconsciente. Como vimos, o trauma interfere no funcionamento de áreas cerebrais que gerenciam e interpretam a experiência. Uma percepção saudável de self – uma percepção que permita a alguém afirmar com confiança "É isso que penso e sinto" ou "É isso que está acontecendo comigo" – depende de uma interação saudável e dinâmica entre essas áreas.

Quase todos os estudos tomográficos de pacientes traumatizados constatam uma ativação anormal da ínsula, parte do cérebro que integra e interpreta as informações enviadas pelos órgãos internos, entre os quais músculos, articulações e o sistema de equilíbrio – o sistema proprioceptivo –, para gerar na pessoa a sensação de possuir um corpo. A ínsula transmite à amídala sinais que desencadeiam as respostas de luta ou fuga. Para tanto, não requer que haja informação cognitiva ou reconhecimento consciente de que algo deu errado – a pessoa apenas se sente inquieta e incapaz de concentrar a atenção ou, na pior das hipóteses, tem uma sensação de tragédia iminente. Essas fortes sensações são geradas nas áreas mais profundas do cérebro e não podem ser eliminadas mediante a razão ou o entendimento.

Permanecer o tempo todo perturbado pela origem das sensações corporais, mas estar conscientemente isolado dela, produz alexitimia: a incapacidade de sentir e verbalizar o que está acontecendo. Só se entrar em contato com o corpo, conectando-se visceralmente com o self, é que a pessoa consegue recobrar a noção de quem ela é, de suas prioridades e valores.

Tanto a alexitimia quanto a dissociação e o bloqueio envolvem as estruturas cerebrais que nos permitem focar a atenção, saber o que sentimos e tomar medidas para nos proteger. Se essas estruturas essenciais são submetidas a um choque inescapável, o resultado pode ser confusão e agitação, ou então alheamento emocional, muitas vezes acompanhado de experiências extracorporais – a sensação de que você está olhando para si mesmo à distância. Em outras palavras, com o trauma o indivíduo se sente como *outra pessoa*, ou como *ninguém*. Para superá-lo, é preciso retomar o contato com *seu corpo*, com *seu self.*

A linguagem, sem dúvida, é essencial: o senso de self depende de o indivíduo ser capaz de organizar as memórias num todo coerente,[27] o que requer conexões funcionais entre o cérebro consciente e o sistema de self do corpo – conexões com frequência danificadas pelo trauma. A história só pode ser contada na íntegra se essas estruturas forem restauradas e os alicerces lançados – depois que o ninguém se torna alguém.

15
DESFAZENDO-SE DO PASSADO: A EMDR

Terá sido uma visão? Um devaneio?
Calou-se a música:
– Estou desperto ou durmo?

John Keats

David, empreiteiro de meia-idade, me procurou porque seus violentos ataques de raiva estavam fazendo de sua vida um inferno. Na primeira sessão, contou um incidente que lhe acontecera num verão, quando tinha 23 anos. Trabalhava como salva-vidas, e certa tarde um grupo de garotos fazia algazarra na piscina e tomava cerveja. Ele lhes disse que bebidas alcoólicas não eram permitidas ali e então os garotos o agrediram e um deles lhe arrancou o olho esquerdo com uma garrafa quebrada. Trinta anos depois, ele ainda tinha pesadelos e flashbacks relacionados ao incidente.

Dizia ser impiedoso em suas críticas ao filho adolescente, com quem costumava gritar à mais ligeira infração, e não conseguia demonstrar qualquer sinal de afeto pela esposa. Em algum nível, julgava que a trágica perda do olho o autorizava a tratar mal os outros, mas também odiava a pessoa raivosa e vingativa em que se transformara. Suas tentativas de dominar a raiva o deixavam cronicamente tenso, e ele se perguntava se o medo de perder o controle não estaria tornando impossível que demonstrasse amor e amizade.

Na segunda sessão, comecei a usar um procedimento chamado dessensibilização e reprocessamento por movimentos oculares (EMDR). Pedi-lhe para contar de novo os detalhes da agressão e que se fixasse nas imagens do ataque, nos sons que ouvira e nos pensamentos que lhe passaram pela mente. "Deixe que aqueles momentos retornem", recomendei.

Em seguida, instruí-o a acompanhar meu dedo indicador enquanto eu o movia devagar, de um lado para outro, a uma distância de mais ou menos 30 centímetros de seu olho direito. Daí a segundos, veio à tona uma torrente de raiva e terror, junto com vívidas sensações de dor, de sangue escorrendo pelo rosto, ao mesmo tempo que ele se dava conta de que não conseguia enxergar. À medida que ele relatava essas sensações, eu fazia alguns sons de incentivo e continuava a movimentar o dedo de um lado para outro. De vez em quando, passados alguns minutos, eu parava e lhe dizia para respirar fundo. Depois lhe pedi para prestar atenção ao que estava agora em sua mente. Era uma briga que ele tivera na escola. Disse-lhe para se fixar nessa briga e não se esquecer disso. Vieram outras lembranças, aparentemente aleatórias: procurava seus agressores por toda parte, desejava feri-los, metia-se em brigas de bar. Toda vez que ele relatava uma nova lembrança ou sensação, eu o instava a observar o que acorria à sua mente e retomava os movimentos com o dedo.

No fim daquela sessão, David parecia mais calmo e seu alívio era visível. A lembrança da agressão perdera a intensidade – agora era um troço desagradável que ocorrera havia muito tempo. "Aquilo foi mesmo ruim", disse, pensativo, "e me deixou transtornado durante anos, mas fico surpreso com a vida boa que acabei construindo".

Na semana seguinte, falamos sobre as consequências do trauma: David tinha usado drogas e bebido durante anos para enfrentar a raiva. Repetimos as sequências da EMDR, mais lembranças afloraram. Ele se lembrou de uma conversa com um guarda penitenciário conhecido seu, para tramar a morte de seu agressor, àquela altura preso, mas depois mudou de ideia. Recordar essa decisão teve um profundo efeito liberador. David se julgava um monstro desde que tramara a tentativa de vingança, porém a lembrança de que havia desistido o reconectou a seu lado ponderado e generoso.

Em seguida ele percebeu, espontaneamente, que estava tratando o filho como se ele fosse um dos agressores adolescentes. Pouco antes do fim da sessão, David perguntou se eu me encontraria com ele e sua família, de modo que conseguisse contar ao filho o que havia acontecido e lhe pedir perdão. Em nossa quinta e última sessão, informou que estava dormindo melhor e que, pela primeira vez na vida, tinha uma sensação de paz interior. Um ano depois, me visitou para dizer que não só ele e a mulher estavam mais próximos e tinham começado a fazer ioga juntos, como ele ria mais e sentia prazer verdadeiro com a jardinagem e a marcenaria.

MINHA APRESENTAÇÃO À EMDR

A terapia de David foi uma das muitas, ao longo das duas últimas décadas, em que me servi do método EMDR para eliminar recriações penosas do trauma. Vim a conhecer essa técnica por meio de Maggie, psicóloga jovem e severa, diretora de um centro de reabilitação para adolescentes vítimas de abuso sexual. Ela entrava num confronto atrás do outro, discutindo com quase todo mundo – com exceção das jovens de 13 ou 14 anos de quem cuidava. Maggie usava drogas, tinha namorados perigosos e muitas vezes violentos, batia boca com frequência com os chefes e vivia mudando de casa, pois não tolerava os colegas de apartamento (o desafeto era recíproco). Eu não entendia como ela conseguira mobilizar estabilidade e concentração para se doutorar em psicologia numa instituição de renome.

Maggie foi encaminhada a um grupo de terapia que eu formara para mulheres com problemas semelhantes. Em sua segunda sessão, ela nos contou que o pai a estuprara duas vezes: aos 5 e aos 7 anos. Estava convencida de que a culpa fora dela. Adorava o pai, explicou, e devia ter se mostrado tão sedutora que ele não teve como se controlar. Ouvindo-a falar, pensei: "Ela não consegue culpar o pai, mas com certeza está culpando praticamente todo mundo." Inclusive seus terapeutas anteriores, por não a ajudarem a melhorar. Como muitos traumatizados, ela contava uma história com palavras e outra com seu corpo, que não parava de reproduzir aspectos de seu trauma.

Um dia ela chegou à sessão ansiosa por falar de uma experiência notável que tivera no fim de semana anterior num curso de EMDR para profissionais.

Na época, eu só tinha ouvido dizer que a técnica era um novo modismo em que os terapeutas mexiam os dedos diante dos olhos dos pacientes. Para mim e meus colegas, a tal EMDR parecia apenas mais uma das práticas passageiras que sempre foram a praga da psiquiatria, e me convenci de que aquilo seria outra aventura malsucedida de Maggie.

Ela nos disse que, durante sua sessão de EMDR, recordara vivamente o segundo estupro que sofrera – lembrou do pai dentro de seu corpo infantil. De como tinha sentido fisicamente o quanto era pequena, o corpo imenso do pai e o cheiro de álcool. No entanto, contou, mesmo enquanto revivia o incidente, foi capaz de observá-lo do ponto de vista de seu self de 29 anos. Rompeu em lágrimas: "Eu era uma menininha. Como um homenzarrão daquele pôde fazer aquilo com uma criança?" Maggie chorou durante algum tempo e depois disse: "Agora acabou. Sei o que aconteceu. Não foi culpa minha. Eu era pequena e não havia nada que eu pudesse fazer para evitar que ele me molestasse."

Fiquei estupefato. Fazia muito tempo que eu vinha procurando uma maneira de ajudar as pessoas a revisitar seu passado traumático sem que se traumatizassem de novo. Ao que tudo indicava, Maggie vivera uma experiência muito realista como um flashback, mas não fora sequestrada por ela. Por acaso a EMDR permitiria que as pessoas tivessem acesso, com segurança, às marcas do trauma? Poderia a EMDR converter essas impressões em lembranças de fatos ocorridos havia muito tempo?

Maggie fez mais algumas sessões de EMDR e permaneceu em nosso grupo tempo suficiente para percebermos como estava mudada. Era visível a atenuação de sua fúria, ainda que conservasse o senso de humor sardônico que eu tanto apreciava. Meses depois, envolveu-se com um homem muito diferente daqueles que até então a atraíam. Deixou o grupo, declarando que tinha resolvido seu trauma. Quanto a mim, decidi que estava na hora de procurar treinamento em EMDR.

PRIMEIROS CONTATOS COM A TERAPIA EMDR

Como tantos avanços científicos, a EMDR teve origem numa observação casual. Um dia, em 1987, a psicóloga Francine Shapiro caminhava num parque, irritada com certas lembranças dolorosas, quando notou que movimentos oculares rápidos lhe traziam um intenso alívio. Como pôde um importante método terapêutico surgir de uma observação tão fortuita? Como era possível um processo tão simples não ter sido notado antes? De início cética em relação ao que havia percebido, ela submeteu sua técnica a anos de experimentação e pesquisa, transformando-a aos poucos num procedimento padrão passível de ser ensinado, bem como testado em estudos controlados.[1]

Quando comecei o treinamento, eu estava mesmo precisando processar um trauma. Semanas antes, o padre jesuíta que presidia meu departamento no Hospital Geral de Massachusetts decidira, de uma hora para outra, fechar a Clínica de Trauma, obrigando-nos a correr para conseguir novo local e novos recursos com os quais tratar os pacientes, treinar os alunos e levar adiante as pesquisas. Mais ou menos na mesma época, meu amigo Frank Putnam, que estava à frente do estudo a longo prazo (que mencionei no capítulo 10), sobre meninas vítimas de abusos sexuais, foi demitido dos Institutos Nacionais de Saúde, enquanto Rick Kluft, o mais destacado especialista em dissociação nos Estados Unidos, perdia sua unidade no Instituto do Hospital da Pensilvânia. Talvez tudo não passasse de coincidência, mas para mim era como se todo o meu mundo estivesse sob ataque.

Minha consternação pela dissolução da Clínica de Trauma me pareceu um bom teste para me apresentar ao EMDR. Enquanto acompanhava com os olhos os dedos de meu parceiro, veio-me à mente uma rápida sucessão de cenas difusas da infância: animadas conversas à mesa do jantar, brigas com colegas de escola no recreio, eu e meu irmão mais velho atirando pedras contra a janela de um galpão – o tipo de imagens "hipnopômpicas", vívidas e fugidias, que nos ocorrem no estado de sonolência numa manhã de domingo, quando nos levantamos numa hora mais tarde que de costume, e das quais esquecemos assim que acordamos por completo.

Passada mais ou menos meia hora, meu companheiro e eu revisitamos a cena em que meu chefe dera a notícia de que estava fechando minha clínica. Agora me senti resignado: "Ok, isso aconteceu, é hora de ir em frente." Não olhei mais para trás. Algum tempo depois, a clínica se reconstituiu e tem crescido desde então. Seria a EMDR a única razão para eu ter me livrado da raiva e da mágoa? É claro que nunca saberei ao certo, mas minha jornada mental – através de cenas de infância que nada tinham a ver com a clínica, até a pá de cal que deitei sobre o episódio de seu fim – foi diferente de qualquer experiência que eu já tivera na terapia pela palavra.

O que aconteceu em seguida, quando chegou minha vez de aplicar a EMDR, foi ainda mais misterioso. Houve um rodízio das pessoas e coube-me como parceiro um sujeito que eu não conhecia, que pretendia abordar alguns incidentes dolorosos da infância envolvendo seu pai, mas que não queria falar sobre eles. Antes disso, eu nunca havia tentado resolver o trauma de alguém sem conhecer "a história" e me senti irritado e desconcertado com sua recusa em me dar alguma informação. Enquanto eu mexia os dedos diante de seus olhos, ele parecia passar por uma agonia, começou a soluçar e sua respiração ficou acelerada e superficial. Contudo, toda vez que eu lhe dirigia as perguntas que o protocolo determinava, ele se recusava a abrir a boca.

Terminada nossa sessão de 45 minutos, a primeira frase que ouvi desse colega foi que o trabalho comigo tinha sido tão desagradável que ele nunca me enviaria um paciente. Por outro lado, declarou, a sessão de EMDR tinha resolvido a questão do abuso perpetrado por seu pai. Embora eu me mantivesse cético e suspeitasse de que a rudeza dele comigo fosse um resquício de sentimentos não resolvidos em relação ao pai, não havia como negar que ele parecia bem mais relaxado.

Procurei meu instrutor de EMDR, Gerald Puk, e comentei o quanto ficara atordoado. Era evidente que meu parceiro não gostara de mim e pareceu estar profundamente agoniado durante a sessão. No entanto, quando acabamos, ele disse que os sofrimentos que o atormentaram por tanto tempo haviam chegado ao fim. Como eu poderia saber o que ele tinha (ou não tinha) resolvido se não me dizia o que acontecera durante a sessão?

Gerry sorriu e perguntou se por acaso eu me tornara um profissional de saúde mental com o objetivo de solucionar problemas pessoais. Confirmei que a maioria das pessoas que me conheciam endossavam esse julgamento. Em seguida, ele me perguntou se eu considerava significativo que as pessoas me contassem suas histórias de trauma. Mais uma vez, respondi que sim. Gerry então disse:

Sabe, Bessel, talvez você precise aprender a conter suas tendências voyeuristas. Se para você é importante ouvir histórias de trauma, por que não vai a um bar, põe uns dólares no balcão e diz a seu vizinho de mesa: "Eu lhe pago uma bebida se você me contar sua história de trauma"? Entretanto, você precisa realmente saber a diferença entre seu desejo de ouvir histórias e o processo interno de cura de seus pacientes.

Refleti seriamente a respeito da censura de Gerry e desde então gosto de contá-la a meus alunos.

Saí do treinamento em EMDR muito absorto em três questões que até hoje me fascinam:

- A EMDR destrava na mente/cérebro algo que dá aos pacientes acesso rápido a memórias e imagens do passado, frouxamente associadas. Isso parece ajudá-los a pôr a experiência traumática num contexto ou perspectiva de maior amplitude.
- O trauma pode ser curado sem que os pacientes falem sobre ele. A EMDR lhes permite observar suas experiências de uma nova forma, sem relação recíproca verbal com outra pessoa.
- A EMDR pode ser útil mesmo que o paciente e o terapeuta não tenham uma relação de confiança um com o outro. Isso é particularmente interessante porque o trauma, como é compreensível, quase nunca deixa as pessoas com o coração aberto e confiante.

Desde então, e estou me referindo a um período de muitos anos, tenho aplicado a EMDR em pessoas cujo idioma nativo é suaíli, mandarim e bretão, línguas que só me permitem dizer "Registre isso", a principal instrução do método. (Sempre contei com um tradutor, mas basicamente para explicar os passos do processo.) Como não exige que os pacientes falem sobre o intolerável ou expliquem ao terapeuta por que se sentem tão perturbados, a EMDR permite que eles se mantenham plenamente concentrados em sua experiência interna, às vezes com resultados extraordinários.

APROFUNDAMENTO EM EMDR

A Clínica de Trauma foi salva por um gerente do Departamento de Saúde Mental de Massachusetts que havia acompanhado nosso trabalho e agora nos pedia para organizar a equipe comunitária de resposta ao trauma na área de Boston. Tal tarefa bastava para cobrir nossas operações básicas, enquanto o resto ficava a cargo de um grupo ativo que adorava o que fazíamos – inclusive o recém-descoberto poder da EMDR para curar pacientes que antes não tínhamos conseguido ajudar.

Meus colegas e eu começamos a mostrar uns aos outros filmagens de sessões de EMDR com pacientes de TEPT, o que nos permitia observar melhoras espetaculares de semana para semana. Então passamos a medir formalmente o progresso de cada um numa escala convencional de classificação de TEPT. Conseguimos também com Elizabeth Matthews, jovem especialista em neuroimagens do Hospital Deaconess, da Nova Inglaterra, que o cérebro de doze pacientes fosse tomografado antes e depois do tratamento. Após apenas três sessões, oito deles já apresentavam queda acentuada em sua pontuação na escala de TEPT. Suas tomografias indicavam um nítido aumento da ativação do lobo pré-frontal depois do tratamento, assim como muito mais atividade no cingulado anterior e nos gânglios basais. Essas alterações podiam explicar a diferença obtida na atitude deles em relação ao trauma.

Um homem declarou: "Eu me recordo do episódio como uma lembrança real, porém mais distante. Normalmente, eu me afogava nessas memórias, mas agora fico flutuando numa boa. Tenho a sensação de estar no controle." Uma mulher disse: "Antes, eu sentia cada momento daquilo. Agora, o que aconteceu é um todo completo, em vez de fragmentos, de modo que fica mais fácil controlar." O trauma tinha perdido seu imediatismo e se tornado a história de um fato acontecido havia muito tempo.

Mais tarde, obtivemos verbas do NIMH para comparar a EMDR com a prescrição de Prozac ou um placebo.[2] De 88 pacientes, trinta foram tratados com EMDR, 28 com Prozac e o restante com placebo. Como muitas vezes acontece, estes últimos se saíram bem. Depois de oito semanas, a melhora de 42% foi superior à obtida por eles com muitos outros tratamentos anunciados como "baseados em evidências".

Os que tomaram Prozac apresentaram resultados melhores que os do grupo do placebo, mas não muito. É o que em geral acontece nos estudos sobre o tratamento do TEPT com drogas. A simples participação na pesquisa gera uma melhora de 30% a 42%; quando os medicamentos fazem efeito, os resultados têm um adicional de 5% a 15%. Todavia, os pacientes tratados com EMDR melhoraram bem mais do que os que tomaram Prozac ou placebo: depois de oito sessões de EMDR, 25% estavam totalmente curados (suas pontuações na escala de TEPT caíram a níveis desprezíveis). Contudo, a diferença mais significativa ocorreu ao longo do tempo. Passados oito meses, 60% dos pacientes tratados com EMDR estavam inteiramente curados. Como disse o famoso psiquiatra Milton Erickson, assim que se chuta uma tora, os troncos começam a descer rio abaixo. Ao integrarem suas lembranças, as pessoas começaram a melhorar de forma espontânea. No entanto, todos os pacientes tratados com Prozac tiveram uma recaída assim que deixaram de tomar o medicamento.

O estudo foi importante por demonstrar que uma terapia como a EMDR, focada no TEPT e específica para ele, era muito mais eficaz do que medicação. Outros estudos confirmaram que se os pacientes tomam Prozac ou substâncias correlatas, como Celexa, Paxil e Zoloft, muitas vezes melhoram dos sintomas, mas só enquanto a medicação é mantida; portanto, tratar com remédios é muito mais caro a longo prazo. (É curioso que, embora o Prozac seja visto como um importante antidepressivo, em nosso estudo a EMDR produziu também maior redução em pontuações de depressão do que ele.)

Outra das principais constatações desse estudo: adultos com histórico de trauma infantil responderam à EMDR de maneira muito diferente dos que se traumatizaram já na idade adulta. Ao fim de oito semanas de tratamento com EMDR, quase 50% do grupo de traumatizados na idade adulta estavam completamente curados, enquanto apenas 9% do grupo de abuso na infância havia se curado. Oito meses depois, o índice de cura era de 73% para o grupo de trauma adulto, contra 25% do grupo de trauma infantil. Quanto ao Prozac, o grupo de abuso na infância apresentava respostas modestas, mas consistentemente positivas.

Tais resultados corroboram as conclusões mencionadas no capítulo 9: o abuso infantil crônico causa adaptações mentais e biológicas muito diferentes das geradas por eventos traumáticos isolados na vida adulta. A EMDR é uma terapia bastante eficaz para lembranças traumáticas emperradas, mas não resolve necessariamente os efeitos da traição e do abandono que acompanham o abuso físico ou sexual na infância. Oito semanas de terapia de qualquer tipo raramente bastam para resolver o legado de um trauma antigo.

Em 2014, nenhum estudo sobre o tratamento com EMDR de vítimas de TEPT em reação a um evento traumático na vida adulta mostrava resultados melhores do que o nosso. Todavia, apesar desses resultados e de dezenas de outros estudos, muitos colegas continuam céticos em relação à EMDR – talvez porque o método pareça bom demais para ser verdade, simples demais para ser tão eficiente. Entendo esse tipo de ceticismo, afinal a EMDR é um procedimento insólito. Lembro que no primeiro estudo científico sério sobre o emprego da técnica em veteranos de combate, esperava-se que ela desse resultados tão pífios que só foi incluída como condição de controle para comparação com terapia de relaxamento com *biofeedback*. Para surpresa dos pesquisadores, doze sessões de EMDR se mostraram o tratamento mais eficaz.[3] Desde então, tornou-se um dos tratamentos de TEPT sancionados pelo Departamento de Assuntos dos Veteranos.

A EMDR É UMA FORMA DE TERAPIA DE EXPOSIÇÃO?

Alguns psicólogos argumentaram que, como a EMDR na verdade dessensibiliza as pessoas quanto ao material traumático, o método é aparentado à terapia de exposição. Mais correto seria dizer que a EMDR *integra* o material traumático. Como mostrou nossa pesquisa, depois da EMDR as pessoas passaram a ver o trauma como um evento coerente no passado, em vez de vivenciar sensações e imagens dissociadas de qualquer contexto.

As lembranças evoluem e se alteram. Assim que uma lembrança se fixa, ela começa a sofrer um prolongado processo de integração e reinterpretação que ocorre de maneira automática na mente e no cérebro, sem nenhum aporte por parte do self consciente. Concluído o processo, a experiência se integra a outros eventos da vida e já não é mais independente.[4] Como se sabe, no TEPT esse processo deixa de funcionar e a lembrança fica emperrada – não digerida e em estado bruto.

Infelizmente, durante a formação poucos psicólogos aprendem como o sistema de processamento da memória funciona no cérebro, uma falha que pode induzir a enfoques equivocados quanto ao tratamento. À diferença das fobias (que se baseiam num medo irracional específico), o estresse pós-traumático é resultado de uma reorganização do sistema nervoso central depois de uma ameaça real de aniquilação (ou de ver outra pessoa ser aniquilada), o que reorganiza a experiência de self (como impotente) e a interpretação da realidade (o mundo inteiro é um lugar perigoso).

Durante a exposição, de início os pacientes ficam extremamente perturbados. Ao revisitarem a experiência traumática, apresentam aumentos pronunciados na frequência cardíaca, na pressão sanguínea e nos hormônios do estresse. No entanto, se continuam o tratamento e revivem o trauma, tornam-se aos poucos menos reativos e menos propensos a se desintegrar ao recordar o evento, e marcam menos pontos na escala de classificação de TEPT. Contudo, pelo que se sabe, a mera exposição ao velho trauma não integra a lembrança ao contexto geral da vida do paciente, que raramente recupera o envolvimento prazeroso com outras pessoas e as atividades que tinha antes do trauma.

Por sua vez, a EMDR e outros tratamentos examinados em capítulos subsequentes – sistemas familiares internos, ioga, neurofeedback, terapia psicomotora e teatro – procuram regular as lembranças ativadas pelo trauma e restaurar um sentimento de agência, envolvimento e comprometimento, por meio do poder sobre o corpo e a mente.

PROCESSAMENTO DO TRAUMA COM EMDR

Kathy, de 21 anos, estudava numa universidade de Boston. Quando a conheci, parecia apavorada. Fazia três anos que vinha sendo tratada por um psicoterapeuta em quem confiava e por quem se sentia compreendida, mas não estava obtendo progresso algum. Após sua terceira tentativa de suicídio, o serviço de saúde da universidade enviou-a a mim, esperando que a nova técnica de que eu lhes falara pudesse ajudá-la.

Como vários outros pacientes de trauma, ela conseguia se concentrar totalmente nos estudos. Quando lia um livro ou redigia um trabalho, desligava-se de tudo o mais. Era uma boa aluna, mas não tinha a menor ideia de como estabelecer uma relação carinhosa consigo mesma, quanto mais um vínculo com um parceiro afetivo.

Kathy me contou que durante muitos anos, quando pequena, o pai a prostituíra; nesse caso, eu normalmente teria pensado em usar a EMDR apenas como terapia auxiliar. No entanto, ela se mostrou uma virtuose da EMDR e se recuperou por completo depois de oito sessões, até então o período mais curto em minha experiência de tratar alguém com um histórico de grave abuso na infância. As sessões ocorreram quinze anos atrás. Há pouco tempo, nos vimos para debater os prós e os contras de sua intenção de adotar uma terceira criança. Tornara-se uma pessoa cativante: esperta, engraçada e dedicada à família e a seu trabalho como professora assistente de desenvolvimento infantil.

Quero partilhar com os leitores o que anotei sobre a quarta sessão do tratamento de Kathy, não apenas a fim de divulgar o que em geral ocorre numa dessas sessões, mas também para explicar como a mente humana integra uma experiência traumática. Não existe tomografia cerebral, exame de sangue ou escala de classificação que possa medir isso, e mesmo uma gravação em vídeo só consegue transmitir uma sombra de como a EMDR é capaz de liberar os poderes imaginativos da mente.

Kathy sentou-se numa cadeira colocada num ângulo de 45 graus em relação à minha, e ficamos a pouco mais de um metro um do outro. Pedi-lhe que se fixasse numa lembrança particularmente dolorosa e incentivei-a a recordar o que havia ouvido, visto, pensado e sentido no corpo enquanto aquilo acontecia. (Minhas notas não informam se ela me falou daquela lembrança em particular; penso que não, já que nada anotei.)

Perguntei-lhe se já estava "na lembrança" e, como ela confirmou, perguntei até que ponto lhe parecia real, numa escala de um a dez. Mais ou menos nove, ela disse. Pedi-lhe então que seguisse com os olhos os movimentos de meu dedo. De vez em quando, depois de completar uma série de uns 25 movimentos oculares, eu dizia "Respire fundo", seguido de "O que você vê agora?" ou "O que lhe vem à mente agora?". Toda vez que o tom de voz, a expressão facial, um movimento corporal ou a respiração indicavam que aquele era um tema de importante significado emocional, eu dizia "Registre isso" e dava início a outra série de movimentos oculares durante os quais ela nada dizia. Com exceção dessas palavras, fiquei em silêncio por toda a sessão.

Depois da primeira sequência de movimentos oculares, Kathy relatou a seguinte associação: "Percebo que tenho cicatrizes... de quando ele prendeu minhas mãos a minhas costas. Há outra cicatriz da vez em que ele me marcou para deixar claro que era meu dono, e ali [ela apontou] são marcas de mordidas." Parecia atordoada, mas surpreendentemente calma ao contar: "Eu me lembro de ter sido molhada com gasolina... ele tirou fotos Polaroid de mim... e depois me mergulhou em água. Fui estuprada por meu pai e dois amigos dele; fui amarrada numa mesa; lembro que eles me estupraram com garrafas de Budweiser."

Meu estômago revirava, mas não fiz comentário algum, só lhe dizia para guardar essas lembranças. Depois de mais ou menos trinta outros movimentos do dedo de um lado para outro, parei ao perceber que ela estava sorrindo. Perguntei-lhe em que pensava. "Eu estava fazendo aula de caratê. Era ótimo! Eu arrasava! Percebi que eles estavam recuando. Gritei: 'Não veem que estão me machucando? Não sou a namorada de vocês.'"

"Pare aí", eu lhe disse, e iniciei a série seguinte. Quando terminou, Kathy disse: "Vejo uma imagem de dois eus... Uma garotinha esperta, bem bonitinha... e aquela putinha. Todas aquelas mulheres que não sabiam cuidar de si mesmas, de mim ou de seus homens... Deixando que eu atendesse todos aqueles homens." Ela começou a soluçar durante a série seguinte, e quando paramos disse: "Eu vi o quanto eu era pequena... a brutalização da menininha. Não foi culpa minha." Assenti com a cabeça: "Isso mesmo. Pare aí." A sequência seguinte terminou com Kathy relatando: "Estou contemplando minha vida agora... Meu eu grande segurando meu eu pequena... e dizendo: 'Agora você está bem'." Confirmei com um gesto de cabeça, animando-a, e dei continuidade à sessão.

As imagens não paravam. "Vejo um trator demolindo a casa em que eu morava. Acabou!" Nesse ponto, Kathy começou a seguir uma linha diferente: "Estou pensando em como eu gosto do Jeffrey [um colega de turma]. Penso que talvez ele não queira saber de mim. Penso que não sei o que fazer. Nunca namorei e não sei como proceder." Perguntei-lhe o que achava que precisava saber para namorar e comecei a série seguinte. "Olha, tem uma pessoa que quer ficar comigo... É bem simples. Não sei como ser eu mesma com os homens. Fico petrificada."

Enquanto acompanhava meu dedo, ela começou a chorar. Quando parei, ela disse: "Tenho uma lembrança de Jeffrey e eu na lanchonete. Meu pai aparece na porta. Começa a gritar, está brandindo um machado. Ele diz: 'Já falei que você é minha.' Ele me bota em cima da mesa... e aí me estupra e depois estupra Jeffrey." Agora ela chorava alto. "Como é que você pode se abrir com uma pessoa se tem visões de seu pai estuprando você e depois os dois?" Tive vontade de consolá-la, mas sabia que era mais importante dar continuidade às associações dela. Pedi-lhe que se concentrasse no que sentia no corpo. "Sinto uma coisa nos braços, nos ombros e do lado direito do peito. Só quero ser abraçada." Continuamos a sessão, e quando terminamos Kathy parecia relaxada. "Ouvi Jeffrey dizer que estava tudo bem, que tinha sido mandado lá para tomar conta de mim. E que não era nada que eu tivesse feito, e que ele só quer ficar comigo para me proteger." Perguntei de novo o que ela sentia.

Eu me sinto realmente em paz. Um pouco trêmula... Como acontece quando a gente começa a se exercitar. Um certo alívio. Jeffrey já sabe tudo isso. Sinto que estou viva e que tudo acabou. Mas estou com medo de que meu pai tenha outra filha, e isso me deixa muito, muito triste. Eu quero salvá-la.

Mais adiante, porém, o trauma voltou, junto com outros pensamentos e imagens. "Quero vomitar... Sinto o aparecimento de muitos cheiros... Perfume vagabundo, álcool, vômito." Minutos depois, estava em prantos:

Agora eu sinto mamãe aqui. É como se ela quisesse que eu a perdoasse. Eu tenho a sensação de que a mesma coisa aconteceu a ela... Está me pedindo desculpas sem parar. Está me dizendo que isso aconteceu a ela... que foi meu avô. Diz também que minha avó está triste por não estar aqui para me proteger.

Continuei a pedir que respirasse fundo e registrasse tudo o que visse. No fim da sequência seguinte, ela disse: "Tenho a impressão de que acabou. Senti minha avó me abraçando agora, com a idade que tenho e me dizendo que sentia muito por ter se casado com meu avô. Que ela e mamãe estão tomando providências para isso parar por aqui." Depois da última série, Kathy sorria: "Vejo uma imagem em que empurro meu pai para fora da lanchonete e Jeffrey fecha a porta atrás dele. Ele está lá fora. Pode ser visto através do vidro... Todo mundo está caçoando dele."

Com ajuda da EMDR, Kathy conseguiu integrar as lembranças de seu trauma e recorrer à imaginação para sepultá-las, alcançando uma sensação de completude e controle. Os aportes de minha parte foram mínimos, sem nenhuma análise sobre os detalhes de suas experiências. (Nunca vi motivo para questionar a realidade dessas experiências; eram reais para ela, e minha tarefa consistia em ajudá-la a lidar com elas no presente.) O processo liberou algo em sua mente e seu cérebro para que novas imagens, sentimentos e ideias fossem ativados; foi como se sua força vital emergisse a fim de criar novas possibilidades para o futuro.[5]

Como vimos, as lembranças traumáticas persistem em imagens, sensações e sentimentos cindidos e inalterados. Entendo que o aspecto mais notável da EMDR seja sua evidente capacidade de ativar, em conjunção com a lembrança original, uma série de sensações, emoções, imagens e pensamentos, aparentemente não relacionados entre si. Essa forma de reunir antigas informações em novas embalagens talvez seja a maneira como integramos as experiências comuns e não traumáticas do dia a dia.

A EXPLORAÇÃO DA CONEXÃO DO SONO

Pouco depois de tomar contato com a EMDR, o laboratório de sono dirigido por Allan Hobson no CSMM me convidou para falar de meu trabalho. Junto com seu mestre, Michel Jouvet,[6] Hobson ficara famoso pela descoberta da área cerebral em que são gerados os sonhos; na época, um de seus assistentes, Robert Stickgold, estava começando a estudar a função dos sonhos. Exibi o vídeo de uma paciente que sofrera de TEPT grave durante 13 anos, vítima de um terrível acidente de carro, e que, com apenas duas sessões de EMDR, deixara de ser uma pessoa impotente, sempre em pânico, para se transformar numa mulher confiante e decidida. Bob ficou impressionado.

Semanas mais tarde, uma amiga da família de Stickgold ficou tão deprimida depois da morte de seu gato que teve de ser hospitalizada. O psiquiatra que a atendeu concluiu que a morte do animal desencadeara memórias não resolvidas da morte da mãe dela, quando ela estava com 12 anos, e a pôs em contato com Roger Solomon, conhecido instrutor de EMDR, que a tratou com êxito. Depois dessa terapia, ela procurou Stickgold e lhe disse: "Bob, você precisa estudar isso. É uma coisa estranha… tem a ver com o cérebro, e não com a mente."

Pouco depois, um artigo publicado na revista *Dreaming* afirmava que a EMDR estava relacionada ao sono REM (*rapid eye movement*, movimento ocular rápido) – a fase do sono em que ocorrem os sonhos.[7] Pesquisas já haviam demonstrado que o sono, e sobretudo os sonhos, desempenham um papel importante na regulação do humor. Como destacava o artigo, no sono REM os olhos se movimentam para um lado e para o outro, tal como na EMDR. Aumentar o tempo de sono REM reduz a depressão; quanto menor o tempo de sono REM, mais aumenta a probabilidade de sermos acometidos de depressão.[8]

O TEPT, é claro, está notoriamente associado a um sono conturbado, e o uso de álcool ou drogas perturba ainda mais o sono REM. No tempo em que trabalhei na AV, meus colegas e eu percebemos que os veteranos muitas vezes acordavam assim que entravam na fase de somo REM[9] – talvez por terem ativado um fragmento do trauma durante um sonho.[10] Outros pesquisadores também haviam notado o fenômeno, mas o consideraram irrelevante para a compreensão do TEPT.[11]

Hoje sabemos que tanto o sono profundo quanto o REM exercem importantes papéis no modo como as memórias se modificam. O cérebro adormecido reformula a lembrança, intensificando a marca deixada por informações relevantes e contribuindo para a eliminação de material irrelevante.[12] Numa série de estudos excelentes, Stickgold e colaboradores mostraram que o cérebro adormecido pode dar sentido a informações cuja importância nos parece pouco clara quando estamos despertos, e integrá-las ao sistema geral da memória.[13]

Os sonhos reproduzem, recombinam e reintegram pedaços de lembranças antigas durante meses e até anos.[14] Atualizam sem cessar as realidades subjacentes que determinam aquilo em que a mente desperta presta atenção. E mais relevante, talvez, para a EMDR, seja o fato de que no sono REM ativamos associações mais distantes do que no sono não REM ou no estado normal de vigília. Por exemplo, se despertamos uma pessoa do sono não REM e a submetemos a um teste de associação de palavras, ela dá respostas convencionais: quente/frio, duro/macio, etc. Ao ser despertada de sono REM, ela faz conexões menos convencionais, como ladrão/erro.[15] Além disso, resolve anagramas simples com mais facilidade. Essa passagem para a ativação de associações distantes talvez explique por que os sonhos sejam tão bizarros.[16]

Stickgold, Hobson e colegas descobriram que os sonhos ajudam a forjar novas relações entre lembranças aparentemente desvinculadas.[17] Perceber conexões novas é o aspecto fundamental da criatividade; como foi dito, é essencial para a cura. A incapacidade de recombinar experiências é também um dos aspectos visíveis do TEPT. Embora Noam, no capítulo 4, imaginasse uma cama elástica para salvar futuras vítimas de terrorismo, os indivíduos com trauma estão aprisionados em associações congeladas: toda pessoa de turbante tentará me matar; todo homem que me julgar atraente desejará me estuprar.

Por fim, Stickgold propõe um elo claro entre a EMDR e o processamento de lembranças pelos sonhos:

> Se a estimulação bilateral da EMDR é capaz de alterar os estados cerebrais de forma semelhante à que se observa durante o sono REM, há

então bons indícios de que a EMDR pode tirar proveito de processos dependentes do sono, que podem estar bloqueados ou desativados em vítimas de TEPT, para permitir um eficaz processamento de memórias e a resolução do trauma.[18]

É bem possível que a instrução básica da EMDR, "Mantenha essa imagem em sua mente e acompanhe com o olhar meus dedos mexendo-se de um lado para o outro", reproduza o que acontece no cérebro durante o sonho. No momento em que este livro está sendo enviado à gráfica, Ruth Lanius e eu estamos estudando como o cérebro reage (tanto ao recordar um evento traumático quanto um fato comum) a movimentos oculares enquanto os pacientes são submetidos a um exame de ressonância magnética. Mantenha-se sintonizado.

ASSOCIAÇÃO E INTEGRAÇÃO

À diferença do tratamento de exposição convencional, a EMDR não dedica muito tempo revisitando o trauma original. O trauma em si é, sem dúvida, o ponto de partida, porém o foco está em estimular e encadear o processo associativo. Como ficou patente no estudo comparativo entre o Prozac e a EMDR, medicamentos podem embotar as imagens e sensações de terror, porém elas continuam incrustadas na mente e no corpo. Em contraste com os participantes que melhoraram com o uso do Prozac – cujas lembranças foram apenas debilitadas (e ainda causavam considerável ansiedade), mas não integradas como um evento que ocorreu no passado –, os que foram tratados com EMDR não experimentavam mais as marcas fortes do trauma. O trauma se tornara a história de um evento excepcionalmente ameaçador, que ocorrera havia muito tempo. Como disse um de meus pacientes, com um gesto de desdém: "Acabou."

Ainda não sabemos exatamente como funciona a EMDR, mas o mesmo se pode dizer do Prozac. A fluoxetina, seu princípio ativo, exerce um efeito sobre a serotonina, mas resta esclarecer se seus níveis se elevam ou se reduzem, em quais células cerebrais isso ocorre e por que as pessoas ficam menos temerosas. Da mesma forma, não sabemos por que conversar com um amigo em quem confiamos causa um alívio tão grande, e me surpreende que tão poucas pessoas pareçam interessadas em explorar essa questão.[19]

Médicos têm uma única obrigação: fazer o possível para oferecer alívio para os pacientes. E por isso a prática clínica sempre tem se mostrado um campo rico para a experimentação. Alguns experimentos falham, outros têm êxito, e alguns – como a EMDR, a terapia comportamental dialética e a terapia dos sistemas familiares internos – mudam a forma como os pacientes são tratados. A validação de todos esses tratamentos leva décadas e se ressente de o apoio à pesquisa em geral ser canalizado para métodos de eficácia comprovada. Busco consolo na história da penicilina: quase quatro décadas transcorreram entre a descoberta de suas propriedades antibióticas por Alexander Fleming em 1928 e a elucidação final de seus mecanismos, em 1965.

16
SENSAÇÃO DE SEGURANÇA EM SEU CORPO: IOGA

Ao voltar a sentir uma conexão visceral com as necessidades do corpo, surge uma novíssima capacidade de amar ternamente o self. Experimentamos um novo sentimento de autenticidade em nossos cuidados, que redirecionam nossa atenção para a saúde, a dieta, a energia, a administração do tempo. Esse maior cuidado com o self surge de forma espontânea e natural, não como reação a um "dever". Passamos a experimentar um prazer imediato e intrínseco no cuidado pessoal.

Stephen Cope, *Yoga and the Quest for the True Self*

Quando a vi pela primeira vez, Annie estava curvada numa cadeira da sala de espera do consultório. Usava jeans desbotados e uma camiseta roxa com uma imagem de Jimmy Cliff. Suas pernas tremiam visivelmente, os olhos continuaram pregados no chão mesmo depois que a convidei a entrar. Dela, eu só sabia que tinha 47 anos e dava aulas para crianças com necessidades especiais. Seu corpo comunicava de maneira clara que estava aterrorizada demais para conversar – e até para fornecer informações rotineiras como endereço e número do plano de saúde. Uma pessoa assim amedrontada não raciocina direito, qualquer pressão só a fará se fechar ainda mais. Se houver insistência, ela vai fugir e você nunca mais a verá.

Annie afinal entrou em minha sala e ficou de pé, mal respirando, um passarinho assustado. Eu sabia que não podia fazer nada antes que se acalmasse. Postei-me a quase dois metros dela, certificando-me de que ela dispunha de caminho livre para a porta, e lhe disse para respirar um pouco mais profundamente. Comecei a respirar junto com ela e pedi que me imitasse, erguendo lateralmente os braços devagar ao inspirar e baixando-os ao expirar, uma técnica de *qigong* que um de meus alunos chineses me ensinara. Ela imitou meus gestos, relutante, os olhos ainda pregados no chão. Repetimos os movimentos por mais ou menos meia hora. De vez em quando eu lhe pedia, em voz baixa, que prestasse atenção na sensação de seus pés fincados no chão e observasse como seu peito se expandia e se contraía a cada respiração. Aos poucos, ela passou a respirar mais devagar e mais fundo, a expressão do rosto abrandou e seu olhar subiu à altura de meu pescoço. Comecei a ter uma ideia da pessoa que havia por trás daquele terror paralisante. Por fim, ela relaxou um pouco e me dirigiu uma sombra de sorriso, numa admissão de que estávamos os dois na sala. Propus parar por ali – eu já havia exigido demais dela – e perguntei-lhe se gostaria de voltar uma semana depois. Ela anuiu e murmurou: "O senhor é esquisito!"

À medida que a fui conhecendo, inferi, pelos bilhetes que escrevia e os desenhos que me entregava, que sofrera abusos terríveis do pai e da mãe quando bem pequena. A história toda custou a ser revelada, pois era difícil que ela falasse sem que seu corpo fosse dominado por uma ansiedade incontrolável.

Descobri que Annie era extraordinariamente hábil e atenciosa em seu trabalho. (Experimentei com crianças da clínica algumas das técnicas que ela me disse empregar e considerei-as utilíssimas.) Ela falava sem rodeios sobre as crianças a quem dava aulas, mas fechava-se em total mutismo se a conversa se encaminhava para suas relações com adultos. Eu sabia que era casada, mas ela mal mencionava o marido. Era comum que, ao enfrentar discordâncias e confrontos, sua mente se apagasse. Quando estressada demais, cortava os braços e o peito com uma gilete. Durante anos experimentara vários tipos de terapia e medicações diferentes, que pouco a ajudaram a lidar com as marcas de seu passado medonho. Fora também internada em vários hospitais psiquiátricos devido a seus comportamentos autodestrutivos, mas sem muitos benefícios visíveis.

Como ela só conseguia falar de maneira indireta sobre o que estava sentindo e pensando, antes de se calar e congelar, nossas primeiras sessões de terapia foram dedicadas a acalmar o caos fisiológico que havia dentro dela. Usamos todas as técnicas que eu aprendera ao longo dos anos, como respirar concentrando-se na expiração, o que ativa o sistema nervoso parassimpático. Também a ensinei a dar batidinhas com os dedos numa série de pontos de acupuntura em várias partes do corpo, prática ensinada com o nome de EFT (Emotional Freedom Tecniques, ou Técnicas de Libertação Emocional), que, como já foi demonstrado, ajuda os pacientes a se manter dentro da janela de tolerância e muitas vezes exerce efeitos positivos sobre os sintomas de TEPT.[1]

O LEGADO DO CHOQUE INESCAPÁVEL

Por conhecermos hoje os circuitos cerebrais envolvidos no sistema de alarme, podemos ter uma ideia do que ocorria no cérebro de Annie naquele primeiro dia na sala de espera. Sua amídala – o detector de fumaça – fora reprogramada para interpretar certas situações como indícios de perigo e estava enviando a seu cérebro de sobrevivência sinais urgentes para lutar, congelar ou fugir. Annie experimentava todas essas reações ao mesmo tempo – estava agitada e mentalmente bloqueada.

Como vimos, defeitos do sistema de alarme se manifestam de várias maneiras, e, se seu detector de fumaça não funciona bem, você não consegue confiar em suas percepções. Por exemplo, quando Annie começou a gostar de mim, esperava ansiosa pelas sessões, porém ainda chegava ao consultório tomada de pânico. Um dia ela teve um flashback em que se sentia feliz por seu pai estar chegando cedo em casa – porém mais tarde, naquela noite, ele a molestou. Pela primeira vez, ela percebeu que sua mente associava de maneira automática a satisfação de ver uma pessoa que ela amava com o terror de ser molestada.

Crianças pequenas são particularmente dadas a compartimentar experiências, de modo que tanto o amor natural que Annie sentia pelo pai quanto o medo de seus ataques eram mantidos em estados de consciência separados. Ao se tornar adulta, ela passou a culpar a si mesma pelo abuso que sofrera, pois acreditava que a criança carinhosa e animada que ela havia sido provocara as ações do pai – imaginava-se responsável pela agressão de que fora vítima. Sua mente racional lhe dizia que era absurdo, mas aquela convicção vinha das profundezas de seu cérebro emocional, o cérebro de sobrevivência, da programação básica de seu sistema límbico. Isso não mudaria até Annie se sentir bastante segura em seu corpo para voltar conscientemente àquela experiência e saber com precisão o que aquela menininha tinha sentido e feito durante o abuso.

A APATIA INTERIOR

A lembrança da impotência fica armazenada de várias formas; uma delas é tensão muscular ou sensações de desintegração nas áreas afetadas: cabeça, costas e membros em vítimas de acidentes, vagina e reto nas de abuso sexual. A vida de muitos sobreviventes de trauma passa a girar em torno de suportar e neutralizar experiências sensoriais indesejadas; quase todos os meus pacientes são hábeis em se autoentorpecer. Às vezes se tornam obesos ou anoréxicos, ou então viciados em exercícios ou em trabalho. O outro lado da apatia é a busca de sensações: muitos se cortam, enquanto outros praticam esportes radicais como *bungee-jump*, ou se dedicam a atividades de alto risco, como prostituição e jogos de azar. Qualquer uma dessas estratégias pode lhes proporcionar uma falsa e paradoxal sensação de controle.

Em pessoas cronicamente coléricas ou amedrontadas, a constante tensão muscular acaba provocando espasmos, dores nas costas, enxaquecas, fibromialgia e outros tipos de dores crônicas. Em geral, elas consultam diversos especialistas, fazem muitos exames diferentes e lhes são prescritos vários medicamentos, alguns dos quais podem até produzir alívio temporário, mas nenhum resolve os problemas subjacentes. Os diagnósticos que essas pessoas ouvem acabam definindo sua realidade, que jamais é identificada como sintoma de suas tentativas de enfrentar o trauma.

Os dois primeiros anos da terapia de Annie foram dedicados a auxiliá-la a tolerar suas sensações físicas e entender o que eram – só sensações no presente, com começo, meio e fim. Meu objetivo era ajudá-la a se acalmar o bastante para observar o que sentia sem julgar, para analisar essas imagens e sentimentos que surgiam espontaneamente como resíduos de um passado horroroso, não como ameaças intermináveis à sua vida atual.

Pacientes como Annie nos desafiam o tempo todo a encontrar novos meios de ajudar as pessoas a regular seu estado de alerta e controlar sua própria fisiologia. Foi assim que meus colegas do Trauma Center e eu viemos a nos envolver com a ioga.

NOSSO CAMINHO PARA A IOGA: REGULAÇÃO DE BAIXO PARA CIMA

Nosso envolvimento com a ioga começou em 1998, quando Jim Hopper e eu ouvimos falar de um novo marcador biológico, a variabilidade da frequência cardíaca (VFC), que estudos recentes haviam constatado ser um bom indicador da qualidade do funcionamento do sistema nervoso autônomo. Como vimos no capítulo 5, o sistema nervoso autônomo é o sistema de sobrevivência mais primitivo do cérebro, e seus dois ramos regulam o estado de alerta em todo o corpo. Em linhas gerais, o sistema nervoso simpático utiliza substâncias químicas como a adrenalina para fazer o corpo e o cérebro agirem, enquanto o sistema nervoso parassimpático usa a acetilcolina para regular funções orgânicas básicas, entre elas a digestão, cicatrização de ferimentos e os ciclos do sono e dos sonhos. Quando estamos bem, esses dois sistemas atuam em estreita colaboração para nos manter num estado ideal de envolvimento com o meio ambiente e com nós mesmos.

A variabilidade da frequência cardíaca mede o equilíbrio relativo entre o SNS e o SNP. Quando inspiramos, estimulamos o SNS e a frequência cardíaca aumenta; ao expirar, estimulamos o SNP, e ela diminui. Em pessoas saudáveis, as inspirações e expirações produzem flutuações regulares, rítmicas, na frequência cardíaca – uma boa variabilidade dessa frequência é indicador de bem-estar básico.

Por que a VFC é importante? Se nosso sistema nervoso autônomo está equilibrado, temos um razoável grau de controle sobre nossas reações a pequenas frustrações e desapontamentos, o que nos permite avaliar com calma o que acontece quando nos sentimos insultados ou ignorados. Pessoas cujo sistema nervoso autônomo se acha mal modulado se desequilibram com facilidade, tanto mental quanto fisicamente. Como esse sistema controla o estado de alerta no corpo e no cérebro, uma VFC deficiente – isto é, uma falta de flutuação da frequência cardíaca em resposta às duas fases da respiração – exerce efeitos negativos tanto sobre o pensamento e as sensações quanto sobre a forma pela qual o corpo responde ao estresse. A falta de coerência entre a respiração e a frequência cardíaca torna as pessoas vulneráveis a várias afecções físicas, como doenças cardíacas e câncer, além de poder acarretar problemas mentais como depressão e TEPT.[2]

Para aprofundar o estudo dessa questão, adquirimos uma máquina que mede a VFC. Atando fitas ao redor do tórax dos participantes das pesquisas, alguns traumatizados, outros sem TEPT, pudemos registrar a profundidade e o ritmo da respiratório, enquanto pequenos monitores ligados aos lobos de suas orelhas verificavam a pulsação. Depois de examinar cerca de sessenta pessoas, ficou claro que as vítimas de TEPT têm uma VFC bem baixa. Ou seja, nessas pessoas o SNS e o SNP se acham fora de sincronia.[3] Essa descoberta acrescentou um novo elemento à questão já complicada do trauma: confirmamos que mais um sistema regulador cerebral não funcionava a contento.[4] O desequilíbrio desses dois sistemas explica por que pessoas traumatizadas como Annie costumam reagir de forma tão exagerada a estresses relativamente fracos: os sistemas biológicos destinados a nos ajudar a enfrentar os altos e baixos da vida não cumprem seu papel.

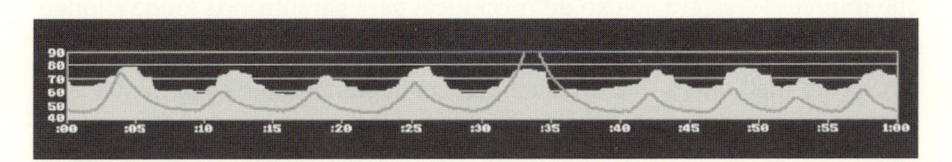

Variabilidade da frequência cardíaca (VFC) numa pessoa bem regulada. As linhas pretas ascendentes e descendentes representam a respiração, neste caso, inspirações e expirações lentas e regulares. A área cinzenta mostra flutuações na frequência cardíaca. Quando a pessoa enche os pulmões de ar, a frequência cardíaca sobe; durante a expiração, ela diminui. Esse padrão de VFC indica excelente saúde fisiológica.

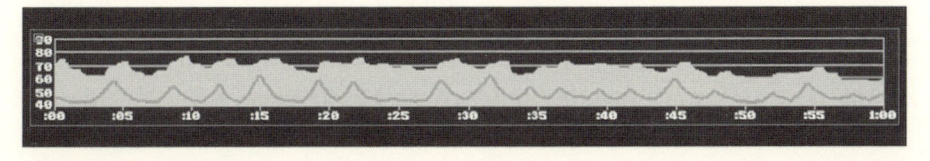

Resposta a perturbação. Quando alguém recorda uma experiência perturbadora, a respiração se acelera e se torna irregular, e o mesmo acontece com a frequência cardíaca. O coração e a respiração deixam de estar em perfeita sincronia. Esta é uma reação normal.

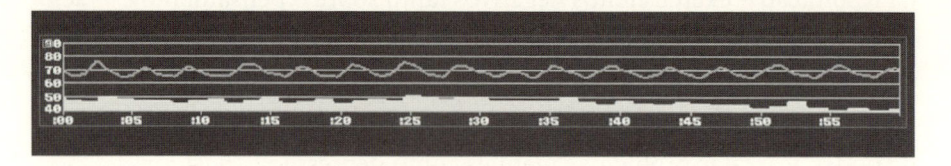

VFC em TEPT. A respiração é acelerada e rasa. A frequência cardíaca, baixa, está fora de sincronia com a respiração. É o que acontece em geral com uma pessoa bloqueada e vítima de TEPT.

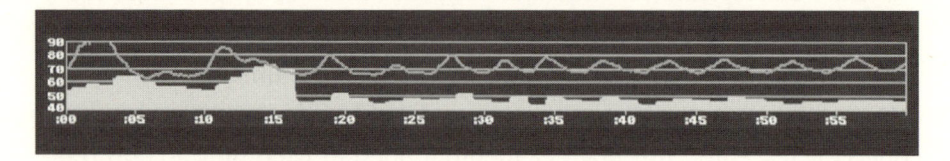

Vítima de TEPT crônico revivendo uma situação de trauma. No começo, a respiração é difícil e profunda, característica de uma reação de pânico. O coração dispara, fora de sincronia com a respiração. A isso se segue uma respiração acelerada e superficial, além de uma frequência cardíaca lenta, sinais de que a pessoa está se bloqueando.

Agora havia uma nova pergunta a responder: como melhorar a VFC das pessoas? Eu tinha interesse pessoal em investigar a questão, pois descobrira que minha VFC estava abaixo do nível ideal para garantir boa saúde a longo prazo. Na internet, descobri estudos recomendando a participação em maratonas para melhorar a VFC. Infelizmente, nem eu nem nossos pacientes éramos bons candidatos para a Maratona de Boston. O Google também listava 17 mil sites de ioga, e todos afirmavam que a prática melhorava a VFC, mas não conseguimos localizar estudos que ratificassem essas declarações. Os iogues talvez tivessem criado um maravilhoso método para ajudar as pessoas a obter equilíbrio interno e saúde, mas em 1998 poucos estudos avaliavam suas afirmações usando os instrumentos da tradição médica ocidental.

Desde então, porém, métodos científicos comprovaram que mudar o modo como se respira pode reduzir problemas como raiva, depressão e ansiedade,[5] e que a ioga é capaz de incidir de maneira positiva sobre uma ampla faixa de problemas de saúde, como hipertensão, nível elevado de secreção de hormônios do estresse,[6] asma e dores na região lombar.[7] No entanto, nenhuma revista de psiquiatria havia divulgado qualquer estudo científico sobre o emprego da ioga no tratamento do TEPT até a publicação de nosso trabalho, em 2014.[8]

Por coincidência, dias depois de nossa busca na internet, um professor de ioga bem magrinho, David Emerson, nos procurou no Trauma Center. Disse que tinha criado uma forma modificada de hata ioga para tratar o TEPT e que vinha dando aulas para ex-combatentes num centro de veteranos da cidade e para mulheres no Centro de Crise de Estupro na Área de Boston. Por acaso estaríamos interessados em trabalhar com ele? Aquela visita acabou fazendo-nos desenvolver um programa de ioga, e, mais tarde, recebemos o primeiro subsídio dos Institutos Nacionais de Saúde para estudar seus efeitos sobre o TEPT. O trabalho de Dave também contribuiu para que eu criasse meu próprio curso regular de ioga, e me tornei um instrutor assíduo no Kripalu, um centro nos montes Berkshire, em Massachusetts. (Com isso, minha VFC também regularizou.)

Ao decidir explorar a ioga para melhorar a VFC, estávamos optando por uma postura radical. Poderíamos ter usado um dos muitos dispositivos de preço módico que ajudam as pessoas a diminuir o ritmo da respiração e sincronizá-la com a frequência cardíaca, o que leva a um estado de "coerência cardíaca", como o padrão mostrado na primeira ilustração da página 317.[9] Existem hoje vários aplicativos nos smartphones capazes de melhorar a VFC.[10] Em nossa clínica, temos estações de trabalho onde os pacientes podem treinar sua VFC, e recomendo a todos aqueles que, por um motivo ou outro, não podem praticar ioga, artes marciais ou *qigong* que se exercitem em casa.

A EXPLORAÇÃO DA IOGA

A decisão de estudar ioga nos levou a aprofundarmos as pesquisas sobre o impacto do trauma sobre o corpo. As primeiras aulas experimentais ocorreram numa sala cedida por um curso de dança próximo. David Emerson e seus colegas Dana Moore e Jodi Carey atuavam como voluntários e minha equipe de pesquisa procurou a melhor forma de medir os efeitos da ioga no aspecto psicológico. Espalhamos folhetos em supermercados e lavanderias, entrevistamos dezenas de pessoas que nos procuraram. Por fim, selecionamos 37 mulheres com graves históricos de trauma que já haviam feito muitos anos de terapia sem grandes resultados. Metade das voluntárias formaria o grupo da ioga, enquanto as demais fariam terapia comportamental dialética (TCD), consagrado tratamento de saúde mental que ensina as pessoas a usar a atenção plena para se manterem calmas. Por fim, encomendamos a um engenheiro do MIT um complexo computador que mediria a VFC em oito pessoas ao mesmo tempo. (Em cada grupo de estudo haveria várias turmas, cada uma com oito participantes no máximo.) Enquanto a ioga melhorou bastante os problemas de alerta no TEPT e facilitou a relação das pacientes com o corpo ("Agora controlo meu corpo"; "Escuto as necessidades de meu corpo"), as oito semanas de TCD não afetaram os níveis de alerta ou os sintomas de TEPT. Assim, modificamos o foco da pesquisa: em vez de procurar determinar se a ioga pode mudar a VFC (pode),[11] nós nos concentramos em, por meio dessa prática, ensinar os pacientes a se sentirem à vontade com seus corpos torturados.

Com o tempo, lançamos um programa de ioga para fuzileiros navais em Camp Lejeune, e temos obtido êxito também com veteranos com TEPT. Não dispomos de dados formais, mas nossos estudos parecem indicar que a prática é tão eficaz para eles quanto para as mulheres.

Todos os programas de ioga consistem numa combinação de exercícios de respiração (*pranayama*), alongamentos ou posturas (*asanas*) e meditação. As diferentes escolas dão ênfase a variações na intensidade e no foco desses componentes básicos. Por exemplo, variações na velocidade e na profundidade da respiração e no uso da boca, das narinas e da garganta produzem diferentes resultados, e algumas técnicas exercem fortes efeitos sobre a energia.[12] Adotamos um enfoque simples. Muitos pacientes mal percebem que respiram, de modo que já pode ser um avanço aprender a prestar atenção na inspiração e na expiração, notar se ela foi acelerada ou lenta e contar o número de respirações em cada postura.[13]

Aos poucos, adotamos algumas posturas clássicas. Não damos ênfase à precisão delas, mas em ajudar os pacientes a notar quais músculos são ativados em cada uma. As sequências são pensadas para criar um ritmo entre tensão e relaxamento – algo que esperamos que passem a perceber no dia a dia.

Não ensinamos meditação propriamente dita, mas conseguimos atenção plena ao incentivar a observação do que está acontecendo em diferentes partes do corpo entre uma postura e outra. Vemos o tempo todo como é difícil que pessoas traumatizadas se sintam inteiramente relaxadas e fisicamente seguras. Medimos a VFC dos pacientes fixando minúsculos monitores em seus braços durante a *shavasana*, a postura final da maioria das aulas (as pessoas se deitam de costas, com as palmas das mãos viradas para cima, os braços e as pernas relaxados). Em vez de relaxamento, muitas vezes detectamos um excesso de atividade muscular – os músculos continuam a preparar a pessoa para enfrentar inimigos invisíveis. Um grande problema na recuperação do trauma ainda é alcançar um estado de relaxamento total e entrega confiante.

O APRENDIZADO DA AUTORREGULAÇÃO

Ao constatar o êxito de nossos estudos-piloto, montamos um programa terapêutico de ioga no Trauma Center. Imaginei que essa poderia ser uma oportunidade para Annie ter uma relação mais carinhosa com seu corpo e insisti com ela para que tentasse. A primeira aula foi difícil. O simples toque do instrutor para ajustar sua posição a aterrorizou de tal forma que ela correu para casa e se cortou – seu sistema de alarme interpretou até mesmo o toque suave em suas costas como um ataque físico. Ao mesmo tempo, porém, ela descobriu que a ioga poderia lhe oferecer um meio de se libertar da constante sensação de perigo. Incentivada por mim, ela voltou na semana seguinte.

Para Annie sempre fora mais fácil escrever do que falar a respeito do que sentia. Depois da segunda aula, ela me escreveu:

> Não sei todos os motivos pelos quais a ioga me deixa tão aterrorizada, mas sei que será uma fonte incrível de cura, e é por isso que estou me convencendo a experimentá-la. A ioga me faz olhar para dentro, não para fora, e prestar atenção a meu corpo, e muito de minha sobrevivência foi pensada para nunca fazer isso. Ao ir para a aula hoje meu coração estava disparado, e uma parte de mim queria ir embora, mas aí me forcei a pôr um pé diante do outro até chegar à porta e entrar. Depois da aula, vim para casa e dormi por quatro horas. Esta semana tentei fazer ioga em casa e me ocorreram as palavras: "Seu corpo tem algo a dizer." E eu me respondi: "Vou tentar escutar."

Alguns dias depois, ela escreveu:

Alguns pensamentos durante e depois da ioga hoje. Pensei em como devo estar desligada de meu corpo quando me corto. Quando eu estava fazendo as posturas, notei que meu maxilar fica rígido e desde as pontas dos pés até o umbigo fico retesada, tensa e segurando a dor e as lembranças. Às vezes, você me pergunta onde sinto as coisas e não consigo nem começar a localizar, mas hoje senti esses lugares com muita clareza, e isso me deu vontade de chorar baixinho.

No mês seguinte, nós dois tiramos férias, e, como eu lhe pedira para manter contato, Annie me escreveu:

Tenho feito ioga sozinha num quarto que tem vista para o lago. Continuo a ler o livro que você me emprestou [o magnífico *Yoga and the Quest for the True Self*, de Stephen Cope]. É interessante pensar no quanto tenho me recusado a prestar atenção a meu próprio corpo, que é uma parte tão importante de mim. Ontem, fazendo ioga, pensei em deixar meu corpo me contar a história que ele quer contar, e nas posturas de abertura do quadril havia muita dor e tristeza. Não acredito que minha mente permitirá o surgimento de imagens realmente vívidas enquanto eu estiver fora de casa, o que é bom. Tenho pensado no quanto estive descompensada e em como tenho tentado negar o passado, que é uma parte de meu verdadeiro eu. São tantas as coisas que posso aprender se me abrir para elas, e aí não terei de brigar comigo mesma durante cada minuto de todos os dias.

Uma das posições de ioga mais difíceis para ela era aquela comumente chamada de "Bebê Feliz", na qual a pessoa se deita de costas com os joelhos bem flexionados e as solas dos pés viradas para o teto, enquanto segura os dedos dos pés. Essa postura faz a pélvis ficar totalmente exposta, e é fácil entender por que vítimas de estupro se sintam vulneráveis. No entanto, enquanto uma postura como o Bebê Feliz, ou qualquer outra assemelhada, causar pânico intenso, será difícil manter relacionamentos pessoais. Aprender a colocar-se bem nessa posição é um desafio para muitos pacientes.

CONHECER-SE: O CULTIVO DA INTEROCEPÇÃO

Uma das lições mais claras da neurociência contemporânea é que nossa autopercepção está ancorada numa conexão vital com o corpo.[14] Não podemos nos conhecer de verdade se não pudermos sentir e interpretar nossas sensações físicas. Temos de registrá-las e agir com base nelas para navegar com segurança pela vida.[15] Embora a apatia (ou a busca compensatória de sensações) possa tornar a vida tolerável, o preço que se paga é a perda da consciência do que está acontecendo no interior do corpo e, com isso, da sensação de estar plena e sensualmente vivo.

No capítulo 6, falei de alexitimia, termo técnico da incapacidade de identificar o que ocorre no interior do corpo.[16] Pessoas que sofrem dessa incapacidade sentem um desconforto físico, mas não sabem descrever com precisão qual é o problema. Por isso, queixam-se de vários males físicos vagos e incômodos que os médicos não conseguem diagnosticar. Além do mais, não conseguem definir o que sentem de fato em qualquer situação dada, ou o que as faz se sentirem melhor ou pior. A apatia as impede de prever ou reagir às necessidades ordinárias do corpo de forma serena e atenta. A alexitimia sufoca prazeres sensoriais simples, como ouvir música, ter contato físico com outras pessoas e ver a luz, que dão encanto à vida. A ioga mostrou ser uma forma esplêndida de (re)conquistar uma relação como o mundo interior e, com isso, uma relação atenta, carinhosa e sensual com o self.

Se você não tem consciência das necessidades de seu corpo, não é capaz de cuidar dele. Se não sente fome, não pode se alimentar. Se confunde ansiedade com fome, poderá comer em excesso. E se não percebe quando está satisfeito, continuará comendo. Por isso, cultivar a percepção sensorial constitui um aspecto crítico da cura do trauma. Terapias tradicionais em geral minimizam ou ignoram as mudanças pontuais em nosso mundo sensorial interior. Entretanto, são elas que transmitem a essência das respostas do organismo: os estados emocionais que se acham gravados no perfil químico do corpo, nas vísceras, na contração dos músculos estriados do rosto, do pescoço, do tronco e dos membros.[17] Pessoas traumatizadas precisam aprender que podem tolerar essas sensações, tratar bem suas experiências interiores e cultivar novos modelos de ação.

O praticante de ioga concentra a atenção na respiração e em suas sensações de momento a momento. Começa a notar a relação entre suas emoções e o corpo (por exemplo, como a ansiedade causada pela dificuldade de assumir uma postura o faz se desequilibrar). Começa a tentar mudar o que sente. Respirar fundo vai aliviar a tensão no ombro? Concentrar-se em expirar produzirá uma sensação de calma?[18]

A simples observação do que você está sentindo promove a regulação emocional e o ajuda a não mais ignorar o que está acontecendo em seu interior. Como costumo dizer a meus alunos, as duas frases mais importantes tanto na terapia como na ioga são "Observe isso" e "O que acontece em seguida?". Quando você começa a se aproximar de seu corpo com curiosidade, não com medo, tudo muda.

A consciência do corpo também altera a percepção do tempo. O trauma faz com que você se sinta eternamente preso num estado de horror sem solução. Com a ioga, você aprende que as sensações se elevam até um pico e, em seguida, diminuem. Por exemplo, se o instrutor o convida a assumir uma postura particularmente difícil, no começo você pode ter uma sensação de fracasso ou resistência, acreditando que não será capaz de tolerar as sensações que ela provoca. Um bom professor o estimulará a observar qualquer tensão e fixará um tempo para você suportar essas sensações, usando o fluxo de sua respiração. "Vamos manter essa posição durante dez respirações." Assim se pode prever o fim do desconforto e fortalecer a capacidade de lidar com contratempos físicos e emocionais. A consciência de que toda experiência é passageira muda a perspectiva em relação aos problemas.

Mas isso não significa que recuperar a interocepção seja simples. O que acontece quando uma sensação no peito antes desconhecida é experimentada como raiva, medo ou ansiedade? Em nosso primeiro estudo da ioga, tivemos uma desistência de 50%, a maior em todas as pesquisas que já fizemos – entrevistados, os pacientes disseram considerá-lo demasiado intenso: qualquer postura que envolvesse a pélvis podia desencadear fortes sensações de pânico ou até flashbacks de agressões sexuais. Intensas sensações físicas punham em ação os demônios do passado, cuidadosamente contidos graças à apatia e à deliberada desatenção. Aprendemos a ir devagar, às vezes a passo de tartaruga. Deu certo: em nosso estudo mais recente, com 34 participantes, só um não foi até o fim.

A IOGA E A NEUROCIÊNCIA DA AUTOPERCEPÇÃO

Nos últimos anos, pesquisadores como minhas colegas Sara Lazar e Britta Hölzel, de Harvard, vêm mostrando que a meditação intensa exerce um efeito positivo exatamente sobre as áreas do cérebro fundamentais para a autorregulação fisiológica.[19] Em nosso mais recente estudo sobre a ioga, com seis mulheres com histórico de trauma infantil profundo, encontramos os primeiros indícios de que vinte semanas de prática de ioga aumentavam a ativação do sistema do self básico, da ínsula e do córtex pré-frontal medial (ver o capítulo 6). Essa pesquisa necessita de mais aprofundamento, porém abre perspectivas sobre o modo como ações que envolvem a observação e o favorecimento das sensações físicas podem produzir, na mente e no cérebro, mudanças profundas capazes de levar à cura do trauma.

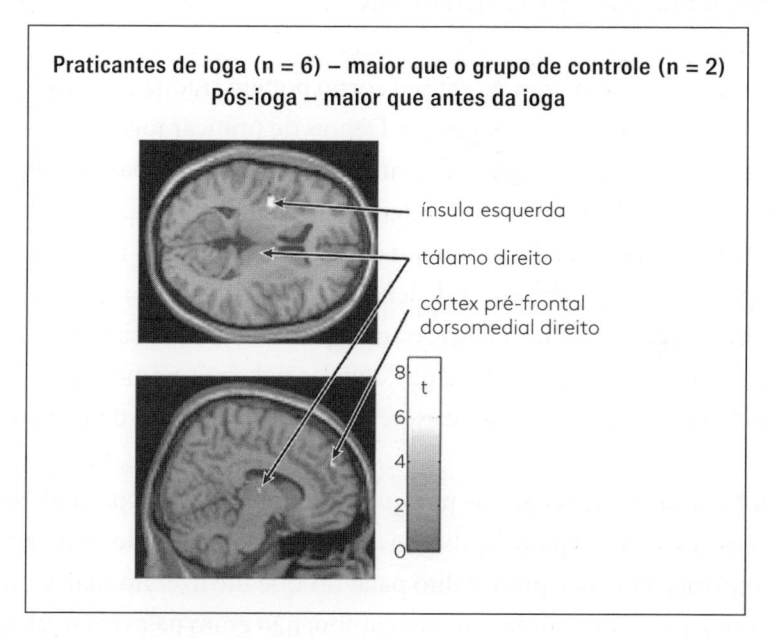

Praticantes de ioga (n = 6) – maior que o grupo de controle (n = 2)
Pós-ioga – maior que antes da ioga

- ínsula esquerda
- tálamo direito
- córtex pré-frontal dorsomedial direito

Efeitos de vinte aulas semanais de ioga. Ao fim do período, mulheres com trauma crônico apresentaram maior ativação de estruturas cerebrais críticas para a autorregulação: a ínsula e o córtex pré-frontal medial.

Depois de cada estudo, perguntávamos que efeito a ioga havia exercido sobre os participantes. Nunca falávamos de ínsula ou de interocepção; na verdade, reduzíamos ao mínimo a discussão e a explicação, para que eles se concentrassem em seu interior.

Segue-se uma amostra das respostas:

- "Minhas emoções parecem mais fortes. Talvez seja apenas porque agora consigo identificá-las."
- "Posso descrever melhor minhas sensações porque as identifico melhor. Sinto-as no corpo, identifico-as e as corrijo."
- "Agora vejo opções, vários caminhos. Posso decidir e escolher minha vida, as coisas não precisam ser repetidas ou vividas como se eu fosse criança."
- "Eu me tornei capaz de mover o corpo e sentir que nele estou num lugar seguro e sem me ferir ou ser ferida."

APRENDENDO A SE COMUNICAR

Pessoas que se sentem seguras em seu corpo podem traduzir em palavras as lembranças que antes as subjugavam. Depois de praticar ioga três vezes por semana durante cerca de um ano, Annie notou que era capaz de conversar comigo com muito mais tranquilidade sobre sua infância. Julgava quase um milagre. Um dia ela derrubou um copo d'água; levantei-me da poltrona e me aproximei com uma caixa de lenços de papel, dizendo "Deixa que eu limpo isso". Essas palavras provocaram uma breve e intensa reação de pânico, logo contida. E ela explicou que aquelas palavras eram o que o pai lhe dizia depois de estuprá-la. Annie escreveu para mim depois daquela sessão:

> Você notou que fui capaz de pronunciar as palavras em voz alta? Não precisei escrevê-las para lhe dizer o que estava acontecendo. Não perdi a confiança em você por ter dito palavras que me fizeram mal. Compreendi que a frase tinha sido um gatilho; não eram palavras terríveis que ninguém deveria pronunciar.

Annie continua a fazer ioga e a me escrever sobre suas experiências.

Fui hoje a uma aula de ioga matinal, em meu novo curso. A professora falou sobre respirar até o limite de quanto pudermos e então observar esse limite. Disse que se notamos nossa respiração é porque estamos no presente, já que não podemos respirar no futuro ou no passado. Achei incrível estar respirando daquele jeito depois de termos acabado de falar sobre o assunto, foi como se eu tivesse ganhado um presente. Algumas posturas me trazem sensações ruins. Houve duas hoje, uma em que a gente levanta as pernas como as de um sapo e aquela em que a gente respira bem fundo usando a pélvis. Senti um início de pânico, sobretudo na postura da respiração: ah, não, essa não é uma parte de meu corpo que eu queira sentir. Mas aí consegui me controlar e pensar (mais ou menos): note que essa parte de seu corpo está retendo experiências, e daí em diante é deixar as coisas rolarem. Você não precisa se prender ali, mas também não precisa fugir, é só usar aquilo como informação. Não sei se já fui capaz de fazer isso de forma consciente. Isso me fez pensar que se eu puder sentir aquilo sem ficar com medo, será mais fácil acreditar em mim mesma.

Em outra mensagem, ela refletiu sobre as mudanças em sua vida:

Aprendi lentamente a viver minhas sensações sem ser dominada por elas. A vida é mais controlável. Estou mais sintonizada com o meu dia e mais presente no momento. Tolero melhor o contato físico. Meu marido e eu estamos gostando de ver filmes aconchegados um ao outro na cama... Um passo enorme. Tudo isso me ajudou, por fim, a me sentir próxima de meu marido.

17
JUNTANDO OS PEDAÇOS: AUTOLIDERANÇA

Um ser humano é uma casa de hóspedes. A cada manhã, uma novidade. A alegria, a depressão, a mesquinharia ou uma percepção momentânea vêm como visitantes inesperados [...]. Acolha e entretenha a todos. Trate cada hóspede de maneira honrosa. Receba à porta, risonho, o pensamento sombrio, a vergonha, a malícia, e convide-os a entrar. Seja grato a quem aparecer, pois cada um foi enviado como um guia do além.

Rumi

Um homem tem tantas identidades sociais quanto pessoas que o reconhecem.

William James, Princípios de psicologia

No começo de minha carreira, tratei de Mary, uma jovem tímida, solitária e fisicamente arrasada. As sessões semanais de psicoterapia buscavam reparar as destruições causadas por seu terrível histórico de abuso na infância. Um dia, cerca de três meses depois de iniciado o tratamento, ao abrir a porta da sala de espera, encontrei-a em pé, de minissaia e numa atitude provocante, com o cabelo tingido de ruivo flamejante, um copo de café numa das mãos e uma expressão hostil no rosto. "O senhor deve ser o dr. Van der Kolk", ela disse. "Eu me chamo Jane e vim aqui para lhe avisar que não deve acreditar em nenhuma das mentiras que Mary anda lhe contando. Posso entrar?" Fiquei atônito, mas felizmente me abstive de confrontar "Jane" e, em vez disso, escutei o que ela queria me dizer. No decorrer da sessão, além de Jane, conheci uma menininha machucada e um rapazola furioso. Esse foi o começo de um tratamento longo e produtivo.

Mary foi meu primeiro contato com o transtorno dissociativo de identidade (TDI), que na época era chamado de transtorno de múltiplas personalidades. Por mais impressionantes que sejam seus sintomas, a divisão interna e o surgimento de diferentes identidades que caracterizam o TDI representam apenas o extremo do espectro da vida mental. Todos conhecemos a sensação de ter, dentro de nós, impulsos ou partes antagônicas, mas essa pluralidade acontece especialmente em pessoas traumatizadas que tiveram de recorrer a medidas extremas para sobreviver. Explorar essas partes – e até tratá-las bem – é um componente importante da cura.

ÉPOCAS DESESPERADAS EXIGEM MEDIDAS DESESPERADAS

Todos sabemos o que acontece quando nos sentimos humilhados: canalizamos toda a energia para nos proteger, agarrando qualquer estratégia de sobrevivência que exista. Podemos reprimir nossos sentimentos, assim como podemos nos enfurecer e tramar uma vingança. Podemos decidir nos tornar tão poderosos e bem-sucedidos que ninguém jamais será capaz de nos ferir de novo. Muitos comportamentos classificados como problemas psiquiátricos, entre os quais certas obsessões, compulsões e ataques de pânico, tanto quanto a maioria dos comportamentos autodestrutivos, começaram como estratégias de autoproteção. Essas adaptações ao trauma podem interferir de tal modo na vida normal que, muitas vezes, profissionais e os próprios pacientes acreditam que a plena recuperação será inviável. Encarar esses sintomas como deficiências permanentes desvia o foco do tratamento na direção da descoberta da medicação apropriada, o que pode levar à dependência por toda a vida – como se os sobreviventes do trauma fossem pacientes renais em diálise.[1]

Muito mais produtivo é entender a agressão ou a depressão, a arrogância ou a passividade como comportamentos aprendidos. Em algum ponto do caminho, o paciente passou a acreditar que só poderia sobreviver se fosse duro, invisível ou ausente, ou que era melhor desistir. Tal como as lembranças traumáticas que se mantêm intrusivas até serem sepultadas, as adaptações prosseguem até o organismo se sentir seguro e integrar todas as suas partes que estão focadas em lutar contra o trauma ou dele se defender.

Todos os sobreviventes de trauma que conheci são, de certa forma, resilientes. Suas histórias inspiram respeito pela forma que enfrentam o problema. Sabendo quanta energia é requerida para o simples ato de sobreviver, não me surpreendo com o preço que eles com frequência pagam: a ausência de uma relação amorosa com o próprio corpo, a mente e a alma.

O enfrentamento do trauma cobra um alto tributo. Para muitas crianças, é mais seguro odiar a si mesmas do que pôr em risco a relação com seus cuidadores, expressando fúria ou fugindo. Em consequência disso, crianças vítimas de abusos costumam crescer acreditando que são fundamentalmente indignas de amor; essa era a única maneira como suas mentes jovens podiam explicar a razão pela qual eram tratadas tão mal. Para sobreviver, negam, ignoram e eliminam grandes porções da realidade: esquecem o abuso; reprimem a raiva ou o desespero; entorpecem suas sensações físicas. Uma pessoa que sofreu abusos na infância provavelmente carregará dentro de si uma parte infantil que se acha congelada no tempo, ainda agarrada a esse tipo de negação e repulsa por si mesma. Muitos sobreviventes adultos se veem presos na mesma armadilha. Afastar sentimentos intensos pode ser um mecanismo altamente adaptativo a curto prazo. Pode ajudar a pessoa a preservar a dignidade e a independência; pode ajudá-la a manter o foco em tarefas críticas como salvar um companheiro, cuidar dos filhos ou reconstruir sua casa.

Os problemas surgem mais tarde. Depois de ver o corpo de um amigo ser despedaçado, um soldado pode voltar à vida civil e tentar afastar da mente essa experiência. Uma parte protetora dele mesmo sabe ser competente em seu serviço e se dar bem com os colegas. Mas ele pode ter constantes acessos de raiva com a namorada ou ficar apático e paralisado quando o prazer de se render ao toque dela o leva a sentir que está perdendo o controle. É provável que não perceba que sua mente associa de maneira automática a entrega passiva com a paralisia que o dominou quando o amigo foi morto. Por isso, outra parte se adianta para criar uma manobra diversionista: ele se enfurece e, sem ter ideia do que o perturbou, acha que está zangado porque a namorada fez determinada coisa. É claro que se ele continuar a explodir com ela (e com namoradas subsequentes), ficará cada vez mais isolado, e talvez nunca perceba que a passividade desperta nele uma parte traumatizada e que outra parte, um gerente furioso, interfere para proteger esse lado vulnerável. É ajudando essas partes a renunciar a suas convicções extremas que a terapia pode salvar vidas.

Como vimos no capítulo 13, uma tarefa crucial para que um indivíduo se recupere consiste em aprender a viver com as lembranças do passado sem que elas o massacrem no presente. No entanto, a maioria dos sobreviventes, inclusive aqueles que mostram eficiência – e brilhantismo – em alguns aspectos da vida, enfrentam outro desafio, até maior: reconfigurar um sistema cérebro/mente que foi construído para enfrentar o pior. Do mesmo modo que precisamos revisitar lembranças traumáticas a fim de integrá-las, precisamos revisitar aquelas nossas partes que adquiriram os hábitos defensivos que nos ajudaram a sobreviver.

A MENTE É UM MOSAICO

Todos temos partes. Neste exato momento, parte de mim quer tirar um cochilo; outra quer continuar escrevendo. Ainda aborrecido por um e-mail injurioso, parte de mim deseja revidar, enquanto outra só quer esquecer essa história. A maioria das pessoas que me conhece vê minhas partes compenetradas, sinceras e irritáveis; outras já viram o cachorrinho enfezado que mora em mim. Meus filhos lembram de minhas partes brincalhonas e aventureiras durante as férias.

Se você chega ao escritório de manhã e vê a expressão fechada do chefe, sabe muito bem o que está por vir. Aquela parte exasperada mostra um tom de voz, um vocabulário e uma postura característicos – e ainda ontem vocês mostravam um para o outro fotos dos filhos. As partes não são apenas sentimentos, mas diferentes maneiras de ser, com suas convicções, interesses e papéis nos diferentes ambientes de nossa vida.

A maneira de nos relacionarmos com nós mesmos depende em boa medida de nossas aptidões de liderança interna – o modo como ouvimos nossas diferentes partes, nos certificamos de que estão atendidas e evitamos que se sabotem umas às outras. Com frequência, as partes dão a impressão de serem absolutas, mas na realidade representam apenas um único elemento numa constelação de pensamentos, emoções e sensações. Se Margaret grita "Não quero saber de você!" no meio de uma discussão, Joe talvez vá acreditar que ela o despreza – e nesse instante Margaret talvez concorde. Na verdade, porém, só uma parte dela está zangada, e essa parte obscurece por algum tempo seus sentimentos ternos e generosos, que poderão voltar assim que Margaret perceber a expressão de mágoa no rosto de Joe.

Todas as grandes linhas de psicologia reconhecem que as pessoas têm subpersonalidades, a que dão diferentes nomes.[2] Em 1890, William James escreveu: "Cumpre admitir que [...] a possível consciência total pode dividir-se em partes que coexistem, mas ignoram-se mutuamente e partilham entre si os objetos do conhecimento."[3] Já Carl Jung registrou: "A psique é um sistema autorregulador que se equilibra da mesma forma que o corpo,"[4] "O estado natural da psique humana consiste em um ajuntamento confuso de seus componentes, que se comportam de maneira contraditória",[5] e "A conciliação desses opostos é um grande problema. Assim, o adversário não é outro senão 'o outro dentro de mim'."[6]

A neurociência moderna confirmou essa visão da mente como uma espécie de sociedade. Michael Gazzaniga, pioneiro em pesquisas sobre a divisão da mente, concluiu que ela se compõe de módulos funcionais semiautônomos, cada qual com um papel em particular.[7] Em seu livro *The Social Brain* (1985), ele declarou:

> Mas que dizer da ideia de que o self não é um ser uno, e que podem existir dentro de nós vários domínios de consciência? [...]. Nossos estudos [sobre o cérebro dividido] levam à ideia de que, literalmente, existem dentro de nós diversos selves, que nem sempre "conversam" entre si.[8]

O cientista do MIT Marvin Minsky, pioneiro da inteligência artificial, afirmou:

> A lenda do self único só pode nos desviar do alvo de nossa investigação.[9] [...] Pode fazer sentido pensar que existe, dentro do cérebro, uma sociedade de diferentes mentes. Da mesma forma que os

membros de uma família, as diferentes mentes podem trabalhar em equipe para ajudar umas às outras, tendo cada qual as próprias experiências mentais sobre as quais as demais nada sabem.[10]

Terapeutas, treinados para ver nas pessoas seres humanos complexos, com múltiplas características e potencialidades, podem nos ajudar a explorar nosso sistema de partes internas e a cuidar, nós mesmos, de suas facetas feridas. Existem vários enfoques de tratamento, entre eles o modelo de dissociação estrutural, de amplo uso na Europa, elaborado por meus colegas holandeses Onno van der Hart e Ellert Nijenhuis, e por Kathy Steele, de Atlanta; e o trabalho de Richard Kluft nos Estados Unidos.[11]

Vinte anos depois de tratar de Mary, conheci Richard Schwartz, criador da terapia dos sistemas familiares internos (SFI). Foi graças a seu trabalho que a metáfora da "família" proposta por Minsky ganhou vida para mim e me proporcionou um método de trabalhar com as partes divididas resultantes do trauma. A essência da terapia SFI é a ideia de que a mente de cada um é como uma família cujos membros têm diferentes níveis de maturidade, excitabilidade, sabedoria e dores. As partes formam uma rede ou sistema em que a mudança em qualquer uma delas afetará todas as outras.

O modelo da SFI me ajudou a compreender que a dissociação se dá num *continuum*. No trauma, o sistema do self se desarranja e partes do self se polarizam e entram em guerra umas com as outras. A autorrepulsa coexiste com a presunção e luta com ela; o carinho amoroso com o ódio; a apatia e a passividade com a raiva e a agressão. Essas partes extremas arcam com o ônus do trauma.

Na SFI, uma parte é vista não só como um estado emocional passageiro ou um modelo costumeiro de pensamento, mas como um sistema mental diferenciado, com a própria história, capacidades, necessidades e visão do mundo.[12] O trauma injeta nas partes convicções e emoções que lhes roubam as qualidades naturais. Por exemplo, todos nós temos partes infantis e brincalhonas. Se somos vítimas de abuso, essas são as partes mais feridas: elas se congelam, encerrando em si a dor, o terror e a traição do abuso. Esse ônus faz com que se tornem tóxicas – partes de nós que temos de negar a todo custo. Por estarem trancadas no interior do corpo, a SFI as classifica como *exiladas*.

Nesse ponto, as outras partes se organizam para proteger a família interna contra as partes exiladas. Esses protetores mantêm as partes tóxicas distantes, mas, ao proceder assim, adquirem uma porção da energia do abusador. *Gerentes* críticos e perfeccionistas incumbem-se de garantir que nunca nos aproximemos de ninguém ou que sejamos incansavelmente produtivos. Outro grupo de protetores, que a SFI chama de *bombeiros*, são socorristas de emergência, agindo de forma impulsiva sempre que uma experiência ativa uma emoção exilada.

Cada parte dividida tem diferentes lembranças, convicções e sensações físicas; uma guarda a vergonha, outra a raiva; uma o prazer e o entusiasmo, outra a solidão intensa ou a submissão degradante. São todos aspectos da experiência do abuso. O insight crucial é que todas elas têm uma função: proteger o self do terror da aniquilação.

Em geral, crianças que expressam em atos sua dor, em vez de trancá-la dentro de si, recebem diagnóstico de "transtorno desafiador de oposição", "transtorno de apego" ou "transtorno de conduta". Entretanto, esses rótulos não contemplam o fato de que a raiva e o retraimento são apenas facetas de uma ampla faixa de tentativas desesperadas de sobrevivência. Tentar controlar o comportamento de uma criança sem remediar a questão básica – o abuso – leva a tratamentos que são, na melhor das hipóteses, ineficazes e, na pior, nocivos. À medida que essa criança cresce, suas partes não se integram de maneira espontânea numa personalidade coerente, mas continuam a levar uma existência mais ou menos autônoma.

As partes que se acham "fora" podem desconhecer por completo as demais.[13] A maioria dos homens que avaliei, a pedido da Justiça, por terem sido molestados por padres católicos, tomavam esteroides anabolizantes e dedicavam um tempo desmedido à musculação nas academias. Malhadores compulsivos, viviam numa cultura masculina de suor, futebol americano e cerveja, onde medo e fraqueza eram cuidadosamente ocultos. Só depois que se sentiram em segurança comigo pude conhecer os meninos aterrorizados que viviam dentro deles.

Pacientes também podem não gostar das partes que estão "fora": as coléricas, destrutivas ou críticas. Todavia, a SFI oferece um quadro para compreendê-las – e, isso também é importante, falar delas de uma forma que não as mostre como patológicas. Reconhecer que cada uma carrega fardos do passado e respeitar sua função no sistema global as torna menos ameaçadoras ou insuportáveis.

Diz Schwartz:

Aceitando-se a ideia básica de que as pessoas têm um impulso inato para cuidar da própria saúde, conclui-se que, quando elas têm problemas crônicos, alguma coisa impede o acesso a recursos internos. Por isso, o papel dos terapeutas consiste em colaborar, mais que ensinar, confrontar ou preencher buracos em seu psiquismo.[14]

O primeiro passo nessa colaboração é garantir ao sistema interno que todas as partes são bem-vindas e que todas elas – mesmo as suicidas ou destrutivas – formaram-se numa tentativa de proteger o sistema do self, por mais que agora pareçam ameaçá-lo.

AUTOLIDERANÇA

A terapia SFI reconhece que o cultivo de uma autoliderança com atenção plena é o fundamento da cura do trauma. A atenção plena não apenas nos permite analisar nossa paisagem interna com boa vontade e curiosidade: também pode nos conduzir ativamente na direção correta, no sentido do cuidado pessoal. Os sistemas – famílias, organizações e nações – só atuam com eficácia sob uma liderança competente e claramente definida. A família interna não difere: todas as facetas do self têm de ser atendidas. O líder interno deve distribuir com sensatez os recursos disponíveis e oferecer uma visão do conjunto que leve em conta todas as partes.
Como explica Richard Schwartz,

> o sistema interno de uma vítima de abuso difere do sistema de uma pessoa que não sofreu abuso no que diz respeito à ausência persistente de liderança efetiva, às regras radicais que regem a atuação das partes e à ausência absoluta de equilíbrio ou harmonia coerentes. Em geral, as partes atuam em torno de convicções e pressupostos anacrônicos, derivados do abuso na infância, julgando, por exemplo, que ainda é extremamente perigoso revelar segredos sobre experiências suportadas na infância.[15]

O que acontece quando o self não está mais no comando? A essa situação a SFI chama "mistura": quando o self se identifica com uma parte, como ocorre na frase "Quero me matar" ou "Eu te odeio". Note-se a diferença em relação a "Uma parte de mim gostaria que eu estivesse morto" ou "Uma parte de mim se ativa quando você faz isso e sou tomado por um ímpeto assassino".

Schwartz faz duas afirmações que estendem o conceito de atenção plena ao campo da liderança ativa. A primeira é que o self não precisa ser cultivado ou desenvolvido. Sob a superfície das partes protetoras dos sobreviventes de trauma há uma essência não danificada, um self confiante, curioso e calmo, um self cuja destruição foi impedida pelos vários protetores que afloraram em seus esforços de garantir a sobrevivência. Quando esses protetores têm certeza de que é seguro separar-se, o self aflora espontaneamente, e as partes podem ser mobilizadas para o processo de cura.

De acordo com a segunda afirmação, longe de ser um observador passivo, esse self atento pode contribuir para reorganizar o sistema interior e comunicar-se com as partes, ajudando-as a se certificar de que existe no interior alguém que pode ter o controle. Mais uma vez, pesquisas neurocientíficas mostram que não se trata de mera metáfora. A atenção plena aumenta a ativação do córtex pré-frontal medial e reduz a ativação de estruturas, como a amídala, que desencadeiam nossas respostas emocionais. E assim nosso controle sobre o cérebro emocional aumenta.

Mais do que incentivar um relacionamento entre o terapeuta e um paciente impotente, a SFI concentra-se em cultivar um relacionamento interno entre o self e as várias partes protetoras. Nesse modelo de tratamento, o self não se limita a assistir ou observar de maneira passiva, como em algumas tradições de meditação, mas tem um papel de liderança ativo. O self é o regente de orquestra que ajuda todas as partes a soar de maneira harmoniosa – como uma sinfonia, não uma cacofonia.

A PAISAGEM INTERIOR

A tarefa do terapeuta é ajudar os pacientes a separar essa mistura confusa em entidades separadas, de modo que possam dizer: "Essa parte de mim é igual a uma criancinha; aquela ali é mais madura, mas se sente vítima." Talvez eles desprezem muitas dessas partes, mas identificá-las faz com que elas se tornem menos intimidadoras e opressivas. O passo seguinte será estimulá-los a pedir a cada parte protetora, ao aflorar, que se detenha por algum tempo. Assim, eles poderão ver o que ela está protegendo. Depois que o procedimento é repetido várias vezes, as partes começam a se separar do self e abrem espaço para uma auto-observação com atenção plena. Os pacientes aprendem a dominar o medo, a raiva ou a repulsa e a abrir-se para estados de curiosidade e reflexão. A partir da perspectiva estável do self, podem iniciar diálogos interiores construtivos com suas partes.

Pede-se aos pacientes que identifiquem a parte envolvida no problema do momento, entre eles o sentir-se imprestável, abandonado ou obcecado por ideias de vingança. À pergunta "O que é, dentro de mim, que sente isso?", talvez surja uma imagem.[16] Talvez a parte deprimida pareça uma criança abandonada, um homem que envelhece ou uma enfermeira que cuida de feridos, sobrecarregada de trabalho; uma parte sedenta de vingança pode se mostrar como um soldado em combate ou um membro de uma gangue de rua.

Em seguida, o terapeuta pergunta: "Como você se sente em relação a essa parte [triste, vingativa, aterrorizada] sua?" Arma-se o cenário para a auto-observação com atenção plena, ao separar o "você" da parte em questão. Se o paciente dá uma resposta extremada, como "Eu a odeio", o terapeuta sabe que há outra parte protetora misturada com o self. Pode então dizer: "Veja se a parte que você odeia se afasta." A parte protetora com frequência recebe agradecimentos por sua vigilância e se sente autorizada a voltar sempre que necessário. Se a parte protetora estiver disposta, a pergunta seguinte é: "Como você se sente agora em relação àquela parte [antes rejeitada]?" É provável que o paciente diga algo do tipo "Por que ela é tão [triste, vingativa, etc.]?" O terreno, então, está preparado para conhecer melhor essa parte – pergunta-se, por exemplo, há quanto tempo ela existe e como veio a se sentir assim.

Tão logo o paciente manifesta uma massa crítica de self, esse diálogo começa a ocorrer de maneira espontânea. Nesse ponto, é importante o terapeuta tomar distância e apenas vigiar se outras partes interferem nesse diálogo, fazendo comentários ocasionais ou perguntas, entre elas, "O que você diz sobre isso?", "Aonde você quer ir agora?" ou "Qual parece ser o próximo passo?", assim como a pergunta constante: "Como você se sente agora em relação a essa parte?"

UMA VIDA EM PARTES

Joan me procurou para que eu a ajudasse a dar um jeito em seus incontroláveis ataques de fúria e a lidar com a culpa pelos incontáveis casos amorosos, o mais recente deles com seu professor de tênis. Em nossa primeira sessão, ela disse:

> De repente deixo de ser uma profissional competente para agir como uma criança chorona, logo depois como uma megera furiosa e daí a pouco como uma comilona insaciável, tudo isso num intervalo de dez minutos. Não faço ideia de qual dessas pessoas eu de fato sou.

Àquela altura da sessão, ela já tinha criticado minhas gravuras, os móveis meio bambos, a mesa entulhada. Ofender era sua forma predileta de se defender. Joan estava se preparando para ser magoada de novo – provavelmente eu a decepcionaria, como tanta gente já fizera antes. Ela sabia que para a terapia ter êxito era necessário se mostrar vulnerável, de modo que precisava descobrir se eu seria capaz de tolerar sua cólera, seu medo e sua tristeza. Compreendi que o único modo de enfrentar sua atitude defensiva seria mostrar muito interesse pelos detalhes de sua vida, apoio inabalável ao risco que ela corria ao conversar comigo e aceitar as partes de que ela mais se envergonhava.

Perguntei-lhe se ela se dava conta de sua parte crítica. Sim. E como ela se sentia em relação a essa pessoa crítica? Essa pergunta-chave lhe permitiu começar a separar aquela parte e ter acesso ao seu self. Disse odiar a parte crítica, porque lhe lembrava a mãe. E essa parte crítica a defende do quê? A essa pergunta, sua raiva se dissipou e Joan se tornou mais curiosa e reflexiva: "Fico pensando por que será que ela me insulta com alguns dos mesmos xingamentos com que minha mãe costumava me agredir e outros piores." Depois contou que, em criança, tinha muito medo da mãe e achava que nunca conseguiria fazer nada direito. A parte crítica era, obviamente, uma gerente: não só a protegia de mim como tentava esvaziar as críticas da mãe.

Nas semanas seguintes, Joan contou que havia sido molestada sexualmente pelo namorado da mãe, quando estava no primeiro ou segundo ano da escola. Achava que tinha sido "estragada" para relacionamentos íntimos. Ao mesmo tempo que era exigente e crítica em relação ao marido, por quem não sentia nenhum desejo, era ardente e arrojada em seus casos amorosos. Entretanto, esses casos sempre acabavam da mesma forma: no meio de uma relação sexual, ela de repente se aterrorizava e se encolhia, choramingando como uma garotinha. Essas cenas a deixavam perplexa e enojada, e depois ela não suportava voltar a ver o amante.

Como Marilyn, no capítulo 8, Joan me disse que havia aprendido a desaparecer enquanto era molestada, flutuando sobre a cena como se aquilo estivesse acontecendo com outra menina. Afastar da mente o estupro lhe permitira levar uma vida escolar normal – ter amigas, dormir na casa delas, praticar esportes coletivos. O problema começou na adolescência, quando passou a demonstrar desprezo e frieza pelos rapazes que a tratavam bem, e a ter transas casuais que a humilhavam e envergonhavam. Disse-me que a bulimia era para ela o que os orgasmos deviam ser para outras pessoas, e que o sexo com o marido era o que vomitar devia ser para os outros. Embora as lembranças específicas do abuso que sofrera tivessem sido divididas (dissociadas), inconscientemente ela não parava de reencená-lo.

Não tentei lhe explicar por que se sentia tão enraivecida, culpada ou bloqueada – ela já se via cheia de defeitos. Na terapia, como no processamento da memória, a pendulação – a aproximação gradual de que falei no capítulo 13 – é vital. Para que Joan pudesse lidar com sua amargura e sua dor, teríamos de recrutar suas forças e sua autoestima, o que lhe permitiria curar a si mesma.

Para mim, isso significava focar em seus recursos internos e ter em mente que eu não podia lhe proporcionar o amor e o carinho que ela não recebera em criança. Se um terapeuta, professor ou mentor tenta preencher as lacunas deixadas pela privação, logo se defronta com o fato de que é a pessoa errada, no momento errado e no lugar errado. A terapia teria como foco a relação de Joan com suas várias partes, não comigo.

SURGEM OS GERENTES

À medida que o tratamento avançava, identificamos várias partes, que assumiam o controle em diferentes momentos: uma infantil agressiva que tinha ataques de raiva, uma adolescente promíscua, uma suicida, uma gerente obsessiva, uma moralista presunçosa, etc. Como de costume, o primeiro contato foi com os gerentes, cujo trabalho consistia em impedir a humilhação e o abandono, mantendo Joan organizada e em segurança.

Alguns gerentes podem ser agressivos, como a parte crítica de Joan, enquanto outros são perfeccionistas ou reservados, cuidando para não atrair muita atenção para si. Podem nos recomendar fazer vista grossa para o que está havendo e nos manter numa atitude passiva a fim de evitar riscos. Gerentes internos também controlam o acesso às emoções, de modo a não sobrecarregar o sistema do self.

Manter o sistema sob controle exige um enorme montante de energia. Um único comentário sedutor pode mobilizar várias partes ao mesmo tempo: uma que mostra intenso desejo sexual, outra dominada por autorrepulsa, uma terceira que tenta acalmar as coisas com cortes no corpo. Outros gerentes criam obsessões e distrações, ou negam por completo a realidade. No entanto, cada uma das partes deve ser abordada como um protetor interno que mantém uma importante posição defensiva. Gerentes arcam com gigantescas cargas de responsabilidade e, em geral, têm dificuldades para cumpri-las satisfatoriamente.

Alguns gerentes são muito competentes. Muitos de meus pacientes têm cargos de responsabilidade, são esplêndidos profissionais e excelentes pais. A gerente crítica de Joan sem dúvida contribuiu para seu sucesso como oftalmologista. Tratei de diversos pacientes que eram habilíssimos professores ou enfermeiras. Embora seus colegas de trabalho talvez os considerassem um tanto distantes ou reservados, decerto ficariam atônitos se soubessem que esses profissionais exemplares se automutilavam, tinham transtornos alimentares ou se dedicavam a práticas sexuais incomuns.

Aos poucos, Joan começou a compreender que é normal ter sensações ou ideias conflitantes e simultâneas, o que lhe deu mais confiança para enfrentar a tarefa que tinha diante de si. Em vez de acreditar que o ódio consumia todo o seu ser, aprendeu que só uma parte dela se sentia paralisada por esse ódio. Certa vez, porém, depois de uma avaliação negativa no trabalho, Joan ficou perturbada, culpando-se por não ter se protegido. Depois, sentiu-se dependente, fraca e indefesa. Quando lhe pedi que procurasse ver onde se localizava essa parte indefesa em seu corpo e o que ela sentia a seu respeito, ela resistiu. Disse que não suportava aquela garotinha lamuriosa e incompetente que a fazia sentir vergonha e desprezar a si mesma. Suspeitei que essa parte guardasse uma porção substancial da memória de seu abuso e decidi não a pressionar naquele momento. Joan deixou o consultório abatida e confusa.

No dia seguinte à sessão, ela assaltou a geladeira e depois passou horas vomitando. Ao voltar na semana seguinte, contou que pensara em se matar e mostrou-se surpresa por eu parecer genuinamente curioso e imparcial, sem condená-la por sua bulimia ou suas tendências suicidas. Quando lhe perguntei quais eram as partes envolvidas, a crítica voltou e explodiu: "Ela é repulsiva." Quando pedi àquela parte que se retirasse, a parte seguinte disse "Ninguém nunca vai me amar", sendo seguida outra vez pela crítica, que me disse que a melhor forma de ajudá-la seria ignorar toda aquela gritaria e aumentar sua medicação.

Obviamente, desejando proteger as partes feridas de Joan, esses gerentes, sem querer, estavam lhe fazendo mal. Por isso continuei a lhes perguntar o que achavam que aconteceria se eles se afastassem. Joan respondeu: "As pessoas vão me odiar" e "Vou ficar sozinha e jogada na rua". A isso se seguiu uma lembrança: a mãe lhe dissera que, se ela lhe desobedecesse, seria dada em adoção e nunca mais veria as irmãs nem o cachorro. Perguntei o que ela sentia por aquela menina assustada dentro dela. Chorando, Joan disse sentir pena. Agora seu self tinha voltado e tive certeza de que havíamos serenado o sistema, mas aquela sessão revelara muitos segredos.

APAGANDO AS CHAMAS

Na semana seguinte, ela não foi à sessão. Tínhamos ativado suas partes exiladas e seus bombeiros estavam agitados e violentos. Como contou mais tarde, certa noite, depois de conversarmos sobre seu pavor de ser dada em adoção, Joan se sentiu prestes a explodir. Foi a um bar e saiu de lá com um sujeito. Chegando em casa tarde, bêbada e desgrenhada, recusou-se a falar com o marido e adormeceu na sala. No dia seguinte, agiu como se nada tivesse acontecido.

Bombeiros fazem tudo o que podem para afastar a dor emocional. Além de dividirem a tarefa de manter trancafiadas as partes exiladas, eles são o oposto dos gerentes: estes se dedicam a se manter no controle, enquanto os bombeiros se dispõem a demolir a casa para apagar o incêndio. O conflito entre gerentes nervosos e bombeiros descontrolados prosseguirá até que as partes exiladas, que arcam com o ônus do trauma, sejam autorizadas a voltar para casa e receber cuidados.

Toda pessoa que lida com sobreviventes vai acabar encontrando esses bombeiros. Já vi bombeiros viciados em compras, em álcool, em jogos de computador, em romances impulsivos ou em exercícios físicos. Uma transa sórdida pode embotar o horror e a vergonha de uma criança violentada, ainda que só por algumas horas.

É fundamental não perder de vista que, em sua essência, os bombeiros também estão tentando, desesperadamente, proteger o sistema. Ao contrário dos gerentes, que, em geral, prestam uma cooperação superficial durante a terapia, bombeiros não se mantêm arredios: insultam e saem zangados do consultório. São desvairados, e se você lhes perguntar o que acontecerá se pararem de fazer seu trabalho, descobrirá que eles acreditam que as sensações exiladas destruirão todo o sistema do self. Além disso, não percebem que existem meios melhores de garantir a segurança física e emocional, e que, mesmo que cessem as atitudes insensatas de entregar-se à esbórnia ou ferir o corpo com objetos perfurocortantes, com frequência eles encontram outros métodos de automutilação. Esses ciclos só chegam ao fim quando o self se torna capaz de assumir o comando e o sistema se sente seguro.

A CARGA DA TOXICIDADE

As partes exiladas são o vazadouro do lixo tóxico do sistema. Como encerram as lembranças, sensações, convicções e emoções associadas ao trauma, é perigoso libertá-las. Elas contêm a experiência do "Ai, meu Deus, me ferrei" – a essência do choque inescapável – e com ela o terror, o colapso e a acomodação. As partes exiladas podem se revelar como horríveis sensações físicas ou extrema apatia, e contrariam tanto a racionalidade dos gerentes quanto a ousadia dos bombeiros.

Como a maioria das vítimas de incesto, Joan odiava suas partes exiladas, em especial a menininha que atendia às exigências sexuais de seu estuprador e a criança que chorava baixinho na cama. Quando as partes exiladas subjugam os gerentes, elas nos dominam – somos apenas aquela criança rejeitada, fraca, desamada e abandonada. O self se "mistura" com as partes exiladas, e todas as alternativas possíveis para a nossa vida se eclipsam. E então, como escreve Schwartz, "vemos a nós mesmos e ao mundo através dos olhos delas e acreditamos que esse seja *o mundo*. Nesse estado, não nos ocorrerá que fomos sequestrados".[17]

Entretanto, manter trancafiadas as partes exiladas elimina não só as memórias e as emoções como as partes que as guardam – aquelas que foram mais feridas pelo trauma. Nas palavras de Schwartz, "em geral, essas são as partes mais sensíveis, criativas, desejosas de intimidade, vívidas, travessas e inocentes. Ao serem exiladas quando feridas, sofrem um duplo revés – o insulto da rejeição se soma à lesão original".[18] Como Joan descobriu, manter ocultas e desprezadas as partes exiladas significava condená-la a uma vida sem relacionamentos calorosos ou prazer genuíno.

A LIBERTAÇÃO DO PASSADO

Meses depois do início do tratamento de Joan, revisitamos aquela menina exilada que carregava a humilhação, a perplexidade e a vergonha de ter sofrido abuso. Àquela altura Joan já tinha bastante confiança em mim e desenvolvera uma percepção de self suficiente para conseguir observar a si mesma quando criança, com todas as sensações havia tanto sepultadas – de terror, exaltação, rendição e cumplicidade. Ela não falou muito durante esse processo, e minha principal tarefa consistiu em mantê-la em estado de auto-observação serena. Muitas vezes ela conteve a vontade de se afastar, tomada de repugnância e horror, deixando aquela menina rejeitada sozinha com sua desgraça. Nesses momentos, eu pedia a seus protetores que retornassem para que ela pudesse continuar a ouvir o que a menininha queria saber.

Por fim, Joan conseguiu irromper na cena e acolher a menina consigo, num local seguro. Disse, firme, a seu estuprador que nunca mais permitiria que ele se aproximasse dela de novo. Em vez de negar a criança, exerceu um papel ativo em sua libertação. Tal como na EMDR, a resolução do trauma resultou da capacidade de acessar a imaginação e retrabalhar as cenas nas quais se congelara tanto tempo antes. A passividade indefesa foi substituída pela ação decidida conduzida pelo self.

Assim que começou a controlar seus impulsos e comportamentos, Joan percebeu o vazio de seu relacionamento com o marido, Brian, e exigiu mudanças. Pedi-lhe que o chamasse para um encontro. Tivemos oito sessões, nós três, antes que ele começasse a se consultar comigo sozinho.

Schwartz observa que a terapia SFI pode ajudar os membros de uma família a serem "mentores" uns dos outros, à medida que aprendem a observar as partes de uma pessoa interagindo com as de outra. Testemunhei os resultados, em primeira mão, com Joan e Brian. De início, ele se mostrou orgulhoso por ter aguentado o comportamento de Joan durante tanto tempo; saber que ela precisava dele o impedira de considerar a possibilidade de divórcio. Agora, porém, quando ela desejava mais intimidade, ele se sentia pressionado e inadequado – o que revelava uma parte em pânico que se obliterava e levantava uma muralha contra sensações.

Aos poucos ele contou que fora criado numa família de alcoólatras, na qual comportamentos como o de Joan eram comuns e até mesmo ignorados. Sua história fora marcada pelas internações do pai em centros de reabilitação e as longas hospitalizações da mãe por depressão e tentativas de suicídio. Quando perguntei à sua parte em pânico o que aconteceria se permitisse a Brian sentir alguma coisa, ele revelou seu medo de ser dominado pela dor – a dor de sua infância somada à de seu relacionamento com Joan.

Ao longo das semanas seguintes, outras partes se manifestaram. Primeiro apareceu um protetor com medo de mulheres e decidido a nunca permitir que ele se tornasse vulnerável a manipulações femininas. Em seguida, descobrimos uma forte parte cuidadora que havia tomado conta da mãe e dos irmãos mais novos. Essa parte dava a Brian uma sensação de valor e objetividade, além de ajudá-lo a lidar com o terror. Por fim ele ficou pronto para se defrontar com a própria parte exilada, a criança amedrontada, essencialmente órfã de mãe, que não tivera quem cuidasse dele.

Exponho aqui a versão breve de uma longa exploração, que envolveu muitos desvios, tal como ocorria quando a crítica de Joan ressurgia de vez em quando. Desde o começo, porém, a SFI ajudou Joan e Brian a escutarem a si mesmos e um ao outro da perspectiva de um self objetivo, curioso e compassivo. Não estavam mais trancados no passado, e todo um leque de novas possibilidades se abriu para eles.

O PODER DA AUTOCOMPAIXÃO: A TERAPIA SFI NO TRATAMENTO DA ARTRITE REUMATOIDE

A reumatologista Nancy Shadick, do Brigham and Women's Hospital, em Boston, combina a pesquisa médica sobre artrite reumatoide (AR) com um intenso interesse pela experiência pessoal de seus pacientes. Ao descobrir a

SFI numa oficina com Schwartz, decidiu incorporar essa terapia a um estudo de intervenção psicossocial com pacientes de AR.

A artrite reumatoide é uma doença autoimune que provoca transtornos inflamatórios em todo o corpo, causando dores crônicas e incapacitação. A medicação pode retardar o avanço e aliviar as dores, mas o mal não tem cura e pode levar a depressão, ansiedade, isolamento e prejudicar a qualidade de vida do paciente. Acompanhei esse estudo com particular interesse, devido à ligação que já percebera entre trauma e doença autoimune.

Trabalhando com a terapeuta Nancy Sowell, a dra. Shadick planejou um estudo aleatório de nove meses; um grupo de pacientes de artrite reumatoide receberia instrução em grupo e individual de SFI, enquanto um grupo de controle receberia com regularidade cartas e telefonemas sobre sintomas e controle da doença. Todos os pacientes mantiveram a medicação habitual e foram periodicamente avaliados por reumatologistas que não sabiam a qual dos grupos eles pertenciam.

A meta do grupo de SFI era ensinar pacientes a aceitarem e entenderem seus inevitáveis sentimentos de medo, desesperança e raiva, tratando-os como membros de sua própria "família interna". Aprenderiam as técnicas de diálogo interior que lhes permitiriam reconhecer sua dor, identificar os pensamentos e emoções concomitantes e, depois, abordar esses estados interiores com interesse e solidariedade.

Logo surgiu um problema básico. Como muitas vítimas de trauma, os pacientes de AR eram alexitímicos. Sowell me diria mais tarde que eles nunca se queixavam das dores ou da incapacitação, a menos que estivessem totalmente arrasados. Indagados sobre como se sentiam, quase sempre respondiam: "Estou bem." Suas partes estoicas, é evidente, os ajudavam a enfrentar a doença, mas esses gerentes também os mantinham num estado de negação. Alguns bloqueavam as sensações físicas e as emoções a ponto de não colaborarem de maneira efetiva com os médicos.

Para que a coisa andasse, os pesquisadores introduziram teatralmente as partes do SFI, reordenando móveis e objetos cênicos de modo a representarem gerentes, exilados e bombeiros. Ao longo de várias semanas, os membros do grupo começaram a falar sobre os gerentes que lhes diziam para "relaxar e aguentar firme", pois ninguém estava interessado em suas dores. Em seguida, como se pedissem às partes estoicas que recuassem, reconheceram a parte furiosa que desejava protestar e botar a boca no trombone, a parte que queria ficar na cama o tempo todo e a exilada que se sentia humilhada porque não tinha permissão para falar. Descobriu-se que, na infância, quase todos eram vistos, mas não ouvidos – segurança significava calar suas necessidades.

A terapia individual SFI ajudou os pacientes a aplicarem a linguagem das partes a questões do dia a dia. Por exemplo, uma mulher sentia-se dominada por conflitos no emprego, onde uma parte gerente insistia em que a única saída era se matar de trabalhar até a artrite lhe causar dores insuportáveis. Com a ajuda da terapeuta, ela percebeu que podia cuidar de suas necessidades sem deixar que a doença a dominasse.

Os dois grupos, o da SFI e o de controle, foram avaliados três vezes durante os nove meses do estudo e, de novo, um ano depois. Ao fim dos nove meses, o grupo da SFI apresentava significativas melhoras mensuráveis no tocante a dores articulares (avaliadas pelos próprios pacientes), a autocompaixão e a dores generalizadas. Além disso, mostrou avanços substanciais com relação à depressão e à eficiência. Um ano depois, os ganhos nas áreas de percepção da dor e de sintomas depressivos persistiam, embora exames médicos objetivos não pudessem mais detectar melhoras mensuráveis em relação a dores ou funções. Em outras palavras, o que mais havia mudado era a capacidade de conviver com a doença. Em suas conclusões, Shadick e Sowell ressaltaram o foco da SFI na autocompaixão como fator fundamental.

Esse não foi o primeiro estudo a mostrar que intervenções psicológicas podem ajudar pacientes de artrite reumatoide. Já ficou comprovado que terapias cognitivo-comportamentais e práticas baseadas na atenção plena têm impacto positivo sobre a dor, inflamações articulares, incapacidade física e depressão.[19] No entanto, nenhum desses estudos fez uma pergunta crucial: o aumento da segurança e do bem-estar psicológicos se reflete num sistema imune mais eficiente?

A LIBERTAÇÃO DA CRIANÇA EXILADA

Peter dirige o serviço de oncologia de um prestigiado centro médico acadêmico classificado entre os melhores do país. Ao me procurar, em perfeita forma física (praticava squash), sua autoconfiança tinha cruzado a linha divisória que a separava da arrogância. Aquele era um homem que sem dúvida não parecia sofrer de TEPT. Queria saber como ajudar a mulher a ser menos "suscetível". Ela ameaçara deixá-lo, caso ele não tomasse alguma providência em relação a uma conduta que ela considerava "insensível". Peter me garantiu que a percepção dela estava distorcida, pois sua conduta empática com os doentes era evidente.

Ele adorava falar de seu trabalho, orgulhoso do fato de residentes e colegas competirem entre si para trabalhar com ele, e também de um boato que ouvira – que o pessoal do centro médico tinha pavor dele. Descreveu-se como brutalmente honesto, um verdadeiro cientista, alguém que só analisava os fatos, e que – com um olhar significativo em minha direção – não tinha paciência para idiotas. Fazia questão de padrões altos, mas não superiores aos que exigia de si mesmo, e me garantiu que não precisava do amor de ninguém, só de respeito.

Disse também que seu período de psiquiatria na faculdade de medicina o convencera de que psiquiatras ainda praticavam bruxaria, e que uma experiência com terapia de casais só servira para confirmar essa opinião. Expressou desprezo por quem culpava os pais ou a sociedade pelos próprios problemas. Ainda que houvesse tido seu quinhão de sofrimento quando criança, estava determinado a não se ver como vítima.

Embora a tenacidade e o amor de Peter à precisão me agradassem, eu não podia deixar de pensar que descobriríamos algo que eu já vira com muita frequência: que gerentes internos obcecados pelo poder, em geral, são criados com uma muralha para manter a sensação de desamparo afastada.

Perguntei-lhe sobre sua família. O pai, industrial, sobrevivente do Holocausto, era um homem que podia ser bruto e exigente, mas tinha também um lado terno e sentimental que mantivera Peter próximo e o incentivara a estudar medicina. Ao falar da mãe, percebeu pela primeira vez que ela substituíra um cuidado autêntico pelo rigor nos serviços domésticos, mas isso não o incomodava. Na escola, só tirava a nota máxima. Decidira construir para si uma vida que não permitisse a rejeição e a humilhação, mas, o que era irônico, ele convivia a cada dia com a morte e a rejeição – a morte na ala de oncologia e a luta constante para conseguir que suas pesquisas fossem financiadas e publicadas.

Sua mulher se juntou a nós na sessão seguinte. Disse que Peter a criticava sem parar: o modo como criava os filhos, as roupas, as leituras, a inteligência, os amigos. Ele quase não ficava em casa e nunca estava emocionalmente disponível. Como tinha muitas obrigações importantes e era dado a explosões, perto dele a família sempre pisava em ovos. A menos que ele fizesse certas mudanças radicais, ela estava decidida a deixá-lo e começar uma vida nova. Nesse ponto, pela primeira vez Peter mostrou-se visivelmente consternado. Garantiu a mim e à mulher que desejava ajeitar as coisas.

Na sessão seguinte, pedi-lhe que deixasse o corpo relaxar, fechasse os olhos e focasse a atenção em seu interior, e então perguntasse à sua parte crítica – aquela identificada pela mulher – o que aconteceria se ele parasse de fazer seus julgamentos implacáveis. Depois de trinta segundos, Peter disse que se sentia um idiota falando consigo mesmo. Não queria tentar nenhum truque *new age* – viera a mim em busca de uma "terapia empiricamente comprovada". Garanti-lhe que, como ele, eu estava na vanguarda de terapias com fundamentos empíricos, e que aquela era uma delas. Ele se manteve calado por cerca de um minuto antes de sussurrar: "Eu ficaria magoado." Instei-o a perguntar ao crítico o que significava isso. Ainda de olhos fechados, ele respondeu: "Se você critica outras pessoas, elas não se atrevem a criticar você." E logo depois: "Se você for perfeito, ninguém pode criticá-lo." Pedi-lhe que agradecesse a seu crítico por protegê-lo da dor e da humilhação, e, quando Peter voltou a se calar, vi que seus ombros relaxavam e sua respiração se tornava mais lenta e profunda.

Depois ele me disse que tinha consciência de que sua soberba estava afetando as relações com colegas e alunos; sentia-se solitário e preterido em reuniões profissionais, e pouco à vontade em festas do pessoal do hospital. Perguntei-lhe se queria modificar aquela parte colérica que ameaçava as pessoas. Sim. Pedi então que a localizasse em seu corpo e ele a encontrou no meio do peito. Mantendo ainda o foco em seu interior, perguntei-lhe como se sentia em relação a ela. Ela o deixava amedrontado.

Em seguida, pedi que continuasse concentrado naquela parte e verificasse o que sentia agora. Peter disse que estava curioso em ter mais informações sobre ela. Qual é a idade daquela parte? Mais ou menos 7 anos. Pedi que seu crítico mostrasse do que ele o protegia. Depois de um silêncio prolongado, ele disse, ainda de olhos fechados, que estava vendo uma cena de sua infância. O pai batia num menino, ele, e Peter, assistindo àquilo, pensava em como o menino era burro por provocar o pai. Perguntei-lhe o que sentia em relação ao menino que estava apanhando, e ele respondeu que o desprezava. Era um fracote e um chorão. Depois de abandonar qualquer resistência ao autoritarismo do pai, a criança capitulou e disse que seria um menino obediente. Aquela criança não mostrava nenhum sinal de coragem, nenhum ímpeto. Perguntei ao crítico se estaria disposto a se pôr de lado para podermos ver o que estava havendo com aquele menino. Em resposta, o crítico apresentou-se com toda a energia e xingou a criança de "molenga" e "maricas". Perguntei de novo se ele poderia fazer o crítico se afastar e dar ao menino uma oportunidade de falar. Peter se fechou e deixou a sessão declarando que pretendia nunca mais pisar em meu consultório.

Na semana seguinte, porém, ele estava de volta. Sua mulher tinha procurado um advogado e aberto o processo de divórcio. Arrasado, Peter em nada se parecia com aquele médico perfeitamente seguro de si que eu havia passado a conhecer e, em muitos aspectos, temer. Confrontado com a perda da família, ficou desatinado mas se sentiu reconfortado com a ideia de que se as coisas ficassem ruins demais ele poderia tomar as rédeas da situação.

Entramos de novo em seu interior e identificamos a parte que estava destruída por ser abandonada. Assim que ele chegou a seu atento estado de self, recomendei-lhe que pedisse ao menino aterrorizado que lhe mostrasse o fardo que carregava. Mais uma vez, sua primeira reação foi indignar-se pela debilidade do menino, mas depois que lhe pedi que fizesse aquela parte recuar, ele viu uma imagem de si mesmo, criança, na casa dos pais, sozinho no quarto, aos gritos e soluços. Peter viu essa cena durante vários minutos, chorando em silêncio durante um bom momento. Perguntei-lhe se o menino havia lhe contado tudo o que queria que Peter soubesse. Não, havia outras cenas, como correr para abraçar o pai à porta e ele o esbofetear por ter desobedecido a mãe.

De vez em quando ele interrompia o processo e desculpava os pais, alegando que eles, sobreviventes do Holocausto e tudo o mais, só poderiam ter agido daquela forma. De novo lhe sugeri procurar as partes protetoras que estavam interrompendo a cena do sofrimento do menino e lhes dizer que por um momento passassem para outro cômodo. E assim ele conseguia voltar a seu sofrimento.

Pedi a Peter que dissesse ao menino que ele agora entendia como a experiência fora ruim. Ele mergulhou num silêncio longo e triste. Então falei que mostrasse ao menino o quanto gostava dele. Depois de alguma insistência minha, ele abraçou o menino. Fiquei surpreso ao ver que aquele homem aparentemente áspero e insensível sabia muito bem o que fazer para cuidar de si.

Passado um tempinho, pedi que Peter retornasse à cena e levasse o menino consigo. Peter imaginou-se enfrentando o pai como adulto e lhe dizendo: "Se voltar a maltratar esse menino, venho aqui e vamos acertar contas." Depois, em sua imaginação, levou a criança a um belo parque, onde o garoto poderia brincar e se divertir com pôneis, enquanto o adulto zelava por ele.

Nosso trabalho não estava terminado. Depois que sua mulher recuou na ameaça de divórcio, alguns dos velhos hábitos de Peter ressurgiram, e tivemos de revisitar de vez em quando aquele menino isolado para cuidar das partes feridas de Peter, sobretudo quando ele se sentia magoado por algum fato ocorrido em casa ou no trabalho. Esse é o estágio que a terapia SFI chama de "alijamento" e que corresponde a cuidar das partes exiladas para que recobrem a saúde. A cada novo alijamento, o crítico interno de Peter, antes virulento, relaxava. Pouco a pouco ele ficou mais parecido com um mentor do que com um juiz, e Peter começou a restaurar suas relações com a família e os colegas. E deixou de sofrer de dores de cabeça causadas pela tensão.

Um dia, ele me disse que passara a vida adulta tentando se livrar do passado, e observou a ironia de ter precisado se aproximar dele para se libertar de suas sombras.

18
PREENCHIMENTO DAS LACUNAS: CRIAÇÃO DE ESTRUTURAS

A grande descoberta de minha geração é que seres humanos podem mudar a vida mediante a mudança de suas atitudes mentais.

William James

Não se vê uma coisa diferente, mas se vê de forma diferente. É como se o ato especial de ver fosse alterado por uma nova dimensão.

Carl Jung

Uma coisa é processar lembranças de um trauma; outra, totalmente diversa, é enfrentar o vazio interior – as lacunas na alma que resultam de não ter sido desejado, visto ou não ter tido permissão para dizer a verdade. Se seus pais não sorriam de felicidade ao olhar para você, será difícil que você saiba como é se sentir amado. Se você vem de um mundo incompreensível, repleto de segredos e de medo, é praticamente impossível encontrar palavras que exprimam o que suportou. Se você cresceu ignorado e indesejado, será difícil desenvolver um senso visceral de agência e autoestima.

A pesquisa que eu, Judy Herman e Chris Perry fizemos (ver o capítulo 9) demonstrou que tanto as pessoas que se percebiam como indesejadas na infância quanto aquelas que não se lembravam de se sentir em segurança não colhiam todos os benefícios da psicoterapia convencional, talvez porque não pudessem ativar velhas lembranças de se perceberem alvos de cuidados.

Eu identificava essa impossibilidade até em alguns de meus pacientes mais empenhados e articulados. Apesar dos esforços na terapia e das realizações pessoais e profissionais, não conseguiam eliminar as marcas demolidoras de uma mãe demasiado deprimida para lhes dar atenção ou de um pai que os tratava como se desejasse que nunca tivessem nascido. A vida deles mudaria de modo radical se pudessem reconstruir aqueles mapas implícitos. No entanto, como fazer isso? Como ajudar as pessoas a conhecer visceralmente sensações antes ausentes em sua vida?

Vislumbrei uma possível solução em junho de 1994, ao participar da conferência de criação da Associação Americana de Psicoterapia Corporal, numa pequena faculdade em Beverley, na costa rochosa de Massachusetts. Ironicamente, eu fora convidado para representar a corrente dominante da psiquiatria e falar da utilização de tomografias cerebrais para visualização de estados mentais. Mas assim que entrei no saguão onde muitos participantes tomavam café, percebi que o grupo era bem diferente do pessoal que eu costumava ver em congressos de psicofarmacologia e psicoterapia. O jeito como eles se comunicavam, suas posturas e gestos, tudo irradiava vitalidade e envolvimento – o tipo de reciprocidade física que é a essência da sintonia.

Logo comecei a conversar com Albert Pesso, um parrudo ex-dançarino da Companhia de Dança de Martha Graham, então com 70 e poucos anos. Sob suas bastas sobrancelhas, ele destilava bondade e segurança. Contou que descobrira como modificar de maneira fundamental a relação de uma pessoa com seu self somático. Seu entusiasmo era contagiante, mas continuei cético e lhe perguntei se ele tinha certeza de que era capaz de alterar as configurações da amídala. Sem se importar com o fato de seu método nunca ter sido testado cientificamente, ele me garantiu que era possível.

Pesso ia dirigir uma oficina de "terapia psicomotora PBSP",[1] e me convidou para assistir. Aquilo não parecia com nenhum trabalho em grupo que eu já vira. Ele se sentou numa cadeira baixa diante de uma mulher, Nancy, a quem chamava de "protagonista", com os demais participantes sentados em círculo, em almofadas. Começou pedindo a Nancy que falasse sobre o que a perturbava, e de vez em quando usava as pausas dela para "testemunhar" o que observava. Por exemplo: "Uma testemunha vê como você fica abatida quando conta que seu pai abandonou a família." Admirei a atenção com que ele acompanhava mudanças sutis em Nancy quanto a postura corporal, expressão facial e direção do olhar, as expressões não verbais da emoção. (O termo para isso na terapia psicomotora é "microrrastreio".)

Toda vez que Pesso fazia uma "declaração de testemunha", o rosto e o corpo de Nancy relaxavam um pouco – como se ela se sentisse reconfortada por ser observada e validada. Os comentários tranquilos de Pesso pareciam injetar ânimo em sua disposição de se abrir e ir mais fundo. Quando ela começou a chorar, ele observou que ninguém deveria suportar tanto sofrimento sem ajuda e perguntou se ela queria escolher alguém (a quem se referiu como "pessoa de contato") para se sentar a seu lado. Nancy anuiu e, depois de correr os olhos pela sala, apontou para uma mulher de meia-idade e aspecto bondoso. Pesso pediu a Nancy que mostrasse o local em que gostaria que a pessoa de contato se sentasse. Decidida, Nancy apontou para uma almofada à sua direita.

Eu estava fascinado. As pessoas processam relações espaciais com o hemisfério cerebral direito, e nossos estudos com neuroimagens haviam mostrado que a marca do trauma fica gravada sobretudo no hemisfério direito (ver o capítulo 3). Desvelo, desaprovação e indiferença se traduzem basicamente por expressões faciais, tom de voz e movimentos físicos. De acordo com pesquisas recentes, até 90% das comunicações humanas ocorrem no domínio do hemisfério direito, não verbal,[2] e era para ele que o trabalho de Pesso parecia se orientar. À medida que a oficina prosseguia, impressionou-me também como a presença da pessoa de contato parecia ajudar a protagonista a tolerar as experiências dolorosas que ela estava escavando.[3]

O mais inusitado, porém, era como Pesso criava quadros – ou "estruturas", como os chamava – do passado dos protagonistas. À medida que as narrativas se desenrolavam, ele pedia a participantes do grupo que representassem o papel de pessoas importantes na vida dos protagonistas, como pais e outros membros da família, de tal modo que aquele mundo interior começava a ganhar forma no espaço tridimensional. Outras pessoas também fizeram o papel dos pais ideais, desejados, que proporcionariam o apoio, o amor e a proteção que faltaram em momentos críticos. Os protagonistas tornavam-se os diretores das próprias peças, criando em torno de si o passado que não haviam tido, e era evidente que sentiam um profundo alívio físico e mental após essas representações. Essa técnica poderia gravar marcas de segurança e bem-estar mesmo décadas depois de as marcas originais de terror e abandono terem sido registradas na mente e no cérebro?

Interessado no trabalho de Pesso, aceitei contente seu convite para visitá-lo em sua casa numa colina no sul de New Hampshire. Almoçamos sob um antigo carvalho e ele me convidou a acompanhá-lo a seu celeiro de tábuas pintadas de vermelho, agora um ambiente de trabalho, para fazer uma estrutura. Eu já havia feito psicanálise, como paciente, durante vários anos, e não esperava grandes revelações. Era um profissional conhecido, de 40 e poucos anos, com minha própria família, e pensava em meus pais como idosos que procuravam viver a velhice da melhor maneira possível. Não imaginava que eles ainda fossem uma influência importante para mim.

Como não havia ali quem pudesse interpretar papéis, Pesso me pediu que escolhesse um objeto ou um móvel que representasse meu pai. Escolhi um gigantesco sofá de couro preto e pedi a ele que o colocasse de pé a uns dois metros diante de mim, um pouco à esquerda. Em seguida, ele perguntou se eu gostaria de pôr minha mãe na cena, e escolhi uma luminária pesada, mais ou menos da mesma altura do sofá. À medida que a sessão se desenrolava, o espaço se povoou com as pessoas importantes em minha vida: meu melhor amigo (uma caixinha de lenços de papel à minha direita); minha mulher (uma almofadinha perto dele); meus dois filhos (outras duas almofadinhas).

Depois de algum tempo, examinei a projeção de minha paisagem interna: dois objetos pesadões, escuros e ameaçadores que representavam meus pais, e um conjunto de objetos minúsculos representando minha mulher, meus filhos e amigo. Fiquei atônito; havia recriado minha imagem interna de meus severos pais calvinistas da época em que eu era garotinho. Meu peito ficou apertado, e tenho certeza de que minha voz soava ainda mais comprimida. Eu não podia negar o que meu cérebro espacial estava revelando: a estrutura me permitira visualizar meu mapa implícito do mundo.

Disse a Pesso o que havia acabado de descobrir. Ele assentiu e perguntou se eu lhe permitiria modificar minha perspectiva. Senti o ceticismo voltar, mas como gostava de Pesso e estava curioso em relação a seu método, concordei, não sem hesitar. Ele então colocou o corpo entre mim e o sofá e a luminária, impedindo-me vê-los. Fui tomado no mesmo instante por uma sensação de alívio no corpo – a pressão no peito diminuiu e minha respiração voltou ao normal. Foi nesse momento que decidi ter aulas com Pesso.[4]

REESTRUTURAÇÃO DE MAPAS INTERNOS

Projetar seu mundo interno no espaço tridimensional de uma estrutura permite enxergar o que está acontecendo no teatro de sua mente e lhe proporciona uma perspectiva muito mais clara de suas reações a pessoas e episódios no passado. Ao dispor no espaço representantes dos personagens importantes em sua vida, você talvez se surpreenda com as lembranças, pensamentos e emoções inesperadas que surgem. Pode então mover as peças no tabuleiro externo que você criou e ver os efeitos que isso lhe causa.

Embora as estruturas envolvam diálogo, a terapia psicomotora não explica nem interpreta o passado. Em vez disso, permite que você sinta o que sentiu naquela ocasião, veja o que viu e diga o que não pôde dizer quando aquilo aconteceu. É como se pudesse retroceder o filme de sua vida e reescrever as cenas cruciais. Você pode dirigir os atores para que ajam diferentemente, como impedir que seu pai venha a agredir sua mãe. Esses quadros podem estimular emoções fortes. Por exemplo, ao colocar sua "mãe real" no canto, encolhida de terror, talvez você tenha uma enorme vontade de protegê-la e perceba como se sentia impotente no passado. Mas se você cria uma mãe ideal, que enfrenta seu pai e que sabe como não se deixar prender a relacionamentos abusivos, poderá experimentar uma sensação visceral de alívio e de banimento da culpa e da impotência antigas. Ou poderá confrontar o irmão que batia em você e então criar um irmão ideal que o protege e que se torna seu modelo de vida.

O trabalho do diretor/terapeuta e de outros membros do grupo consiste em oferecer ao protagonista o apoio de que ele necessita para aprofundar-se naquilo que temia explorar sozinho. A segurança dada pelo grupo permite que você perceba aspectos que escondeu de si mesmo – em geral, aqueles de que mais se envergonha. Quando não precisa esconder nada, a estrutura lhe permite colocar a vergonha em seu devido lugar – nas figuras que estão bem diante de você e representam aqueles que o feriram e o fizeram se sentir indefeso quando criança.

Sentir-se seguro significa que você pode dizer a seu pai (ou melhor, à pessoa ou ao objeto que o representa) o que gostaria de poder ter falado aos 5 anos. Pode dizer ao objeto que simboliza sua mãe deprimida e assustada o quanto se amargurava por não ser capaz de cuidar dela. Pode pôr à prova a distância e a proximidade e testar o que acontece quando muda a posição dos objetos. Como participante ativo, você pode mergulhar numa cena de uma forma que seria impossível quando simplesmente conta uma história. E enquanto você se encarrega de encenar a realidade de sua experiência, a testemunha lhe faz companhia, descrevendo as mudanças em sua postura, expressão facial e tom de voz.

Em minha experiência, reviver fisicamente o passado no presente e depois retrabalhá-lo num ambiente seguro e de apoio pode ter força suficiente para criar memórias novas, suplementares: experiências simuladas de crescer num ambiente sintonizado e afetuoso no qual se está protegido de todo mal. As estruturas não apagam lembranças ruins nem as neutralizam, como faz a EMDR: elas oferecem novas opções – uma memória alternativa na qual suas necessidades humanas básicas são satisfeitas e suas ânsias de amor e proteção atendidas.

UMA VISITA AO PASSADO

Não faz muito tempo, coordenei uma oficina no Instituto Esalen, em Big Sur, na Califórnia. Maria era uma filipina esguia e atlética, de 40 e poucos anos, que tinha se mostrado simpática e gentil nos dois primeiros dias de trabalho, dedicados à exploração a longo prazo do impacto do trauma e ao ensino de técnicas de autorregulação. Agora, porém, sentada a uns dois metros de mim, parecia amedrontada, arrasada. Pensei: será que ela se dispôs a participar como protagonista basicamente para agradar à amiga que a acompanhara à oficina?

Incentivei Maria a observar o que se passava dentro dela e partilhar conosco o que lhe viesse à mente. Depois de um longo silêncio, ela disse: "Na verdade, não consigo sentir nada no corpo, e minha mente está vazia." Refletindo, como um espelho, sua tensão interna, eu disse: "Uma testemunha vê o quanto você está preocupada com o fato de sua mente estar vazia e você não sentir nada depois de se apresentar como voluntária para fazer uma estrutura. Correto?" "É isso mesmo!", ela exclamou, parecendo um pouco aliviada.

A "figura da testemunha" entra na estrutura bem no início e assume o papel de observador compreensivo e acrítico, que descreve o estado emocional do protagonista e sublinha o contexto em que ele surgiu (isso ocorreu quando me referi a Maria como uma pessoa que se apresentara "como voluntária para fazer uma estrutura"). Considerar-se legitimada por se sentir vista e ouvida é precondição para a pessoa se perceber em segurança, algo crucial quando exploramos o perigoso território do trauma e do abandono. Um estudo com neuroimagens demonstrou que, quando as pessoas ouvem uma declaração que espelha seu estado interno, a amídala direita por um instante se ilumina, como que para ressaltar o acerto do reflexo.

Recomendei que Maria se concentrasse na respiração, um dos exercícios que tínhamos feito antes, e observasse o que ocorria em seu corpo. Após outro longo silêncio, ela começou a falar, hesitante: "Existe sempre uma sensação de medo em tudo o que faço. Não tenho a impressão de estar com medo, mas estou sempre me forçando. Na verdade, é difícil para mim estar aqui." Devolvi: "Uma testemunha vê o desconforto que você sente por se forçar a estar aqui." Ela assentiu com a cabeça, endireitando de leve a coluna, o que sinalizava que se sentia compreendida. Continuou: "Cresci achando que minha família era normal. Mas sempre senti pavor de meu pai. Nunca achei que ele gostasse de mim. Ele nunca me batia com tanta força quanto batia nos meus irmãos, mas tenho uma sensação difusa de medo." Comentei que uma testemunha percebia o medo que ela sentia ao falar do pai, e, a seguir, convidei-a a escolher um membro do grupo para representá-lo.

Maria examinou a sala e escolheu Scott, um afável produtor de vídeos, um dos mais entusiasmados participantes do grupo. Dei a ele seu roteiro: "Eu assumo o papel de seu pai real, que a aterrorizava quando você era pequena", o que ele repetiu. (Cumpre destacar que esse método não é um trabalho de improvisação, é uma encenação precisa do diálogo e das instruções dadas pela testemunha e pelo protagonista.) Perguntei então a Maria onde ela desejava que seu pai real ficasse, e ela pediu a Scott que ficasse à sua direita, de pé, a mais ou menos dois metros e sem olhar para ela. Estávamos começando a montar o quadro, e toda vez que dirijo uma estrutura admiro a precisão das projeções externas do hemisfério direito.

O protagonista sempre sabe com exatidão onde devem ficar os vários personagens de suas estruturas.

Também me surpreende, sempre, como as pessoas que representam os personagens importantes no passado do protagonista assumem quase de imediato uma realidade virtual: elas parecem se *tornar* as pessoas com quem o protagonista tinha de lidar na época, não só para o protagonista, como também, muitas vezes, para os outros participantes. Incentivei Maria a olhar demoradamente para o pai real, e, enquanto ela o fitava, podíamos ver que suas emoções oscilavam entre o terror e a profunda compaixão. Ela contava, em lágrimas, como a vida tinha sido difícil para ele: na infância, durante a Segunda Guerra Mundial, ele vira pessoas sendo decapitadas e fora obrigado a comer peixe estragado infestado de vermes. As estruturas promovem uma das condições essenciais para uma mudança terapêutica profunda: um estado, análogo ao transe, em que realidades múltiplas se desenrolam lado a lado – o passado e o presente; saber que você é adulto e sentir o que sentia quando criança; expressar sua raiva ou terror por alguém que se porta como seu abusador, mas sabendo muito bem que está falando com Scott, que não se parece em nada com seu pai real; experimentar ao mesmo tempo as complexas emoções de lealdade, ternura, raiva e saudade que as crianças sentem pelos pais.

Maria começou a falar de seu relacionamento com o pai quando era menina, e continuei a refletir suas expressões. O pai agredia a mãe. Ele a criticava sem cessar: sua dieta, seu corpo, a forma como cuidava da casa, e Maria sempre temia o que poderia acontecer à mãe quando ele a censurava. Ela falava da mãe como uma pessoa carinhosa e meiga; sem a mãe, não teria sobrevivido. Ela sempre a consolava depois que o pai brigava com ela, mas não fazia nada para proteger os filhos da fúria paterna. "Acho que mamãe também tinha muito medo dele. Tenho a impressão de que ela não nos protegia porque se sentia aprisionada."

Nesse ponto, sugeri que era hora de chamar à sala a mãe real de Maria. Ela passou os olhos pelo grupo e abriu um sorriso largo ao pedir a Kristin, uma pintora loura, com jeito de escandinava, para representar o papel de sua mãe real. "Eu assumo o papel de sua mãe real, que era meiga e carinhosa, e sem a qual você não teria sobrevivido, mas que não protegia você de seu pai abusivo." Maria pediu que ela se sentasse numa almofada à sua direita, bem mais perto dela que o pai real.

Recomendei-lhe que olhasse para Kristin e perguntei: "E então, o que acontece quando você olha para ela?" Maria respondeu, zangada: "Nada." "Uma testemunha veria que você se retesa ao olhar para sua mãe real e diz, com raiva, que não sente nada", eu disse. Depois de um longo silêncio, perguntei de novo: "E agora, o que acontece?" Maria me pareceu um pouco mais abatida e repetiu: "Nada." Perguntei: "Há alguma coisa que você queira dizer à sua mãe?" Por fim, ela disse "Eu sei que você fez o melhor que podia", e um momento depois acrescentou: "Eu queria que você me protegesse." Começou a chorar baixinho, e eu perguntei: "O que está acontecendo dentro de você?" "Pondo a mão no peito, sinto que meu coração está batendo com muita força", Maria disse.

Minha tristeza é por causa de minha mãe, incapaz de enfrentar meu pai e nos proteger. Ela só se fecha, fingindo que tudo está bem, e na sua mente é provável que esteja mesmo, e isso hoje me enfurece. Tenho vontade de dizer: "Mamãe, quando vejo você não reagir a papai quando ele está sendo ruim... Quando vejo seu rosto, você parece aborrecida e não sei por que você não diz: 'Vá se foder e suma daqui.' Você não sabe lutar... você é uma mosca-morta... uma parte sua não serve para nada e não está viva. Eu nem sei o que quero dizer. Eu só quero que você seja diferente... Você não faz nada certo, como ao aceitar tudo quando está tudo errado.

Observei: "Uma testemunha veria como você fica furiosa quando quer que sua mãe enfrente seu pai." Em seguida, Maria contou que desejava que a mãe fugisse de casa com os filhos, que os tirasse de perto do pai aterrorizador.
Propus então que outra integrante do grupo fosse escolhida para representar sua mãe ideal. Maria correu os olhos pela sala e escolheu Ellen, terapeuta e praticante de artes marciais. Maria a fez sentar-se numa almofada à sua direita, entre sua mãe real e ela, e pediu-lhe que passasse o braço em torno dela. "O que você quer que sua mãe ideal diga a seu pai?", perguntei. "Quero que ela diga: 'Se você vai falar assim, vou deixar você e levar as crianças. Não vamos ficar plantados aqui e escutar essa merda'". Ellen repetiu as palavras de Maria. Perguntei: "E agora, o que acontece?" Maria respondeu: "Gostei. Sinto uma leve pressão na cabeça. Minha respiração está tranquila. Sinto meu corpo fazendo uma dancinha animada. Legal."

"Uma testemunha pode ver como você fica feliz ao ouvir sua mãe dizer que não vai mais tolerar as merdas que seu pai diz e que vai tirar você de perto dele", eu disse. Maria começou a soluçar e disse: "Eu teria sido uma menina segura e feliz." Pelo canto do olho, vi vários membros do grupo chorando em silêncio – era evidente que poder se sentir em segurança e feliz quando criança tocava num ponto delicado na lembrança de todos eles.

Daí a pouco propus chamarmos o pai ideal de Maria. Vi com clareza a alegria nos olhos dela ao examinar o grupo, imaginando seu pai ideal. Por fim, ela escolheu Danny. Dei a ele roteiro, que ele leu para ela: "Eu assumo o papel de seu pai ideal, que a amaria e cuidaria e que nunca lhe daria medo." Maria lhe pediu que se sentasse à sua esquerda e sorriu. "Minha mãe e meu pai saudáveis!", exclamou. Respondi: "Permita-se sentir essa alegria, olhando para um pai ideal que a cobriria de carinho." "É lindo", gritou Maria, abraçando Danny e sorrindo para ele, apesar das lágrimas. "Estou me lembrando de um momento de ternura real com meu pai, e é isso que sinto agora. Eu adoraria ter minha mãe perto de mim também." O pai e a mãe ideais a embalaram. Deixei que a cena prosseguisse por algum tempo para que pudessem introjetar plenamente a experiência.

Terminamos com Danny dizendo: "Se eu tivesse sido seu pai ideal naquele tempo, eu teria amado você assim e não teria feito maldades com você", enquanto Ellen acrescentava: "Se eu tivesse sido sua mãe ideal, teria defendido você e não teria permitido que nenhum mal lhe sucedesse." Todos os personagens deram, então, declarações finais, abandonando os papéis que haviam representado e retornando formalmente cada qual à própria identidade.

REESCREVER A VIDA

Ninguém é criado em circunstâncias ideais – se é que sabemos que circunstâncias são essas. Como meu falecido amigo David Servan-Schreiber disse um dia: cada vida é difícil à sua maneira. Mas sabemos que para nos tornarmos adultos autoconfiantes e aptos é importante termos sido criados por pais firmes e previsíveis; pais que se alegravam conosco, com nossas descobertas e explorações; pais que nos ajudavam a organizar nossas idas e vindas; e que serviam de modelos para cuidados pessoais e para as relações com outras pessoas.

Deficiências em qualquer dessas áreas costumam se manifestar mais tarde. Em geral, uma criança ignorada ou alvo de humilhações contínuas carece de respeito por si própria. Crianças que não puderam se afirmar provavelmente terão dificuldade para não se deixar intimidar na vida adulta, e a maioria dos adultos que sofreram maus-tratos físicos na infância carrega uma raiva latente que exige muita energia para ser contida.

Nossos relacionamentos sofrerão também. Quanto mais pesada tiver sido a carga de dor e privações sofridas na infância, maior a probabilidade de interpretarmos as ações de outras pessoas como se fossem dirigidas contra nós. Também teremos menos compreensão de suas lutas, inseguranças e preocupações. Se não pudermos avaliar a complexidade da vida delas, nossa tendência será a de ver em todos os seus atos a confirmação de que nos magoaremos e nos decepcionaremos.

Vimos, nos capítulos sobre a biologia do trauma, como o trauma e o abandono desconectam as pessoas de seu corpo como fonte de prazer e conforto, ou até como uma parte delas que precisa de cuidados e cultivo. Se não pudermos confiar que nosso corpo é capaz de enviar sinais de segurança ou de perigo e, em vez disso, nos sentirmos oprimidos cronicamente por sensações físicas, perderemos a capacidade de ficar à vontade em nossas peles e, por extensão, no mundo. Enquanto seu mapa-múndi se basear em trauma, abuso e negligência, as pessoas vão procurar atalhos rumo ao esquecimento. Prevendo rejeição, escárnio e privação, relutam em tentar novas opções, convencidas de seu fracasso. Essa falta de experimentação as aprisiona num ambiente de crescente medo, isolamento e carência em que é impossível acolher bem até aquelas experiências que poderiam alterar sua visão básica de mundo.

Essa é uma das razões pelas quais as experiências altamente estruturadas da terapia psicomotora são tão valiosas. Os participantes projetam sua realidade interna num espaço ocupado por pessoas reais, onde podem explorar a cacofonia e a confusão do passado. Uma experiência que nos leva a momentos concretos de satisfação triunfante. "Isso, era assim mesmo. Era o que eu tinha de enfrentar. E era assim que teria sido na época se eu tivesse sido apreciado e tratado com carinho." Passar por uma experiência sensorial de se sentir querido e protegido, aos 3 anos, no ambiente de uma estrutura, permite às pessoas reescrever sua vivência interna, como se dissessem: "Posso interagir de forma espontânea com outras pessoas sem precisar temer ser rejeitado ou ferido."

As estruturas mobilizam o extraordinário poder da imaginação para transformar as narrativas internas que impulsionam e confinam nossa atuação no mundo. Com o apoio adequado, segredos antes perigosos demais para ser revelados podem ser contados não só a um terapeuta, um padre confessor, mas, em nossa imaginação, às próprias pessoas que nos feriram e atraiçoaram.

A natureza tridimensional da estrutura transforma o oculto, o vedado e o temido numa realidade visível, concreta. Nesse aspecto, assemelha-se um pouco à terapia SFI, explorada no capítulo anterior. A SFI expõe as partes cindidas criadas para a sobrevivência e permite que a pessoa as identifique e converse com elas, de forma que seu self ileso possa se manifestar. Já uma estrutura cria uma imagem tridimensional daqueles e daquilo com que você tinha de lidar e lhe dá oportunidade de criar um resultado diferente.

A maioria das pessoas hesita em voltar ao passado e ao desencanto – eles só prometem trazer de volta o intolerável. Contudo, quando esse passado e esse desencanto são refletidos e testemunhados, uma nova realidade começa a ganhar forma. Um reflexo correto cria uma sensação totalmente oposta a ser ignorado, criticado e depreciado. O reflexo lhe permite sentir o que sente e saber o que sabe: um dos pilares da recuperação.

O trauma faz com que as pessoas continuem a interpretar o presente à luz de um passado imutável. A cena que você recria numa estrutura pode não ser exatamente o que aconteceu, mas representa a estrutura de seu mundo interior: seu mapa interno e as regras ocultas segundo as quais você tem vivido.

A CORAGEM DE DIZER A VERDADE

Dirigi outra estrutura de grupo com Mark, de 26 anos, que aos 13 ouviu por acaso o pai fazendo sexo ao telefone com a cunhada, irmã de sua mãe. Sentindo-se desnorteado, constrangido, ferido, traído e paralisado, tentou conversar com o pai sobre o assunto, mas se deparou com raiva e negação: o pai lhe disse que ele tinha a mente suja e o acusou de tentar destruir a família. Mark nunca se atreveu a contar à mãe o episódio, mas daí em diante os segredos de família e a hipocrisia contaminaram todos os aspectos da vida em sua casa. A sensação generalizada de que ninguém merecia confiança levou-o a uma adolescência solitária; seus dias, depois da escola, eram nas quadras de basquete do bairro e vendo TV em seu quarto. Quando ele tinha 21 anos, a mãe morreu – de tristeza, segundo ele – e o pai se casou com a cunhada. Mark não foi convidado nem para o enterro nem para o casamento.

Segredos desse tipo tornam-se toxinas dentro da gente – realidades que a pessoa não tem permissão para admitir a si mesma ou aos outros, mas que, ainda assim, se convertem no parâmetro de sua vida. Eu não fazia ideia da história de Mark quando ele se juntou ao grupo, mas seu distanciamento emocional chamava a atenção; nas avaliações, admitia sentir-se separado de todas as pessoas por um denso nevoeiro. Preocupou-me o que viria à tona quando começássemos a investigar o que se escondia atrás de seu exterior congelado e inexpressivo.

Quando propus que Mark falasse de sua família, ele resmungou alguma coisa e se fechou ainda mais. Sugeri que elegesse uma "figura de contato" para lhe dar apoio. Ele escolheu Richard, um homem de cabelo branco, e o fez sentar-se numa almofada a seu lado, tocando-lhe o ombro. Começou a contar sua história e convidou Joe para representar seu pai real, indicando que ficasse a três metros de distância; pediu a Carolyn, que fazia o papel de sua mãe, que se agachasse num canto, com o rosto escondido. Em seguida, Amanda, como sua tia, se postou num lado da sala, em atitude desafiadora e com os braços cruzados sobre o peito – representando todas as mulheres calculistas, perversas e ardilosas que correm atrás de homens.

Examinando o quadro que montara, Mark endireitou-se na cadeira, com os olhos bem abertos. Era evidente que o nevoeiro se dissipara. "Uma testemunha pode ver como você está inquieto ao se defrontar com a situação que enfrentava", eu disse. Mark assentiu, com ar aprovador, e permaneceu calado e pensativo por algum tempo. Então, olhando para o "pai", falou, de repente: "Seu babaca, seu embusteiro, você arruinou minha vida." Pedi a Mark que dissesse a seu "pai" tudo o que sempre quis mas nunca pudera. Seguiu-se uma longa lista de acusações. Instruí o pai a reagir fisicamente, como se tivesse sido esmurrado, para que o filho visse que seus golpes tinham surtido efeito. Não me surpreendi quando Mark declarou espontaneamente que sempre temera perder o controle sobre sua fúria, e que esse medo o tinha impedido de se defender na escola, no trabalho e em outras situações.

Depois do confronto de Mark com seu pai real, perguntei-lhe se gostaria que Richard assumisse um novo papel, o de seu pai ideal. Instruí Richard a encará-lo e dizer: "Se eu tivesse sido seu pai ideal naquela época, teria escutado você e não o acusaria de ter uma mente suja." Quando Richard repetiu essas palavras, Mark pôs-se a tremer. "Ah, meu Deus, a vida teria sido tão diferente se eu conseguisse confiar no meu pai e conversado sobre o que estava acontecendo. Eu poderia *ter* um pai." Pedi então a Richard que dissesse: "Se eu fosse seu pai ideal naquela época, teria acolhido sua raiva e você teria um pai em quem pudesse confiar." Mark relaxou visivelmente e disse que essa frase teria feito toda a diferença.

Nesse ponto, ele se voltou para a intérprete de sua tia, surpreendendo o grupo com a torrente de desaforos que lhe lançou: "Sua puta conivente, desclassificada. Você traiu sua irmã e arruinou a vida dela". Assim que acabou de falar, Mark caiu no choro. Então contou que sempre vira com muita suspeita toda mulher que demonstrava interesse por ele. O resto da estrutura consumiu mais meia hora, durante a qual, aos poucos, estabelecemos condições para que ele criasse duas novas mulheres: a tia ideal, que não traía a irmã, mas contribuía para ajudar a família de imigrantes, isolada, e a mãe ideal, que mantinha o interesse e a devoção do marido, e com isso não morria de tristeza. Ele encerrou contemplando com serenidade a cena que criara, com um sorriso no rosto.

Durante o restante da oficina, ele se portou como um membro participante e valioso do grupo, e três meses depois me enviou um e-mail dizendo que a experiência mudara a sua vida. Estava morando com a primeira namorada e, embora eles tivessem algumas discussões acaloradas, ele conseguira acatar o ponto de vista da moça sem se fechar de maneira defensiva, voltar à atitude de medo ou raiva ou pensar que ela estava querendo traí-lo. Espantava-se por se sentir bem, mesmo discordando dela, e por ter sido capaz de defender seus pontos de vista. Terminou me pedindo o nome de um terapeuta em sua comunidade que o ajudasse nas mudanças que estava empreendendo. Por sorte eu tinha um colega que pude lhe indicar.

ANTÍDOTOS PARA LEMBRANÇAS DOLOROSAS

Da mesma forma que as aulas de defesa pessoal (capítulo 13), as estruturas da terapia psicomotora encerram a possibilidade de formar memórias virtuais que vão coexistir com as realidades dolorosas do passado e proporcionar experiências sensoriais de reconhecimento, carinho e apoio capazes de servir como antídotos para lembranças de mágoas e traições. Para mudar, as pessoas precisam se familiarizar visceralmente com realidades que contradigam de maneira frontal as sensações estáticas do self congelado ou aterrorizado criado pelo trauma, substituindo-as por sensações que tenham raízes em segurança, domínio, prazer e conexão. No capítulo sobre EMDR, vimos que uma das funções do sonho é criar associações nas quais os fatos frustrantes do dia se entrelaçam com o resto da vida da pessoa. Ao contrário dos sonhos, as estruturas psicomotoras ainda estão sujeitas às leis da física, mas podem refazer o passado.

Está claro que nunca conseguiremos desfazer o que aconteceu, mas podemos criar novos roteiros emocionais, intensos e reais o suficiente para desarmar e neutralizar alguns antigos. Os quadros terapêuticos das estruturas oferecem uma experiência em cuja possibilidade muitos participantes jamais acreditaram: serem bem recebidos num mundo em que as pessoas os apreciam, os protegem, atendem a suas necessidades e os fazem se sentir à vontade.

19
RECONFIGURAÇÃO DO CÉREBRO: NEUROFEEDBACK

Será verdade (ou sonhei?) que, mediante a eletricidade, o mundo da matéria se tornou um imenso nervo, vibrando ao longo de milhares de quilômetros num átimo imperceptível?

Nathaniel Hawthorne

A faculdade de trazer de volta, voluntária e repetidamente, uma atenção errante é a verdadeira origem do discernimento, da personalidade e da vontade.

William James

No verão seguinte a meu primeiro ano de faculdade, trabalhei como assistente de pesquisa, em meio expediente, no laboratório de sono de Ernest Hartmann no Hospital Estadual de Boston. Além de preparar e monitorar os participantes, analisava os eletroencefalogramas (EEGs). Os pacientes chegavam ao anoitecer; eu prendia uma série de fios no couro cabeludo de cada um e outro conjunto de eletrodos ao redor dos olhos, para registrar os movimentos oculares rápidos que ocorrem durante os sonhos. Depois os conduzia a seus quartos, desejava boa-noite e ligava o polígrafo, uma máquina grande que registrava a atividade cerebral deles num rolo de papel.

Mesmo que os pacientes dormissem profundamente, os neurônios mantinham uma frenética comunicação interna, transmitida ao polígrafo a noite toda. Enquanto isso, eu examinava os EEGs da véspera; de vez em quando parava para acompanhar pelo rádio o placar dos jogos de beisebol e para despertar os pacientes pelo interfone sempre que o polígrafo acusava um ciclo de sono REM. Perguntava o que haviam sonhado e anotava tudo. De manhã, ajudava-os a preencher um questionário sobre a qualidade do sono e ia embora.

Aquelas noites serenas documentaram muitos fatos sobre o sono REM e contribuíram para compilar as informações básicas a respeito dos processos do sono, o que preparou o caminho para descobertas cruciais (capítulo 15). Até pouco tempo atrás, porém, ainda não se concretizara a esperança de que a eletroencefalografia poderia nos ajudar a entender a atuação da atividade elétrica cerebral em problemas psiquiátricos.

O MAPEAMENTO DOS CIRCUITOS ELÉTRICOS DO CÉREBRO

Antes da revolução farmacológica, havia um amplo consenso com relação à atividade cerebral ser determinada por sinais químicos e elétricos. Com a farmacologia, o interesse pela eletrofisiologia do cérebro ficou praticamente obliterado por décadas.

O primeiro registro da atividade elétrica do cérebro foi obtido pelo psiquiatra alemão Hans Berger, em 1924. Recebida com ceticismo e escárnio pela comunidade médica, a nova tecnologia pouco a pouco se tornou um instrumento indispensável para diagnosticar a atividade convulsiva em pacientes com epilepsia. Berger descobriu que diferentes padrões de ondas refletiam diferentes atividades mentais. (Por exemplo, tentar resolver um problema de matemática gerava descargas numa frequência de rapidez moderada, a faixa beta.) Ele esperava que um dia a ciência possibilitasse a correlação de diferentes problemas psiquiátricos e irregularidades específicas no EEG. Essa expectativa ganhou força em 1938, com os primeiros comunicados sobre padrões de EEG em "crianças de comportamento problemático".[1] A maioria dessas crianças hiperativas e impulsivas apresentava ondas mais lentas que o normal nos lobos frontais. Desde então, esse resultado foi reproduzido inúmeras vezes, e, em 2013, a Food and Drug Administration certificou a atividade pré-frontal de onda lenta como um biomarcador para o transtorno de déficit de atenção com hiperatividade. A atividade elétrica lenta no lobo frontal explica por que essas crianças apresentam uma deficiência executiva: o cérebro racional não exerce um controle correto sobre o cérebro emocional, o que também ocorre quando o abuso e o trauma tornam o centro emocional sempre hiperalerta para perigo e pronto para luta ou fuga.

No início de minha carreira, tive esperança de que a eletroencefalografia nos ajudasse a elaborar diagnósticos melhores, e, nos anos 1980 e 1990, pedi EEGs a muitos pacientes a fim de determinar se a instabilidade emocional deles resultaria de anormalidades neurológicas. Em geral, os laudos apontavam "Anormalidades não específicas no lobo temporal",[2] o que me dizia quase nada. Como naquele tempo a única forma de modificar resultados ambíguos envolvia o uso de remédios que produziam mais efeitos colaterais do que benefícios, desisti de submeter meus pacientes a EEGs rotineiros.

Em 2000, um estudo de meu amigo Alexander McFarlane e colegas (pesquisadores de Adelaide, na Austrália) reacendeu meu interesse, pois documentava diferenças claras no processamento de informações entre pacientes traumatizados e um grupo de australianos "normais". Os pesquisadores utilizaram um teste padronizado chamado "paradigma do objeto estranho", em que se pede aos pacientes para indicar o elemento que não se ajusta a uma série de imagens correlacionadas (como uma corneta num grupo de mesas e cadeiras). Nenhuma das imagens se relacionava a trauma.

No grupo "normal", partes importantes do cérebro atuaram juntas para produzir um padrão coerente de filtragem, foco e análise. (Ver a imagem à esquerda da página seguinte.) Já a coordenação das ondas cerebrais de pacientes traumatizados era mais frouxa e elas não formavam um padrão coerente. Especificamente, não geravam o padrão que ajuda as pessoas a prestar atenção na tarefa em execução (a curva ascendente, chamada N200). E mais: a configuração de processamento de informações essenciais (o pico descendente, P300) era mal definida – a profundidade da onda determina a qualidade da recepção e da análise de novos dados. Esses novos dados foram importantes para estabelecer como as vítimas de trauma processam informações não traumáticas, e tiveram implicações formidáveis para entender o processamento das informações no dia a dia. Esses padrões de ondas cerebrais poderiam explicar o motivo pelo qual vítimas de trauma têm dificuldade para aprender pela experiência e se envolver por completo nas atividades cotidianas. As estruturas cerebrais dessas pessoas não estão organizadas para focar no que está acontecendo no momento.

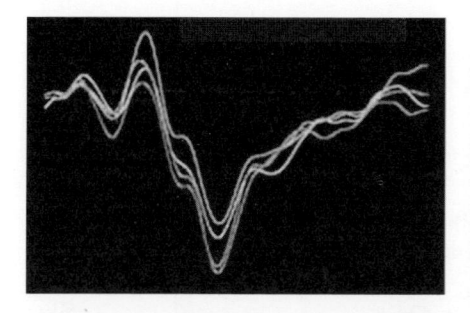

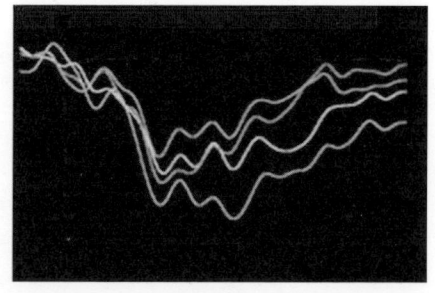

Pessoas normais *versus* vítimas de TEPT. Padrões de atenção. Milissegundos depois de receber informações, o cérebro começa a organizar o significado delas. Normalmente, todas as regiões do cérebro colaboram num padrão sincronizado (esquerda), mas no caso de pessoas com TEPT as ondas cerebrais não são tão bem coordenadas. É difícil para o cérebro filtrar informações irrelevantes e decidir o que fazer em relação ao estímulo.

O estudo de McFarlane me fez lembrar o que Pierre Janet dissera em 1889: "O estresse traumático é uma incapacidade de estar plenamente vivo no presente." Há alguns anos, quando vi o filme *Guerra ao terror*, de 2008, que trata das experiências de soldados no Iraque, esse estudo me veio à mente de imediato: enquanto enfrentavam situações de estresse extremo, aqueles homens agiam com absoluta concentração; de volta à vida civil, atordoavam-se diante de escolhas simples no supermercado. Vemos hoje estatísticas alarmantes a respeito do número de veteranos de guerra que se matriculam em cursos superiores, valendo-se da GI Bill (Lei dos Veteranos), mas não se formam. (Algumas estimativas superam 80%.) Seus comprovados problemas de foco e atenção decerto contribuem para esses maus resultados.

Essa investigação não só elucidou um possível mecanismo para a falta de foco e atenção nas vítimas de TEPT, como também trouxe um novo desafio: haveria algum modo de modificar esses padrões de ondas cerebrais disfuncionais? Sete anos se passaram antes que se descobrissem os meios de se fazer isso.

Em 2007, conheci Sebern Fisher num congresso sobre crianças com transtornos de apego. Ex-diretora clínica de um centro de tratamento residencial para adolescentes com perturbações graves, ela me disse que vinha usando neurofeedback com seus pacientes particulares havia cerca de uma década. Mostrou-me desenhos de um menino de 10 anos que não podia frequentar a escola por causa de seus acessos de fúria, problemas de aprendizado e dificuldades gerais na área de auto-organização.[3]

(1)
Desenho depois de vinte sessões

(2)
Desenho depois de quarenta sessões

(3)

De figuras-palito a seres humanos bem definidos. Depois de quatro meses de neurofeedback, os desenhos que um menino de 10 anos fez de sua família mostram o equivalente a seis anos de desenvolvimento mental.

O primeiro desenho que ele fez da família, antes de iniciar o tratamento, situava-se no nível de desenvolvimento de uma criança de 3 anos. Menos de cinco semanas depois, após vinte sessões de neurofeedback, seus acessos de fúria tinham diminuído e o desenho mostrava uma acentuada melhora na complexidade. Dez semanas e outras vinte sessões mais tarde, o terceiro desenho mostrava um claro salto em complexidade, e o comportamento do garoto se normalizara.

Eu nunca vira um tratamento capaz de produzir uma mudança tão drástica e tão rápida na função mental. Por isso, quando ela se dispôs a me fazer uma demonstração do neurofeedback, aceitei entusiasmado.

A SINFONIA DO CÉREBRO

Em seu consultório em Northampton, Massachusetts, Sebern me apresentou seu equipamento de neurofeedback – dois computadores de mesa e um alto-falante pequeno – e alguns dados que coletara. Prendeu um eletrodo em cada lado de meu crânio e um terceiro em minha orelha direita. Logo, o computador diante de mim exibia fileiras de ondas cerebrais semelhantes às que eu via no polígrafo do laboratório de sono três décadas antes. O laptop de Sebern detectava, gravava e exibia a sinfonia elétrica de meu cérebro com mais rapidez e precisão do que o equipamento de Hartmann, que devia ter custado 1 milhão de dólares.

Sebern me explicou que o feedback (retorno) proporciona ao cérebro um espelho de sua própria função: as oscilações e os ritmos gerados pelas correntes e contracorrentes da mente. O neurofeedback induz o cérebro a aumentar a produção de ondas de certas frequências e diminuir a de outras, criando novos padrões que elevam sua complexidade natural e sua tendência à autorregulação.[4] "Na realidade", ela disse, "podemos estar libertando, no cérebro, propriedades oscilatórias inatas mas emperradas, e permitindo que outras sejam criadas."

Ela então fez alguns ajustes no equipamento "para configurar as frequências de recompensa e inibição", explicou, de modo que o feedback reforçasse certos padrões de ondas cerebrais selecionados e tolhesse outros. Agora eu estava vendo alguma coisa que lembrava um videogame com três espaçonaves, cada uma de uma cor. O computador emitia sons irregulares, e as naves se moviam de maneira aleatória. Descobri que, quando eu piscava, as naves se imobilizavam; quando eu fitava a tela com calma, elas se movimentavam juntas, acompanhadas de bipes regulares. Sebern propôs que eu tentasse fazer a espaçonave verde tomar a dianteira. Inclinei o tronco para a frente para me concentrar, mas, quanto mais esforço eu fazia, mais a nave verde ficava para trás. Ela sorriu e disse que eu obteria melhor resultado se relaxasse e deixasse o cérebro receber o feedback que o computador estava gerando. Recostei-me então na cadeira e logo os sons se tornaram mais firmes e a espaçonave verde começou a passar à frente das outras. Eu me sentia calmo e focado – e minha nave estava ganhando.

Em certo sentido, o neurofeedback nos lembra como reagimos ao rosto do interlocutor. Se notamos sorrisos e sinais de assentimento, nós percebemos que estamos agradando e continuamos a contar a história ou expor nosso argumento. No momento em que o interlocutor se mostra entediado ou desvia o olhar, começamos a abreviar o caso ou mudamos de assunto. No neurofeedback, em vez de um sorriso, a recompensa é um som ou um movimento na tela, e a inibição é muito mais neutra que um olhar de desdém – é apenas um padrão indesejado.

Em seguida, minha instrutora revelou outro elemento do neurofeedback: sua capacidade de rastrear circuitos em partes específicas do cérebro. Transferiu os eletrodos das têmporas para a fronte esquerda, e comecei a me sentir atento e focado. Sebern disse que estava recompensando ondas beta em meu córtex frontal, o que explicava minha vigilância. Quando passou os eletrodos para o alto de minha cabeça, senti-me mais distante das imagens na tela e mais consciente das sensações corporais. Depois ela me mostrou um gráfico que registrava as modificações em minhas ondas cerebrais à medida que eu experimentava mudanças sutis em meu estado mental e nas sensações físicas.

Como o neurofeedback atuaria no tratamento do trauma? "Esperamos poder intervir nos circuitos que promovem e mantêm estados de medo e componentes de temor, vergonha e raiva; é o disparo repetitivo desses circuitos que define o trauma", ela me disse. Os pacientes precisam de ajuda para mudar os padrões cerebrais criados pelo trauma e suas consequências. Quando os padrões de medo relaxam, o cérebro se torna menos suscetível a reações automáticas de estresse e mais capaz de se concentrar em fatos comuns. Afinal, o estresse não é uma propriedade inerente aos próprios fatos – é função de como os rotulamos e reagimos a eles. O neurofeedback apenas estabiliza o cérebro e aumenta a resiliência, o que nos permite criar mais opções de resposta.

O SURGIMENTO DO NEUROFEEDBACK

O neurofeedback não era uma tecnologia nova em 2007. Já no fim da década de 1950, estudando o fenômeno da percepção interna, Joe Kamiya, professor de psicologia na Universidade de Chicago, descobrira que as pessoas podiam aprender, por meio de feedback, a se dar conta de quando estavam produzindo ondas alfa, associadas ao relaxamento. (Para alguns, bastavam quatro dias para chegar a uma precisão de 100%.) Kamiya demonstrou também que era possível entrar voluntariamente num estado alfa em resposta a um simples sinal sonoro.

Em 1968, a revista de divulgação científica *Psychology Today* publicou um artigo sobre o trabalho de Kamiya, popularizando a ideia de que o treino alfa aliviaria o estresse e seus estados correlatos.[5] A primeira pesquisa a demonstrar que o neurofeedback teria efeito sobre condições patológicas foi feita por Barry Sterman, na Universidade da Califórnia em Los Angeles. A Nasa lhe pedira para estudar a toxicidade de um combustível para foguetes, a monometil-hidrazina (MMH), que provocava alucinações, náusea e convulsões. Antes disso, Sterman treinara gatos para produzir uma frequência de EEG específica, conhecida como ritmo sensório-motor. (No caso dos gatos, o estado vigilante e focado está associado à espera de alimento.) O pesquisador descobriu que, enquanto os gatos comuns sofriam convulsões depois de expostos à MMH, o mesmo não ocorria com os que tinham recebido neurofeedback. De alguma forma, o treinamento estabilizara o cérebro dos animais.

Em 1971, Sterman fez seu primeiro experimento num corpo humano, o de Mary Fairbanks, de 23 anos, que sofria de epilepsia desde os 8, com duas ou mais crises mensais. Recebendo treinamento duas vezes por semana, durante uma hora, ao cabo de três meses, estava praticamente livre das convulsões. Mais tarde, com um subsídio dos Institutos Nacionais de Saúde, Sterman empreendeu um estudo mais sistemático, cujos resultados foram publicados em 1974 na revista *Epilepsia*.[6]

Esse período de experimentação e de muito otimismo em relação ao potencial da mente humana chegou ao fim em meados da década de 1970, com o lançamento no mercado de medicamentos psiquiátricos recém-criados. A psiquiatria e a neurologia adotaram um modelo químico da mente e do cérebro, e outras abordagens terapêuticas foram relegadas a segundo plano.

Desde então, o interesse pelo neurofeedback tornou-se intermitente, e a maior parte do trabalho científico tem sido feita em países da Europa, na Rússia e na Austrália. Embora haja cerca de 10 mil profissionais de neurofeedback nos Estados Unidos, a técnica não tem mobilizado os recursos para pesquisa que a fariam ganhar ampla aceitação. Um dos motivos para isso talvez seja a existência de muitos sistemas de neurofeedback; outro é a limitação de suas possibilidades comerciais. Poucas aplicações são cobertas pelos planos de saúde, o que torna o tratamento dispendioso para os pacientes e impede que os profissionais disponham dos meios necessários para estudos em grande escala.

DE UM ABRIGO DE SEM-TETO PARA O CENTRO DE TRATAMENTO

Sebern me encaminhou três pacientes suas, para que eu conversasse com elas. Todas contaram histórias notáveis, mas foi escutando Lisa, de 27 anos, que estudava enfermagem, que comecei de fato a me dar conta das possibilidades assombrosas daquela terapia. Lisa possuía o principal fator de resiliência que um ser humano pode ter: era uma pessoa que chamava a atenção – cativante, curiosa e, é óbvio, inteligente. Fazia muito contato visual e se mostrava ansiosa por dividir o que havia aprendido sobre si mesma. E sobretudo, como muitos sobreviventes que conheci, tinha um senso de humor irônico e uma deliciosa atitude em relação à loucura humana.

A julgar pelo que eu sabia sobre seus antecedentes, era um milagre que ela fosse tão calma e senhora de si. Passara anos em lares sociais e hospitais mentais, era conhecida nos prontos-socorros do oeste de Massachusetts – a jovem que de vez em quando chegava de ambulância, meio morta por overdose de remédios ou por ferimentos autoinfligidos.

Eis como ela começou a contar sua história:

> Eu tinha inveja das crianças que sabiam o que ia acontecer quando os pais se embebedavam. Elas pelo menos podiam prever a baderna. Na minha casa, eu jamais sabia o que esperar. Qualquer coisa podia deixar minha mãe zureta – jantar, ver TV, voltar da escola para casa,

vestir-se – e eu nunca sabia o que ela ia fazer ou como ia me ferir. Era tudo muito imprevisível.

O pai abandonou a família, deixando Lisa, com 3 anos, entregue à mãe psicótica. A palavra "tortura" não é forte o bastante para classificar os maus-tratos que ela sofreu. "Eu morava no sótão", ela disse, "e ia fazer xixi no tapete do quarto ao lado porque tinha medo de descer para ir ao banheiro. Eu tirava toda a roupa das bonecas, enfiava lápis nelas e pendurava na janela."

Aos 12 anos, ela fugiu de casa; a polícia a encontrou e a devolveu ao lar. Depois de fugir de novo, serviços de proteção a menores intervieram, e ela, ao longo dos seis anos seguintes, esteve em hospitais de saúde mental, abrigos, lares sociais, famílias adotivas e na rua. Lisa era tão dissociada e autodestrutiva que aterrorizava seus cuidadores. Agredia a si mesma, destruía móveis e depois não lembrava o que havia feito, o que a fez ganhar fama de mentirosa e manipuladora. Em retrospecto, disse, não tinha palavras para comunicar o que estava acontecendo com ela.

Quando completou 18 anos, deixou de ser atendida pelos serviços de proteção a menores e começou uma vida independente, sem família, educação, dinheiro ou qualificações. Logo depois, porém, topou com Sebern, que acabara de adquirir seu primeiro equipamento de neurofeedback e se lembrava de Lisa do centro de tratamento residencial em que trabalhara. Aquela menina perdida sempre lhe chamara a atenção, e ela lhe propôs que experimentasse sua nova geringonça.

"Na primeira vez que Lisa veio ao consultório", Sebern contou, "ela andava de um lado para outro com um olhar vazio, como se atrás do rosto não houvesse nada. Simplesmente não havia como chegar nela. Eu nunca tive certeza de ter chegado a algum self organizado." Qualquer forma de terapia pela palavra era inviável no caso dela. Toda vez que Sebern lhe fazia uma pergunta sobre qualquer fato estressante, ela se fechava ou entrava em pânico. Nas palavras de Lisa, "sempre que a gente tentava conversar sobre o que tinha acontecido quando eu era pequena, eu tinha um colapso. Acordava com cortes e queimaduras, e não conseguia comer. Nem dormir".

Sua sensação de terror era onipresente.

Eu tinha medo o tempo todo. Não gostava de ser tocada. Estava sempre sobressaltada e nervosa. Não conseguia fechar os olhos se houvesse outra pessoa por perto, achava que ela poderia me chutar. Você se sente doida. Sabe que está num lugar com uma pessoa em quem confia, você sabe, racionalmente, que nada vai lhe acontecer, mas então existe o resto do corpo, e você nunca consegue relaxar. Se alguém tentasse me abraçar, eu simplesmente saía correndo.

Lisa estava presa num estado de choque inescapável.

Ela se lembrava de se dissociar quando bem pequena, mas as coisas pioraram após a puberdade:

Comecei a acordar com cortes, e as pessoas na escola me conheciam por diversos nomes. Não podia ter um namorado firme porque namorava outros caras quando estava dissociada e depois não lembrava. Tinha muitos apagões, perdas temporárias de consciência, e dava comigo em situações bizarras.

Como muitas vítimas de traumas graves, Lisa não se reconhecia no espelho.[7] Eu nunca vira alguém descrever de forma tão articulada como era não ter uma noção contínua de self.

Não havia ninguém que confirmasse sua realidade.

Quando eu tinha 17 anos e morava num lar social na companhia de adolescentes com perturbações muito sérias, um dia me cortei gravemente com a tampa de uma lata. Fui levada ao pronto-socorro, mas não pude dizer ao médico como havia me cortado... Porque não lembrava de nada. O médico do pronto-socorro estava convencido de que o transtorno dissociativo de identidade não existe. [...] Muita gente que trabalha com saúde mental diz que isso não existe. Não que você não tenha o transtorno, mas que ele não existe.

A primeira coisa que Lisa fez ao deixar o programa de tratamento residencial foi abandonar a medicação. "Não funciona para todo mundo", ela admitiu, "e, no meu caso, foi a decisão certa. Conheço gente que precisa de remédio, mas não era o meu caso. Comecei a fazer neurofeedback, fiquei muito mais lúcida."

Ao convidar Lisa para o neurofeedback, Sebern não sabia o que esperar, já que ela seria a primeira paciente com quem tentaria a terapia. Eram duas sessões por semana, e a pesquisadora começou recompensando padrões cerebrais mais coerentes no lobo temporal direito, o centro de medo do cérebro. Passadas algumas semanas, Lisa percebeu que não ficava mais tão nervosa perto das pessoas e já não tinha medo de ir à lavanderia no subsolo do prédio. Veio então um avanço mais significativo: ela parou de dissociar. "Existia um murmúrio constante de conversas em minha cabeça", ela contou. "Eu tinha medo de ser esquizofrênica. Depois de meio ano de neurofeedback, parei de ouvir aqueles ruídos. Eu me integrei, acho. Tudo se encaixou."

Ao adquirir uma noção mais contínua de self, Lisa se tornou capaz de conversar sobre suas experiências:

Agora posso até falar sobre a minha infância, por exemplo. Pela primeira vez, fui capaz de fazer terapia. Até então eu não tinha distanciamento suficiente e não conseguia me acalmar. Se você ainda está lá, é difícil falar sobre isso. Eu não era capaz de me apegar da forma como é preciso, nem de me abrir da forma necessária para ter uma relação real com um terapeuta.

Foi uma revelação assombrosa: são muitos os pacientes que começam o tratamento e o largam, sem conseguir estabelecer uma ligação verdadeira, porque ainda estão "lá". É claro que se o indivíduo não sabe quem é, não consegue ver a realidade das pessoas que o cercam.

Lisa prosseguiu:

Eu tinha muita ansiedade, não conseguia me apegar a ninguém. Entrava numa sala e tentava memorizar todas as formas possíveis de sair, todos os detalhes a respeito das pessoas. Tentava, desesperadamente, rastrear tudo o que pudesse me ferir. Agora conheço as pessoas de uma maneira diferente. Não se trata de memorizá-las, por causa do medo. Quando a gente não tem medo de ser ferida, pode conhecer as pessoas de um jeito diferente.

Essa moça tão articulada tinha saído dos abismos do desespero e do desnorteio com um grau de clareza e foco que eu nunca vira antes. Era evidente que tínhamos de explorar o potencial do neurofeedback no Trauma Center.

PRIMEIROS PASSOS NO NEUROFEEDBACK

Antes era preciso decidir qual dos cinco sistemas de neurofeedback existentes seria adotado, e depois reservar um fim de semana prolongado para aprender como funcionava e treinar entre nós.[8] Oito médicos e três estagiários do centro se dispuseram a explorar as complexidades de EEGs, eletrodos e do feedback gerado por computadores. Na segunda manhã do treinamento, eu estava trabalhando em dobradinha com meu colega Michael, pus o eletrodo no lado direito da cabeça dele e recompensei a frequência de 11 a 14 hertz. Terminada a sessão, Michael pediu a atenção do grupo. Acabara de passar por uma experiência notável, ele disse. Sempre se sentira um tanto nervoso e inseguro na presença de outras pessoas, mesmo colegas, como nós. Embora ninguém parecesse notar – ele era, afinal, um terapeuta muito respeitado –, era perseguido por uma sensação crônica e torturante de perigo. Essa sensação desaparecera, ele se sentia seguro, relaxado, aberto. No decorrer dos três anos seguintes, sua habitual atitude de reserva no grupo deu lugar a uma participação ativa com insights e opiniões. Ele foi um dos mais valiosos colaboradores do programa de neurofeedback.

Com a ajuda da Fundação ANS, iniciamos a nosso primeiro estudo com um grupo de 17 pacientes que não haviam respondido a tratamentos anteriores. Escolhemos como alvo a área temporal direita do cérebro, local que nossos antigos estudos de tomografias cerebrais (ver capítulo 3)[9] haviam mostrado ser bastante ativado no estresse traumático, e fizemos vinte sessões de neurofeedback durante dez semanas.

Como a maioria desses pacientes sofria de alexitimia, tinham dificuldade em relatar como respondiam ao tratamento. No entanto, seus atos falavam por eles. Chegavam sempre na hora marcada, mesmo quando precisavam dirigir um carro em meio à nevasca. Nenhum deles abandonou o tratamento, e, ao fim das vinte sessões, pudemos documentar melhoras significativas não só em suas pontuações de TEPT,[10] como também nas relações entre eles e com outras pessoas, no equilíbrio emocional e na autopercepção.[11] Estavam menos agitados, dormiam melhor e se sentiam mais calmos e focados.

De qualquer modo, relatos dos próprios pacientes podem não ser confiáveis, e mudanças objetivas no comportamento são indicadores muito melhores da resposta ao tratamento. O primeiro paciente que tratei com neurofeedback foi um bom exemplo. Era um profissional liberal de 50 e poucos anos que se definia como heterossexual. Entretanto, sempre que se sentia abandonado e incompreendido, procurava contatos homossexuais com estranhos. Seu casamento se desfizera por causa disso; um exame de HIV dera positivo e ele ansiava por assumir o controle sobre seu comportamento. Durante uma terapia anterior, falara bastante sobre o fato de ter sido vítima de abuso sexual por parte de um tio quando tinha 8 anos. O pressuposto era de que sua compulsão tinha relação com esse abuso, mas fazer essa conexão não acarretara mudança alguma em seu comportamento. Depois de mais de um ano de psicoterapia regular com um terapeuta competente, nada havia mudado.

Uma semana depois de começar a treinar seu cérebro para produzir ondas mais lentas no lobo temporal direito, ele teve uma discussão desagradável com uma nova namorada, mas, em vez de procurar outro homem, resolveu pescar. Atribuí essa reação ao acaso. Entretanto, durante as dez semanas seguintes, em meio a seu tumultuado relacionamento, ele continuou a buscar desafogo na pesca e começou a reformar uma casinha à beira de um lago. Quando suspendemos o neurofeedback por três semanas por causa de férias, minhas e dele, sua compulsão voltou de repente, o que parecia indicar que seu cérebro ainda não se estabilizara no novo padrão. Depois continuamos o tratamento por mais seis meses, e agora, quatro anos depois, eu o atendo mais ou menos a cada seis meses para uma revisão. Ele não sentiu mais nenhum impulso homossexual.

Como foi que seu cérebro passou a buscar bem-estar na pesca em vez de na conduta sexual compulsiva? Não se sabe. O neurofeedback muda os padrões de conectividade do cérebro; a mente os acompanha criando novos padrões de envolvimento.

NOÇÕES BÁSICAS DE ONDAS CEREBRAIS

Cada linha num EEG registra a atividade de uma parte diferente do cérebro: uma mistura de diferentes ritmos, dispostos numa escala que vai do lento ao rápido.[12] O EEG consiste em medições de diversas alturas (amplitude) e comprimentos de onda (frequência). A frequência indica o número de vezes que uma onda sobe e desce em um segundo, e é medida em hertz (Hz) ou ciclos por segundo (cps). Todas as frequências no EEG são relevantes para compreender e tratar o trauma, e os elementos básicos são de fácil entendimento.

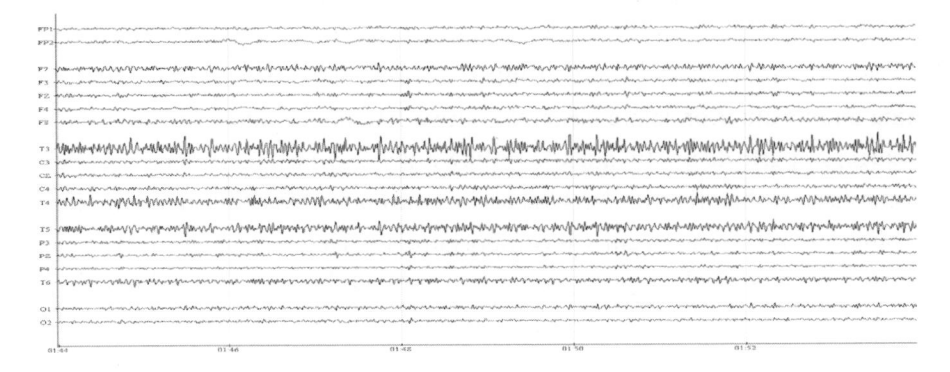

Eletroencefalograma (EEG). Não existe um traçado característico para pessoas com TEPT, porém muitas delas, como este paciente, mostram uma atividade claramente aumentada nos lobos temporais (T_3, T_4, T_5). O neurofeedback pode normalizar esses padrões cerebrais anormais, e, com isso, melhorar a estabilidade emocional.

As ondas delta, de frequência mais lenta (2-5 Hz), são vistas mais vezes durante o sono. O cérebro está em estado de marcha lenta e a mente se acha ensimesmada. Se as pessoas têm demasiada atividade de ondas lentas quando acordadas, seu pensamento é nebuloso e elas mostram deficiência de julgamento e de controle dos impulsos. Oitenta por cento das crianças com TDAH e muitas vítimas de TEPT têm um excesso de ondas lentas nos lobos frontais.

A FREQUÊNCIA DAS ONDAS CEREBRAIS ESTÁ RELACIONADA A NOSSO ESTADO DE ALERTA

Os sonhos aceleram as ondas cerebrais. As frequências teta (5-8 Hz) predominam na borda do sono, como no estado flutuante "hipnopômpico" (ver capítulo 15); são também características dos estados de transe hipnótico. As ondas teta criam uma atitude mental não restringida pela lógica ou as exigências comuns da vida e, por conseguinte, abrem a possibilidade de novas conexões e associações. Um dos mais promissores tratamentos com neurofeedback para o TEPT, o treinamento alfa/teta, se vale disso para liberar associações congeladas e facilitar novos aprendizados. No lado negativo, as frequências teta também ocorrem quando estamos "para baixo" ou deprimidos.

As ondas alfa (8-12 Hz) correspondem a uma sensação de paz e calma.[13] São bem conhecidas por qualquer um que tenha praticado meditação de atenção plena. (Certa vez, um paciente me disse que o neurofeedback tinha exercido sobre ele um efeito "semelhante à meditação com esteroides".) Uso o treinamento alfa, na maior parte das vezes, para ajudar pessoas que se acham muito insensíveis para chegar a um estado de relaxamento concentrado. O Centro Médico Militar Nacional Walter Reed passou a usar instrumentos de treinamento alfa para tratar soldados com TEPT.

cps = ciclos por segundo ou hertz

DELTA Menos de 4 cps	TETA 4-8 cps	ALFA 8-12 cps	SMR 12-15 cps	BETA 5-18 cps	BETA ALTA Mais de 19 cps
Sono	Sonolência	Foco relaxado	Pensamento relaxado	Pensamento ativo	Excitação
Depressão, TDAH e atividade convulsiva nesta faixa.			Treinamos o cérebro para trabalhar nesta faixa a fim de modificar sintomas de depressão, TDAH e abrandar a atividade convulsiva.		

As ondas beta têm as frequências mais rápidas (13-20 Hz). Quando dominam, o cérebro está orientado para o mundo externo: elas nos permitem manter uma atenção focada ao executar uma tarefa. Já as ondas beta altas (acima de 20 Hz) estão associadas a agitação, ansiedade e tensão corporal – na verdade, elas fazem a pessoa vigiar o tempo todo o que acontece à sua volta, em busca de sinais de perigo.

MELHOR FOCO PARA O CÉREBRO

O treinamento de neurofeedback pode melhorar a criatividade, o desempenho atlético e a percepção interior, mesmo em pessoas que já tenham excelente desempenho em suas atividades.[14] Quando começamos a estudar o neurofeedback, descobrimos que o departamento de medicina esportiva era o único na Universidade de Boston que tinha familiaridade com o assunto. Um de meus primeiros mestres de fisiologia cerebral foi o psicólogo

Len Zaichkowsky, que logo deixou Boston para dar treinamento de neurofeedback aos jogadores do Vancouver Canuchs.[15]

É provável que o neurofeedback tenha sido mais estudado para melhorar o desempenho de atletas do que para tratar problemas psiquiátricos. Na Itália, o treinador do AC Milan usava essa técnica para manter os jogadores relaxados e concentrados quando assistiam aos vídeos que mostravam seus erros. O maior controle mental e fisiológico dos atletas rendeu dividendos quando vários jogadores do time foram convocados para a seleção, que ganhou a Copa do Mundo de 2006, e quando o clube venceu o campeonato europeu do ano seguinte.[16] O neurofeedback foi também incluído no componente de ciência e tecnologia do Own the Podium, um plano de cinco anos, no valor de 117 milhões de dólares, planejado para ajudar o Canadá a dominar os Jogos Olímpicos de Inverno de 2010, em Vancouver. Os canadenses tiveram o maior número de ouros e se classificaram em terceiro lugar no quadro geral de medalhas.

O desempenho musical também tem sido beneficiado. Um grupo de avaliadores do Royal College of Music da Grã-Bretanha constatou que alunos que haviam feito dez sessões de neurofeedback ministradas por John Gruzelier, da Universidade de Londres, tiveram uma melhoria de 10% na execução de uma peça, quando comparados àqueles que não tinham passado por esse treinamento. É uma diferença astronômica num campo tão competitivo.[17]

Por melhorar o foco, a atenção e a concentração, não surpreende que o neurofeedback tenha atraído o interesse de especialistas em transtorno de déficit de atenção com hiperatividade. Pelo menos 36 estudos demonstraram que a técnica pode ser um tratamento eficiente e breve para o TDAH – sua eficácia é mais ou menos a mesma dos remédios.[18] Depois que o cérebro é treinado para produzir diferentes padrões de comunicação elétrica, não há necessidade de nenhum tratamento adicional, à diferença dos medicamentos, que não modificam a atividade cerebral fundamental e só atuam enquanto o paciente os utiliza.

ONDE ESTÁ O PROBLEMA EM MEU CÉREBRO?

A sofisticada análise do EEG por computador, conhecida como EEG quantitativo (qEEG), pode traçar a atividade de ondas cerebrais de milissegundo a milissegundo, e seu software pode converter essa atividade num mapa em cores que mostra quais frequências estão mais altas ou mais baixas em áreas vitais do cérebro.[19] O qEEG também pode dizer se as regiões cerebrais estão se comunicando bem entre si e atuando em conjunto. Já foram compilados diversos bancos de dados, de padrões normais e anormais, que nos permitem comparar o qEEG de um paciente com os de milhares de outras pessoas com problemas semelhantes. Por fim, ao contrário da tecnologia de imagens por ressonância magnética funcional (fMRI), o qEEG é relativamente barato e portátil.

O qEEG proporciona comprovações convincentes das fronteiras arbitrárias das atuais categorias diagnósticas do *DSM*. As classificações do *DSM* para as doenças mentais não se alinham com padrões específicos da ativação cerebral. Estados mentais comuns a muitos diagnósticos, como confusão, agitação ou sensação de estar fora do corpo, associam-se a padrões específicos no qEEG. De modo geral, quanto maior o número de problemas de um paciente, mais anormalidades aparecem no qEEG.[20]

Nossos pacientes consideram muito útil poder enxergar os padrões de atividade elétrica localizada no cérebro deles. É possível mostrar aqueles que parecem ser responsáveis pela dificuldade que eles têm de se concentrar ou por sua falta de controle emocional. Eles enxergam por que diferentes áreas cerebrais precisam ser treinadas para gerar frequências diferentes e padrões de comunicação. Assim, fica mais fácil que não se culpem e aprendam a processar as informações de maneira diferente.

Ed Hamlin, que nos ensinou a interpretar um qEEG, me escreveu há pouco tempo:

> Muitas pessoas respondem ao treinamento, porém as que respondem melhor e mais depressa são aquelas que podem ver como o feedback está relacionado a alguma coisa que elas fazem. Por exemplo, se estou tentando ajudar alguém a aumentar sua capacidade de estar presente, é possível ver como ele está se saindo. É então que o benefício começa de fato a se acumular. Passar pela experiência de mudar a atividade do cérebro com a mente faz uma pessoa se sentir muito forte e competente.

COMO O TRAUMA MUDA AS ONDAS CEREBRAIS?

Vemos em nosso laboratório de neurofeedback pessoas com longos históricos de estresse traumático que só responderam parcialmente aos tratamentos convencionais. Seus qEEGs apresentam vários padrões diferentes. Muitas vezes, há uma atividade excessiva no lobo temporal direito – o centro cerebral do medo – combinada com excesso de atividade frontal de onda lenta. Isso significa que o cérebro emocional em estado hiperalerta domina a vida mental desses pacientes. Nossa pesquisa mostrou que tranquilizar o centro do medo reduz os problemas baseados no trauma e melhora as funções executivas, acarretando não só uma diminuição substancial da pontuação de TEPT dos pacientes, como melhor clareza mental e maior capacidade de regular a irritação em resposta a provocações relativamente brandas.[21]

Outros traumatizados exibem padrões de hiperatividade assim que fecham os olhos: não ver o que acontece os deixa em pânico e suas ondas cerebrais enlouquecem. Nós os treinamos para produzir padrões cerebrais mais relaxados. Já outro grupo reage com exagero a sons e luzes – sinal de que o tálamo tem dificuldade para filtrar informações irrelevantes –, e, nesse caso, procuramos modificar os padrões de comunicação na parte posterior do cérebro.

Nosso centro tem como foco a busca de tratamentos eficazes para o estresse traumático crônico, mas Alexander McFarlane está estudando a alteração de cérebros normais causada pela exposição ao combate. O Departamento de Defesa australiano pediu-lhe que analisasse as consequências de períodos de combate no Iraque e no Afeganistão sobre as funções mentais e biológicas dos soldados, entre elas os padrões de ondas cerebrais. Na fase inicial da pesquisa, McFarlane e seus colegas mediram o qEEG de 179 soldados quatro meses antes e quatro meses depois de cada período de combate sucessivo no Oriente Médio.

Os pesquisadores verificaram que o número total de meses de combate no decorrer de um período de três anos estava associado a reduções progressivas de atividade alfa na parte posterior do cérebro. Essa área, que monitora o estado do corpo e regula processos elementares, como sono e fome, normalmente tem o nível mais alto de ondas alfa de qualquer região do cérebro, em especial quando as pessoas fecham os olhos. Já vimos que as ondas alfa estão associadas a relaxamento. A redução da atividade alfa nesses soldados reflete um estado de persistente agitação. Ao mesmo tempo, as ondas cerebrais na parte anterior do cérebro, que, em geral, apresentam alta atividade beta, revelam um retardo progressivo a cada período de combate. Pouco a pouco, os soldados mostram uma atividade no lobo frontal que se assemelha à de crianças com TDAH, o que interfere em suas funções executivas e na capacidade de manter a concentração.

A consequência final é que o estado de alerta, que deveria proporcionar a energia necessária para o cumprimento das tarefas diárias, deixa de ajudar esses soldados a se concentrarem em tarefas comuns. Isso os faz ficar agitados e alvoroçados. No atual estágio da pesquisa de McFarlane, é cedo demais para saber se esses soldados serão acometidos de TEPT, e só o tempo dirá em que medida o cérebro deles se reajustará ao ritmo da vida civil.

O NEUROFEEDBACK E DEFICIÊNCIAS DE APRENDIZADO

O abuso crônico e a negligência na infância interferem na programação correta dos sistemas de integração sensorial. Em certos casos, isso resulta em deficiências de aprendizado, entre as quais ligações defeituosas entre o sistema auditivo e o sistema de processamento verbal, assim como má coordenação entre olhos e mãos. Em nossos programas de tratamento residencial, é difícil acompanhar a dificuldade de adolescentes se eles se mantêm travados ou explosivos para processar as informações do dia a dia; assim que seus problemas comportamentais são tratados com êxito, porém, muitas vezes as deficiências de aprendizado afloram. Mesmo que esses jovens pudessem ficar quietos e prestar atenção às aulas, muitos ainda seriam prejudicados pela insatisfatória capacidade de aprendizado.[22]

Lisa contou como o trauma havia interferido na programação correta de funções básicas de processamento. Disse que "sempre se perdia" quando saía de casa e que se lembrava de sofrer de um retardo de audição que a impossibilitava de seguir as instruções dos professores. "Imagine estar numa sala de aula", disse, "e aí o professor chega e diz: 'Bom dia. Abram o livro na página dois-sete-dois. Resolvam os problemas de um a cinco'. Se a pessoa estiver desligada durante uma fração de segundo, essas palavras viram uma mixórdia. A concentração é impossível."

O neurofeedback a ajudou a reverter essas deficiências de aprendizado.

Aprendi a não perder as coisas de vista. Ler mapas, por exemplo. Logo depois que começamos a terapia, houve um dia inesquecível em que eu ia de Amherst a Northampton [não mais de quinze quilômetros] para me encontrar com Sebern. Era para eu pegar alguns ônibus, mas acabei caminhando vários quilômetros pela estrada. Minha desorganização chegava a esse ponto: eu não conseguia ler os horários, não controlava o tempo. Vivia muito tensa e nervosa, o que me deixava sempre exausta. Não conseguia prestar atenção a nada. Eu simplesmente não conseguia organizar meu cérebro em torno daquilo.

Essa declaração define o desafio que se coloca para a ciência da mente e do cérebro: como ajudar as pessoas a organizar o tempo e o espaço, a distância e as relações, faculdades que são gravadas no cérebro durante os primeiros anos de nossa vida, se o trauma precoce interferiu no desenvolvimento dessas faculdades? Nem medicamentos nem terapia convencional demonstraram ter ativado a neuroplasticidade necessária para restaurar essas faculdades depois de passados os períodos críticos. É chegada a hora de verificar se o neurofeedback poderá ter êxito onde outras intervenções falharam.

TREINAMENTO ALFA-TETA

O treinamento alfa-teta é um procedimento de neurofeedback especialmente interessante, pois pode provocar estados hipnagógicos – a essência do transe hipnótico (ver capítulo 15).[23] Quando as ondas teta predominam, a mente foca no mundo interior, um mundo de imagens soltas. As ondas cerebrais alfa podem atuar como uma ponte do mundo externo para o interno e vice-versa. No treinamento alfa-teta, essas frequências são recompensadas de maneira alternada.

No tocante ao TEPT, o objetivo é abrir a mente a novas possibilidades, de modo que o presente deixe de ser interpretado como uma reprodução contínua do passado. Os estados de transe, dominados pela atividade teta, podem ajudar a separar as conexões condicionadas entre determinados estímulos e respostas, como estampidos sinalizando um tiroteio, um arauto de morte. Pode-se criar uma nova associação, na qual esse mesmo estouro se relacione a fogos de artifício ao fim de um feriado na praia em companhia da família.

Nos estados crepusculares fomentados pelo treinamento alfa-teta, podem-se reviver em segurança eventos traumáticos e promover novas associações. Alguns pacientes relatam imagens inusitadas e/ou percepções profundas sobre a vida; outros apenas relaxam e ficam menos tensos. Todo estado em que as pessoas possam reviver, em segurança, imagens, sensações e emoções associadas a pavor e impotência tende a criar novo potencial e uma perspectiva mais ampla.

A atividade alfa-teta pode reverter padrões de estado hiperalerta? Os dados acumulados são promissores. No centro médico da AV em Fort Lyon, Colorado, os pesquisadores Eugene Peniston e Paul Kulkosky usaram o neurofeedback para tratar 29 veteranos do Vietnã que tinham histórico de 12 a 15 anos de TEPT crônico decorrente de combates. Quinze foram dirigidos, ao acaso, para o treinamento alfa-teta, e os outros 14 para um grupo de controle, que recebeu tratamento médico convencional, com medicamentos psicotrópicos e terapia individual e de grupo. Os participantes de ambos os grupos haviam sido hospitalizados, em média, mais de cinco vezes por causa do TEPT. Ao recompensar ondas alfa e teta, o neurofeedback contribuiu para estados crepusculares de aprendizado. Deitados de costas numa cadeira reclinável e de olhos fechados, os homens eram instruídos a permitir que os sons do neurofeedback os guiassem no sentido de um profundo relaxamento. Também se recomendava que usassem imagens mentais positivas (por exemplo, se manter sóbrio, viver com confiança e serenidade) enquanto eram conduzidos ao estado alfa-teta.

Esse estudo, publicado em 1991, produziu um dos melhores resultados já obtidos para o TEPT. O grupo tratado com neurofeedback mostrou uma redução pronunciada dos sintomas do transtorno, acompanhada de uma queda de queixas físicas, depressão, ansiedade e paranoia. Depois da fase de tratamento, veteranos e sua família foram entrevistados mensalmente, ao longo de trinta meses. Somente três desses 15 veteranos relataram flashbacks perturbadores e pesadelos. Os três concordaram em fazer mais dez sessões de reforço, e só um deles precisou voltar ao hospital para tratamento adicional. Dos 15 participantes do grupo, 14 estavam usando muito menos medicação.

Já os 14 veteranos do grupo de controle apresentaram aumento dos sintomas de TEPT durante o período de seguimento, e todos precisaram de pelo menos mais duas internações. Dez deles também aumentaram o uso de medicamentos.²⁴ Esse estudo foi replicado por outros pesquisadores, mas, o que é surpreendente, recebeu uma atenção mínima fora da comunidade de neurofeedback.²⁵

NEUROFEEDBACK, TEPT E DEPENDÊNCIA

Muitos indivíduos com trauma grave – entre um terço e metade deles – sucumbem a problemas de abuso de substâncias.²⁶ Desde o tempo de Homero, soldados bebem para embotar a dor, a irritabilidade e a depressão. Segundo um estudo recente, metade das vítimas de acidentes com veículos automotores tem problemas com drogas ou álcool. O álcool torna as pessoas descuidadas, o que aumenta a probabilidade de passarem por um novo trauma (embora estar embriagado durante um assalto na verdade diminua a probabilidade de desenvolver TEPT).

Há uma relação circular entre o TEPT e o abuso de substâncias: embora as drogas e o álcool proporcionem alívio temporário dos sintomas de trauma, a abstinência aumenta o estado hiperalerta, intensificando pesadelos, flashbacks e irritabilidade. Só existem duas formas de pôr fim a esse círculo vicioso: resolvendo os sintomas do TEPT com métodos como a EMDR ou tratando o estado hiperalerta, que faz parte tanto do TEPT quanto da abstinência de drogas ou álcool. Às vezes, para reduzir o estado hiperalerta, médicos prescrevem drogas como a nalxetrona, mas esse tratamento só tem sucesso em alguns casos.

Uma das primeiras mulheres a quem ministrei treinamento com neurofeedback era uma dependente de cocaína de longa data, que tinha um histórico horrendo de abuso sexual e abandono na infância. Para minha grande surpresa, seu consumo de cocaína cessou após as duas primeiras sessões; cinco anos depois, não havia retornado. Como eu nunca havia visto alguém se recuperar tão depressa de uma dependência química severa, recorri aos estudos científicos existentes em busca de orientação.²⁷ Havia pouquíssimos estudos a respeito do uso de neurofeedback para o tratamento da dependência, ao menos nos Estados Unidos.

Cerca de 75% a 80% dos pacientes internados para desintoxicação e tratamento do abuso de álcool e drogas terão recidivas. Outro estudo de Peniston e Kulkosky – acerca dos efeitos do treinamento de neurofeedback sobre veteranos com diagnóstico de alcoolismo e TEPT[28] – abordava esse problema. Quinze veteranos receberam treinamento alfa-teta, enquanto o grupo de controle recebeu o tratamento convencional sem neurofeedback. Todos os pacientes foram acompanhados com regularidade durante três anos. Nesse período oito participantes do grupo de neurofeedback pararam de beber e um se embriagou uma vez, mas adoeceu e não voltou a beber. A maior parte estava bem menos depressiva. Como afirmou Peniston, as mudanças relatadas correspondiam a estar "mais afetuoso, mais inteligente, mais estável emocionalmente, mais ousado socialmente, mais relaxado e mais satisfeito".[29] Por outro lado, todos os que fizeram o tratamento convencional tiveram novas internações hospitalares nos 18 meses seguintes.[30] Desde essa época, publicaram-se vários estudos sobre o uso de neurofeedback para tratamento de dependências,[31] mas essa importante aplicação precisa de muito mais pesquisa para se determinar seu potencial e suas limitações.

O FUTURO DO NEUROFEEDBACK

Nos últimos anos, meu laboratório estudou os efeitos do neurofeedback em crianças e adultos traumatizados. Nossas conclusões confirmam seu enorme potencial para melhorar bastante a vida das pessoas: vinte sessões tiveram como resultado uma redução de 40 por cento nos sintomas de TEPT num grupo de participantes que, com histórias crônicas de trauma, não haviam respondido muito bem à terapia pela palavra ou a fármacos. O mais interessante foi o acentuado efeito do neurofeedback (um aumento de cerca de 60 por cento) na área da função executiva, ou seja, a capacidade de cada um planejar atividades, estimar a consequência de suas ações, passar com facilidade de uma tarefa a outra e se sentir no controle de suas emoções[32]. O tratamento produziu uma melhora pronunciada nessa função, que prevê o quanto uma pessoa atuará bem nos relacionamentos, nos estudos e na vida profissional.

Uso o neurofeedback basicamente para ajudar no tratamento dos problemas de estado hiperalerta, confusão e concentração de pessoas que sofrem de trauma de desenvolvimento. No entanto, a técnica também tem apresentado bons resultados para diversas questões e afecções que ultrapassam o âmbito deste livro: alívio da cefaleia tensional, melhora da função cognitiva após lesão cerebral traumática, redução da ansiedade e dos ataques de pânico, aprofundamento de estados de meditação, tratamento do autismo, melhora do controle de convulsões e autorregulação em transtornos de humor, entre outras. Em 2013, o neurofeedback estava sendo usado em 17 instalações militares e da AV para tratar o TEPT,[33] e a documentação científica de sua eficácia em aplicações recentes a veteranos de combate começava a ser avaliada. Frank Duffy, diretor dos laboratórios de neurofisiologia clínica e neurofisiologia de desenvolvimento do Children's Hospital, em Boston, comentou:

> Esse conjunto de trabalhos, no qual não há nenhum estudo negativo, leva a crer que o neurofeedback desempenha um importante papel terapêutico em muitas áreas diferentes. Em minha opinião, se algum medicamento tivesse demonstrado um espectro de eficácia tão amplo, teria sido aceito por todos e amplamente utilizado.[34]

Muitas perguntas a respeito de protocolos de tratamento para o neurofeedback ainda esperam resposta, mas o paradigma científico aos poucos está mudando numa direção que convida a uma exploração mais aprofundada dessas questões. Em 2010, Thomas Insel, diretor do NIMH, publicou na revista *Scientific American* o artigo "Faulty Circuits" (Circuitos defeituosos), no qual instava por um retorno à visão da mente e do cérebro em termos dos ritmos e padrões da comunicação elétrica:

> As regiões cerebrais que atuam juntas para executar operações mentais normais (e anormais) podem ser vistas como análogas a circuitos elétricos – a pesquisa mais recente mostra que a disfunção de circuitos inteiros pode ser a origem de muitos transtornos mentais.[35]

Três anos depois, Insel anunciou que o NIMH estava "reorientando sua pesquisa de forma a se afastar das categorias do *DSM*"[36] e se concentrando, em vez disso, em "transtornos do conectoma humano."[37]

Para Francis Collins, diretor dos Institutos Nacionais de Saúde, órgão de que o NIMH faz parte,

> "o termo 'conectoma' se refere à requintada interconexão da rede de neurônios (células nervosas) no cérebro. Tal como ocorreu no caso do

genoma, do microbioma e outros interessantes campos 'oma', a façanha de mapear o conectoma e decifrar os sinais elétricos que correm por ele a fim de gerar pensamentos, sensações e comportamentos foi possibilitada pela criação de novos instrumentos e tecnologias".[38]

O conectoma está sendo mapeado em detalhe sob os auspícios do NIMH. Enquanto esperamos os resultados dessa pesquisa, deixo a última palavra a cargo de Lisa, a sobrevivente que me fez conhecer o enorme potencial do neurofeedback. Ao lhe pedir que sintetizasse o que o tratamento tinha feito por ela, Lisa disse:

Ele me deixou calma. Parei de dissociar. Posso usar as minhas sensações; não fujo mais delas. Também não sou refém delas. Não posso ligá-las e desligá-las, mas posso deixá-las de lado. Posso me sentir triste pelo abuso que sofri, mas posso deixá-lo de lado. Posso visitar uma pessoa amiga e não falar sobre isso se não quiser, ou posso estudar ou limpar o apartamento. Agora as emoções significam alguma coisa. Não sinto ansiedade o tempo todo, mas se estiver ansiosa, posso refletir a respeito. Se a ansiedade está vindo do passado, eu a localizo lá ou posso pensar em como ela se relaciona com minha vida agora. E não são apenas emoções negativas, como raiva e ansiedade... Posso refletir sobre amor, intimidade e atração sexual. Não me sinto numa situação de luta ou fuga o tempo todo. Minha pressão sanguínea se normalizou. Não fico preparada fisicamente para correr a qualquer momento ou para me defender de um ataque. O neurofeedback me possibilitou ter um namorado. O neurofeedback me deu liberdade para levar a vida como eu quiser, porque não sou mais escrava do que passei e do que isso me causou.

Quatro anos depois que a conheci e gravei nossas conversas, Lisa se formou como uma das melhores alunas de sua turma na escola de enfermagem, e depois passou a trabalhar em tempo integral num hospital de Boston.

20
ENCONTRE SUA VOZ: RITMOS COMUNAIS E TEATRO

> Interpretar não é assumir um personagem, mas descobrir o personagem dentro de si: você é o personagem, basta encontrá-lo em seu interior – ainda que seja uma versão muito ampliada de seu ser.
>
> Tina Packer

Muitos cientistas que conheço se inspiraram em problemas de saúde de seus filhos para encontrar maneiras de entender a mente, o cérebro e a terapia. A recuperação de meu próprio filho de uma doença misteriosa, que, na falta de melhor nome, chamamos de síndrome de fadiga crônica, convenceu-me das possibilidades terapêuticas do teatro.

Na época em que cursava o sétimo e o oitavo anos, Nick passava a maior parte do tempo na cama, o corpo inchado devido a alergias e medicamentos que o deixavam cansado demais para ir à escola. Sua mãe e eu vimos que ele estava se fechando cada vez mais em sua identidade de menino isolado e profundamente insatisfeito consigo mesmo, e ficamos desesperados para ajudá-lo. Quando a mãe percebeu que ele se sentia com um pouco de energia por volta das cinco da tarde, nós o inscrevemos num curso de improvisação teatral, no qual ele pelo menos teria a oportunidade de conviver com meninos e meninas de sua idade. Ele gostou do grupo e dos exercícios de interpretação, e em pouco tempo ganhou seu primeiro papel, o de Action em *Amor, sublime amor*, um valentão, sempre pronto para a briga, que fazia a voz principal na música "Gee, Officer Krupke". Um dia, em casa, eu o surpreendi fazendo pose de fanfarrão, treinando o que parecia ser a postura de uma pessoa poderosa. Estaria adquirindo uma sensação física de prazer, imaginando-se como um sujeito forte que inspira respeito?

Depois disso, ele foi escalado para o papel de Fonz em *Happy Days*. Ser adorado pelas garotas e manter a plateia magnetizada foi o ponto de virada de sua recuperação. Diferentemente de sua experiência com numerosos terapeutas que falavam com ele sobre seu mal-estar, o teatro lhe deu a oportunidade de sentir profunda e fisicamente como era ser diferente do garoto hipersensível e com dificuldade de aprendizado em que aos poucos ele havia se transformado. Ser um membro valorizado do grupo lhe deu uma experiência visceral de poder e competência. Acredito que a personificação dessa nova versão dele mesmo lhe mostrou o caminho para se tornar o adulto criativo e adorável que é hoje.

Nosso senso de agência, de como nos sentimos no controle de nós mesmos, se define pela relação que temos com o corpo e seus ritmos: dormir e acordar, comer, o modo como nos sentamos e andamos – isso define os contornos de nossos dias. Para encontrar nossa voz, temos de estar em nosso corpo – poder respirar plenamente e ter acesso às sensações internas. É o oposto da dissociação, de estar "fora do corpo" e nos fazer desaparecer. É também o oposto da depressão, de ficar derreado diante de uma tela que proporciona entretenimento passivo. Interpretar é a experiência de usar o corpo para ocupar nosso lugar na vida.

TEATRO DE GUERRA

Não foi com Nick que testemunhei pela primeira vez os benefícios do teatro. Em 1988, eu ainda estava tratando de três veteranos com TEPT que havia conhecido na AV. Em certo ponto, eles apresentaram uma melhora repentina na vitalidade, no otimismo e nas relações familiares. Atribuí o progresso ao aprimoramento de minhas técnicas terapêuticas, mas então descobri que os três estavam envolvidos numa produção teatral.

Eles queriam dramatizar a situação dos veteranos sem-teto e convenceram o dramaturgo David Mamet, que morava na vizinhança, a ter um encontro semanal com o grupo para elaborar um roteiro sobre suas experiências. Mamet convidou Al Pacino, Donald Sutherland e Michael J. Fox a participarem de um evento em Boston chamado "Cenas de Guerra", que levantou dinheiro para transformar a clínica da AV num abrigo para veteranos sem-teto.[1] Dividir o palco com atores profissionais, falar sobre suas lembranças de guerra e ler os poemas que escreviam foi uma experiência mais transformadora do que qualquer terapia que eu pudesse ter empregado.

Perde-se na memória dos tempos quando os homens começam a se valer de rituais comunitários para enfrentar seus sentimentos mais fortes e assustadores. O teatro da Grécia Antiga, o primeiro de que se tem registro escrito, possivelmente evoluiu a partir de ritos religiosos que incluíam dança, canto e encenação de mitos. Por volta do século V a.C., o teatro tinha importância fundamental na vida cívica. A plateia, sentada em semicírculo em torno do palco, podia observar as emoções e reações de todos.

O teatro grego pode ter servido como um ritual de reintegração para combatentes veteranos. Na época em que Ésquilo escreveu a trilogia *Oréstia*, Atenas estava em guerra em três frentes. O ciclo trágico se inicia quando o rei guerreiro Agamênon é assassinado por sua mulher, Clitemnestra, por ter sacrificado a filha deles antes de embarcar para a Guerra de Troia. Todo cidadão adulto de Atenas fazia serviço militar, portanto é certo que as plateias se compunham de combatentes veteranos e de soldados da ativa em licença. Os próprios atores seriam cidadãos-soldados.

Sófocles foi comandante nas guerras de Atenas contra os persas, e sua peça *Ájax*, que termina com o suicídio de um dos maiores heróis da Guerra de Troia, pode ser entendida como uma descrição exemplar do estresse pós-traumático. Em 2008, o escritor e diretor Bryan Doerries organizou uma leitura dramatizada da peça para quinhentos fuzileiros navais em San Diego e ficou surpreso com a receptividade. (Como muitas das pessoas que trabalham com trauma, a inspiração de Docrries foi pessoal. Ele havia estudado os clássicos na faculdade e recorreu aos textos gregos como consolo depois de perder uma namorada para a fibrose cística.) Seu projeto "Teatro de Guerra" avançou a partir daquele primeiro evento e, com financiamento do Departamento da Defesa, a peça de 2.500 anos foi desde então representada mais de duzentas vezes, no país e no exterior, para dar voz ao dilema dos combatentes veteranos e incentivar o diálogo e o entendimento com suas famílias e amigos.²

As apresentações do "Teatro de Guerra" são seguidas de um debate aberto. Compareci a uma leitura em Cambridge, Massachusetts, pouco depois que a imprensa anunciou um aumento de 27% nos suicídios de combatentes veteranos nos três anos anteriores. Cerca de quarenta pessoas – veteranos do Vietnã, esposas de militares, homens e mulheres que tinham dado baixa após servir no Iraque e no Afeganistão – usaram o microfone. Muitos citavam falas da peça ao comentar suas noites em claro, o uso de drogas e o distanciamento da família. A atmosfera era eletrizante, e, ao fim, a plateia se reuniu no foyer, alguns abraçados e chorando, outros em animada conversa.

Doerries diria depois: "Qualquer pessoa que tenha tido contato com uma dor extrema, sofrimento e morte, não tem qualquer dificuldade em entender o teatro grego. É como ouvir as histórias dos veteranos".³

ACERTAR O PASSO

O movimento coletivo e a música criam um contexto mais amplo para nossa vida, um significado que ultrapassa nosso destino individual. Todos os rituais religiosos incluem movimentos rítmicos, desde as preces judaicas no Muro das Lamentações em Jerusalém e os gestos e a liturgia cantada da missa católica à meditação das cerimônias budistas e os rituais rítmicos executados cinco vezes ao dia por muçulmanos devotos.

A música foi a espinha dorsal do movimento pelos direitos civis nos Estados Unidos. Qualquer um que tenha vivido aqueles tempos não esquecerá as fileiras de manifestantes de braços dados, cantando "We Shall Overcome", desfilando com determinação contra a polícia convocada para detê-los. A música une pessoas que, no âmbito individual, estariam intimidadas, mas que, em grupo, se tornam poderosas defensoras de si mesmas e dos outros. A dança, a marcha e o canto, assim como a linguagem, são recursos singularmente humanos para instaurar uma ideia de esperança e coragem.

Pude observar a força de ritmos comunais em ação em 1996, na África do Sul, ao ver o arcebispo Desmond Tutu promovendo audiências públicas da Comissão de Verdade e Reconciliação. Esses acontecimentos se davam num contexto de canto e dança. As testemunhas narravam as atrocidades infligidas a elas e a suas famílias. Quando não suportavam mais, Tutu interrompia o depoimento e dirigia todo o público numa prece, numa canção ou numa dança, até que as testemunhas conseguissem se recuperar. Assim os participantes entravam e saíam da revivescência dos horrores por que passaram e encontravam palavras para narrar o que lhes acontecera. É mérito de Tutu e dos outros membros da comissão o impedimento de uma orgia de vingança, tão comum quando as vítimas por fim são libertadas.

Há poucos anos descobri *Keeping Together in Time*,[4] escrito pelo grande historiador William H. McNeill já no fim da carreira. Esse livro examina o papel histórico da dança e da ordem-unida na criação daquilo que McNeill chama de "ligação muscular", e ressalta a importância do teatro, das danças comunitárias e do movimento. Também resolveu uma questão antiga que eu tinha na cabeça. Tendo crescido nos Países Baixos, sempre me perguntei como um grupo de simples camponeses e pescadores holandeses conseguiu se libertar do jugo do poderoso império espanhol. A Guerra dos Oitenta Anos, que durou do fim do século XVI a meados do século XVII, teve início com uma série de ações de guerrilha e parecia destinada a permanecer assim, já que, com frequência, os soldados, indisciplinados e mal pagos, fugiam das descargas dos mosquetes inimigos.

Ocorreu uma mudança quando o príncipe Maurício de Orange passou a liderar os rebeldes. Ainda com 20 e poucos anos, ele recém-completara seus estudos de latim, o que lhe permitiu ler manuais de táticas militares dos romanos de 1.500 antes. Descobriu que o general Licurgo havia imposto a marcha militar às legiões romanas e que o historiador Plutarco atribuíra a invencibilidade dessas legiões a essa prática.

> Era um espetáculo a um tempo magnífico e estarrecedor vê-los marchando ao som de suas flautas, sem nenhuma falha na formação, nenhuma perturbação em sua mente nem mudança em sua expressão, calmos, alegres, encaminhando-se com música para a batalha mortal.[5]

O príncipe Maurício instituiu a ordem-unida, acompanhada de tambores, flautas e trompetes, em seu desorganizado exército. Esse ritual coletivo não só despertava nos homens um sentimento de objetivo e solidariedade, como permitia a execução de manobras complicadas. Mais tarde, a ordem-unida se disseminou pela Europa, e hoje os principais serviços das Forças Armadas dos Estados Unidos investem muito em suas bandas militares, embora as tropas em luta já não sejam acompanhadas de tambores e pífaros.

Soube pelo neurocientista Jaak Panksepp, nascido na Estônia, pequena nação do Báltico, da notável história da Revolução Cantada que ocorreu em seu país. Em junho de 1987, numa das intermináveis tardes do verão subártico, mais de 10 mil pessoas que assistiam ao Festival da Canção de Tallinn deram-se as mãos e começaram a entoar canções patrióticas, esquecidas ao longo do meio século de ocupação soviética. A cantoria e os protestos continuaram, e, em 11 de setembro de 1988, 300 mil pessoas, cerca de um quarto da população do país, reuniram-se para cantar e apresentar publicamente a exigência de independência. Em agosto de 1991, o Congresso proclamou a restauração do Estado; quando os tanques soviéticos tentaram intervir, as pessoas agiram como escudos humanos na proteção da rádio de Tallinn e das estações de TV. Um colunista do *The New York Times* escreveu: "Imagine a cena de *Casablanca* em que os clientes franceses cantam 'A Marselhesa', em desafio aos alemães, e multiplique seu poder por mil: seria apenas o começo do que ocorreu com a Revolução Cantada."[6]

COMO TRATAR O TRAUMA COM O TEATRO

É surpreendente não existir extensa pesquisa sobre o efeito das cerimônias coletivas na mente e no cérebro e seu potencial de prevenção e alívio do trauma. Durante a última década, no entanto, tive a oportunidade de observar três programas de tratamento do trauma por meio do teatro: o Urban Improv, em Boston,[7] que inspirou o Trauma Drama nas escolas públicas da cidade e em nossos centros residenciais;[8] o Possibility Project, dirigido por Paul Griffin em Nova York;[9] e o Shakespeare & Company, em Lenox, Massachusetts, que mantém o Shakespeare in the Courts, um programa para menores infratores.[10] Vou abordar os três, sem esquecer que há, nos Estados Unidos e no exterior, muitos programas excelentes de terapia teatral que fazem do teatro um meio de recuperação amplamente acessível.

Apesar das diferenças, todos esses programas têm um fundamento comum: o enfrentamento de realidades dolorosas da vida e a transformação simbólica por meio de atividade coletiva. Amor e ódio, agressão e rendição, lealdade e traição são a matéria do teatro e a matéria do trauma. Nossa cultura nos ensina a nos afastarmos da verdade dos sentimentos. Tina Packer, a carismática fundadora do Shakespeare & Company, diz: "O treinamento de atores envolve ensinar as pessoas a contrariar essa tendência – não só a sentir profundamente, mas a cada instante levar esse sentimento à plateia, para que, em vez de resistir a ele, ela o assuma."

Pessoas traumatizadas têm horror a emoções profundas, já que temem perder o controle ao experimentar tais sensações. O teatro, pelo contrário, personifica as emoções e lhes dá voz, possibilita ao sujeito um engajamento rítmico e a apropriação de diferentes papéis.

Como vimos, a essência do trauma é o sentimento de abandono, de se sentir separado da espécie humana. O teatro implica um confronto coletivo com as realidades da condição humana. Como diz Paul Griffin, ao discutir seu programa teatral para crianças criadas fora da família de origem: "A matéria da tragédia teatral gira em torno da convivência com a traição, a agressão e a destruição. Essas crianças não têm nenhum problema para entender o que sentem Lear, Otelo, Macbeth ou Hamlet." Segundo Tina Packer, "tudo se resume a usar o corpo todo e ter outros corpos em consonância com seus sentimentos, emoções e pensamentos". O teatro proporciona aos sobreviventes de trauma a oportunidade de se relacionar com os demais sentindo de maneira profunda a condição humana que lhes é comum.

Traumatizados têm medo do conflito. Temem perder o controle e voltar, mais uma vez, ao sofrimento. O conflito é a essência do teatro – conflitos interiores, interpessoais, familiares, sociais e suas consequências. No trauma, tenta-se esquecer e esconder o medo, a raiva, o abandono. No teatro, encontram-se meios de transmitir verdades profundas a uma plateia. E isso exige vencer bloqueios para descobrir a própria verdade, explorar e examinar a experiência interna a fim de que ela possa emergir, no palco, por meio da voz e do corpo.

COMO PROPORCIONAR SEGURANÇA AO ENVOLVIMENTO

Esses programas não se destinam a quem pretende ser ator, mas a adolescentes ressentidos, amedrontados e agressivos, ou a veteranos retraídos, alcoólatras e desgastados. Quando chegam para o ensaio, afundam em suas cadeiras com medo de que os demais percebam o seu fracasso.

Adolescentes traumatizados são uma confusão de sentimentos: inibidos, revoltados, desarticulados, descoordenados e desmotivados. Todos ficam empolgados demais para observar o que está acontecendo ao redor. Explodem com facilidade e confiam mais em atos do que em palavras para descarregar os sentimentos.

Todos os diretores com quem trabalhei acreditam que o segredo é ir devagar e conquistá-los pouco a pouco. A dificuldade inicial é simplesmente fazer que os participantes estejam presentes. Kevin Coleman, do Shakespeare in the Courts, descreve seu trabalho com adolescentes:

Primeiro fazemos com que se levantem e andem pela sala. Assim eles começam a criar um equilíbrio no espaço, de modo que não fiquem andando sem rumo, mas tenham consciência das outras pessoas. Aos poucos, a partir de comandos discretos, a situação vai ficando mais complexa: caminhe na ponta dos pés, ou sobre os calcanhares, ou de costas. Então, quando se chocar com alguém, grite e caia no chão. Depois de uns trinta comandos, eles começam a balançar os braços no ar e se instaura uma relativa receptividade, mas o processo é gradual. Se dermos um passo maior que as pernas, eles vão começar a socar as paredes.

É preciso que se sintam seguros para que se observem uns aos outros. Uma vez que seus corpos estejam um pouco mais livres, posso usar o comando: "Não faça contato visual com ninguém – olhe para o chão." A maior parte deles pensará: "Certo, mas eu já estou olhando para o chão". Mas aí eu digo: "Agora comece a observar as pessoas por quem você está passando, mas não deixe que elas percebam que você está olhando." E a seguir: "Faça contato visual só por um segundo." Depois: "Agora sem contato visual... agora, contato... agora, sem contato. Agora, faça contato visual e segure... tempo demais. Você vai saber quando é tempo demais porque vai querer começar a sair com essa pessoa ou brigar com ela. Isso é tempo demais."

Eles não fazem esse tipo de contato visual prolongado na vida normal, nem mesmo com a pessoa com quem estão falando. Não sabem se a pessoa é de confiança ou não. Então o que fazemos é dar a eles a certeza de que não vamos desaparecer quando eles fizerem contato visual, ou quando alguém olhar para eles. Um passo de cada vez...

Adolescentes traumatizados sofrem claramente de falta sincronia. Em nosso programa de teatro, no Trauma Center, propomos exercícios de espelho para ajudá-los a se sintonizar com outra pessoa. Um deles ergue o braço direito, e seu parceiro "espelha" o gesto; ele se torce para um lado, o parceiro espelha em resposta. Eles começam a observar a mudança nos movimentos corporais e nas expressões faciais, que seus movimentos naturais são diferentes dos movimentos dos demais, e percebem como se sentem ao executar movimentos não habituais. O exercício do espelho reduz a preocupação com o que os outros vão pensar e os ajuda a entrar em sintonia com a experiência de outra pessoa por uma via visceral e não cognitiva. Quando o exercício termina em risos, é porque os participantes estão se sentindo confiantes.

Para que se tornem parceiros autênticos, eles precisam aprender a confiar uns nos outros. O exercício em que uma pessoa de olhos vendados é conduzida pela mão do parceiro é particularmente difícil para nossos meninos. Eles se apavoram quase sempre, tanto com a perspectiva de ser aquele que conduz – de ter a confiança de alguém tão vulnerável – quanto em serem levados pelas mãos com os olhos vendados. De início, fazem isso durante apenas dez ou vinte segundos, mas, aos poucos, conseguem chegar a cinco minutos. Depois do exercício, alguns precisam passar um tempo sozinhos, pois em termos emocionais é quase insuportável sentir essas conexões.

Os adolescentes e os veteranos traumatizados com quem trabalhamos ficam constrangidos ao serem vistos, temem o que estão sentindo e se mantêm fisicamente distantes entre si. O trabalho de quem dirige, como o de qualquer terapeuta, é retardar as coisas de modo que os atores possam estabelecer um relacionamento com eles mesmos, com os próprios corpos. O teatro proporciona uma maneira especial de alcançar uma grande variedade de emoções e sensações físicas que não só fazem com que eles entrem em contato com o "conjunto" normal de seus corpos, mas também os levam a explorar maneiras alternativas de se posicionar na vida.

URBAN IMPROV

Meu filho adorava seu grupo de teatro dirigido pelo Urban Improv (UI), um antigo instituto de artes de Boston. Continuou no grupo durante o ensino médio e depois trabalhou como voluntário no verão que se seguiu a seu primeiro ano de faculdade. Foi então que soube que o programa de prevenção da violência do UI, depois de ministrar centenas de oficinas em escolas municipais desde 1992, havia recebido uma verba de pesquisa para avaliar sua eficácia – e que estava à procura de alguém para chefiar a pesquisa. Nick disse aos diretores, Kippy Dewey e Cissa Campion, que o pai dele, eu, seria a pessoa ideal para o cargo. Felizmente para mim, eles concordaram.

Comecei a visitar escolas com a equipe multicultural do UI, integrada por um diretor, quatro atores-educadores profissionais e um músico. A trupe cria roteiros de esquetes sobre problemas que os estudantes enfrentam no dia a dia: exclusão, ciúme, rivalidade e ressentimento, violência doméstica. Os esquetes para estudantes mais velhos abordam problemas como namoro, doenças sexualmente transmissíveis, homofobia e violência escolar. Numa apresentação típica, os atores profissionais representam um grupo de meninos que exclui um recém-chegado da mesa na cantina. Quando a cena chega a um ponto de decisão – por exemplo, o novo colega reage à humilhação imposta pelo grupo –, o diretor congela a ação. Um aluno da turma é convidado a substituir um dos atores e mostra como se sentiria ou se comportaria naquela situação. Essas cenas permitem que os estudantes observem problemas cotidianos com alguma distância emocional enquanto experimentam diversas soluções: vão enfrentar seus algozes, conversar com um amigo, chamar o professor responsável pela classe, contar aos pais o que aconteceu?

Outro voluntário é convidado a tentar uma solução diferente, e, deste modo, os alunos podem ver como funcionam as outras possibilidades. Figurinos e adereços ajudam os participantes a se aventurar em novos papéis, assim como o ambiente descontraído e o apoio dos atores. Nos grupos de discussão posteriores os estudantes respondem a perguntas como "Em que essa cena se parece ou não se parece com o que acontece em sua escola?", "O que você faz para ser respeitado?" e "Como vocês resolvem suas diferenças?". Essas discussões se transformam em animadas trocas à medida que mais estudantes expõem seus pensamentos e ideias.

Nossa equipe do Trauma Center avaliou esse programa em dois níveis – no quarto e no oitavo anos – em 17 escolas participantes. As classes que integraram o programa do UI foram comparadas a outras, de mesmo nível, mas não participantes. Para o quarto ano, encontramos uma reação positiva significativa. Quanto aos padrões comportamentais referentes a agressões, cooperação e autocontrole, os estudantes do grupo do UI tiveram bem menos brigas e explosões de raiva e mais cooperação e autoafirmação em relação a seus pares, além de mais atenção e maior envolvimento nas atividades da classe.[11]

Para nossa surpresa, esses resultados não foram obtidos pelos alunos do oitavo ano. O que teria acontecido nesse meio-tempo que afetou suas reações? De início, tivemos apenas nossas próprias impressões. Quando visitei as turmas do quarto ano, fiquei surpreso com a ingenuidade e vontade de participar dos alunos. Já os do oitavo ano muitas vezes ficavam emburrados e na defensiva, e o grupo parecia ter perdido a espontaneidade e o entusiasmo. A chegada da puberdade era um elemento óbvio para explicar a mudança, mas haveria outros?

Investigando mais a fundo, descobrimos que os estudantes mais velhos haviam sofrido mais que o dobro de experiências traumáticas que os mais novos: todos eles tinham testemunhado episódios de violência grave. Dois terços haviam observado cinco ou mais incidentes, como esfaqueamentos, tiroteios, assassinatos e agressão doméstica. Nossos dados mostraram que os alunos do oitavo ano com esse nível tão elevado de exposição à violência eram mais agressivos que aqueles que não tinham esse histórico, e que o programa não promoveu diferenças significativas em seu comportamento.

A equipe do Trauma Center decidiu tentar reverter essa situação com um programa mais intensivo e duradouro focado na formação de equipes e exercício de regulação das emoções, valendo-se de roteiros que tratavam diretamente do tipo de violência experimentada por esses adolescentes. Durante meses, membros de nossa equipe, liderados por Joseph Spinazzola, reuniam-se toda semana com os atores do UI para trabalhar na redação de roteiros. Os atores ensinavam técnicas de improvisação, espelho e sintonia física a nossos psicólogos, para que estes pudessem representar com verossimilhança situações de capitulação, confronto, fuga ou colapso. E nós esclarecíamos aos atores os elementos que desencadeiam o trauma e como reconhecer e tratar a repetição compulsiva do passado, característica do trauma.[12]

Durante o inverno e a primavera de 2005, testamos o programa resultante desse trabalho numa escola especial dirigida em conjunto pelo serviço de escolas públicas de Boston e pelo Departamento Correcional do Massachusetts. Era um ambiente caótico: muitos estudantes se alternavam entre a escola e a cadeia. Todos eles vinham de regiões de alta criminalidade e haviam sido expostos a episódios de violência. Eu nunca vira antes um grupo de jovens tão agressivos e insolentes. Tivemos uma ideia de como é a vida de tantos professores do ensino básico e médio que lidam todos os dias com alunos cuja primeira reação a novas dificuldades é a agressão ou o desafio.

Ficamos impressionados ao descobrir que, nas cenas em que alguma pessoa estava em perigo, os alunos sempre ficavam do lado do agressor. Como não conseguiam tolerar nenhum indício de fraqueza em si mesmos, não podiam aceitá-la nos outros. Num esquete sobre violência de casal, mostravam desprezo pelas vítimas, gritando coisas como "Mate essa cadela, ela merece".

De início, alguns dos atores profissionais pensaram em desistir – era triste demais ver o quanto esses jovens eram carentes –, mas acabaram permanecendo, e fiquei surpreso ao observar que aos poucos levavam os estudantes a experimentar, embora com relutância, novos papéis. No fim do programa, alguns estudantes chegaram a se oferecer para papéis que envolviam demonstração de vulnerabilidade ou medo. Quando receberam o certificado de conclusão, muitos deles, timidamente, deram aos atores desenhos em que expressavam sua gratidão. Percebi algumas lágrimas, talvez até em meus próprios olhos.

Infelizmente, nossa tentativa de fazer do grupo teatral uma disciplina regular da grade curricular do oitavo ano nas escolas públicas de Boston esbarrou numa muralha de resistência burocrática. No entanto, ela faz parte dos programas de tratamento dos internos do Justice Resource Institute, embora a música, o teatro, as artes plásticas e os esportes – recursos atemporais de estímulo à qualificação e aos laços coletivos – estejam desaparecendo de nossas escolas.

POSSIBILITY PROJECT

No Possibility Project, de Paul Griffin, em Nova York, os atores não recebem roteiros pré-redigidos. Ao longo de nove meses, eles têm encontros semanais de três horas, escrevem um musical completo e o apresentam para centenas de pessoas. Em seus vinte anos de história, o Possibility Project montou uma equipe estável e criou fortes tradições. Cada equipe de produção se compõe de recém-formados que, com a ajuda de atores, bailarinos e músicos profissionais, organizam textos, cenários, coreografias e ensaios para a turma seguinte. Esses recém-formados são exemplos de grande valor. Como disse Paul: "Quando chegam ao projeto, os estudantes acham que não são capazes de fazer algo bom; mas pôr em funcionamento um programa como esse é uma experiência transformadora para seu futuro."

Em 2010, Paul deu início a um novo programa especial para jovens criados em lares substitutos ao da família de origem. É um grupo populacional problemático: cinco anos depois de encerrado o período de assistência, 60% deles serão condenados por algum crime; 75% dependerão da assistência pública; só 6% terão concluído algum curso técnico.

O Trauma Center trata de muitas crianças e adolescentes criados distantes da família de origem, mas Griffin me mostrou uma nova maneira de compreender a vida deles: "Entendê-los é como tomar contato com um país estrangeiro. Se você não é do lugar, não fala a língua. A vida desses jovens está de cabeça para baixo." Eles precisam, sozinhos, criar a segurança e o amor que outras crianças recebem naturalmente. Quando Griffin diz que "a vida deles está de cabeça para baixo", significa que, se você tratá-los com amor e generosidade, eles não saberão como reagir. A brutalidade lhes parece mais familiar. Eles entendem o cinismo.

Como Griffin observa, "o abandono gera a impossibilidade de confiar, e as crianças afastadas das famílias de origem compreendem o abandono. Você não vai conseguir nada até fazê-las confiar em você". Essas crianças quase sempre estão submetidas à autoridade de várias pessoas. Se querem mudar de escola, por exemplo, precisam lidar com pais substitutos, funcionários da escola, a instituição responsável por elas e, às vezes, um juiz. São agruras que as tornam politicamente espertas e fazem com que aprendam a manipular as pessoas.

No mundo delas, "permanência" é uma palavra sem sentido. O lema é "Tudo de que você precisa é um adulto responsável por você". No entanto, é natural para os adolescentes pular de adulto em adulto, e Griffin observa que a melhor forma de permanência para eles é um grupo fixo de amigos – que o programa deve oferecer. Outra palavra sem sentido nesse mundo é "independência", que Paul contrapõe a "*inter*dependência". "Somos todos interdependentes", ele diz. "A ideia de que estamos pedindo a nossos jovens que enfrentem o mundo sozinhos e que se julguem independentes é completamente maluca. Precisamos ensiná-los a ser interdependentes, o que significa ensiná-los a ter relacionamentos."

Paul descobriu que jovens criados fora da família de origem são atores naturais. Ao interpretar personagens trágicos, você precisa expressar emoções e criar uma realidade que vem das profundezas, da tristeza e da mágoa. Jovens desassistidos? É a cara deles, o pão de cada dia. Com o tempo, a colaboração os ajuda a se tornarem importantes para a vida de outras pessoas. A fase inicial do programa é a construção do grupo. O primeiro ensaio estabelece acordos básicos: responsabilidade, obrigações, respeito; sim para as manifestações de afeto, não para contato sexual no grupo. Eles então começam a cantar e a se movimentar juntos, o que lhes confere sintonia.

Então chega a segunda fase: contar histórias de vida. Eles ouvem o que dizem os demais, descobrem experiências em comum, quebrando a solidão e o isolamento causados pelo trauma. Paul exibiu um filme que mostra como isso aconteceu num de seus grupos. Quando se pede aos estudantes que se apresentem ao grupo dizendo ou fazendo alguma coisa, eles ficam travados, com o rosto inexpressivo, os olhos baixos, lutando para se tornarem invisíveis.

Quando começam a falar, quando descobrem uma voz na qual são o centro, passam também a criar o próprio espetáculo. Paul explica que a produção depende da colaboração deles: "Se você pudesse escrever um musical ou uma peça, o que poria nela? Castigo? Vingança? Traição? Perda? É você quem escreve o espetáculo." Tudo o que eles dizem é registrado por escrito e alguns começam a pôr no papel as próprias palavras. À medida que o roteiro vai surgindo, a equipe de produção incorpora as próprias palavras dos estudantes às canções e ao diálogo. O grupo aprende que se conseguir materializar bem suas experiências, outras pessoas vão ouvi-lo. Eles aprendem a sentir o que sentem e a saber o que sabem.

Quando começam os ensaios, é natural que o foco mude. A história de dor, alienação e medo das crianças abandonadas já não é o núcleo do trabalho. A ênfase passa a ser dada a "Como posso me tornar o melhor ator, cantor, bailarino, coreógrafo, iluminador ou cenógrafo possível?". Ser capaz de representar passa a ser a questão crucial: a competência é a melhor defesa contra o desamparo do trauma.

Isso é verdadeiro para todos nós, é claro. Quando o trabalho vai mal, quando um projeto importante fracassa, quando uma pessoa querida vai embora ou morre, entre as melhores formas de melhorar o ânimo estão movimentar os músculos e fazer algo que exija atenção concentrada. As escolas de áreas pobres e os programas psiquiátricos muitas vezes esquecem isso. Querem que as crianças e adolescentes se comportem "normalmente" – sem construir as competências que farão com que eles se sintam normais.

Os programas de teatro também ensinam a relação de causa e efeito. A vida de uma criança abandonada é completamente imprevisível. Tudo pode acontecer: ser provocado e ter uma crise; ver um dos pais ser preso ou morto; ir de uma casa para outra; ser repreendido por atitudes que no lugar em que se estava antes seriam permitidas. Numa produção teatral, os estudantes enxergam as consequências de seus atos e decisões. "Se você pretende lhes dar uma noção de controle, precisa lhes dar poder sobre seu destino em vez de intervir em lugar deles", explica Paul.

> Você não pode ajudar, consertar ou salvar os jovens com quem está trabalhando. O que pode fazer é trabalhar ombro a ombro com eles, ajudá-los a compreender sua visão de mundo e compreendê-la com eles. Com isso, você lhes devolve o controle. Estamos curando o trauma sem que nunca se mencione a palavra.

CONDENADOS A SHAKESPEARE

Para os adolescentes que frequentam o Shakespeare in the Courts, não há improvisação. Eles não escrevem roteiros sobre a vida deles. Todos são "infratores julgados" – por briga, consumo de álcool, roubo e crimes contra a propriedade –, condenados por um tribunal do condado de Berkshire a quatro tardes por semana, durante seis semanas, de estudo intensivo de interpretação. Shakespeare é uma terra estranha para eles. Como me contou Kevin Coleman, quando chegam – emburrados, desconfiados e chocados –, estão convencidos de que teria sido melhor ir para a cadeia. Mas então conhecem versos de Hamlet, de Marco Antônio, de Henrique v, e depois sobem num palco numa versão compacta de uma peça de Shakespeare, diante de uma plateia de parentes, amigos e representantes do juizado de menores.

Sem palavras para expressar os resultados de sua criação irregular, esses adolescentes manifestam suas emoções com violência. Shakespeare exige luta com espadas, o que, como outras artes marciais, lhes dá a oportunidade de pôr em prática a agressividade contida e a manifestação de força física. Enfatiza-se a manutenção da segurança de todos. Os garotos adoram a luta com espadas, mas para manter a segurança do outro é preciso negociar e usar a linguagem.

Shakespeare escreveu num período de transição, em que o mundo estava sendo levado da comunicação basicamente oral para a escrita – uma época em que a maior parte das pessoas ainda assinava o nome com um X. Esses meninos estão enfrentando o próprio período de transição; muitos deles mal articulam uma palavra, alguns têm dificuldade para ler. Quando se restringem a falar palavrões, não é apenas para mostrar que são valentões, mas porque não têm alternativa para comunicar quem são ou o que sentem. Quando descobrem a riqueza e o potencial da língua, em geral têm uma experiência visceral de alegria.

Primeiro, os atores investigam o que Shakespeare está dizendo exatamente, verso por verso. O diretor diz as palavras, uma a uma, ao ouvido dos atores, e eles são instruídos a repetir a fala ao soltar a respiração. No início do processo, muitos desses meninos mal conseguem pronunciar uma fala. O progresso é lento, cada ator internaliza as palavras devagar. As palavras ganham profundidade e ressonância à medida que a voz muda em resposta a suas associações. A ideia é inspirar os atores a sentir suas reações às palavras – e dessa forma descobrir o personagem. Em vez de "Tenho de decorar minhas falas", enfatiza-se "O que essas palavras significam para *mim*? Que influência exerço sobre os outros atores com elas? E o que acontece comigo quando ouço as falas deles?".[13]

Esse pode ser um processo transformador, como vi acontecer numa oficina de atores treinados pelo Shakespeare & Company no centro médico da AV em Bath, Nova York. Larry, veterano do Vietnã de 59 anos, com 27 internações para desintoxicação no ano anterior, apresentou-se para desempenhar o papel de Brutus numa cena de *Júlio César*. Quando o ensaio começou, ele sussurrava e atropelava suas falas; parecia aterrorizado com o que as pessoas estavam pensando dele.

"Recorda março, os idos de março recorda:
O grande Júlio não sangrou em nome da justiça?
Que canalha golpeou seu corpo e o apunhalou,
Se não fora por justiça?"

O ensaio da fala que começa com esses versos levou uma eternidade. De início ele ficava ali de pé, com os ombros caídos, repetindo as palavras que o diretor soprava em seu ouvido. "*Recorda* – o que você recorda? Você recorda demais? Ou muito pouco? *Recorda*. O que você não quer recordar? Como é recordar?" A voz de Larry ficou entrecortada, ele olhou para o chão, gotas de suor apareceram em sua testa.

Depois de uma pausa e um gole d'água, retomou o trabalho.

Justiça – você recebe justiça? Alguma vez você sangrou por justiça? O que a justiça significa para você? *Golpeou*. Você já golpeou alguém? Alguma vez foi golpeado? Como foi isso? O que você gostaria de ter feito? *Apunhalou*. Você já apunhalou alguém? Já se sentiu apunhalado pelas costas? Já apunhalou alguém pelas costas?

Nesse ponto, Larry saiu correndo da sala.

No dia seguinte, ele voltou e recomeçamos – Larry ficou ali, suando, o coração acelerado, com um milhão de associações passando por sua cabeça, permitindo-se, aos poucos, sentir cada palavra e aprendendo a se apropriar dos versos que dizia.

No fim do programa, Larry conseguiu seu primeiro emprego em sete anos e ainda estava lá da última vez que tive notícias dele, seis meses depois. Aprender a viver, tolerando emoções profundas, é essencial para a recuperação do trauma.

No Shakespeare in the Courts, a especificidade da língua que se usa nos ensaios se estende ao que os alunos dizem fora do palco. Kevin Coleman observa que o discurso deles é eivado da expressão "Eu acho que…". E Coleman prossegue:

> Se você confunde suas experiências emocionais com seus juízos, seu trabalho se torna vago. Se você perguntar: "Que lhes parece isso?", eles de cara vão dizer: "Achei bom" ou "Achei ruim". As duas afirmações são juízos. Por isso nunca perguntamos "O que acharam disso?" ao fim de cada cena, o que os levaria a exercitar a parte do cérebro ligada aos juízos.

O que Coleman pergunta é: "Vocês notaram alguma sensação específica ao fazer essa cena?" Dessa forma eles aprendem a nomear experiências emocionais. "Tive raiva quando ele disse aquilo." "Tive medo quando ele olhou para mim." Personificar e dar nome ao que sentem ajuda os atores a entender que podem experimentar muitas emoções diferentes. Quanto mais coisas notam, mais curiosos eles se tornam.

Quando começam os ensaios, esses adolescentes têm que aprender a ficar de pé eretos e andar pelo palco com naturalidade. Precisam aprender a falar de forma que sejam ouvidos em todo o teatro, o que por si só é um grande desafio. A apresentação final implica encarar a comunidade. Os jovens sobem ao palco experimentando outro nível de vulnerabilidade, risco ou segurança, e descobrem que podem confiar em si mesmos. Aos poucos, instala-se a vontade de se sair bem, de mostrar que são capazes de fazer aquilo. Kevin contou o caso de uma menina que interpretava Ofélia em *Hamlet*. No dia da apresentação, ele a viu esperando atrás do palco, pronta para entrar em cena, com um balde de lixo amarrado na barriga. (Ela explicou que estava tão nervosa que tinha medo de vomitar.) Tinha sido uma fugitiva crônica de seus lares sociais e também do Shakespeare in the Courts. Como o programa pretende não afastar os adolescentes a não ser em último caso, a polícia e os caçadores de gazeteiros sempre a levavam de volta. Deve ter havido algum momento em que ela compreendeu que seu papel era essencial para o grupo, ou talvez tenha percebido o valor intrínseco da experiência para si mesma. Pelo menos naquele dia, ela preferiu não fugir.

TERAPIA E TEATRO

Certa vez, ouvi Tina Packer dizer a uma plateia de especialistas em trauma:

> Terapia e teatro são intuição em ação. São o oposto da pesquisa, em que a pessoa se empenha em sair da experiência pessoal, em sair até da experiência de seus pacientes para testar a validade objetiva de hipóteses. A eficácia da terapia depende de uma ressonância subjetiva profunda e da ideia profunda de verdade que habita o corpo.

Ainda espero que algum dia se prove que Tina está errada e que se consiga combinar o rigor dos métodos científicos ao poder da intuição corporificada.

Edward, um dos professores do Shakespeare & Company, me contou sobre a experiência que teve como jovem ator na oficina de treinamento avançado de Tina Packer. O grupo tinha passado a manhã fazendo exercícios para liberar os músculos do torso, de modo que a respiração pudesse trazer o ar com naturalidade e plenitude. Edward observou que, sempre que flexionava o corpo num determinado ponto das costelas, ele sentia uma onda de tristeza. O instrutor lhe perguntou se alguma vez havia machucado essa região, e ele disse que não.

Para a aula de Tina Packer daquela tarde, o rapaz tinha preparado uma cena de *Ricardo II* em que o rei é instado a renunciar à coroa em favor do seu usurpador. Durante a discussão que se seguiu, ele se lembrou de que a mãe tinha quebrado as costelas quando estava grávida dele, e que ele sempre associara essa fratura a seu nascimento prematuro. Ele diz:

> Quando contei isso a Tina, ela começou a me fazer perguntas sobre meus primeiros meses de vida. Eu disse que não sabia se tinha estado numa incubadora, mas me recordava de que tempos depois tive de usar um balão de oxigênio porque não conseguia respirar. Lembro-me de estar no carro de meu tio e ele avançar os sinais vermelhos para me levar ao pronto-socorro. Era como ter uma síndrome de morte súbita aos 3 anos.
>
> Tina continuou fazendo perguntas, e comecei a ficar frustrado e zangado por ela estar derrubando todos os escudos que eu tinha erguido para proteger aquela dor. Então ela disse: "Você sentiu dor quando os médicos enfiaram todas aquelas agulhas em você?"
>
> Naquele momento, comecei a gritar. Tentei sair da sala, mas dois outros atores – uns caras grandalhões – me seguraram e me puseram numa cadeira. Eu tremia e tinha calafrios. Tina então disse: "Você é sua mãe e você vai dizer essa fala. Você é sua mãe e vai dar à luz você mesmo. E você está dizendo a si mesmo que vai fazer isso. Você não vai morrer. Você precisa se convencer. Você precisa se convencer de que o pequeno recém-nascido que você é não vai morrer."
>
> Essa se tornou minha intenção com a fala de Ricardo. Quando eu trouxe a fala para a aula pela primeira vez, disse a mim mesmo que

minha intenção era fazer bem o papel, e não que alguma coisa que brotava dentro de mim precisasse dizer aquelas palavras. Quando por fim fiz a cena, ficou claro que meu bebê era como Ricardo. Eu não estava disposto a entregar meu trono. Foi como se toneladas de energia e tensão escapassem de meu corpo. Abriram-se caminhos para expressar o que o bebê tinha bloqueado, segurando a respiração e sentindo tanto medo que acabaria morrendo.

A genialidade de Tina foi fazer com que eu me tornasse minha mãe dizendo que eu ia ficar bem. Foi quase como voltar ao passado e mudar a história. A certeza de que algum dia eu me sentiria seguro a ponto de expressar minha dor transformou-se numa preciosidade em minha vida.

Naquela noite tive meu primeiro orgasmo na presença de outra pessoa. E sei que isso aconteceu porque eu tinha me libertado de alguma coisa – de alguma tensão em meu corpo – que permitiu que eu estivesse mais no mundo.

EPÍLOGO
ESCOLHAS A FAZER

Estamos na iminência de nos tornarmos uma sociedade consciente do trauma. Quase todos os dias, algum de meus colegas publica um artigo sobre a maneira como o trauma perturba o trabalho da mente, do cérebro e do corpo. O estudo ACE mostrou como o abuso deteriora a saúde e o funcionamento social, e James Heckman ganhou um Prêmio Nobel por demonstrar a grande economia proporcionada pela intervenção precoce na vida de crianças de famílias pobres e disfuncionais: quanto mais pessoas completam o ensino médio, mais diminuem a criminalidade e a violência familiar e comunitária, e mais cresce o nível de emprego. Em todo o mundo, conheci pessoas – professores, assistentes sociais, médicos, terapeutas, enfermeiras, filantropos, diretores de teatro, guardas penitenciários, policiais e instrutores de meditação – que levam a sério esses dados e trabalham, incansavelmente, para descobrir e aplicar intervenções mais eficazes. Se você me acompanhou até aqui neste livro, também tornou-se parte dessa comunidade.

Os progressos da neurociência nos trouxeram um melhor entendimento sobre a influência do trauma no desenvolvimento do cérebro, na autorregulação e na capacidade de concentração e de sintonia com os demais. Técnicas avançadas de imagem identificaram a origem do TEPT no cérebro, de modo que agora entendemos por que as pessoas traumatizadas se tornam desligadas, se incomodam com luzes e sons, ou se retraem em resposta à menor provocação. Descobrimos que ao longo da vida as experiências mudam a estrutura e a função do cérebro – e chegam a afetar os genes que transmitimos a nossos filhos. Compreender muitos dos processos fundamentais em que se baseia o estresse traumático abre as portas para um grande número de intervenções que podem reconectar as zonas cerebrais relacionadas à autorregulação, à autopercepção e à atenção. Sabemos não só tratar o trauma, mas, cada vez mais, preveni-lo.

Apesar de tudo isso, depois de ir ao velório de mais um adolescente morto num tiroteio na Blue Hill Avenue, em Boston, ou depois de ler sobre os cortes de verbas para a educação em cidades pobres, sinto-me perto do desespero. Parece que estamos retrocedendo, com medidas como a insensível supressão, pelo Congresso, do vale-alimentação para filhos de pais desempregados ou presos; com a espantosa oposição à universalização dos serviços médicos em algumas áreas; com a obtusa recusa da psiquiatria em reconhecer a ligação entre sofrimento psíquico e condição social; com a recusa em proibir a venda e a posse de armas cuja única finalidade é matar grande número de seres humanos; e com nossa tolerância em relação ao encarceramento de um importante segmento de nossa população, pondo a perder vidas e recursos.

As discussões sobre o transtorno de estresse pós-traumático costumam se concentrar em soldados recém-desmobilizados, vítimas de ataques terroristas ou sobreviventes de terríveis acidentes. Mas o trauma continua sendo um problema muito mais de saúde pública, talvez a maior ameaça ao bem-estar da nação. Desde 2001, morreram muito mais americanos nas mãos de seus parceiros ou de outros membros da família do que nas guerras do Iraque e do Afeganistão. As mulheres americanas correm duas vezes mais risco de sofrer violência doméstica do que de ter câncer de mama. A Academia Americana de Pediatria calcula que as armas de fogo matam duas vezes mais crianças que o câncer. Por toda Boston, vejo anúncios do Jimmy Fund, que combate o câncer infantil, e de mobilizações em prol de recursos para tratar o câncer de mama e a leucemia, mas parece que nos sentimos constrangidos ou sem ânimo para ajudar crianças e adultos a aprenderem a lidar com o medo, a cólera e o fracasso, consequências naturais do trauma.

Quando dou palestras sobre o trauma e seu tratamento, alguns participantes me pedem que deixe de lado a política e me limite a falar de neurociência e terapia. Gostaria muito de poder separar trauma e política, mas enquanto continuarmos vivendo nessa negação e tratarmos o trauma independentemente de suas origens, estaremos destinados ao fracasso. No mundo atual, o endereço de cada pessoa, mais do que seu código genético, determina se ela terá uma vida segura e saudável. Renda e estrutura familiar, habitação, emprego e oportunidades educacionais incidem não apenas sobre o risco de apresentar estresse traumático, mas também sobre o acesso à ajuda eficaz para tratá-lo. Pobreza, desemprego, escolas de má qualidade, isolamento social, amplo acesso a armas e más condições de habitação constituem o caldo de cultura do trauma. O trauma cria mais trauma; pessoas feridas ferem outras pessoas.

Minha experiência mais profunda com o tratamento do trauma coletivo foi o contato com o trabalho da Comissão de Verdade e Reconciliação da África do Sul, baseado no princípio do *ubuntu*, palavra xhosa que indica a partilha daquilo que se tem, como em "Minha humanidade está indissoluvelmente ligada à sua". O *ubuntu* reconhece que é impossível uma cura verdadeira sem o reconhecimento de nossa humanidade comum e nosso destino comum.

Somos seres fundamentalmente sociais – nosso cérebro está programado para preferir trabalhos e divertimentos conjuntos. O trauma deteriora o sistema de integração social e interfere na cooperação, na estimulação e na capacidade de atuar como membro produtivo do clã. Vimos que muitos problemas de saúde mental, desde a dependência de drogas ao comportamento autodestrutivo, começam como tentativas de conviver com emoções que se tornaram insuportáveis por falta de contato humano e apoio adequado. Muitas vezes, até instituições que lidam com crianças e adultos traumatizados passam ao largo do sistema de envolvimento emocional que constitui o fundamento daquilo que somos e preferem se concentrar na correção do "pensamento falho" e na supressão de emoções desagradáveis e comportamentos problemáticos.

As pessoas podem aprender a se controlar e alterar comportamentos, mas apenas quando se sentem seguras para tentar novas soluções. O corpo guarda as marcas do trauma: se o trauma está codificado em sensações desoladoras e desesperadas, nossa prioridade é ajudar a pessoa a abandonar a reação de lutar ou fugir, ajudar a reorganizar sua percepção do perigo e administrar relacionamentos. No que se refere a crianças traumatizadas, como já disse no capítulo 5, as últimas atividades que deveríamos eliminar da grade curricular são as que servem justamente a essa prioridade: coral, educação física, recreação e qualquer outra coisa que envolva movimento, jogos e outras formas de integração lúdica.

Como vimos, mesmo minha profissão às vezes mais agrava do que resolve o problema. Hoje em dia, muitos psiquiatras trabalham em consultórios do tipo linha de montagem: por 15 minutos atendem pacientes que mal conhecem e receitam comprimidos para aliviar a tristeza, a ansiedade e a depressão. É como se a mensagem deles fosse: "Deixe com a gente, vamos dar um jeito em você; seja obediente, tome estes remédios e volte em três meses – mas de jeito nenhum use álcool ou drogas ilegais para resolver seus problemas." Esses atalhos no tratamento impedem que a pessoa desenvolva a capacidade de autoliderança e de se cuidar. Um exemplo trágico dessa orientação é a prescrição cada vez maior de analgésicos, que hoje em dia matam mais do que armas de fogo ou acidentes de automóvel.

O uso generalizado de medicamentos para curar essas doenças não trata os problemas reais: Com o quê esses pacientes estão tentando conviver? Quais seus recursos internos ou externos? Como acalmá-los? Eles têm uma relação de cuidado com o corpo? O que fazem para cultivar a sensação física de força, vitalidade e relaxamento? Eles têm relações dinâmicas com outras pessoas? São amados de verdade? Alguém cuida deles? Com quem eles podem contar quando estão assustados, quando seus bebês ficam doentes ou quando eles mesmos estão doentes? Pertencem a uma comunidade e desempenham papel importante na vida das pessoas à sua volta? De que técnicas específicas precisam para se concentrar, prestar atenção e fazer escolhas? Eles têm objetivos? Sabem fazer alguma coisa bem? O quê? Como ajudá-los a assumir a responsabilidade por sua vida?

Gosto de imaginar que, uma vez que a sociedade se concentre de fato nas necessidades das crianças, todas as formas de apoio social às famílias – uma medida que continua polêmica nos Estados Unidos – pouco a pouco passarão a ser vistas não só como desejáveis, mas como factíveis. Como seria se todas as crianças tivessem acesso a cuidados de qualidade enquanto os pais saem confiantes para trabalhar ou estudar? Como seria nosso sistema educacional se a educação infantil fosse ministrada a todas as crianças por profissionais que cultivassem a cooperação, o controle emocional, a perseverança e a concentração (e não que apenas as orientassem para o vestibular, o que, é provável, acontecerá naturalmente se as crianças aprenderem a seguir sua curiosidade e seu desejo de superação sem serem coibidas pelo desânimo, pelo medo e pela superexcitação)?

Tenho uma foto em que apareço aos 5 anos, entre meu irmão mais velho (obviamente mais sabido) e o mais novo (obviamente mais dependente). Seguro nas mãos, orgulhoso, um barquinho de madeira, sorrindo de orelha a orelha: "Vejam que menino maravilhoso eu sou e que barco incrível eu tenho! Você não adoraria vir brincar comigo?" Todos nós, mas sobretudo as crianças, precisamos ter essa confiança – a confiança de que os outros nos conhecem, nos valorizam e nos tratam com carinho. Sem esse sentimento não poderíamos desenvolver um senso de agência que nos permite afirmar: "Acredito nisso, defendo isso, vou me dedicar a isso." Enquanto nos sentirmos em segurança no coração e no pensamento das pessoas que nos amam, seremos capazes de transpor montanhas, atravessar desertos e passar noites em claro para terminar projetos. Crianças e adultos fazem qualquer coisa pelas pessoas em quem confiam e cuja opinião valorizam.

Entretanto, quando nos sentimos abandonados, desvalorizados ou invisíveis, nada parece ter importância. O medo destrói a curiosidade e a alegria. Para termos uma sociedade saudável, precisamos criar crianças que possam brincar e aprender em segurança. Não há crescimento sem curiosidade, e não há adaptabilidade quando não se é capaz de explorar, por tentativa e erro, quem somos e o que tem importância para nós. Hoje, mais da metade das crianças atendidas pela Head Start teve três ou mais experiências adversas na infância, entre elas as que figuram no estudo ACE: parentes encarcerados, depressão, violência, abuso, uso de drogas em casa e períodos sem teto.

Pessoas que se sentem ligadas a outras de forma segura e significativa não têm muitos motivos para usar drogas ou ficar hipnotizados pela televisão; não se sentem compelidas a comer de forma compulsiva ou agredir outros seres humanos. No entanto, se nada do que fazem parece ter importância, elas se sentem atadas e se tornam vulneráveis à atração exercida por comprimidos, gangues, religiões extremistas e movimentos políticos violentos – qualquer pessoa e qualquer coisa que prometa alívio. Como mostrou o estudo ACE, abuso infantil combinado com negligência é uma das principais causas evitáveis de doença mental, a principal causa de abuso de álcool e drogas, e importante fator de mortes por diabetes, doenças do coração, câncer, acidente vascular cerebral e suicídio.

Meus colegas e eu concentramos grande parte de nosso trabalho nas vítimas em que o trauma tem maior impacto: crianças e adolescentes. A NCTSN, que fundamos em 2001, é hoje uma rede de cooperação que engloba mais de 150 centros em todo o país, cada um deles com programas em escolas, centros juvenis de reabilitação, instituições de bem-estar do menor, abrigos de sem-teto, instalações militares e lares sociais.

O Trauma Center é um dos pontos de Desenvolvimento de Tratamentos e Avaliação da NCTSN. Joe Spinazzola, Margaret Blaustein e eu instituímos programas abrangentes para crianças e adolescentes que nós, com a ajuda de especialistas em trauma de Hartford, Chicago, Houston, São Francisco, Anchorage, Los Angeles e Nova York, estamos agora implementando. De dois em dois anos, nossa equipe escolhe uma área do país para trabalhar, com apoio de contatos locais que identificam organizações dinâmicas, abertas e respeitadas. Elas nos servirão como novos pontos de disseminação do tratamento. Por exemplo, colaborei durante dois anos com colegas de Missoula, em Montana, ajudando a criar um programa sobre trauma culturalmente aplicável às reservas indígenas da tribo Blackfoot.

A maior esperança para as crianças traumatizadas, desassistidas ou vítimas de abuso é receber uma educação em escolas em que elas sejam vistas e conhecidas, onde aprendam a se controlar e possam desenvolver o senso de agência. No melhor dos casos, as escolas podem funcionar como ilhas de segurança num mundo caótico. Elas podem ensinar às crianças como seu corpo e seu cérebro funcionam, podem ajudá-las a entender e controlar suas emoções. Podem desempenhar um papel importante ao incutir a necessária resiliência para lidar com trauma de vizinhos ou parentes. Se os pais são obrigados a trabalhar em dobro para ganhar a vida, ou se são inábeis, atarefados ou deprimidos demais para dar atenção às necessidades dos filhos, a escola deve ser o lugar onde essas crianças aprendem autoliderança e adquirem um lócus interno de controle.

Muitas vezes, quando nossa equipe chega a uma escola, a reação inicial do professor é algo como "Se eu quisesse ser assistente social teria feito o curso de serviço social. Estou aqui para ser professor". Mas muitos deles já aprenderam, do jeito mais difícil, que não conseguirão ensinar se tiverem uma sala cheia de alunos cujas sirenes de alarme disparam a cada instante. Mesmo os mais dedicados docentes e os mais elaborados sistemas de ensino se frustram e se mostram ineficazes porque grande parte das crianças está traumatizada demais para conseguir aprender. Dar importância apenas a melhorar as notas não fará qualquer diferença caso os professores não se ocupem dos problemas comportamentais desses alunos. O lado bom é que os princípios básicos das intervenções voltadas para o trauma podem ser transcritos em rotinas e abordagens diárias capazes de transformar por completo a cultura de uma escola.

Muitos dos professores com quem trabalhamos ficam surpresos ao saber que alunos negligenciados ou vítimas de abuso estão propensos a interpretar qualquer desvio da rotina como perigoso e que suas reações extremadas, em geral, são expressão de estresse traumático. Crianças que desafiam as regras provavelmente não são levadas à razão por reprimendas verbais ou mesmo quando são suspensas – prática que se tornou verdadeira epidemia nas escolas americanas. Os professores mudam de opinião quando entendem que o comportamento desses alunos é uma tentativa frustrada de comunicar desconforto e lutar pela sobrevivência por um modo canhestro.

Ter condições de se sentir seguro com outras pessoas é o que melhor define saúde mental. Relacionamentos seguros são essenciais para usufruir de uma vida satisfatória e plena de sentido. A principal dificuldade numa sala de aula é incentivar a reciprocidade: ouvir e ser ouvido, ver e ser visto por outras pessoas. Tentamos ensinar a todos os integrantes da comunidade escolar – funcionários, diretores, motoristas de ônibus, professores e atendentes de cantina – a reconhecer e compreender os efeitos do trauma sobre as crianças e se concentrar na importância de fomentar a segurança, a previsibilidade e a condição de ser conhecido e visto. Fazemos questão de que os alunos sejam cumprimentados pelo nome a cada manhã, e que os professores olhem nos olhos de todos. Da mesma forma que em nossas oficinas, no trabalho de grupo e nos programas de teatro, sempre começamos o dia dedicando um tempo a entender o que passa pela cabeça de cada um.

Muitas das crianças com quem trabalhamos nunca foram boas em comunicação verbal, pois estão habituadas a adultos que gritam, dão ordens, ficam emburrados ou estão sempre com fones nos ouvidos. Um dos primeiros passos é ajudar os professores a encontrar novos meios de falar de sentimentos, afirmar expectativas e pedir ajuda. Em vez de gritar "Pare com isso!" ou deixar de castigo num canto uma criança que tem um acesso de raiva, os professores são estimulados a observar e dar nome à experiência dela, dizendo, por exemplo, "Estou vendo que você ficou bastante aborrecida"; dando-lhe opções, como "Você quer ir para um local mais acolhedor". Também devem ajudar a criança a encontrar palavras para descrever suas emoções e começar a ter voz própria, perguntando, por exemplo, "O que você vai fazer quando chegar em casa depois da escola?". Pode levar muitos meses para que ela entenda quando pode dizer a verdade em segurança (porque a segurança nunca será completa sempre), mas para as crianças, assim como para os adultos, identificar a verdade de uma experiência é essencial para a cura do trauma.

Uma prática comum em muitas escolas é castigar os alunos por acessos de raiva, distração ou rompantes de agressividade – sintomas frequentes de estresse traumático. Quando isso acontece, a escola, em vez de oferecer à criança um porto seguro, torna-se mais um elemento desencadeante de trauma. Confrontos acalorados e castigos podem no máximo suspender por algum tempo comportamentos inaceitáveis, mas, como o sistema de alarme e os hormônios do estresse subjacentes permanecem intactos, sem dúvida eles vão eclodir de novo na próxima provocação.

Nessas situações, o primeiro passo é reconhecer que a criança está descontente. O professor deve acalmá-la e depois explorar a causa daquilo e discutir possíveis soluções. Por exemplo, quando um aluno do primeiro ano perde o controle e começa a bater no professor e atirar objetos, aconselhamos que este estabeleça limites claros dizendo, com suavidade: "Você gostaria de se cobrir com aquele cobertor? Talvez o ajude a se acalmar." (É provável que a criança grite "Não!", mas depois se cobrirá com o cobertor e se acalmará.) Previsibilidade e clareza de expectativas são cruciais; coerência é essencial. Crianças com formação caótica muitas vezes não têm ideia de que as pessoas podem trabalhar juntas, e isso só provoca mais confusão. Professores com sensibilidade para o trauma logo entendem que chamar um dos pais de um aluno revoltado provavelmente resultará numa surra e em mais trauma.

Nosso objetivo com todas essas iniciativas é transportar a ciência cerebral para a prática cotidiana. Por exemplo, ter calma o suficiente para tomar conta de nós mesmos exige a ativação de áreas cerebrais que registram nossas sensações internas, a torre de vigia de auto-observação analisada no capítulo 4. Um professor poderia dizer: "Vamos respirar fundo algumas vezes ou usar o respirador de estrela?" (ferramenta auxiliar feita com pastas de arquivo coloridas). Outra opção seria fazer a criança sentar-se num canto enrolada numa manta pesada ouvindo música suave com fones de ouvido. Áreas de segurança ajudam a criança a se acalmar porque proporcionam estímulos sensoriais: a textura da juta ou do veludo; caixas de sapatos cheias de pincéis macios e brinquedos flexíveis. Quando a criança conseguir voltar a falar, deve ser incentivada a contar a alguém o que estava acontecendo antes que ela se juntasse ao grupo.

Crianças pequenas de até 3 anos podem fazer bolhas de sabão e perceber que se sentem mais tranquilas e concentradas quando sua respiração se reduz a seis inspirações por minuto e prestam atenção à expiração quando o ar sai, roçando o lábio superior. Nossa equipe de professores de ioga trabalha com pré-adolescentes especificamente para ajudá-los a "fazer amizade" com seu corpo e lidar com sensações físicas perturbadoras. Sabemos que uma das razões principais para que os adolescentes façam uso continuado de drogas é o fato de não conseguirem suportar sensações físicas que sinalizam medo, raiva e impotência.

A autorregulação emocional pode ser ensinada a muitas crianças que oscilam entre a atividade frenética e a imobilidade. Além de ler, escrever e fazer contas, todas as crianças precisam aprender autoconhecimento, autorregulação emocional e comunicação. Da mesma forma que se ensina história e geografia, é preciso ensinar como funcionam o cérebro e o corpo. Tanto para os adultos como para as crianças, autocontrole exige conhecer bem nosso mundo interior e identificar com clareza o que nos intimida, aborrece ou agrada.

A inteligência emocional começa quando nomeamos nossos sentimentos e os sintonizamos com as emoções de quem está ao redor. Começamos de uma maneira muito simples: com espelhos. Olhar para um espelho ajuda a criança a ter consciência de como ela é quando está triste, zangada, entediada ou desapontada. Perguntamos a ela: "O que você sente quando vê um rosto assim?" Ensinamos a ela como é seu cérebro, para que as emoções servem, em que parte de seu corpo essas emoções estão registradas e de que modo ela pode comunicar seus sentimentos aos outros. Ela aprende que seus músculos faciais dão pistas sobre o que ela está sentindo, e depois descobre como sua expressão facial afeta outras pessoas.

Também fortalecemos a torre de vigia do cérebro, ensinando a criança a reconhecer e dar nome a suas sensações físicas. Por exemplo, quando ela sente um aperto no peito, provavelmente está nervosa; sua respiração se acelera e ela se sente inquieta. A raiva se parece com o quê? O que ela pode fazer para mudar essa sensação de seu corpo? O que acontece se ela respirar fundo, ou começar a pular corda ou a bater num saco de pancada? Pressionar pontos sensíveis do corpo ajuda? Tentamos oferecer às crianças, professores e demais cuidadores uma caixa de ferramentas para controlar suas reações emocionais.

Para promover a reciprocidade, usamos outros exercícios de espelho que são o fundamento da comunicação interpessoal segura. As crianças praticam imitando as expressões faciais umas das outras. Continuam pela imitação de gestos e sons, e então se levantam e se deslocam em sintonia. Para que o exercício dê certo, precisam prestar atenção e ver e ouvir efetivamente o outro. Brincadeiras como "Seu mestre mandou" provocam muito riso – indício de segurança. Quando adolescentes relutam em participar dessas "brincadeiras bobas", pedimos sua colaboração para ensinar a brincadeira a crianças pequenas, que "precisam da ajuda deles".

Professores e instrutores sabem que uma atividade simples como tentar manter uma bola no ar o maior tempo possível contribui para aumentar a concentração, a coesão e o bom humor de um grupo. São intervenções baratas. Para crianças maiores, algumas escolas têm estações de trabalho de menos de duzentos dólares nas quais os alunos podem se dedicar a jogos de computador que ajudam na concentração e melhoram a variabilidade da frequência cardíaca (VFC, discutida no capítulo 16), assim como fizemos em nossa clínica.

Crianças e adultos precisam experimentar a satisfação de trabalhar no limite de sua capacidade. A resiliência é produto da agência: saber o que se é capaz de fazer faz muita diferença. Muitas pessoas lembram o que significou para elas integrar um time, cantar no coral ou tocar na banda da escola, sobretudo quando tiveram instrutores ou orientadores que acreditaram nelas, incentivaram seu aperfeiçoamento e mostraram que elas podiam ir mais longe do que acreditavam ser possível. As crianças com quem lidamos precisam dessa experiência.

Esporte, música, dança e teatro promovem agência e senso comunitário, envolvendo as crianças em novos desafios e em papéis não habituais. Numa cidade pós-industrial empobrecida da Nova Inglaterra, meus amigos Carolyn e Eli Newberger estão ensinando El Sistema, um programa de música orquestral originário da Venezuela. Muitos de meus alunos frequentam um programa de capoeira numa área de alta criminalidade de Boston, e meus colegas do Trauma Center continuam com o programa teatral. No ano passado, passei três semanas ajudando dois meninos a preparar uma cena de *Júlio César*. Um garoto tímido estava interpretando Brutus e precisou reunir todas as suas forças para derrubar Cássio, papel que coube ao valentão da classe, que teve de ser orientado a dar voz a um general corrupto implorando piedade. A cena só ganhou vida depois que o valentão falou do pai violento e de sua própria decisão de nunca mostrar fraqueza a ninguém. (Muitos valentões foram eles mesmos vítimas de intimidação e desprezam meninos que lhes lembram a própria vulnerabilidade.) A voz possante de Brutus, por sua vez, apareceu depois que seu intérprete entendeu que ele mesmo tinha se tornado invisível para enfrentar a violência familiar.

Essas intensas atividades compartilhadas obrigam as crianças a colaborar, a assumir compromissos e se concentrar na tarefa que têm pela frente. Tensões muitas vezes afloram, mas as crianças se mantêm na atividade – desejam ganhar o respeito de seus instrutores ou orientadores e não querem decepcionar o grupo, sentimentos opostos à vulnerabilidade provocada pelo abuso, à invisibilidade assumida pela criança negligenciada e ao isolamento causado pelo trauma.

Nossos programas da NCTSN estão funcionando: as crianças ficaram menos ansiosas e emocionalmente reativas, e estão menos agressivas ou retraídas; a convivência melhorou e o desempenho escolar também; seus problemas de déficit de atenção, hiperatividade e transtorno desafiador de oposição diminuíram, e, segundo os pais, elas estão dormindo melhor. Coisas terríveis ainda acontecem com as crianças e em seu ambiente, mas agora elas são capazes de falar sobre esses eventos; desenvolveram confiança e recursos para buscar a ajuda de que precisam. As intervenções têm êxito quando se baseiam em nossas fontes naturais de cooperação e em nossas reações inatas a segurança, reciprocidade e imaginação.

O trauma nos põe frente a frente com nossa fragilidade e com a desumanidade, mas também com nossa extraordinária resiliência. Fui capaz de fazer esse trabalho durante tanto tempo porque ele me levou a explorar nossas fontes de alegria, criatividade, interesse e camaradagem – coisas que fazem a vida valer a pena. Não consigo imaginar como teria convivido com tudo que muitos pacientes meus suportaram, e vejo seus sintomas como parte de sua força – os meios que encontraram para sobreviver. E apesar de todo o sofrimento, muitos chegaram a se tornar parceiros e pais amorosos, ou ainda professores, enfermeiros, cientistas e artistas exemplares.

Muitos promotores de mudanças sociais tiveram contato pessoal íntimo com o trauma, como Oprah Winfrey, Maya Angelou, Nelson Mandela e Elie Wiesel, entre tantos. Lendo a história de vida de qualquer visionário encontraremos ideias e paixões que vieram do contato com o horror.

O mesmo vale para as sociedades. Muitos de nossos progressos nasceram da experiência do trauma: a abolição da escravatura resultou da Guerra de Secessão; a previdência social foi criada em reação à Grande Depressão; a Lei dos Veteranos, que beneficia combatentes veteranos e deu ensejo à formação da vasta e próspera classe média americana, veio da Segunda Guerra Mundial. O trauma é hoje nosso maior problema de saúde pública, e temos os conhecimentos necessários para resolvê-lo com eficácia. Depende de nós fazer o que sabemos que deve ser feito.

AGRADECIMENTOS

Este livro é o resultado de trinta anos tentando compreender como as pessoas lidam com experiências traumáticas, sobrevivem e se recuperam delas. Trinta anos de trabalho clínico com homens, mulheres e crianças traumatizados, de incontáveis debates com colegas e estudantes e de participação na evolução dos conhecimentos sobre a forma como a mente, o cérebro e o corpo enfrentam experiências insuportáveis e se recuperam.

Quero começar pelas pessoas que me ajudaram a organizar e, por fim, publicar este livro. Toni Burbank, meu editor, com quem falei várias vezes, todas as semanas, ao longo de dois anos, sobre o escopo, a organização e o conteúdo específico da obra. Toni compreendeu claramente qual é seu tema, e essa compreensão foi fundamental para definir sua forma e substância. Minha agente, Brettne Bloom, entendeu a importância deste trabalho, achou um lar para ele na Viking e proporcionou apoio crítico em momentos críticos. Rick Kot, meu editor na Viking, fez contribuições valiosas de natureza editorial.

Meus colegas e alunos no Trauma Center proporcionaram a inspiração, o laboratório e o sistema de apoio para este projeto. Além disso, eles me lembraram a cada instante a realidade de nosso trabalho nessas três décadas. Não tenho como mencionar todos eles, mas Joseph Spinazzola, Margaret Blaustein, Roslin Moore, Richard Jacobs, Liz Warner, Wendy D'Andrea, Jim Hopper, Fran Grossman, Alex Cook, Marla Zucker, Kevin Becker, David Emerson, Steve Gross, Dana Moore, Robert Macy, Liz Rice-Smith, Patty Levin, Nina Murray, Mark Gapen, Carrie Pekor, Debbie Korn e Betta de Boer van der Kolk foram colaboradores de máxima importância. Como também, naturalmente, Andy Pond e Susan Wayne, do Justice Resource Institute.

Meus mais importantes companheiros e guias no estudo e pesquisa do estresse traumático foram Alexander McFarlane, Onno van der Hart, Ruth Lanius e Paul Frewen, Rachel Yehuda, Stephen Porges, Glenn Saxe, Jaak Panksepp, Janet Osterman, Julian Ford, Brad Stolback, Frank Putnam, Bruce Perry, Judith Herman, Robert Pynoos, Berthold Gersons, Ellert Nijenhuis, Annette Streeck-Fisher, Marylene Cloitre, Dan Siegel, Eli Newberger, Vincent Felitti, Robert Anda e Martin Teicher; assim como meus colegas que me deram aulas sobre o apego: Edward Tronick, Karlen Lyons-Ruth e Beatrice Beebe.

Peter Levine, Pat Ogden e Al Pesso leram, em 1994, meu trabalho sobre a importância do corpo no estresse traumático e depois se dispuseram a me dar aulas sobre o corpo. Até hoje aprendo com eles, e esse aprendizado foi ampliado desde então por meus professores de ioga e meditação, Stephen Cope, Jon Kabat-Zinn e Jack Kornfield.

Sebern Fischer foi a primeira pessoa a me falar sobre neurofeedback. Mais tarde, Ed Hamlin e Larry Hirshberg expandiram meus conhecimentos sobre o assunto. Richard Schwartz me ensinou a terapia dos sistemas familiares internos e me ajudou a escrever o capítulo sobre essa técnica. Kippy Dewey e Cissa Campion apresentaram-me ao teatro, Tina Packer tentou me ensinar a fazê-lo e Andrew Borthwick-Leslie contribuiu com detalhes críticos.

Adam Cummings, Amy Sullivan e Susan Miller deram um apoio indispensável, sem o qual muitos projetos mencionados neste livro jamais se tornariam realidade.

Licia Sky criou o ambiente que me permitiu concentrar-me em escrever este livro. Trouxe contribuições inestimáveis para cada um dos capítulos, usou seus dotes artísticos em várias ilustrações e colaborou com as partes sobre consciência do corpo e casos clínicos. Minha competente secretária, Angela Lin, resolveu diversas crises e manteve o barco navegando. Ed e Edith Schonberg muitas vezes ofereceram um porto seguro durante tempestades; Barry e Lorrie Goldensohn atuaram como críticos literários e animadores; e meu filhos, Hana e Nicholas, me mostraram que cada geração vive num mundo radicalmente diferente daquele da geração anterior e que cada vida é sem precedente – um ato criativo que desafia explicação apenas pela genética, pelo ambiente ou pela cultura.

Por fim, meus pacientes, a quem dedico este livro (infelizmente, não posso mencionar todos pelo nome) e que me ensinaram quase tudo o que sei. Porque vocês foram meu verdadeiro compêndio, além de afirmarem a força vital que nos impele a criar uma vida significativa, a despeito dos obstáculos que encontramos.

APÊNDICE

CRITÉRIOS PROPOSTOS POR CONSENSO PARA ADOÇÃO DO DIAGNÓSTICO DE TRANSTORNO DE TRAUMA DE DESENVOLVIMENTO

A adoção do diagnóstico de transtorno de trauma de desenvolvimento visa a capturar a realidade das apresentações clínicas de crianças e adolescentes expostos ao trauma interpessoal crônico; assim, poderá orientar clínicos, na criação e utilização de intervenções eficazes, e pesquisadores, em estudos de neurobiologia e transmissão da violência interpessoal crônica. Apresentem ou não sintomas de TEPT, crianças criadas no contexto de perigo contínuo, maus-tratos e cuidados inadequados são mal atendidas pelo atual sistema de diagnóstico, que com frequência leva a nenhum diagnóstico, a diagnósticos múltiplos e não relacionados entre si, a uma ênfase em controle de comportamento, sem reconhecimento do trauma interpessoal e da falta de segurança na etiologia dos sintomas, e a uma falta de atenção à melhora das turbulências de desenvolvimento que estão na origem dos sintomas.

Os Critérios Propostos por Consenso para a Adoção do Diagnóstico de Transtorno de Trauma de Desenvolvimento foram estabelecidos e apresentados em fevereiro de 2009 por uma força-tarefa ligada à Rede Nacional de Estresse Traumático Infantil, dirigida por Bessel A. van der Kolk e Robert S. Pynoos, com a participação de Dante Cicchetti, Marylene Cloitre, Wendy D'Andrea, Julian D. Ford, Alicia F. Lieberman, Frank W. Putnam, Glenn Saxe, Joseph Spinazzola, Bradley C. Stolbach e Martin Teicher. Tais critérios se baseiam numa ampla revisão de estudos empíricos, conhecimentos clínicos de especialistas, levantamentos de clínicos da NCTSN e análise preliminar de dados obtidos junto a milhares de crianças em numerosos ambientes clínicos e sistemas de atendimento infantil, entre eles centros de tratamento da NCTSN, sistemas estaduais de assistência infantil, centros de internação psiquiátrica e centros de detenção juvenil. Uma vez que sua validade, prevalência, limiar de sintomas ou utilidade clínica ainda têm de ser examinados por meio de coleta ou análise de dados prospectivos, esses critérios propostos não devem ser vistos como uma categoria diagnóstica formal a ser incorporada ao *DSM*. Pretendem, antes, descrever os sintomas mais significativos, do ponto de vista clínico, exibidos por muitas crianças e adolescentes após trauma complexo; e vêm orientando estudos clínicos de campo sobre o transtorno de trauma de desenvolvimento iniciados em 2009 e em curso até hoje.

CRITÉRIOS PROPOSTOS POR CONSENSO PARA O TRANSTORNO DE TRAUMA DE DESENVOLVIMENTO

A. Exposição. A criança ou o adolescente vivenciou ou testemunhou múltiplos ou prolongados eventos adversos durante um período de pelo menos um ano a partir da infância ou do começo da adolescência, entre os quais:

A. 1. Experiência direta ou testemunho de episódios reiterados e severos de violência interpessoal.

A. 2. Interrupções significativas de cuidados protetores em consequência de mudanças reiteradas de cuidador principal; separação reiterada do cuidador principal; ou exposição a abuso emocional severo e persistente.

B. Desregulação afetiva e fisiológica. A criança exibe deficiências em competências de desenvolvimento normativo relacionadas à regulação do estado de alerta, entre as quais ao menos duas das seguintes:

B. 1. Incapacidade de modular, tolerar ou se recuperar de estados extremos de afeto (por exemplo, medo, raiva, vergonha), inclusive ataques de cólera prolongados ou extremos, ou imobilização.

B. 2. Distúrbios na regulação de funções corporais, como, por exemplo, distúrbios persistentes no sono, alimentação ou eliminação;

super-reatividade ou sub-reatividade a toque e sons; desorganização durante transições rotineiras.

B. 3. Consciência/dissociação reduzida de sensações, emoções e estados corporais.

B. 4. Deficiência na capacidade de descrever emoções ou estados corporais.

C. Desregulação de atenção ou comportamento. A criança exibe deficiências em competências de desenvolvimento normativo relacionadas a manutenção de atenção, aprendizado ou enfrentamento de estresse, entre as quais ao menos três das seguintes:

C. 1. Preocupação com ameaça ou deficiência na capacidade de perceber ameaças, o que inclui a má interpretação de indicações de segurança ou de perigo.

C. 2. Deficiência na capacidade de autoproteção, inclusive tomada de riscos extremos ou busca de emoções fortes.

C. 3. Tentativas inadaptadas de autotranquilização (por exemplo, balanço e outros movimentos rítmicos, masturbação compulsiva).

C. 4. Autolesões habituais (intencionais ou automáticas) ou reativas.

C. 5. Incapacidade de iniciar ou manter comportamentos voltados para metas.

D. Desregulação identitária e relacional. A criança exibe deficiências em competências de desenvolvimento normativo em sua percepção de identidade pessoal e envolvimento em relacionamentos, entre as quais ao menos três das seguintes:

D. 1. Preocupação intensa com a segurança do cuidador ou outros entes queridos (inclusive prestação precoce de cuidados) ou dificuldade para tolerar a convivência com eles após separação.

D. 2. Percepção negativa persistente de si mesmo, inclusive autorrepulsão e sensações de desamparo, inutilidade, ineficácia ou deficiência.

D. 3. Desconfiança extrema e persistente, desafio ou ausência de comportamento recíproco em relações estreitas com adultos ou pares.

D. 4. Reação física ou agressão verbal contra pares, cuidadores ou outros adultos.

D. 5. Tentativas impróprias (excessivas ou promíscuas) de contato íntimo (inclusive, mas não limitado a, intimidade sexual ou física) ou confiança excessiva em pares ou adultos, em busca de segurança e tranquilização.

D. 6. Deficiência na capacidade de regular a resposta empática, evidenciada por falta de empatia ou intolerância às expressões de angústia dos outros ou por uma resposta excessiva ao sofrimento alheio.

E. Sintomas de espectro pós-traumático. A criança exibe ao menos um sintoma em pelo menos dois dos três conjuntos (B, C e D) de sintomas de TEPT.

F. Duração do distúrbio (sintomas dos critérios B, C, D e E de TTD) durante pelo menos seis meses.

G. Prejuízo funcional. O distúrbio causa sofrimento ou prejuízo clinicamente significativos em pelo menos duas das seguintes áreas:

- Escolar
- Familiar
- Grupo de pares
- Legal
- Saúde
- Profissional (no caso de adolescentes que já trabalham ou procuram emprego, trabalho voluntário ou aprendizado profissional)

B. A. van der Kolk, "Developmental Trauma Disorder: Toward A Rational Diagnosis For Children With Complex Trauma Histories". *Psychiatric Annals*, v. 35, n. 5, pp. 401-8, 2005.

LEITURAS COMPLEMENTARES

CRIANÇAS TRAUMATIZADAS

BLAUSTEIN, Margaret; KINNIBURGH, Kristine. *Treating Traumatic Stress in Children and Adolescents: How to Foster Resilience through Attachment, Self-Regulation, and Competency.* Nova York: Guilford, 2012.

GIL, ELIANA (org.). *Working with Children to Heal Interpersonal Trauma: The Power of Play.* Nova York: Guilford, 2011.

HUGHES, Daniel. *Building the Bonds of Attachment.* Nova York: Jason Aronson, 2006.

LIEBERMAN, Alicia; VAN HORN, Patricia. *Psychotherapy with Infants and Young Children: Repairing the Effects of Stress and Trauma on Early Attachment.* Nova York: Guilford, 2011.

PERRY, Bruce; SZALAVITZ, Maia. *The Boy Who Was Raised as a Dog: And Other Stories from a Child Psychiatrist's Notebook.* Nova York: Basic, 2006.

TERR, Lenore. *Too Scared to Cry: Psychic Trauma in Childhood.* Nova York: Basic, 2008.

SAXE, Glenn; ELLIS, Heidi; KAPLOW, Julie. *Collaborative Treatment of Traumatized Children and Teens: The Trauma Systems Therapy Approach.* Nova York: Guilford, 2006.

PSICOTERAPIA

COURTOIS, Christine; FORD, Julian. *Treating Complex Traumatic Stress Disorders (Adults): Scientific Foundations and Therapeutic Models.* Nova York: Guilford, 2013.

FOSHA, Diana; SOLOMON Marion; SIEGEL, Daniel J. *The Healing Power of Emotion: Affective Neuroscience, Development and Clinical Practice*. Nova York: Norton, 2009. (Norton Series on Interpersonal Neurobiology).

HERMAN, Judith. *Trauma and Recovery: The Aftermath of Violence – from Domestic Abuse to Political Terror*. Nova York: Basic, 1992.

SIEGEL, Daniel J. *Mindsight: The New Science of Personal Transformation*. Nova York: Norton, 2010.

SIEGEL, Daniel J.; SOLOMON, Marion. *Healing Trauma: Attachment, Mind, Body and Brain*. Nova York: Norton, 2003. (Norton Series on Interpersonal Neurobiology).

NEUROCIÊNCIA DO TRAUMA

DAMÁSIO, António R. *The Feeling of What Happens: Body and Emotion in the Making of Consciousness*. Nova York: Houghton Mifflin Harcourt, 2000. [Ed. bras.: *O mistério da consciência: Do corpo e das emoções ao conhecimento de si*. São Paulo: Companhia das Letras, 2000.]

DAVIDSON, Richard; BEGLEY, Sharon. *The Emotional Life of Your Brain: How Its Unique Patterns Affect the Way You Think, Feel, and Live – and How You Can Change Them*. Nova York: Penguin, 2012. [Ed. bras.: *O estilo emocional do cérebro: Como o funcionamento cerebral afeta sua maneira de pensar, sentir e viver*. Rio de Janeiro: Sextante, 2013.]

FOGEL, Alan. *Body Sense: The Science and Practice of Embodied Self-Awareness*. Nova York: Norton, 2009. (Norton Series on Interpersonal Neurobiology).

PANKSEPP, Jaak; BIVEN, Lucy. *The Archaeology of Mind: Neuroevolutionary Origins of Human Emotions*. Nova York: Norton, 2012. (Norton Series on Interpersonal Neurobiology).

PORGES, Stephen. *The Polyvagal Theory: Neurophysiological Foundations of Emotions, Attachment, Communication, and Self-regulation*. Nova York: Norton, 2011. (Norton Series on Interpersonal Neurobiology).

SHORE, Allan N. *Affect Regulation and the Origin of the Self: The Neurobiology of Emotional Development*. Nova York: Psychology Press, 1994.

ABORDAGENS VOLTADAS PARA O CORPO

COZZOLINO, Louis. *The Neuroscience of Psychotherapy: Healing the Social Brain.* 2. ed. Nova York: Norton, 2010. (Norton Series on Interpersonal Neurobiology).

CURRAN, Linda. *101 Trauma-Informed Interventions: Activities, Exercises and Assignments to Move the Client and Therapy Forward.* Eau Claire: PESI, 2013.

LEVINE, Peter A. *In an Unspoken Voice: How the Body Releases Trauma and Restores Goodness.* Berkeley: North Atlantic, 2010. [Ed. bras.: *Uma voz sem palavras: Como o corpo libera o trauma e restaura o bem-estar.* São Paulo: Summus, 2012.]

LEVINE, Peter A.; FREDERIC, Ann. *Waking the Tiger: Healing Trauma.* Berkeley: North Atlantic, 2012. [Ed. bras.: *O despertar do tigre: Curando o trauma.* São Paulo: Summus, 1999.]

OGDEN, Pat; MINTON, Kekuni; PAIN, Clare. *Trauma and the Body: A Sensorimotor Approach to Psychotherapy.* Nova York: Norton, 2006. (Norton Series on Interpersonal Neurobiology).

EMDR

PARNELL, Laura. *Attachment-Focused EMDR: Healing Relational Trauma.* Nova York: Norton, 2013.

SHAPIRO, Francine. *Getting Past Your Past: Take Control of Your Life with Self-Help Techniques from EMDR Therapy.* Emmaus, PA: Rodale, 2012. (Ed. bras.: *Deixando o seu passado no passado.* Nova Temática, 2015.)

SHAPIRO, Francine; SILK FORREST, Margot. *EMDR: The Breakthrough "Eye Movement" Therapy for Overcoming Anxiety, Stress, and Trauma.* Nova York: Basic, 2004. (Ed. bras.: *EMDR: Dessensibilização e reprocessamento através de movimentos oculares: Princípios básicos, protocolos e procedimentos.* 2ª ed. revista. Brasília: Nova Temática, 2007.)

TRABALHO COM DISSOCIAÇÃO

SCHWARTZ, Richard C. *Internal Family Systems Therapy*. Nova York: Guilford, 1997. (The Guilford Family Therapy Series). [Ed. bras.: *Terapia dos sistemas familiares internos*. São Paulo: Roca, 2003.]

VAN DER HART, Onno; NIJENHUIS, Ellert R.; STEELE, Kathy. *The Haunted Self: Structural Dissociation and the Treatment of Chronic Traumatization*. Nova York: Norton, 2006.

CASAIS

GOTTMAN, John. *The Science of Trust: Emotional Attunement for Couples*. Nova York: Norton, 2011.

IOGA

COPE, Stephen. *Yoga and the Quest for the True Self*. Nova York: Bantam, 1999.

EMERSON, David; HOPPER, Elizabeth. *Overcoming Trauma through Yoga: Reclaiming Your Body*. Berkeley: North Atlantic, 2012.

NEUROFEEDBACK

DEMOS, John N. *Getting Started with Neurofeedback*. Nova York: Norton, 2005.

EVANS, James R. *Handbook of Neurofeedback: Dynamics and Clinical Applications*. CRC, 2013.

FISHER, Sebern. *Neurofeedback in the Treatment of Developmental Trauma: Calming the Fear-Driven Brain*. Nova York: Norton, 2014.

EFEITOS FÍSICOS DO TRAUMA

MATE, Gabor. *When the Body Says No: Understanding the Stress-Disease Connection.* Nova York: Random House, 2011.

SAPOLSKY, Robert. *Why Zebras Don't Get Ulcers: The Acclaimed Guide to Stress, Stress-Related Diseases, and Coping.* Nova York: Macmillan, 2004. [Ed. bras.: *Por que as zebras não têm úlceras?* São Paulo: Francis, 2008.]

MEDITAÇÃO E ATENÇÃO PLENA

GOLDSTEIN, Joseph; KORNFIELD, Jack. *Seeking the Heart of Wisdom: The Path of Insight Meditation.* Shambhala, 2001. [Ed. bras.: *Buscando a essência da sabedoria: O caminho da meditação perceptiva.* São Paulo: Roca, 1995.]

KABAT-ZINN, Jon. *Full Catastrophe Living: Using the Wisdom of Your Body and Mind to Face Stress, Pain, and Illness.* Ed. rev. Nova York: Random House, 2009.

KORNFIELD, Jack. *A Path with Heart: A Guide through the Perils and Promises of Spiritual Life.* Nova York: Random House, 2009. [Ed. bras.: *Um caminho com o coração.* São Paulo: Cultrix, 1995.]

TERAPIA PSICOMOTORA

PESSO, Albert. *Experience in Action: A Psychomotor Psychology.* Nova York: New York University Press, 1969.

PESSO, Albert; CRANDELL, John S. *Moving Psychotherapy: Theory and Application of Pesso System-Psychomotor Therapy.* Northampton, MA: Brookline, 1991.

NOTAS

PRÓLOGO: O TRAUMA

1. V. Felitti et al., "Relationship of Childhood Abuse and Household Dysfunction to Many of the Leading Causes of Death in Adults: The Adverse Childhood Experiences (ACE) Study". *American Journal of Preventive Medicine*, v. 14, n. 4, pp. 245-58, 1998.

1. LIÇÕES APRENDIDAS COM VETERANOS DO VIETNÃ

1. A. Kardiner, *The Traumatic Neuroses of War*. Nova York: P. Hoeber, 1941. Descobri mais tarde que muitos livros sobre trauma de guerra haviam sido publicados na época da Primeira e da Segunda Guerras Mundiais, mas, como Abram Kardiner escreveu em 1947, "nos últimos 25 anos, a questão das perturbações neuróticas resultantes de guerras tem sido objeto de muita oscilação no interesse do público e nos caprichos psiquiátricos. O público, como também a psiquiatria, não mantém o interesse, que foi enorme depois da Primeira Guerra Mundial. Por conseguinte, esses problemas não são tema de estudos constantes".
2. Ibid., p. 7.
3. B. A. van der Kolk, "Adolescent Vulnerability to Post Traumatic Stress Disorder". *Psychiatry*, v. 48, pp. 365-70, 1985.
4. S. A. Haley, "When the Patient Reports Atrocities: Specific Treatment Considerations of the Vietnam Veteran". *Archives of General Psychiatry*, v. 30, n. 2, pp. 191-6, 1974.
5. E. Hartmann, B. A. van der Kolk e M. Olfield, "A Preliminary Study of the Personality of the Nightmare Sufferer". *American Journal of Psychiatry*, v. 138, pp. 794-7, 1981; B. A. van der Kolk et al., "Nightmares and Trauma: Life-long and Traumatic Nightmares in Veterans". *American Journal of Psychiatry*, v. 141, pp. 187-90, 1984.
6. B. A. van der Kolk e C. Ducey, "The Psychological Processing of Traumatic Experience: Rorschach Patterns in PTSD". *Journal of Traumatic Stress*, v. 2, n. 3, pp. 259-74, 1989.
7. Diferentemente das lembranças normais, as traumáticas mais parecem fragmentos de sensações, emoções, reações e imagens que continuam a ser revividas no presente. Os estudos de memórias do Holocausto realizados em Yale por Dori Laub e Nanette C. Auerhahn, bem como o livro *Holocaust Testimonies: The Ruins of Memory*, de Lawrence L. Langer, e, sobretudo, as descrições da natureza das lembranças traumáticas feitas por Pierre Janet, em 1889, 1893 e 1905, nos ajudaram a organizar o que víamos. Esse trabalho será examinado no capítulo sobre a memória.

8. D. J. Henderson, "Incest". In: A. M. Freedman e H. I. Kaplan (orgs.), *Comprehensive Textbook of Psychiatry*. 2. ed. Baltimore: Williams & Wilkins, 1974, p. 1536.
9. Ibid.
10. K. H. Seal et al., "Bringing the War Back Home: Mental Health Disorders Among 103,788 U. S. Veterans Returning from Iraq and Afghanistan Seen at Department of Veterans Affairs Facilities". *Archives of Internal Medicine*, v. 167, n. 5, pp. 476-82, 2007; C. W. Hoge, J. L. Auchterlonie e C. S. Milliken, "Mental Health Problems, Use of Mental Health Services, and Attrition from Military Service After Returning from Deployment to Iraq or Afghanistan". *Journal of the American Medical Association*, v. 295, n. 9, pp. 1.023-32, 2006.
11. D. G. Kilpatrick e B. E. Saunders, *Prevalence and Consequences of Child Victimization: Results from the National Survey of Adolescents: Final Report*. Charleston, SC: Centro de Pesquisa e Tratamento de Vítimas de Crime Nacionais, Departamento de Psiquiatria e Ciências Comportamentais, Universidade Médica da Carolina do Sul, 1997.
12. Departamento de Saúde e Serviços Humanos, Administração em Crianças, Jovens e Famílias, *Child Maltreatment 2007*, 2009. Ver também Departamento de Saúde e Serviços Humanos, Administração para Crianças e Famílias, Administração em Crianças, Jovens e Famílias, Agência Infantil, *Child Maltreatment 2010*, 2011.

2. REVOLUÇÕES NO MODO DE VER A MENTE E O CÉREBRO

1. G. Ross Baker et al., "The Canadian Adverse Events Study: The Incidence of Adverse Events among Hospital Patients in Canada". *Canadian Medical Association Journal*, v. 170, n. 11, pp. 1.678-86, 2004; A. C. McFarlane et al., "Posttraumatic Stress Disorder in a General Psychiatric Inpatient Population". *Journal of Traumatic Stress*, v. 14, n. 4, pp. 633-45, 2001; Kim T. Mueser et al., "Trauma and Posttraumatic Stress Disorder in Severe Mental Illness". *Journal of Consulting and Clinical Psychology*, v. 66, n. 3, p. 493, 1998; National Trauma Consortium, <www.nationaltraumaconsortium.org>.
2. E. Bleuler, *Dementia Praecox or the Group of Schizophrenias*. Trad. de J. Zinkin. Washington, DC: International Universities Press, 1950, p. 227.
3. L. Grinspoon, J. Ewalt e R. I. Shader, "Psychotherapy and Pharmacotherapy in Chronic Schizophrenia". *American Journal of Psychiatry*, v. 124, n. 12, pp. 1.645-52, 1968. Ver também L. Grinspoon, J. Ewalt e R. I. Shader, *Schizophrenia: Psychotherapy and Pharmacotherapy* (Baltimore: Williams and Wilkins, 1972).
4. T. R. Insel, "Neuroscience: Shining Light on Depression". *Science*, v. 317, n. 5.839, pp. 757-8, 2007. Ver também C. M. France, P. H. Lysaker e R. P. Robinson, "The 'Chemical Imbalance' Explanation for Depression: Origins, Lay Endorsement e Clinical Implications" (*Professional Psychology: Research and Practice*, v. 38, pp. 411-20, 2007).
5. B. J. Deacon e J. J. Lickel, "On the Brain Disease Model of Mental Disorders". *Behavior Therapist*, v. 32, n. 6, 2009.
6. J. O. Cole et al., "Drug Trials in Persistent Dyskinesia (Clozapine)". In: R. C. Smith, J. M. Davis e W. E. Fahn (orgs.), *Tardive Dyskinesia, Research and Treatment*. Nova York: Plenum, 1979.
7. E. F. Torrey, *Out of the Shadows: Confronting America's Mental Illness Crisis*. Nova York: John Wiley & Sons, 1997. Não obstante, outros fatores também foram importantes, como a Lei da Saúde Mental Comunitária, promulgada pelo presidente Kennedy em 1963, que fez o governo federal assumir os custos da assistência de saúde mental e recompensar os estados por tratarem os doentes mentais em sua própria comunidade.

8. Associação Americana de Psiquiatria, Comitê de Nomenclatura. Grupo de Trabalho de Revisão do *DSM-3. Diagnostic and Statistical Manual of Mental Disorders* (American Psychiatric Publishing, 1980).
9. S. F. Maier e M. E. Seligman, "Learned Helplessness: Theory and Evidence". *Journal of Experimental Psychology: General*, v. 105, n. 1, p. 3, 1976. Ver também M. E. Seligman, S. F. Maier e J. H. Geer, "Alleviation of Learned Helplessness in the Dog" (*Journal of Abnormal Psychology*, v. 73, n. 3, p. 256, 1968); e R. L. Jackson, J. H. Alexander e S. F. Maier, "Learned Helplessness, Inactivity, and Associative Deficits: Effects of Inescapable Shock on Response Choice Escape Learning" (*Journal of Experimental Psychology: Animal Behavior Processes*, v. 6, n. 1, p. 1, 1980).
10. G. A. Bradshaw e A. N. Schore, "How Elephants Are Opening Doors: Developmental Neuroethology, Attachment and Social Context". *Ethology*, v. 113, pp. 426-36, 2007.
11. D. Mitchell, S. Koleszar e R. A. Scopatz, "Arousal and T-Maze Choice Behavior in Mice: A Convergent Paradigm for Neophobia Constructs and Optimal Arousal Theory". *Learning and Motivation*, v. 15, pp. 287-301, 1984. Ver também D. Mitchell, E. W. Osborne e M. W. O'Boyle, "Habituation Under Stress: Shocked Mice Show Non-associative Learning in a T-maze" (*Behavioral and Neural Biology*, v. 43, pp. 212-7, 1985).
12. B. A. van der Kolk et al., "Inescapable Shock, Neurotransmitters and Addiction to Trauma: Towards a Psychobiology of Post Traumatic Stress". *Biological Psychiatry*, v. 20, pp. 414-25, 1985.
13. C. Hedges, *War Is a Force That Gives Us Meaning*. Nova York: Random House Digital, 2003.
14. B. A. van der Kolk, "The Compulsion to Repeat Trauma: Revictimization, Attachment and Masochism". *Psychiatric Clinics of North America*, v. 12, pp. 389-411, 1989.
15. R. L. Solomon, "The Opponent-Process Theory of Acquired Motivation: The Costs of Pleasure and the Benefits of Pain". *American Psychologist*, v. 35, n. 8, pp. 691-712, 1980.
16. H. K. Beecher, "Pain in Men Wounded in Battle". *Annals of Surgery*, v. 123, n. 1, pp. 96-105, 1946.
17. B. A. van der Kolk et al., "Endogenous Opioids, Stress Induced Analgesia, and Posttraumatic Stress Disorder". *Psychopharmacology Bulletin*, v. 25, n. 3, pp. 417-21, 1989. Ver também R. K. Pitman et al., "Naloxone-Reversible Analgesic Response to Combat-Related Stimuli in Posttraumatic Stress Disorder: A Pilot Study" (*Archives of General Psychiatry*, v. 47, n. 6, pp. 541-4, 1990); e R. L. Solomon, op. cit.
18. J. A. Gray e N. McNaughton, "The Neuropsychology of Anxiety: Reprise". *Nebraska Symposium on Motivation*, v. 43, pp. 61-134, 1996. Ver também C. G. DeYoung e J. R. Gray, "Personality Neuroscience: Explaining Individual Differences in Affect, Behavior, and Cognition". In: Philip J. Corr e Gerald Matthews (orgs.), *The Cambridge Handbook of Personality Psychology* (Cambridge, UK: Cambridge University Press, 2009), pp. 323-46.
19. M. J. Raleigh et al., "Social and Environmental Influences on Blood Serotonin Concentrations in Monkeys". *Archives of General Psychiatry*, v. 41, n. 4, pp. 505-10, 1984.
20. B. A. van der Kolk et al., "Fluoxetine in Post Traumatic Stress". *Journal of Clinical Psychiatry*, v. 55, n. 12, pp. 517-22, 1994.
21. Para os fãs do teste de Rorschach: o Prozac inverteu a razão C + CF/FC.
22. Grace E. Jackson, *Rethinking Psychiatric Drugs: A Guide for Informed Consent*. Bloomington, IN: AuthorHouse, 2005; Robert Whitaker, *Anatomy of an Epidemic: Magic Bullets, Psychiatric Drugs and the Astonishing Rise of Mental Illness in America*. Nova York: Random House, 2011.

23. Volto a essa questão no capítulo 15, onde analiso o estudo que comparou o Prozac com a EMDR, e concluiu que essa abordagem psicoterápica mostrou melhores resultados a longo prazo do que o Prozac no tratamento da depressão, ao menos em casos de trauma ocorrido na idade adulta.
24. J. M. Zito et al., "Psychotropic Practice Patterns for Youth: A 10-Year Perspective". *Archives of Pediatrics and Adolescent Medicine*, v. 157, n. 1, pp. 17-25, 2003.
25. <en.wikipedia.org/wiki/List_of_largest_selling_pharmaceutical_products>.
26. Lucette Lagnado, "U. S. Probes Use of Antipsychotic Drugs on Children". *Wall Street Journal*, 11 ago. 2013.
27. Katie Thomas, "J. & J. to Pay $ 2.2 Billion in Risperdal Settlement". *New York Times*, 4 nov. 2013.
28. M. Olfson et al., "Trends in Antipsychotic Drug Use by Very Young, Privately Insured Children". *Journal of the American Academy of Child & Adolescent Psychiatry*, v. 49, n. 1, pp. 13-23, 2010.
29. M. Olfson et al., "National Trends in the Outpatient Treatment of Children and Adolescents with Antipsychotic Drugs". *Archives of General Psychiatry*, v. 63, n. 6, p. 679, 2006.
30. A. J. Hall et al., "Patterns of Abuse among Unintentional Pharmaceutical Overdose Fatalities". *Journal of the American Medical Association*, v. 300, n. 22, pp. 2.613-20, 2008.
31. Na década passada, a dra. Marcia Angell e o dr. Arnold Relman, ambos editores-chefes da mais prestigiosa publicação médica dos Estados Unidos, o *New England Journal of Medicine*, deixaram seus cargos em razão do poder excessivo da indústria farmacêutica sobre a pesquisa médica, os hospitais e os médicos. Numa carta ao *New York Times*, em 28 de dezembro de 2004, ambos destacaram que, no ano anterior, um laboratório despendera 28% de sua receita (mais de 6 bilhões de dólares) em gastos de marketing e administrativos, enquanto gastava apenas metade desse montante em pesquisa e desenvolvimento; uma renda líquida de 30% das receitas era normal para a indústria farmacêutica. Angell e Relman assim concluíram a carta: "A classe médica deveria romper sua dependência dos laboratórios e educar seus próprios membros." Infelizmente, é tão provável que isso aconteça quanto os políticos se afastarem daqueles que financiam suas campanhas.

3. O EXAME DO CÉREBRO: A REVOLUÇÃO DA NEUROCIÊNCIA

1. B. Roozendaal, B. S. McEwen e S. Chattarji, "Stress, Memory and the Amygdala". *Nature Reviews Neuroscience*, v. 10, n. 6, pp. 423-33, 2009.
2. R. Joseph, *The Right Brain and the Unconscious*. Nova York: Plenum, 1995.
3. O filme holandês *O ataque* (*De Aanslag*), de 1986, baseado no romance homônimo de Harry Mulisch (Ed. bras.: *O atentado*, Rio de Janeiro: José Olympio, 2007), ilustra bem o poder de impressões emocionais fortes e precoces na determinação de paixões intensas na vida adulta.
4. Essa é a essência da terapia cognitivo-comportamental. Ver E. B. Foa, M. J. Friedman e T. M. Keane (orgs.), *Effective Treatments for PTSD: Practice Guidelines from the International Society for Traumatic Stress Studies* (Nova York: Guilford, 2000).

4. CORRENDO ATRÁS DA VIDA: A ANATOMIA DA SOBREVIVÊNCIA

1. R. Sperry, "Changing Priorities". *Annual Review of Neuroscience*, v. 4, pp. 1-15, 1981.
2. A. A. Lima et al., "The Impact of Tonic Immobility Reaction on the Prognosis of Posttraumatic Stress Disorder". *Journal of Psychiatric Research*, v. 44, n. 4, pp. 224-8, 2010.
3. P. Janet, *L'Automatisme psychologique*. Paris: Félix Alcan, 1889.
4. R. R. Llinás, *I of the Vortex: From Neurons to Self*. Cambridge, MA: MIT Press, 2002. Ver também R. Carter e C. D. Frith, *Mapping the Mind* (Berkeley: University of California Press, 1998); R. Carter, *The Human Brain Book* (Penguin, 2009); e J. J. Ratey, *A User's Guide to the Brain* (Nova York: Pantheon, 2001), p. 179.
5. B. D. Perry et al., "Childhood Trauma, the Neurobiology of Adaptation and Use Dependent Development of the Brain: How States Become Traits". *Infant Mental Health Journal*, v. 16, n. 4, pp. 271-91, 1995.
6. Sou grato a meu amigo David Servan-Schreiber, já falecido, o primeiro a fazer essa distinção em seu livro *The Instinct to Heal*.
7. E. Goldberg, *The Executive Brain: Frontal Lobes and the Civilized Mind*. Londres: Oxford University Press, 2001.
8. G. Rizzolatti e L. Craighero, "The Mirror-Neuron System". *Annual Review of Neuroscience*, v. 27, pp. 169-92, 2004. Ver também M. Iacoboni et al., "Cortical Mechanisms of Human Imitation" (*Science*, v. 286, n. 5449, pp. 2.526-8, 1999); C. Keysers e V. Gazzola, "Social Neuroscience: Mirror Neurons Recorded in Humans" (*Current Biology*, v. 20, n. 8, pp. R353-4, 2010); J. Decety e P. L. Jackson, "The Functional Architecture of Human Empathy" (*Behavioral and Cognitive Neuroscience Reviews*, v. 3, n. 2, pp. 71-100, 2004); M. B. Schippers et al., "Mapping the Information Flow from One Brain to Another During Gestural Communication" (*Proceedings of the National Academy of Sciences of the United States of America*, v. 107, n. 20, pp. 9.388-93, 2010); e A. N. Meltzoff e J. Decety, "What Imitation Tells Us About Social Cognition: A Rapprochement between Developmental Psychology and Cognitive Neuroscience" (*Philosophical Transactions of the Royal Society, London*, v. 358, n. 1431, pp. 491-500, 2003).
9. D. Goleman, *Emotional Intelligence*. Nova York: Random House, 2006. [Ed. bras.: *Inteligência emocional*. Rio de Janeiro: Objetiva, 1995.] Ver também V. S. Ramachandran, "Mirror Neurons and Imitation Learning as the Driving Force Behind 'the Great Leap Forward' in Human Evolution" (*Edge*, 31 maio. 2000). Disponível em: <edge.org/conversation/mirror-neurons-and-imitation-learning-as-the-driving-force-behind-the-great-leap-forward-in-human-evolution>. Acesso em: 13 abr. 2013.
10. G. M. Edelman e J. A. Gally, "Reentry: A Key Mechanism for Integration of Brain Function". *Frontiers in Integrative Neuroscience*, v. 7, 2013.
11. J. LeDoux, "Rethinking the Emotional Brain". *Neuron*, v. 73, n. 4, pp. 653-76, 2012. Ver também J. S. Feinstein et al., "The Human Amygdala and the Induction and Experience of Fear" (*Current Biology*, v. 21, n. 1, pp. 34-8, 2011).
12. O córtex pré-frontal medial é a parte mediana do cérebro (os neurocientistas se referem a ele como "as estruturas da linha mediana"). Essa área compreende um conglomerado de estruturas inter-relacionadas: o córtex órbito-pré-frontal, o córtex pré-frontal inferior e o dorsal e uma grande estrutura chamada cingulado anterior, todas envolvidas no monitoramento do estado interno do organismo e na escolha da resposta apropriada. Exemplos em D. Diorio, V. Viau e M. J. Meaney, "The Role of the Medial Prefrontal Cortex (Cingulate Gyrus) in the Regulation of

Hypothalamic-Pituitary-Adrenal Responses to Stress" (*Journal of Neuroscience*, v. 13, n. 9, pp. 3.839-47, 1993); J. P. Mitchell, M. R. Banaji e C. N. Macrae, "The Link between Social Cognition and Self-Referential Thought in the Medial Prefrontal Cortex" (*Journal of Cognitive Neuroscience*, v. 17, n. 8, pp. 1.306-15, 2005); A. D'Argembeau et al., "Valuing One's Self: Medial Prefrontal Involvement in Epistemic and Emotive Investments in Self-Views" (*Cerebral Cortex*, v. 22, pp. 659-67, 2012); M. A. Morgan, L. M. Romanski e J. E. LeDoux, "Extinction of Emotional Learning: Contribution of Medial Prefrontal Cortex" (*Neuroscience Letters*, v. 163, pp. 109-13, 1993); L. M. Shin, S. L. Rauch e R. K. Pitman, "Amygdala, Medial Prefrontal Cortex e Hippocampal Function in PTSD" (*Annals of the Nova York Academy of Sciences*, v. 1071, n. 1, pp. 67-79, 2006); L. M. Williams et al., "Trauma Modulates Amygdala and Medial Prefrontal Responses to Consciously Attended Fear" (*NeuroImage* 29, n. 2, pp. 347-57, 2006); M. Koenig e J. Grafman, "Posttraumatic Stress Disorder: The Role of Medial Prefrontal Cortex and Amygdala" (*Neuroscientist*, v. 15, n. 5, pp. 540-8, 2009); e M. R. Milad, I. Vidal-Gonzalez e G. J. Quirk, "Electrical Stimulation of Medial Prefrontal Cortex Reduces Conditioned Fear in a Temporally Specific Manner" (*Behavioral Neuroscience*, v. 118, n. 2, pp. 389, 2004).

13. B. A. van der Kolk, "Clinical Implications of Neuroscience Research in PTSD". *Annals of the New York Academy of Sciences*, v. 1071, n. 1, pp. 277-93, 2006.

14. P. D. MacLean, *The Triune Brain in Evolution: Role in Paleocerebral Functions*. Nova York: Springer, 1990.

15. U. Lawrence, *The Power of Trauma: Conquering Post Traumatic Stress Disorder*. Bloomington, IN: iUniverse, 2009.

16. R. Carter e C. D. Frith, op. cit. Ver também A. Bechara et al., "Insensitivity to Future Consequences Following Damage to Human Prefrontal Cortex" (*Cognition*, v. 50, n. 1, pp. 7-15, 1994); A. Pascual-Leone et al., "The Role of the Dorsolateral Prefrontal Cortex in Implicit Procedural Learning" (*Experimental Brain Research*, v. 107, n. 3, pp. 479-85, 1996); e S. C. Rao, G. Rainer e E. K. Miller, "Integration of What and Where in the Primate Prefrontal Cortex" (*Science*, v. 276, n. 5.313, pp. 821-4, 1997).

17. H. S. Duggal, "New-Onset PTSD After Thalamic Infarct". *American Journal of Psychiatry*, v. 159, n. 12, p. 2113-a, 2002. Ver também R. A. Lanius et al., "Neural Correlates of Traumatic Memories in Posttraumatic Stress Disorder: A Functional MRI Investigation" (*American Journal of Psychiatry*, v. 158, n. 11, pp. 1.920-2, 2001); e I. Liberzon et al., "Alteration of Corticothalamic Perfusion Ratios during a PTSD Flashback" (*Depression and Anxiety*, v. 4, n. 3, pp. 146-50, 1996).

18. R. Noyes Jr. e R. Kletti, "Depersonalization in Response to Life-Threatening Danger". *Comprehensive Psychiatry*, v. 18, n. 4, pp. 375-84, 1977. Ver também M. Sierra e G. E. Berrios, "Depersonalization: Neurobiological Perspectives" (*Biological Psychiatry*, v. 44, n. 9, pp. 898-908, 1998).

19. D. Church et al., "Single-Session Reduction of the Intensity of Traumatic Memories in Abused Adolescents After EFT: A Randomized Controlled Pilot Study". *Traumatology*, v. 18, n. 3, pp. 73-9, 2012; D. Feinstein e D. Church, "Modulating Gene Expression Through Psychotherapy: The Contribution of Noninvasive Somatic Interventions". *Review of General Psychology*, v. 14, n. 4, pp. 283-95, 2010. Ver também <www.vetcases.com>.

5. AS CONEXÕES ENTRE O CORPO E O CÉREBRO

1. C. Darwin, *The Expression of the Emotions in Man and Animals*. Londres: Oxford University Press, 1998. (Com excelente introdução e comentários de Paul Ekman, pioneiro no estudo das emoções.) [Ed. bras.: *A expressão das emoções no homem e nos animais*. São Paulo: Companhia das Letras, 2009.]
2. Ibid., p. 71.
3. Ibid.
4. Ibid., pp. 71-2.
5. I. Pavlov, 1927.
6. Id., *Lectures on Conditioned Reflexes*. Nova York: International Publishers, 1928.
7. P. Ekman, *Facial Action Coding System: A Technique for the Measurement of Facial Movement*. Palo Alto, CA: Consulting Psychologists, 1978. Ver também C. E. Izard, *The Maximally Discriminative Facial Movement Coding System (MAX)* (Newark, DE: University of Delaware Instructional Resource Center, 1979).
8. S. W. Porges, *The Polyvagal Theory: Neurophysiological Foundations of Emotions, Attachment, Communication e Self-Regulation*. Nova York: Norton, 2011. (Norton Series on Interpersonal Neurobiology).
9. Nome que Stephen Porges e Sue Carter dão ao sistema vagal ventral. <www.pesi.com/bookstore/A_Neural_Love_Code__The_Body_s_Need_to_Engage_and_Bond-details.aspx>.
10. S. S. Tomkins, *Affect, Imagery, Consciousness*. Nova York: Springer, 1962. v. 1: The Positive Affects; S. S. Tomkins, *Affect, Imagery, Consciousness*. Nova York: Springer, 1963. v. 2: The Negative Affects.
11. P. Ekman, *Emotions Revealed: Recognizing Faces and Feelings to Improve Communication and Emotional Life*. Nova York: Macmillan, 2007 [Ed. bras.: *A linguagem das emoções: Revolucione sua comunicação e seus relacionamentos reconhecendo todas as expressões das pessoas ao redor*. São Paulo: Lua de Papel, 2011]; P. Ekman, *The Face of Man: Expressions of Universal Emotions in a New Guinea Village*. Nova York: Garland, 1980.
12. Ver, por exemplo, B. M. Levinson, "Human/Companion Animal Therapy" (*Journal of Contemporary Psychotherapy*, v. 14, n. 2, pp. 131-44, 1984); D. A. Willis, "Animal Therapy" (*Rehabilitation Nursing*, v. 22, n. 2, pp. 78-81, 1997); e A. H. Fine (org.), *Handbook on Animal-Assisted Therapy: Theoretical Foundations and Guidelines for Practice* (Waltham, MA: Academic Press, 2010).
13. P. Ekman, R. W. Levenson e W. V. Friesen, "Autonomic Nervous System Activity Distinguishes between Emotions". *Science*, v. 221, n. 4616, pp. 1208-10, 1983.
14. J. H. Jackson, "Evolution and Dissolution of the Nervous System". In: J. Taylor (org.), *Selected Writings of John Hughlings Jackson*. Londres: Stapes, 1958, pp. 45-118.
15. Foi Porges quem me mostrou esse exemplo da loja de animais.
16. S. W. Porges, J. A. Doussard-Roosevelt e A. K. Maiti, "Vagal Tone and the Physiological Regulation of Emotion". In: N. A. Fox (org.), *The Development of Emotion Regulation: Biological and Behavioral Considerations*. Chicago: University of Chicago Press, 1994, pp. 167-86. (Monographs of the Society for Research in Child Development). <www.amazon.com/The-Development-Emotion-Regulation-Considerations/dp/0226259404>.
17. V. Felitti et al., "Relationship of Childhood Abuse and Household Dysfunction to Many of the Leading Causes of Death in Adults: The Adverse Childhood Experiences (ACE) Study". *American Journal of Preventive Medicine*, v. 14, n. 4, pp. 245-58, 1998.

18. S. W. Porges, "Orienting in a Defensive World: Mammalian Modifications of Our Evolutionary Heritage: A Polyvagal Theory". *Psychophysiology*, v. 32, pp. 301-18, 1995.
19. B. A. van der Kolk, "The Body Keeps the Score: Memory and the Evolving Psychobiology of Posttraumatic Stress". *Harvard Review of Psychiatry*, v. 1, n. 5, pp. 253-65, 1994.

6. PERDER O CORPO, PERDER O SELF

1. K. L. Walsh et al., "Resiliency Factors in the Relation between Childhood Sexual Abuse and Adulthood Sexual Assault in College-Age Women". *Journal of Child Sexual Abuse*, v. 16, n. 1, pp. 1-17, 2007.
2. A. C. McFarlane, "The Long-Term Costs of Traumatic Stress: Intertwined Physical and Psychological Consequences". *World Psychiatry*, v. 9, n. 1, pp. 3-10, 2010.
3. W. James, "What Is an Emotion?". *Mind*, v. 9, n. 34, pp. 188-205, 1884.
4. R. L. Bluhm et al., "Alterations in Default Network Connectivity in Posttraumatic Stress Disorder Related to Early-Life Trauma". *Journal of Psychiatry & Neuroscience*, v. 34, n. 3, p. 187, 2009. Ver também J. K. Daniels et al., "Switching between Executive and Default Mode Networks in Posttraumatic Stress Disorder: Alterations in Functional Connectivity" (*Journal of Psychiatry & Neuroscience*, v. 35, n. 4, p. 258, 2010).
5. A. Damásio, *The Feeling of What Happens: Body and Emotion in the Making of Consciousness*. Nova York: Hartcourt Brace, 1999. Damásio afirma textualmente: "A consciência foi inventada para que pudéssemos conhecer a vida", p. 31.
6. Ibid., p. 28.
7. Ibid., p. 29.
8. Id., *Self Comes to Mind: Constructing the Conscious Brain*. Nova York: Random House Digital, 2012, p. 17. [Ed. bras.: *E o cérebro criou o homem*. São Paulo: Companhia das Letras, 2011.]
9. Id., *The Feeling of What Happens*, op. cit., p. 256.
10. António R. Damásio et al., "Subcortical and Cortical Brain Activity During the Feeling of Self-Generated Emotions". *Nature Neuroscience*, v. 3, v. 10, pp. 1.049-56, 2000.
11. A. A. T. S. Reinders et al., "One Brain, Two Selves". *NeuroImage*, v. 20, n. 4, pp. 2119-25, 2003. Ver também E. R. S. Nijenhuis, O. Van der Hart e K. Steele, "The Emerging Psychobiology of Trauma-Related Dissociation and Dissociative Disorders". In: H. A. H. D'Haenen, J. A. den Boer e P. Willner (Orgs.), *Biological Psychiatry*, v. 2, (West Sussex, UK: Wiley 2002), pp. 1079-198; J. Parvizi e A. R. Damásio, "Consciousness and the Brain Stem" (*Cognition*, v. 79, n. 1, pp. 135-59, 2001); F. W. Putnam, "Dissociation and Disturbances of Self". In: D. Cicchetti e S. L. Toth (Orgs.), *Dysfunctions of the Self*, v. 5 (Nova York: University of Rochester Press, 1994), pp. 251-65; e F. W. Putnam, *Dissociation in Children and Adolescents: A Developmental Perspective* (Nova York: Guilford, 1997).
12. A. D'Argembeau et al., "Distinct Regions of the Medial Prefrontal Cortex Are Associated with Self-Referential Processing and Perspective Taking". *Journal of Cognitive Neuroscience*, v. 19, n. 6, pp. 935-44, 2007. Ver também N. A. Farb et al., "Attending to the Present: Mindfulness Meditation Reveals Distinct Neural Modes of Self-Reference" (*Social Cognitive and Affective Neuroscience*, v. 2, n. 4, pp. 313-22, 2007); e B. K. Hölzel et al., "Investigation of Mindfulness Meditation Practitioners with Voxel-Based Morphometry" (*Social Cognitive and Affective Neuroscience*, v. 3, n. 1, pp. 55-61, 2008).

13. P. A. Levine, *Healing Trauma: A Pioneering Program for Restoring the Wisdom of Your Body*. Berkeley: North Atlantic, 2008; P. A. Levine, *In an Unspoken Voice: How the Body Releases Trauma and Restores Goodness*. Berkeley: North Atlantic, 2010.
14. P. Ogden e K. Minton, "Sensorimotor Psychotherapy: One Method for Processing Traumatic Memory". *Traumatology*, v. 6, n. 3, pp. 149-73, 2000; P. Ogden, K. Minton e C. Pain, *Trauma and the Body: A Sensorimotor Approach to Psychotherapy*. Nova York: Norton, 2006. (Norton Series on Interpersonal Neurobiology).
15. D. A. Bakal, *Minding the Body: Clinical Uses of Somatic Awareness*. Nova York: Guilford, 2001.
16. São inumeráveis os estudos sobre esse tema. Eis uma breve amostra para quem desejar estudá-lo mais a fundo: J. Wolfe et al., "Posttraumatic Stress Disorder and War-Zone Exposure as Correlates of Perceived Health in Female Vietnam War Veterans" (*Journal of Consulting and Clinical Psychology*, v. 62, n. 6, pp. 1.235-40, 1994); L. Zoellner, M. L. Goodwin e E. B. Foa, "PTSD Severity and Health Perceptions in Female Victims of Sexual Assault" (*Journal of Traumatic Stress*, v. 13, n. 4, pp. 635-49, 2000); E. M. Sledjeski, B. Speisman e L. C. Dierker, "Does Number of Lifetime Traumas Explain the Relationship between PTSD and Chronic Medical Conditions? Answers from the National Comorbidity Survey-Replication (NCS-R)" (*Journal of Behavioral Medicine*, v. 31, n. 4, pp. 341-9, 2008); J. A. Boscarino, "Posttraumatic Stress Disorder and Physical Illness: Results from Clinical and Epidemiologic Studies" (*Annals of the New York Academy of Sciences*. v. 1032, n. 1, pp. 141-53, 2004); M. Cloitre et al., "Posttraumatic Stress Disorder and Extent of Trauma Exposure as Correlates of Medical Problems and Perceived Health among Women with Childhood Abuse" (*Women & Health*, v. 34, n. 3, pp. 1-17, 2001); D. Lauterbach, R. Vora e M. Rakow, "The Relationship between Posttraumatic Stress Disorder and Self-Reported Health Problems" (*Psychosomatic Medicine*, v. 67, n. 6, pp. 939-47, 2005); B. S. McEwen, "Protective and Damaging Effects of Stress Mediators" (*New England Journal of Medicine*, v. 338, n. 3, pp. 171-9, 1998); P. P. Schnurr e B. L. Green, *Trauma and Health: Physical Health Consequences of Exposure to Extreme Stress* (Washington, DC: Associação Americana de Psicologia, 2004).
17. P. K. Trickett, J. G. Noll e F. W. Putnam, "The Impact of Sexual Abuse on Female Development: Lessons from a Multigenerational, Longitudinal Research Study". *Development and Psychopathology*, v. 23, n. 2, pp. 453, 2011.
18. K. Kosten e F. Giller Jr., "Alexithymia as a Predictor of Treatment Response in Post-Traumatic Stress Disorder". *Journal of Traumatic Stress*, v. 5, n. 4, pp. 563-73, 1992.
19. G. J. Taylor e R. M. Bagby, "New Trends in Alexithymia Research". *Psychotherapy and Psychosomatics*, v. 73, n. 2, pp. 68-77, 2004.
20. R. D. Lane et al., "Impaired Verbal and Nonverbal Emotion Recognition in Alexithymia". *Psychosomatic Medicine*, v. 58, n. 3, pp. 203-10, 1996.
21. H. Krystal e J. H. Krystal, *Integration and Self-Healing: Affect, Trauma, Alexithymia*. Nova York: Analytic, 1988.
22. P. Frewen et al., "Clinical and Neural Correlates of Alexithymia in Posttraumatic Stress Disorder". *Journal of Abnormal Psychology*, v. 117, n. 1, pp. 171-81, 2008.
23. D. Finkelhor, R. K. Ormrod e H. A. Turner, "Re-Victimization Patterns in a National Longitudinal Sample of Children and Youth". *Child Abuse & Neglect*, v. 31, n. 5, pp. 479-502, 2007; J. A. Schumm, S. E. Hobfoll e N. J. Keogh, "Revictimization and Interpersonal Resource Loss Predicts PTSD among Women in Substance-Use Treatment". *Journal of Traumatic Stress*, v. 17, n. 2, pp. 173-81, 2004; J. D. Ford, J. D. Elhai, D. F. Connor e B. C. Frueh, "Poly-Victimization and Risk of Posttraumatic, Depressive, and Substance Use Disorders and Involvement in Delinquency

in a National Sample of Adolescents". *Journal of Adolescent Health*, v. 46, n. 6, pp. 545-52, 2010.
24. P. Schilder, "Depersonalization". In: *Introduction to a Psychoanalytic Psychiatry*. Nova York: International Universities Press, 1952, p. 120.
25. S. Arzy et al., "Neural Mechanisms of Embodiment: Asomatognosia Due to Premotor Cortex Damage". *Archives of Neurology*, v. 63, n. 7, pp. 1.022-5, 2006. Ver também S. Arzy et al., "Induction of an Illusory Shadow Person" (*Nature*, v. 443, n. 7.109, p. 287, 2006); S. Arzy et al., "Neural Basis of Embodiment: Distinct Contributions of Temporoparietal Junction and Extrastriate Body Area" (*Journal of Neuroscience*, v. 26, n. 31, pp. 8.074-81, 2006); O. Blanke et al., "Out-of-Body Experience and Autoscopy of Neurological Origin" (*Brain*, v. 127, parte 2, pp. 243-58, 2004); e M. Sierra et al., "Unpacking the Depersonalization Syndrome: An Exploratory Factor Analysis on the Cambridge Depersonalization Scale" (*Psychological Medicine*, v. 35, n. 10, pp. 1.523-32, 2005).
26. A. A. T. Reinders et al., "Psychobiological Characteristics of Dissociative Identity Disorder: A Symptom Provocation Study". *Biological Psychiatry*, v. 60, n. 7, pp. 730-40, 2006.
27. Em seu livro *Focusing*, Eugene Gendlin criou a expressão "sensação percebida": "Uma sensação percebida não é uma experiência mental, mas física. Uma percepção corporal de uma situação, de uma pessoa ou de um evento". E. Gendlin, *Focusing*. Nova York: Random House Digital, 1982.
28. C. Steuwe et al., "Effect of Direct Eye Contact in PTSD Related to Interpersonal Trauma: An fMRI Study of Activation of an Innate Alarm System". *Social Cognitive and Affective Neuroscience*, v. 9, n. 1, pp. 88-97, 2012.

7. ENTRAR NA MESMA ONDA: APEGO E SINTONIA

1. N. Murray, E. Koby e B. van der Kolk, "The Effects of Abuse on Children's Thoughts", capítulo 4 de *Psychological Trauma* (Washington, DC: American Psychiatric Press, 1987).
2. Mary Main, que pesquisou o apego, contou a crianças de 6 anos a história de um menino abandonado pela mãe e lhes pediu que imaginassem o que acontecia em seguida. A maioria das crianças que, quando lactentes, haviam experimentado relacionamentos seguros com a mãe criavam um enredo imaginativo com final feliz, enquanto crianças que cinco anos antes tinham com a família uma relação de apego classificada como desorganizada tendiam a criar fantasias catastróficas e com frequência davam respostas assustadas como "Os pais vão morrer" ou "O menino vai se matar". Em M. Main, N. Kaplan e J. Cassidy, "Security in Infancy, Childhood, and Adulthood: A Move to the Level of Representation" (*Monographs of the Society for Research in Child Development*, v. 50 [1-2, n. de série 209], 1985).
3. J. Bowlby, *Attachment and Loss*. Nova York: Random House, 1969. v. 1: Attachment; J. Bowlby, *Attachment and Loss*. Nova York: Penguin, 1975. v. 2: Separation: Anxiety and Anger; J. Bowlby, *Attachment and Loss*. Nova York: Basic, 1980. v. 3: *Loss: Sadness and Depression*; J. Bowlby, "The Nature of the Child's Tie to His Mother". *International Journal of Psycho-Analysis*, v. 39, n. 5, pp. 350-73, 1958.
4. C. Trevarthen, "Musicality and the Intrinsic Motive Pulse: Evidence from Human Psychobiology and Rhythms, Musical Narrative, and the Origins of Human Communication". *Musicae Scientiae*, n. especial, pp. 157-213, 1999.
5. A. Gopnik e A. N. Meltzoff, *Words, Thoughts, and Theories*. Cambridge, MA: MIT Press, 1997; A. N. Meltzoff e M. K. Moore, "Newborn Infants Imitate Adult Facial Gestures". *Child Development*, v. 54, n. 3, pp. 702-9, 1983; A. Gopnik, A. N. Meltzoff

e P. K. Kuhl, *The Scientist in the Crib: Minds, Brains and How Children Learn*. Nova York: HarperCollins, 2009.
6. E. Z. Tronick, "Emotions and Emotional Communication in Infants". *American Psychologist*, v. 44, n. 2, pp. 112, 1989. Ver também E. Tronick, *The Neurobehavioral and Social-Emotional Development of Infants and Children* (Nova York: Norton, 2007); E. Tronick e M. Beeghly, "Infants' Meaning-Making and the Development of Mental Health Problems" (*American Psychologist*, v. 66, n. 2, p. 107, 2011); e A. V. Sravish et al., "Dyadic Flexibility During the Face-to-Face Still-Face Paradigm: A Dynamic Systems Analysis of Its Temporal Organization" (*Infant Behavior and Development*, v. 36, n. 3, pp. 432-7, 2013).
7. M. Main, "Overview of the Field of Attachment". *Journal of Consulting and Clinical Psychology*, v. 64, n. 2, pp. 237-43, 1996.
8. D. W. Winnicott, *Playing and Reality*. Nova York: Psychology Press, 1971. [Ed. bras.: *O brincar e a realidade*. Rio de Janeiro: Imago, 1975.] Ver também D. W. Winnicott, "The Maturational Processes and the Facilitating Environment" (*International Psycho-Analytical Library*, v. 64, 1965); e D. W. Winnicott, *Through Paediatrics to Psycho-Analysis: Collected Papers* (Nova York: Brunner/Mazel, 1975).
9. Como vimos no capítulo 6 e como Damásio demonstrou, essa percepção da realidade interior tem raízes, ao menos em parte, na ínsula, a estrutura cerebral que desempenha um papel central na comunicação entre corpo e mente, e que com frequência se mostra lesionada em pessoas com histórico de trauma crônico.
10. D. W. Winnicott, *Primary Maternal Preoccupation*. Londres: Tavistock, 1956, pp. 300-5.
11. S. D. Pollak et al., "Recognizing Emotion in Faces: Developmental Effects of Child Abuse and Neglect". *Developmental Psychology*, v. 36, n. 5, pp. 679, 2000.
12. P. M. Crittenden, "Peering into the Black Box: An Exploratory Treatise on the Development of Self in Young Children". In: D. Cichetti e S. L. Toth (orgs.), *Disorders and Dysfunctions of the Self*. Rochester, NY: University of Rochester Press, 1994, p. 79. Rochester Symposium on Developmental Psychopathology, v. 5; P. M. Crittenden e A. Landini, *Assessing Adult Attachment: A Dynamic-Maturational Approach to Discourse Analysis*. Nova York: Norton, 2011.
13. P. M. Crittenden, "Children's Strategies for Coping with Adverse Home Environments: An Interpretation Using Attachment Theory". *Child Abuse & Neglect*, v. 16, n. 3, pp. 329-43, 1992.
14. M. Main, op. cit.
15. Ibid.
16. Ibid.
17. E. Hesse e M. Main, "Frightened, Threatening e Dissociative Parental Behavior in Low-Risk Samples: Description, Discussion e Interpretations". *Development and Psychopathology*, v. 18, n. 2, pp. 309-43, 2006. Ver também E. Hesse e M. Main, "Disorganized Infant, Child and Adult Attachment: Collapse in Behavioral and Attentional Strategies" (*Journal of the American Psychoanalytic Association*, v. 48, n. 4, pp. 1097-127, 2000).
18. M. Main, op. cit.
19. E. Hesse e M. Main, "Frightened, Threatening e Dissociative Parental Behavior in Low-Risk Samples", op. cit., p. 310.
20. Vimos isso de um ponto de vista biológico quando examinamos a "imobilização sem medo" no capítulo 5. S. W. Porges, "Orienting in a Defensive World: Mammalian Modifications of Our Evolutionary Heritage: A Polyvagal Theory", op. cit., pp. 301-18.

21. M. H. van Ijzendoorn, C. Schuengel e M. Bakermans-Kranenburg, "Disorganized Attachment in Early Childhood: Meta-analysis of Precursors, Concomitants, and Sequelae". *Development and Psychopathology*, v. 11, n. 2, pp. 225-49, 1999.
22. Ibid.
23. N. W. Boris, M. Fueyo e C. H. Zeanah, "The Clinical Assessment of Attachment in Children Under Five". *Journal of the American Academy of Child & Adolescent Psychiatry*, v. 36, n. 2, pp. 291-3, 1997; K. Lyons-Ruth, "Attachment Relationships among Children with Aggressive Behavior Problems: The Role of Disorganized Early Attachment Patterns". *Journal of Consulting and Clinical Psychology*, v. 64, n. 1, p. 64, 1996.
24. S. W. Porges et al., "Infant Regulation of the Vagal 'Brake' Predicts Child Behavior Problems: A Psychobiological Model of Social Behavior". *Developmental Psychobiology*, v. 29, n. 8, pp. 697-712, 1996.
25. L. Hertsgaard et al., "Adrenocortical Responses to the Strange Situation in Infants with Disorganized/Disoriented Attachment Relationships". *Child Development*, v. 66, n. 4, pp. 1.100-6, 1995; G. Spangler e K. E. Grossmann, "Biobehavioral Organization in Securely and Insecurely Attached Infants". *Child Development*, v. 64, n. 5, pp. 1.439-50, 1993.
26. E. Hesse e M. Main, "Frightened, Threatening e Dissociative Parental Behavior in Low-Risk Samples", op. cit.
27. M. H. van Ijzendoorn et al., op. cit.
28. B. Beebe e F. M. Lachmann, *Infant Research and Adult Treatment: Co-constructing Interactions*. Nova York: Routledge, 2013; B. Beebe, F. Lachmann e J. Jaffe, "Mother-Infant Interaction Structures and Presymbolic Self- and Object Representations". *Psychoanalytic Dialogues*, v. 7, n. 2, pp. 133-82, 1997.
29. R. Yehuda et al., "Vulnerability to Posttraumatic Stress Disorder in Adult Offspring of Holocaust Survivors". *American Journal of Psychiatry*, v. 155, n. 9, pp. 1.163-71, 1998. Ver também R. Yehuda et al., "Relationship between Posttraumatic Stress Disorder Characteristics of Holocaust Survivors and Their Adult Offspring" (*American Journal of Psychiatry*, v. 155, n. 6, pp. 841-3, 1998); R. Yehuda et al., "Parental Posttraumatic Stress Disorder as a Vulnerability Factor for Low Cortisol Trait in Offspring of Holocaust Survivors" (*Archives of General Psychiatry*, v. 64, n. 9, p. 1.040, 2007); e R. Yehuda et al., "Maternal, Not Paternal, PTSD Is Related to Increased Risk for PTSD in Offspring of Holocaust Survivors" (*Journal of Psychiatric Research*, v. 42, n. 13, pp. 1.104-11, 2008).
30. R. Yehuda et al., "Transgenerational Effects of PTSD in Babies of Mothers Exposed to the WTC Attacks during Pregnancy". *Journal of Clinical Endocrinology and Metabolism*, v. 90, n. 7, pp. 4.115-8, 2005.
31. G. Saxe et al., "Relationship between Acute Morphine and the Course of PTSD in Children with Burns". *Journal of the American Academy of Child & Adolescent Psychiatry*, v. 40, n. 8, pp. 915-21, 2001. Ver também G. N. Saxe et al., "Pathways to PTSD, Part I: Children with Burns" (*American Journal of Psychiatry*, v. 162, n. 7, pp. 1299-304, 2005).
32. C. M. Chemtob, Y. Nomura e R. A. Abramovitz, "Impact of Conjoined Exposure to the World Trade Center Attacks and to Other Traumatic Events on the Behavioral Problems of Preschool Children". *Archives of Pediatrics and Adolescent Medicine*, v. 162, n. 2, pp. 126, 2008. Ver também P. J. Landrigan et al., "Impact of September 11 World Trade Center Disaster on Children and Pregnant Women" (*Mount Sinai Journal of Medicine*, v. 75, n. 2, pp. 129-34, 2008).
33. D. Finkelhor, R. K. Ormrod e H. A. Turner, "Polyvictimization and Trauma in a National Longitudinal Cohort". *Development and Psychopathology*, v. 19, n. 1,

pp. 149-66, 2007; J. D. Ford et al., "Poly-victimization and Risk of Posttraumatic, Depressive e Substance Use Disorders and Involvement in Delinquency in a National Sample of Adolescents". *Journal of Adolescent Health*, v. 46, n. 6, pp. 545-52, 2010; J. D. Ford et al., "Clinical Significance of a Proposed Development Trauma Disorder Diagnosis: Results of an International Survey of Clinicians". *Journal of Clinical Psychiatry*, v. 74, n. 8, pp. 841-9, 2013.

34. Family Pathways Project, <www.challiance.org/academics/ familypathwaysproject. aspx>.
35. K. Lyons-Ruth e D. Block, "The Disturbed Caregiving System: Relations among Childhood Trauma, Maternal Caregiving, and Infant Affect and Attachment". *Infant Mental Health Journal*, v. 17, n. 3, pp. 257-75, 1996.
36. K. Lyons-Ruth, "The Two-Person Construction of Defenses: Disorganized Attachment Strategies, Unintegrated Mental States, and Hostile/Helpless Relational Processes". *Journal of Infant, Child, and Adolescent Psychotherapy*, v. 2, p. 105, 2003.
37. G. Whitmer, "On the Nature of Dissociation". *Psychoanalytic Quarterly*, v. 70, n. 4, pp. 807-37, 2001. Ver também K. Lyons-Ruth, "The Two-Person Construction of Defenses: Disorganized Attachment Strategies, Unintegrated Mental States, and Hostile/ Helpless Relational Processes", op. cit., pp. 107-19.
38. M. S. Ainsworth e J. Bowlby, "An Ethological Approach to Personality Development". *American Psychologist*, v. 46, n. 4, pp. 333-41, 1991.
39. K. Lyons-Ruth e D. Jacobvitz, 1999; M. Main, op. cit.; K. Lyons-Ruth, "Dissociation and the Parent-Infant Dialogue: A Longitudinal Perspective from Attachment Research". *Journal of the American Psychoanalytic Association*, v. 51, n. 3, pp. 883-911, 2003.
40. L. Dutra et al., "Quality of Early Care and Childhood Trauma: A Prospective Study of Developmental Pathways to Dissociation". *Journal of Nervous and Mental Disease*, v. 197, n. 6, p. 383, 2009. Ver também K. Lyons-Ruth et al., "Borderline Symptoms and Suicidality/Self-Injury in Late Adolescence: Prospectively Observed Relationship Correlates in Infancy and Childhood" (*Psychiatry Research*, v. 206, n. 2-3, pp. 273-81, 2013).
41. Para uma meta-análise das contribuições relativas do apego desorganizado e dos maus-tratos a crianças, ver C. Schuengel et al., "Frightening Maternal Behavior Linking Unresolved Loss and Disorganized Infant Attachment" (*Journal of Consulting and Clinical Psychology*, v. 67, n. 1, p. 54, 1999).
42. K. Lyons-Ruth e D. Jacobvitz, "Attachment Disorganization: Genetic Factors, Parenting Contexts and Developmental Transformation from Infancy to Adulthood". In: J. Cassidy e R. Shaver (orgs.), *Handbook of Attachment: Theory, Research, and Clinical Applications*. 2. ed. Nova York: Guilford, 2008, pp. 666-97. Ver também E. O'Connor et al., "Risks and Outcomes Associated with Disorganized/Controlling Patterns of Attachment at Age Three Years in the National Institute of Child Health & Human Development Study of Early Child Care and Youth Development" (*Infant Mental Health Journal*, v. 32, n. 4, pp. 450-72, 2011); e K. Lyons-Ruth et al., op. cit.
43. Dispomos hoje de poucas informações sobre os fatores que afetam a evolução dessas primeiras anormalidades regulatórias, porém é provável que eventos intervenientes, a qualidade de outras relações e, talvez, até fatores genéticos as modifiquem no decorrer do tempo. Obviamente, é fundamental estudar o grau em que o cuidado consistente e concentrado de crianças com histórico de abuso e negligência pode modificar sistemas biológicos.
44. E. Warner et al., "Can the Body Change the Score? Application of Sensory Modulation Principles in the Treatment of Traumatized Adolescents in Residential Settings". *Journal of Family Violence*, v. 28, n. 7, pp. 729-38, 2003.

8. IMOBILIZAÇÃO EM RELACIONAMENTOS: O CUSTO DO ABUSO E DA NEGLIGÊNCIA

1. W. H. Auden, *The Double Man*. Nova York: Random House, 1941.
2. S. N. Wilson et al., "Phenotype of Blood Lymphocytes in PTSD Suggests Chronic Immune Activation". *Psychosomatics*, v. 40, n. 3, pp. 222-5, 1999. Ver também M. Uddin et al., "Epigenetic and Immune Function Profiles Associated with Posttraumatic Stress Disorder" (*Proceedings of the National Academy of Sciences of the United States of America*, v. 107, n. 20, pp. 9470-5, 2010); M. Altemus, M. Cloitre e F. S. Dhabhar, "Enhanced Cellular Immune Response in Women with PTSD Related to Childhood Abuse" (*American Journal of Psychiatry*, v. 160, n. 9, pp. 1.705-7, 2003); e N. Kawamura, Y. Kim e N. Asukai, "Suppression of Cellular Immunity in Men with a Past History of Posttraumatic Stress Disorder" (*American Journal of Psychiatry*, v. 158, n. 3, pp. 484-6, 2001).
3. R. Summit, "The Child Sexual Abuse Accommodation Syndrome". *Child Abuse & Neglect*, v. 7, n. 2, pp. 177-93, 1983.
4. Um estudo realizado na Universidade de Lausanne, na Suíça, usando a tecnologia de imagens por ressonância magnética funcional, comprovou que quando as pessoas têm essas experiências fora do corpo (ou de projeção da consciência), observando a si mesmas como se olhassem do teto, elas ativam o córtex temporal superior do cérebro. O. Blanke et al., "Linking Out-of-Body Experience and Self Processing to Mental Own-Body Imagery at the Temporoparietal Junction". *Journal of Neuroscience*, v. 25, n. 3, pp. 550-7, 2005. Ver também O. Blanke e T. Metzinger, "Full-Body Illusions and Minimal Phenomenal Selfhood" (*Trends in Cognitive Sciences*, v. 13, n. 1, pp. 7-13, 2009).
5. Quando um adulto usa uma criança para sua satisfação sexual, a criança se vê numa situação confusa e num conflito de lealdades: ao revelar o abuso, ela trai e magoa o perpetrador (que pode ser um adulto de quem a criança depende para sua segurança e proteção), mas ao ocultá-lo ela aumenta sua vergonha e sua vulnerabilidade. Esse dilema foi expresso pela primeira vez por Sándor Ferenczi, em 1933, em "The Confusion of Tongues between the Adult and the Child: The Language of Tenderness and the Language of Passion" (*International Journal of Psychoanalysis*, v. 30, n. 4, pp. 225-30, 1949), e foi explorado depois por numerosos autores.

9. O QUE O AMOR TEM A VER COM ISSO?

1. G. Greenberg, *The Book of Woe: The DSM and the Unmaking of Psychiatry*. Nova York: Penguin, 2013.
2. <www.thefreedictionary.com/diagnosis>.
3. O QAT está disponível na página do Trauma Center na Internet: <www.traumacenter.org/products/instruments.php>.
4. J. L. Herman, J. C. Perry e B. A. van der Kolk, "Childhood Trauma in Borderline Personality Disorder". *American Journal of Psychiatry*, v. 146, n. 4, pp. 490-5, 1989.
5. Teicher localizou mudanças importantes no córtex orbitofrontal, área cerebral envolvida na tomada de decisões e na regulação do comportamento ligado à sensibilidade a demandas sociais. M. H. Teicher et al., "The Neurobiological Consequences of Early Stress and Childhood Maltreatment". *Neuroscience & Biobehavioral Reviews*, v. 27, n. 1, pp. 33-44, 2003. Ver também M. H. Teicher,

"Scars That Won't Heal: The Neurobiology of Child Abuse" (*Scientific American*, v. 286, n. 3, pp. 54-61, 2002); M. Teicher et al., "Sticks, Stones, and Hurtful Words: Relative Effects of Various Forms of Childhood Maltreatment" (*American Journal of Psychiatry*, v. 163, n. 6, pp. 993-1.000, 2006); e A. Bechara et al., "Insensitivity to Future Consequences Following Damage to Human Prefrontal Cortex" (*Cognition*, v. 50, pp. 7-15, 1994). Lesões nessa área do cérebro geram sudorese excessiva, interações sociais deficientes, tendência compulsiva ao jogo e forte redução da capacidade de empatia. M. L. Kringelbach e E. T. Rolls, "The Functional Neuroanatomy of the Human Orbitofrontal Cortex: Evidence from Neuroimaging and Neuropsychology". *Progress in Neurobiology*, v. 72, pp. 341-72, 2004. Outra área problemática identificada por Teicher foi o pré-cúneo, envolvido na autocompreensão e na capacidade de levar em conta que as percepções de uma pessoa podem diferir das de outra. A. E. Cavanna e M. R. Trimble "The Precuneus: A Review of Its Functional Anatomy and Behavioural Correlates". *Brain*, v. 129, pp. 564-83, 2006.

6. S. Roth et al., "Complex PTSD in Victims Exposed to Sexual and Physical Abuse: Results from the *DSM-IV* Field Trial for Posttraumatic Stress Disorder". *Journal of Traumatic Stress*, v. 10, n. 4, pp. 539-55, 1997; B. A. van der Kolk et al., "Dissociation, Somatization, and Affect Dysregulation: The Complexity of Adaptation to Trauma". *American Journal of Psychiatry*, v. 153, n. 7, pp. 83-93, 1996; D. Pelcovitz et al., "Development of a Criteria Set and a Structured Interview for Disorders of Extreme Stress (SIDES)". *Journal of Traumatic Stress*, v. 10, n. 1, pp. 3-16, 1997; S. N. Ogata et al., "Childhood Sexual and Physical Abuse in Adult Patients with Borderline Personality Disorder". *American Journal of Psychiatry*, v. 147, n. 8, pp. 1.008-13, 1990; M. C. Zanarini, et al., "Axis I Comorbidity of Borderline Personality Disorder". *American Journal of Psychiatry*, v. 155, n. 12, pp. 1.733-9, 1998; S. L. Shearer et al., "Frequency and Correlates of Childhood Sexual and Physical Abuse Histories in Adult Female Borderline Inpatients". *American Journal of Psychiatry*, v. 147, n. 2, pp. 214-6, 1990; D. Westen et al., "Physical and Sexual Abuse in Adolescent Girls with Borderline Personality Disorder". *American Journal of Orthopsychiatry*, v. 60, n. 1, pp. 55-66, 1990; M. C. Zanarini et al., "Reported Pathological Childhood Experiences Associated with the Development of Borderline Personality Disorder". *American Journal of Psychiatry*, v. 154, n. 8, pp. 1.101-6, 1997.
7. J. Bowlby, *A Secure Base: Parent-Child Attachment and Healthy Human Development*. p. 103. Nova York: Basic, 2008.
8. B. A. van der Kolk, J. C. Perry e J. L. Herman, "Childhood Origins of Self-Destructive Behavior". *American Journal of Psychiatry*, v. 148, n. 12, pp. 1665-71, 1991.
9. Essa ideia também encontrou apoio no trabalho do neurocientista Jaak Panksepp, que constatou que ratinhos que não eram lambidos pelas mães durante a primeira semana de vida não adquiriam receptores de opioides no córtex cingulado anterior, uma parte do cérebro associada à afiliação e à sensação de segurança. Ver E. E. Nelson e J. Panksepp, "Brain Substrates of Infant-Mother Attachment: Contributions of Opioids, Oxytocin, and Norepinephrine" (*Neuroscience & Biobehavioral Reviews*, v. 22, n. 3, pp. 437-52, 1998). Ver também J. Panksepp et al., "Endogenous Opioids and Social Behavior" (*Neuroscience & Biobehavioral Reviews*, v. 4, n. 4, pp. 473-87, 1981); e J. Panksepp, E. Nelson e S. Siviy, "Brain Opioids and Mother-Infant Social Motivation" (*Acta Paediatrica*, v. 83, n. 397, pp. 40-6, 1994).
10. Entre os membros da delegação que se avistou com Robert Spitzer estavam também Judy Herman, Jim Chu e David Pelcovitz.
11. B. A. van der Kolk et al., "Disorders of Extreme Stress: The Empirical Foundation of a Complex Adaptation to Trauma". *Journal of Traumatic Stress*, v. 18, n. 5,

pp. 389-99, 2005. Ver também J. L. Herman, "Complex PTSD: A Syndrome in Survivors of Prolonged and Repeated Trauma" (*Journal of Traumatic Stress*, v. 5, n. 3, pp. 377-91, 1992); C. Zlotnick et al., "The Long-Term Sequelae of Sexual Abuse: Support for a Complex Posttraumatic Stress Disorder" (*Journal of Traumatic Stress*, v. 9, n. 2, pp. 195-205, 1996); S. Roth et al., op. cit.; e D. Pelcovitz, et al., op. cit.

12. B. C. Stolbach et al., "Complex Trauma Exposure and Symptoms in Urban Traumatized Children: A Preliminary Test of Proposed Criteria for Developmental Trauma Disorder". *Journal of Traumatic Stress*, v. 26, n. 4, pp. 483-91, 2013.
13. B. A. van der Kolk et al., "Dissociation, Somatization, and Affect Dysregulation: The Complexity of Adaptation to Trauma", op. cit. Ver também D. G. Kilpatrick et al., "Posttraumatic Stress Disorder Field Trial: Evaluation of the PTSD Construct – Criteria A Through E", em *DSM-IV Sourcebook*, v. 4 (Washington, DC: American Psychiatric Press, 1998), pp. 803-44; T. Luxenberg, J. Spinazzola e B. A. van der Kolk, "Complex Trauma and Disorders of Extreme Stress (DESNOS) Diagnosis, Part One: Assessment" (*Directions in Psychiatry*, v. 21, n. 25, pp. 373-92, 2001); e B. A. van der Kolk et al., "Disorders of Extreme Stress: The Empirical Foundation of a Complex Adaptation to Trauma", op. cit.
14. Esses quesitos estão disponíveis na página do ACE: <acestudy.org/>.
15. <www.cdc.gov/ace/findings.htm>; <acestudy.org/download>; V. Felitti et al., "Relationship of Childhood Abuse and Household Dysfunction to Many of the Leading Causes of Death in Adults: The Adverse Childhood Experiences (ACE) Study". *American Journal of Preventive Medicine*, v. 14, n. 4, pp. 245-58, 1998. Ver também R. Reading, "The Enduring Effects of Abuse and Related Adverse Experiences in Childhood: A Convergence of Evidence from Neurobiology and Epidemiology" (*Child: Care, Health and Development*, v. 32, n. 2, pp. 253-6, 2006); V. J. Edwards et al., "Experiencing Multiple Forms of Childhood Maltreatment and Adult Mental Health: Results from the Adverse Childhood Experiences (ACE) Study" (*American Journal of Psychiatry*, v. 160, n. 8, pp. 1453-60, 2003); S. R. Dube et al., "Adverse Childhood Experiences and Personal Alcohol Abuse as an Adult" (*Addictive Behaviors*, v. 27, n. 5, pp. 713-25, 2002); e S. R. Dube et al., "Childhood Abuse, Neglect, and Household Dysfunction and the Risk of Illicit Drug Use: The Adverse Childhood Experiences Study" (*Pediatrics*, v. 111, n. 3, pp. 564-72, 2003).
16. S. A. Strassels, "Economic Burden of Prescription Opioid Misuse and Abuse". *Journal of Managed Care Pharmacy*, v. 15, n. 7, pp. 556-62, 2009.
17. C. B. Nemeroff et al., "Differential Responses to Psychotherapy Versus Pharmacotherapy in Patients with Chronic Forms of Major Depression and Childhood Trauma". *Proceedings of the National Academy of Sciences of the United States of America*, v. 100, n. 24, pp. 14.293-6, 2003. Ver também C. Heim, P. M. Plotsky e C. B. Nemeroff, "Importance of Studying the Contributions of Early Adverse Experience to Neurobiological Findings in Depression" (*Neuropsychopharmacology*, v. 29, n. 4, pp. 641-8, 2004).
18. B. E. Carlson, "Adolescent Observers of Marital Violence". *Journal of Family Violence*, v. 5, n. 4, pp. 285-99, 1990. Ver também B. E. Carlson, "Children's Observations of Interparental Violence", em A. R. Roberts (Org.), *Battered Women and Their Families* (Nova York: Springer, 1984), pp. 147-67; J. L. Edleson, "Children's Witnessing of Adult Domestic Violence" (*Journal of Interpersonal Violence*, v. 14, n. 8, pp. 839-70, 1999); K. Henning et al., "Long-Term Psychological and Social Impact of Witnessing Physical Conflict between Parents" (*Journal of Interpersonal Violence*, v. 11, n. 1, pp. 35-51, 1996); E. N. Jouriles, C. M. Murphy e D. O'Leary, "Interpersonal Aggression, Marital Discord, and Child Problems" (*Journal of Consulting and*

Clinical Psychology, v. 57, n. 3, pp. 453-5, 1989); J. R. Kolko, E. H. Blakely e D. Engelman, "Children Who Witness Domestic Violence: A Review of Empirical Literature" (*Journal of Interpersonal Violence*, v. 11, n. 2, pp. 281-93, 1996); e J. Wolak e D. Finkelhor, "Children Exposed to Partner Violence", em J. L. Jasinski e L. Williams (orgs.), *Partner Violence: A Comprehensive Review of 20 Years of Research* (Thousand Oaks, CA: Sage, 1998).

19. A maioria dessas declarações se baseia em conversas com Vincent Felitti, transcritas por J. E. Stevens, "The Adverse Childhood Experiences Study: The Largest Public Health Study You Never Heard Of" (*Huffington Post*, 8 out. 2012), <www.huffingtonpost.com/jane-ellen-stevens/the-adverse-childhood-exp_1_b_1943647.html>.
20. Risco atribuível populacional: a proporção de casos que não ocorreriam numa população se o fator fosse eliminado.
21. National Cancer Institute, "Nearly 800,000 Deaths Prevented Due to Declines in Smoking" (comunicado à imprensa), 14 mar. 2012. Disponível em: <www.cancer.gov/newscenter/newsfromnci/2012/TobaccoControlCISNET>.

10. TRAUMA DE DESENVOLVIMENTO: A EPIDEMIA OCULTA

1. Esses casos fizeram parte do teste de campo que Julian Ford, Joseph Spinazzola e eu realizamos em conjunto.
2. H. J. Williams, M. J. Owen e M. C. O'Donovan, "Schizophrenia Genetics: New Insights from New Approaches". *British Medical Bulletin*, v. 91, n. 1, pp. 61-74, 2009. Ver também P. V. Gejman, A. R. Sanders e K. S. Kendler, "Genetics of Schizophrenia: New Findings and Challenges" (*Annual Review of Genomics and Human Genetics*, v. 12, pp. 121-44, 2011); e A. Sanders et al., "No Significant Association of 14 Candidate Genes with Schizophrenia in a Large European Ancestry Sample: Implications for Psychiatric Genetics" (*American Journal of Psychiatry*, v. 165, n. 4, pp. 497-506, 2008).
3. R. Yehuda et al., "Putative Biological Mechanisms for the Association between Early Life Adversity and the Subsequent Development of PTSD". *Psychopharmacology*, v. 212, n. 3, pp. 405-17, 2010; K. C. Koenen, "Genetics of Posttraumatic Stress Disorder: Review and Recommendations for Future Studies". *Journal of Traumatic Stress*, v. 20, n. 5, pp. 737-50, 2007; M. W. Gilbertson et al., "Smaller Hippocampal Volume Predicts Pathologic Vulnerability to Psychological Trauma". *Nature Neuroscience*, v. 5, n. 11, pp. 1.242-7, 2002.
4. K. C. Koenen, ibid. Ver também R. F. P. Broekman, M. Olff e F. Boer, "The Genetic Background to PTSD" (*Neuroscience & Biobehavioral Reviews*, v. 31, n. 3, pp. 348-62, 2007).
5. M. J. Meaney e A. C. Ferguson-Smith, "Epigenetic Regulation of the Neural Transcriptome: The Meaning of the Marks". *Nature Neuroscience*, v. 13, n. 11, pp. 1.313-1, 2010. Ver também M. J. Meaney, "Epigenetics and the Biological Definition of Gene × Environment Interactions" (*Child Development*, v. 81, n. 1, pp. 41-79, 2010); e B. M. Lester et al., "Behavioral Epigenetics" (*Annals of the New York Academy of Sciences*, v. 1226, n. 1, pp. 14-33, 2011).
6. M. Szyf, "The Early Life Social Environment and DNA Methylation: DNA Methylation Mediating the Long-Term Impact of Social Environments Early in Life". *Epigenetics*, v. 6, n. 8, pp. 971-8, 2011.
7. M. Szyf, P. McGowan e M. J. Meaney, "The Social Environment and the Epigenome". *Environmental and Molecular Mutagenesis*, v. 49, n. 1, pp. 46-60, 2008.

8. Dispomos hoje de grande número de provas de que as experiências de vida mudam a expressão genética. Alguns exemplos podem ser encontrados nas seguintes fontes: D. Mehta et al., "Childhood Maltreatment Is Associated with Distinct Genomic and Epigenetic Profiles in Posttraumatic Stress Disorder" (*Proceedings of the National Academy of Sciences of the United States of America*, v. 110, n. 20, pp. 8.302-7, 2013); P. O. McGowan et al., "Epigenetic Regulation of the Glucocorticoid Receptor in Human Brain Associates with Childhood Abuse" (*Nature Neuroscience*, v. 12, n. 3, pp. 342-8, 2009); M. N. Davies et al., "Functional Annotation of the Human Brain Methylome Identifies Tissue-Specific Epigenetic Variation across Brain and Blood" (*Genome Biology*, v. 13, n. 6, p. R43, 2012); M. Gunnar e K. Quevedo, "The Neurobiology of Stress and Development" (*Annual Review of Psychology*, v. 58, pp. 145-73, 2007); A. Sommershof et al., "Substantial Reduction of Naive and Regulatory T Cells Following Traumatic Stress" (*Brain, Behavior, and Immunity*, v. 23, n. 8, pp. 1.117-24, 2009); N. Provençal et al., "The Signature of Maternal Rearing in the Methylome in Rhesus Macaque Prefrontal Cortex and T Cells" (*Journal of Neuroscience*, v. 32, n. 44, pp. 15.626-42, 2012); B. Labonte et al., "Genome-wide Epigenetic Regulation by Early-Life Trauma" (*Archives of General Psychiatry*, v. 69, n. 7, pp. 722-31, 2012); A. K. Smith et al., "Differential Immune System DNA Methylation and Cytokine Regulation in Post-traumatic Stress Disorder" (*American Journal of Medical Genetics Part B: Neuropsychiatric Genetics*, v. 156B, n. 6, pp. 700-8, 2011); e M. Uddin et al., "Epigenetic and Immune Function Profiles Associated with Posttraumatic Stress Disorder" (*Proceedings of the National Academy of Sciences of the United States of America*, v. 107, n. 20, pp. 9.470-5, 2010).
9. C. S. Barr et al., "The Utility of the Non-human Primate Model for Studying Gene by Environment Interactions in Behavioral Research". *Genes, Brain and Behavior*, v. 2, n. 6, pp. 336-40, 2003.
10. A. J. Bennett et al., "Early Experience and Serotonin Transporter Gene Variation Interact to Influence Primate CNS Function". *Molecular Psychiatry*, v. 7, n. 1, pp. 118-22, 2002. Ver também C. S. Barr et al., "Interaction between Serotonin Transporter Gene Variation and Rearing Condition in Alcohol Preference and Consumption in Female Primates" (*Archives of General Psychiatry*, v. 61, n. 11, p. 1.146, 2004); e C. S. Barr et al., "Serotonin Transporter Gene Variation Is Associated with Alcohol Sensitivity in Rhesus Macaques Exposed to Early-Life Stress" (*Alcoholism: Clinical and Experimental Research*, v. 27, n. 5, pp. 812-7, 2003).
11. A. Roy et al., "Interaction of FKBP5, a Stress-Related Gene, with Childhood Trauma Increases the Risk for Attempting Suicide". *Neuropsychopharmacology*, v. 35, n. 8, pp. 1674-83, 2010. Ver também M. A. Enoch et al., "The Influence of GABRA2, Childhood Trauma and Their Interaction on Alcohol, Heroin and Cocaine Dependence" (*Biological Psychiatry*, v. 67, n. 1, pp. 20-7, 2010); e A. Roy et al., "Two HPA Axis Genes, CRHBP and FKBP5, Interact with Childhood Trauma to Increase the Risk for Suicidal Behavior" (*Journal of Psychiatric Research*, v. 46, n. 1, pp. 72-9, 2012).
12. A. S. Masten e D. Cicchetti, "Developmental Cascades". *Development and Psychopathology*, v. 22, n. 3, pp. 491-5, 2010; S. L. Toth et al., "Illogical Thinking and Thought Disorder in Maltreated Children". *Journal of the American Academy of Child & Adolescent Psychiatry*, v. 50, n. 7, pp. 659-68, 2011; J. Willis, "Building a Bridge from Neuroscience to the Classroom". *Phi Delta Kappan*, v. 89, n. 6, p. 424, 2008; I. M. Eigsti e D. Cicchetti, "The Impact of Child Maltreatment on Expressive Syntax at 60 Months". *Developmental Science*, v. 7, n. 1, pp. 88-102, 2004.

13. J. Spinazzola et al., "Survey Evaluates Complex Trauma Exposure, Outcome, and Intervention among Children and Adolescents". *Psychiatric Annals*, v. 35, n. 5, pp. 433-9, 2005.
14. R. C. Kessler, C. B. Nelson e K. A. McGonagle, "The Epidemiology of Co-occuring Addictive and Mental Disorders". *American Journal of Orthopsychiatry*, v. 66, n. 1, pp. 17-31, 1996. Ver também Institute of Medicine of the National Academies, *Treatment of Posttraumatic Stress Disorder* (Washington, DC: National Academies Press, 2008); e C. S. North et al., "Toward Validation of the Diagnosis of Posttraumatic Stress Disorder" (*American Journal of Psychiatry*, v. 166, n. 1, pp. 34-40, 2009).
15. J. Spinazzola et al., op. cit.
16. Nosso grupo de trabalho era formado pelos médicos Bob Pynoos, Frank Putnam, Glenn Saxe, Julian Ford, Joseph Spinazzola, Marylene Cloitre, Bradley Stolbach, Alexander McFarlane, Alicia Lieberman, Wendy D'Andrea, Martin Teicher e Dante Cicchetti.
17. Os critérios propostos para o transtorno de trauma de desenvolvimento constam do Apêndice.
18. <www.traumacenter.org/products/instruments.php>.
19. Mais informações sobre Sroufe podem ser obtidas em <www.cehd.umn.edu/icd/people/faculty/cpsy/sroufe.html>; e sobre o Estudo Longitudinal de Minnesota de Risco e Adaptação e suas publicações em <www.cehd.umn.edu/icd/research/parent-child/> e <www.cehd.umn.edu/icd/research/parent-child/publications/>. Ver também L. A. Sroufe et al., *The Development of the Person: The Minnesota Study of Risk and Adaptation from Birth to Adulthood* (Nova York: Guilford, 2005); e L. A. Sroufe, "Attachment and Development: A Prospective, Longitudinal Study from Birth to Adulthood" (*Attachment & Human Development*, v. 7, n. 4, pp. 349-67, 2005).
20. L. A. Sroufe et al., ibid. Karlen Lyons-Ruth, pesquisadora de Harvard, chegou a conclusões semelhantes depois de acompanhar um grupo de crianças durante 18 anos: o apego desorganizado, a inversão de papéis e a falta de comunicação materna aos 3 anos de idade foram os principais indicadores de que aos 18 anos a pessoa seria atendida pelo sistema de saúde mental ou de serviço social.
21. D. Jacobvitz e L. A. Sroufe, "The Early Caregiver-Child Relationship and Attention-Deficit Disorder with Hyperactivity in Kindergarten: A Prospective Study". *Child Development*, v. 58, n. 6, pp. 1.496-504, 1987.
22. G. H. Elder Jr., T. Van Nguyen e A. Caspi, "Linking Family Hardship to Children's Lives". *Child Development*, v. 56, n. 2, pp. 361-75, 1985.
23. No caso de crianças que sofriam maus-tratos físicos, a probabilidade de diagnóstico de transtorno de conduta ou de transtorno desafiador de oposição triplicava. A negligência ou o abuso sexual duplicava a probabilidade de apresentarem transtorno de ansiedade. O abuso sexual ou a ausência psicológica parental duplicava a probabilidade de TEPT. A probabilidade de diagnósticos múltiplos era de 54% para as crianças vítimas de negligência, de 60% para aquelas que sofriam maus-tratos físicos e de 73% para as vítimas de maus-tratos físicos e abuso sexual.
24. As palavras de Sroufe se basearam no trabalho de Emmy Werner, que durante quarenta anos, a partir de 1955, estudou 698 crianças nascidas na ilha de Kauai, no Havaí. O estudo mostrou que a maioria das crianças que cresciam em lares instáveis viria a enfrentar problemas de delinquência, saúde física e mental e estabilidade familiar. Um terço de todas as crianças em situação de alto risco mostrava resiliência e se transformava em adultos carinhosos, competentes e confiantes. Eram três os *fatores protetores*: ser uma criança simpática; haver um vínculo forte com um cuidador que não fosse pai ou mãe (como uma tia, uma babá ou uma professora); e ter

um forte envolvimento em grupos eclesiásticos ou comunitários. E. E. Werner e R. S. Smith, *Overcoming the Odds: High Risk Children from Birth to Adulthood*. Ithaca, NY: Cornell University Press, 1992.

25. P. K. Trickett, J. G. Noll e F. W. Putnam, "The Impact of Sexual Abuse on Female Development: Lessons from a Multigenerational, Longitudinal Research Study". *Development and Psychopathology*, v. 23, n. 2, pp. 453-76, 2011. Ver também J. G. Noll, P. K. Trickett e F. W. Putnam, "A Prospective Investigation of the Impact of Childhood Sexual Abuse on the Development of Sexuality" (*Journal of Consulting and Clinical Psychology*, v. 71, n. 3, pp. 575-86, 2003); P. K. Trickett, C. McBride-Chang e F. W. Putnam, "The Classroom Performance and Behavior of Sexually Abused Females" (*Development and Psychopathology*, v. 6, n. 1, pp. 183-94, 1994); P. K. Trickett e F. W. Putnam, *Sexual Abuse of Females: Effects in Childhood* (Washington, DC: National Institute of Mental Health, 1990-3); F. W. Putnam e P. K. Trickett, *The Psychobiological Effects of Child Sexual Abuse* (Nova York: W. T. Grant Foundation, 1987).

26. Nos 63 estudos sobre o transtorno disruptivo da desregulação do humor, ninguém fez uma pergunta sobre apego, TEPT, trauma, abuso infantil ou negligência. A palavra "maus-tratos" é usada, de passagem, em apenas um dos 63 artigos. Não há nada sobre cuidados parentais, dinâmica familiar ou terapia de família.

27. No apêndice no fim do *DSM*, aparecem os chamados códigos-V, rótulos diagnósticos sem ratificação oficial que não preenchem os requisitos para reembolso pelos seguros de saúde. Ali se encontram listagens relativas a abuso infantil, negligência de crianças, abuso físico de crianças e abuso sexual de crianças.

28. G. Greenberg, op. cit., p. 121.

29. No momento em que escrevo, o *DSM-5* ocupa o sétimo lugar na lista dos livros mais vendidos da Amazon. A Associação Americana de Psiquiatria ganhou 100 milhões de dólares com a edição anterior do *DSM*. As vendas do manual constituem, junto com contribuições da indústria farmacêutica e as taxas pagas por seus membros, a principal fonte de receita da entidade.

30. G. Greenberg, op. cit., p. 239.

31. Numa carta aberta à Associação Americana de Psiquiatria, David Elkins, presidente de uma das divisões da Associação Americana de Psicologia, queixou-se de que o *DSM-5* se baseava em "indícios duvidosos, displicência em relação à saúde pública e conceitualizações de transtornos mentais como fenômenos médicos". Sua carta foi enviada para 5 mil pessoas. O presidente da Associação Americana de Aconselhamento enviou uma carta ao presidente da AAP, em nome de seus 115 mil membros, adquirentes do *DSM-5*, objetando também à qualidade da ciência que embasava o manual, e instou a AAP a "tornar público o trabalho da comissão de revisão científica por ela nomeada para revisar as mudanças propostas", bem como a permitir uma avaliação de "todas as evidências e dados por grupos independentes e externos de peritos".

32. Antes Thomas Insel pesquisou a oxitocina, hormônio do apego, em primatas não humanos.

33. Instituto Nacional de Saúde Mental, "NIMH Research Domain Criteria (RDoC)", <www.nimh.nih.gov/research-priorities/rdoc/nimh-research-domain-criteria-r-doc.shtml>.

34. L. A. Sroufe et al., op. cit.

35. B. A. van der Kolk, "Developmental Trauma Disorder: Toward a Rational Diagnosis for Children with Complex Trauma Histories". *Psychiatric Annals*, v. 35, n. 5, pp. 401-8, 2005; W. D'Andrea et al., "Understanding Interpersonal Trauma in Children: Why We Need a Developmentally Appropriate Trauma Diagnosis". *American*

Journal of Orthopsychiatry, v. 82, n. 2, pp. 187-200, 2012; J. D. Ford et al., "Clinical Significance of a Proposed Developmental Trauma Disorder Diagnosis: Results of an International Survey of Clinicians". *Journal of Clinical Psychiatry*, v. 74, n. 8, pp. 841-9, 2013. Resultados atualizados do Teste de Campo do Transtorno de Trauma de Desenvolvimento podem ser acessados em <www.traumacenter.org>.

36. J. J. Heckman, "Skill Formation and the Economics of Investing in Disadvantaged Children". *Science*, v. 312, n. 5782, pp. 1.900-2, 2006.
37. D. Olds et al., "Long-Term Effects of Nurse Home Visitation on Children's Criminal and Antisocial Behavior: 15-Year Follow-up of a Randomized Controlled Trial". *Journal of the American Medical Association*, v. 280, n. 14, pp. 1238-44, 1998. Ver também J. Eckenrode et al., "Preventing Child Abuse and Neglect with a Program of Nurse Home Visitation: The Limiting Effects of Domestic Violence" (*Journal of the American Medical Association*, v. 284, n. 11, pp. 1.385-91, 2000); D. I. Lowell et al., "A Randomized Controlled Trial of Child FIRST: A Comprehensive Home-Based Intervention Translating Research into Early Childhood Practice" (*Child Development*, v. 82, n. 1, pp. 193-208, 2011); S. T. Harvey e J. E. Taylor, "A Meta-Analysis of the Effects of Psychotherapy with Sexually Abused Children and Adolescents" (*Clinical Psychology Review*, v. 30, n. 5, pp. 517-35, 2010); J. E. Taylor e S. T. Harvey, "A Meta-Analysis of the Effects of Psychotherapy with Adults Sexually Abused in Childhood" (*Clinical Psychology Review*, v. 30, n. 6, pp. 749-67, 2010); Olds, Henderson, Chamberlin & Tatelbaum, 1986; e B. C. Stolbach, et al., "Complex Trauma Exposure and Symptoms in Urban Traumatized Children: A Preliminary Test of Proposed Criteria for Developmental Trauma Disorder" (*Journal of Traumatic Stress*, v. 26, n. 4, pp. 483-91, 2013).

11. SEGREDOS DESVENDADOS: O PROBLEMA DA LEMBRANÇA TRAUMÁTICA

1. Ao contrário do que ocorre em consultas clínicas, nas quais se aplica a regra de confidencialidade entre médico e paciente, as avaliações forenses são documentos públicos, partilhados com advogados, tribunais e corpos de jurados. Antes de fazer uma avaliação forense, advirto os clientes disso e os aviso de que nada do que me disserem poderá ser mantido em segredo.
2. K. A. Lee et al., "A 50-Year Prospective Study of the Psychological Sequelae of World War II Combat". *American Journal of Psychiatry*, v. 152, n. 4, pp. 516-22, 1995.
3. J. L. McGaugh e M. L. Hertz, *Memory Consolidation*. São Francisco: Albion, 1972; L. Cahill e J. L. McGaugh, "Mechanisms of Emotional Arousal and Lasting Declarative Memory". *Trends in Neurosciences*, v. 21, n. 7, pp. 294-9, 1998.
4. A. F. Arnsten et al., "α-1 Noradrenergic Receptor Stimulation Impairs Prefrontal Cortical Cognitive Function". *Biological Psychiatry*, v. 45, n. 1, pp. 26-31, 1999. Ver também A. F. Arnsten, "Enhanced: The Biology of Being Frazzled" (*Science*, v. 280, n. 5370, pp. 1711-2, 1998); e S. Birnbaum et al., "A Role for Norepinephrine in Stress-Induced Cognitive Deficits: α-1-adrenoceptor Mediation in the Prefrontal Cortex" (*Biological Psychiatry*, v. 46, n. 9, pp. 1.266-74, 1999).
5. Y. D. Van der Werf et al., "Contributions of Thalamic Nuclei to Declarative Memory Functioning". *Cortex* v. 39, n. 4-5, pp. 1047-62, 2003. Ver também B. M. Elzinga e J. D. Bremner, "Are the Neural Substrates of Memory the Final Common Pathway in Posttraumatic Stress Disorder (PTSD)?" (*Journal of Affective Disorders*, v. 70, n. 1, pp. 1-17, 2002); L. M. Shin et al., "A Functional Magnetic Resonance Imaging Study

of Amygdala and Medial Prefrontal Cortex Responses to Overtly Presented Fearful Faces in Posttraumatic Stress Disorder" (*Archives of General Psychiatry*, v. 62, n. 3, pp. 273-81, 2005); L. M. Williams et al., op. cit.; R. A. Lanius et al., "Brain Activation During Script-Driven Imagery Induced Dissociative Responses in PTSD: A Functional Magnetic Resonance Imaging Investigation" (*Biological Psychiatry*, v. 52, pp. 305-311, 2002); H. D Critchley, C. J. Mathias e R. J. Dolan, "Fear Conditioning in Humans: The Influence of Awareness and Autonomic Arousal on Functional Neuroanatomy" (*Neuron*, v. 33, n. 4, pp. 653-63, 2002); M. Beauregard, J. Levesque e P. Bourgouin, "Neural Correlates of Conscious Self-Regulation of Emotion" (*Journal of Neuroscience*, v. 21, n. 18, p. RC165, 2001); K. N. Ochsner et al., "For Better or for Worse: Neural Systems Supporting the Cognitive Down-and Up-Regulation of Negative Emotion" (*NeuroImage*, v. 23, n. 2, pp. 483-99, 2004); M. A. Morgan, L. M. Romanski e J. E. LeDoux, op. cit.; M. R. Milad e G. J. Quirk, "Neurons in Medial Prefrontal Cortex Signal Memory for Fear Extinction" (*Nature*, v. 420, n. 6.911, pp. 70-4, 2002); e J. Amat et al., "Medial Prefrontal Cortex Determines How Stressor Controllability Affects Behavior and Dorsal Raphe Nucleus" (*Nature Neuroscience*, v. 8, pp. 365-71, 2005).

6. B. A. van der Kolk e R. Fisler, "Dissociation and the Fragmentary Nature of Traumatic Memories: Overview and Exploratory Study". *Journal of Traumatic Stress*, v. 8, n. 4, pp. 505-25, 1995.
7. Definição dada pelo Free Dictionary, <www.thefreedictionary.com/hysteria>.
8. A. Young, *The Harmony of Illusions: Inventing Post-traumatic Stress Disorder*. Princeton, NJ: Princeton University Press, 1997. Ver também H. F. Ellenberger, *The Discovery of the Unconscious: The History and Evolution of Dynamic Psychiatry* (Nova York: Basic, 2008).
9. T. Ribot, *Diseases of Memory*. Nova York: Appleton, 1887, pp. 108-9; H. F. Ellenberger, ibid.
10. J. Breuer e S. Freud, "The Physical Mechanisms of Hysterical Phenomena". In: S. Freud, *The Standard Edition of the Complete Psychological Works of Sigmund Freud*. Londres: Hogarth, 1893.
11. A. Young, op. cit.
12. J. L. Herman, *Trauma and Recovery*. Nova York: Basic, 1997, p. 15.
13. A. Young, op. cit. Ver também J. M. Charcot, *Clinical Lectures on Certain Diseases of the Nervous System*, v. 3 (Londres: New Sydenham Society, 1888).
14. <en.wikipedia.org/wiki/File:Jean-Martin_Charcot_chronophotography.jpg>.
15. P. Janet, *L'Automatisme psychologique*. Paris: Félix Alcan, 1889.
16. Onno van der Hart, que me apresentou o trabalho de Janet, talvez seja o maior conhecedor da obra desse pioneiro. Tive a felicidade de colaborar estreitamente com ele na síntese das ideias básicas de Janet. B. A. van der Kolk e O. van der Hart, "Pierre Janet and the Breakdown of Adaptation in Psychological Trauma". *American Journal of Psychiatry*, v. 146, n. 12, pp. 1530-40, 1989; B. A. van der Kolk e O. van der Hart, "The Intrusive Past: The Flexibility of Memory and the Engraving of Trauma". *Imago*, v. 48, n. 4, pp. 425-54, 1991.
17. P. Janet, "L'Amnésie et la dissociation des souvenirs par l'émotion". *Journal de Psychologie*, v. 1, pp. 417-53, 1904.
18. Id., *Psychological Healing*. Nova York: Macmillan, 1925, p. 660.
19. Id., *L'Etat mental des hystériques*. 2. ed. Paris: Félix Alcan, 1911; reimp. Marselha: Lafitte Reprints, 1983; P. Janet, *The Major Symptoms of Hysteria*. Londres e Nova York: Macmillan, 1907; reimp. Nova York: Hafner, 1965; P. Janet, *L'Évolution de la mémoire et de la notion du temps*. Paris: A. Chahine, 1928.

20. J. L. Titchener, "Post-traumatic Decline: A Consequence of Unresolved Destructive Drives". In: C. R. Figley (org.), *Trauma and Its Wake*. Nova York: Brunner/Mazel, 1986, pp. 5-19. v. 2: Traumatic Stress Theory, Research, and Intervention.
21. J. Breuer e S. Freud, "The Physical Mechanisms of Hysterical Phenomena", op. cit.
22. S. Freud e J. Breuer, "The Etiology of Hysteria". In: S. Freud, *Standard Edition of the Complete Psychological Works of Sigmund Freud*. Org. de J. Strachy. Londres: Hogarth, 1962, pp. 189-221. v. 3.
23. S. Freud, "Three Essays on the Theory of Sexuality", em *Standard Edition of the Complete Psychological Works of Sigmund Freud*, v. 7 (Londres: Hogarth, 1962), pp. 190: "O ressurgimento da atividade sexual é determinado por causas internas e por contingências externas [...]. Terei de discorrer em breve sobre as causas internas; *nesse período as contingências externas acidentais ganham importância forte e duradoura* [grifo de Freud]. *No primeiro plano encontramos os efeitos da sedução, que prematuramente trata uma criança como objeto sexual* e lhe ensina, em circunstâncias carregadas de emoção, a obter satisfação a partir de suas zonas genitais, uma satisfação que comumente a criança é então obrigada a repetir inúmeras vezes por meio da masturbação. Uma influência dessa espécie pode originar-se ou de adultos ou de outras crianças. *Não posso admitir que em meu ensaio 'A etiologia da histeria' (1896c) eu tenha exagerado a frequência ou a importância dessa influência*, embora não soubesse então que pessoas que permanecem normais pudessem ter passado pelas mesmas experiências na infância, e embora, consequentemente, eu tenha exagerado a importância da sedução em comparação com os fatores de constituição e desenvolvimento sexuais. É óbvio que a sedução não se faz necessária para despertar a vida sexual de uma criança; isso pode também ocorrer de maneira espontânea, a partir de causas internas". S. Freud, "Introductory Lectures in Psycho-analysis", em *Standard Edition* (1916), p. 370: as fantasias de sedução são de particular interesse, pois com frequência não são fantasias, mas lembranças.
24. Id., *Inhibitions Symptoms and Anxiety* (1914), p. 150. Ver também *Standard Edition of the Complete Psychological Works*.
25. B. A. van der Kolk, *Psychological Trauma*. Washington, DC: American Psychiatric Press, 1986.
26. Id., "The Compulsion to Repeat the Trauma". *Psychiatric Clinics of North America*, v. 12, n. 2, pp. 389-411, 1989.

12. O INSUSTENTÁVEL PESO DA LEMBRANÇA

1. A. Young, op. cit., p. 84.
2. F. W. Mott, "Special Discussion on Shell Shock without Visible Signs of Injury". *Proceedings of the Royal Society of Medicine*, v. 9, pp. i-xliv, 1916. Ver também C. S. Myers, "A Contribution to the Study of Shell Shock" (*The Lancet*, v. 185, n. 4.772, pp. 316-20, 1915); T. W. Salmon, *The Care and Treatment of Mental Diseases and War Neuroses ("Shell Shock") in the British Army* (Nova York: The National Committee for Mental Hygiene, 1917), pp. 509-47; e E. Jones e S. Wessely, *Shell Shock to PTSD: Military Psychiatry from 1900 to the Gulf* (Hove, UK: Psychology Press, 2005).
3. J. Keegan, *The First World War*. Nova York: Random House, 2011.
4. A. D. Macleod, "Shell Shock, Gordon Holmes and the Great War". *Journal of the Royal Society of Medicine*, v. 97, n. 2, pp. 86-9, 2004; M. Eckstein, *Rites of Spring: The Great War and the Birth of the Modern Age*. Boston: Houghton Mifflin, 1989.

5. Lord Southborough, *Report of the War Office Committee of Enquiry into "Shell-Shock"*. Londres: His Majesty's Stationery Office, 1922.
6. Pat Barker, ganhadora do Prêmio Booker, escreveu uma comovente trilogia sobre o trabalho de W. H. R. Rivers, psiquiatra do Exército: *Regenaration* (Londres: Penguin, 2008), *The Eye in the Door* (Nova York: Penguin, 1995) e *The Ghost Road* (Londres: Penguin, 2008). Outras análises posteriores à Primeira Guerra Mundial podem ser encontradas em A. Young, op. cit. e B. Shephard, *A War of Nerves, Soldiers and Psychiatrists 1914-1994* (Londres: Jonathan Cape, 2000).
7. J. H. Bartlett, *The Bonus March and the New Deal*. Chicago: M. A. Donohue, 1937; R. Daniels, *The Bonus March: An Episode of the Great Depression*. Westport, CT: Greenwood, 1971.
8. E. M. Remarque, *All Quiet on the Western Front*. Trad. de A. W. Wheen. Londres: GP Putnam's Sons, 1929. [Ed. bras.: *Nada de novo no front*. Porto Alegre: L&PM, 2004].
9. Ibid., pp. 192-3.
10. Mais informações em <motlc.wiesenthal.com/site/pp.asp?c= gvKVLcMVIuG& b= 395007>.
11. C. S. Myers, *Shell Shock in France 1914-1918*. Cambridge, UK: Cambridge University Press, 1940.
12. A. Kardiner, *The Traumatic Neuroses of War*. Nova York: Hoeber, 1941.
13. <en.wikipedia.org/wiki/Let_There_Be_Light_(film)>.
14. G. Greer e J. Oxenbould, *Daddy, We Hardly Knew You*. Londres: Penguin, 1990.
15. A. Kardiner e H. Spiegel, *War Stress and Neurotic Illness*. Oxford, UK: Hoeber, 1947.
16. D. J. Henderson, op. cit.
17. W. Sargent e E. Slater, "Acute War Neuroses". *The Lancet*, v. 236, n. 6.097, pp. 1-2, 1940. Ver também G. Debenham et al., "Treatment of War Neurosis" (*The Lancet*, v. 237, n. 6126, pp. 107-9, 1941); e W. Sargent e E. Slater, "Amnesic Syndromes in War" (*Proceedings of the Royal Society of Medicine* [Section of Psychiatry], v. 34, n. 12, pp. 757-64, 1941).
18. Todos os estudos científicos sobre a lembrança de abuso sexual infantil, tanto prospectivos como retrospectivos, quer se debrucem sobre amostras clínicas, quer analisem amostras populacionais, concluem que uma certa porcentagem de vítimas de abuso sexual esquece esse abuso e mais tarde se lembra deles. Ver, por exemplo, B. A. van der Kolk e R. Fisler, op. cit.; J. W. Hopper e B. A. van der Kolk, "Retrieving, Assessing e Classifying Traumatic Memories: A Preliminary Report on Three Case Studies of a New Standardized Method" (*Journal of Aggression, Maltreatment & Trauma*, v. 4, n. 2, pp. 33-71, 2001); J. J. Freyd e A. P. DePrince (orgs.), *Trauma and Cognitive Science* (Binghamton, NY: Haworth, 2001), pp. 33-71; A. P. DePrince e J. J. Freyd, "The Meeting of Trauma and Cognitive Science: Facing Challenges and Creating Opportunities at the Crossroads" (*Journal of Aggression, Maltreatment & Trauma*, v. 4, n. 2, pp. 1-8, 2001); D. Brown, A. W. Scheflin e D. Corydon Hammond, *Memory, Trauma Treatment and the Law* (Nova York: Norton, 1997); K. Pope e L. Brown, *Recovered Memories of Abuse: Assessment, Therapy, Forensics* (Washington, DC: Associação Americana de Psicologia, 1996); e L. Terr, *Unchained Memories: True Stories of Traumatic Memories, Lost and Found* (Nova York: Basic, 1994).
19. E. F. Loftus, S. Polonsky e M. T. Fullilove, "Memories of Childhood Sexual Abuse: Remembering and Repressing". *Psychology of Women Quarterly*, v. 18, n. 1, pp. 67-84, 1994; L. M. Williams, "Recall of Childhood Trauma: A Prospective Study of Women's Memories of Child Sexual Abuse". *Journal of Consulting and Clinical Psychology*, v. 62, n. 6, pp. 1167-76, 1994.
20. L. M. Williams, ibid.

21. Id., "Recovered Memories of Abuse in Women with Documented Child Sexual Victimization Histories". *Journal of Traumatic Stress*, v. 8, n. 4, pp. 649-73, 1995.
22. O renomado neurocientista Jaak Panksepp declarou num livro recente: "Inúmeros estudos pré-clínicos com modelos animais demonstraram que as lembranças recuperadas geralmente retornam aos bancos de memória com modificações". J. Panksepp e L. Biven, *The Archaeology of Mind: Neuroevolutionary Origins of Human Emotions*. Nova York: Norton, 2012. (Norton Series on Interpersonal Neurobiology).
23. E. F. Loftus, "The Reality of Repressed Memories". *American Psychologist*, v. 48, n. 5, pp. 518-37, 1993. Ver também E. F. Loftus e K. Ketcham, *The Myth of Repressed Memory: False Memories and Allegations of Sexual Abuse* (Nova York: Macmillan, 1996).
24. J. F. Kihlstrom, "The Cognitive Unconscious". *Science*, v. 237, n. 4.821, pp. 1.445-52, 1987.
25. E. F. Loftus, "Planting Misinformation in the Human Mind: A 30-Year Investigation of the Malleability of Memory". *Learning & Memory*, v. 12, n. 4, pp. 361-6, 2005.
26. B. A. van der Kolk e R. Fisler, op. cit.
27. Falarei mais a respeito disso no capítulo 14.
28. L. L. Langer, *Holocaust Testimonies: The Ruins of Memory*. New Haven, CT: Yale University Press, 1991.
29. Ibid., p. 5.
30. Ibid., p. 21.
31. Ibid., p. 34.
32. J. Osterman e B. A. van der Kolk, "Awareness during Anaesthesia and Posttraumatic Stress Disorder". *General Hospital Psychiatry*, v. 20, pp. 274-81, 1998. Ver também K. Kiviniemi, "Conscious Awareness and Memory during General Anesthesia" (*Journal of the American Association of Nurse Anesthetists*, v. 62, n. 5, pp. 441-9, 1994); A. D. Macleod e E. Maycock, "Awareness during Anaesthesia and Post Traumatic Stress Disorder" (*Anaesthesia and Intensive Care*, v. 20, n. 3, pp. 378-82, 1992); F. Guerra, "Awareness and Recall: Neurological and Psychological Complications of Surgery and Anesthesia", em B. T. Hindman (org.), *International Anesthesiology Clinics*, v. 24 (Boston: Little Brown, 1986), pp. 75-99; J. Eldor e D. Z. N. Frankel, "Intra-anesthetic Awareness" (*Resuscitation*, v. 21, pp. 113-9, 1991); e J. L. Breckenridge e A. R. Aitkenhead, "Awareness During Anaesthesia: A Review" (*Annals of the Royal College of Surgeons of England*, v. 65, n. 2, p. 93, 1983).

13. A CURA DO TRAUMA: A REALIZAÇÃO DE SEU POTENCIAL

1. "Autoliderança" é o termo usado por Dick Schwartz no modelo do Sistema Familiar Interno, tema do capítulo 17.
2. As exceções são os trabalhos de Pesso e Schwartz, detalhados nos capítulos 17 e 18, que utilizo e já me beneficiaram no âmbito pessoal, mas que não estudei cientificamente, pelo menos até agora.
3. A. F. Arnsten, "Enhanced: The Biology of Being Frazzled". *Science*, v. 280, n. 5.370, pp. 1.711-2, 1998; A. Arnsten, "Stress Signalling Pathways That Impair Prefrontal Cortex Structure and Function". *Nature Reviews Neuroscience*, v. 10, n. 6, pp. 410-22, 2009.
4. D. J. Siegel, *The Mindful Therapist: A Clinician's Guide to Mindsight and Neural Integration*. Nova York: Norton, 2010.

5. J. E. LeDoux, "Emotion Circuits in the Brain". *Annual Review of Neuroscience*, v. 23, n. 1, pp. 155-84, 2000. Ver também M. A. Morgan, L. M. Romanski e J. E. LeDoux, op. cit.; e J. M. Moscarello e J. E. LeDoux, "Active Avoidance Learning Requires Prefrontal Suppression of Amygdala-Mediated Defensive Reactions" (*Journal of Neuroscience*, v. 33, n. 9, pp. 3.815-23, 2013).
6. S. W. Porges, "Stress and Parasympathetic Control". In: G. Fink (Org.), *Stress Science: Neuroendocrinology*. San Diego, CA: Academic Press, 2010, pp. 306-12. Ver também S. W. Porges, "Reciprocal Influences between Body and Brain in the Perception and Expression of Affect", em *The Healing Power of Emotion: Affective Neuroscience, Development & Clinical Practice*, Norton Series on Interpersonal Neurobiology (Nova York: Norton, 2009), p. 27.
7. B. A. van der Kolk et al., "Yoga as an Adjunctive Treatment for PTSD". *Journal of Clinical Psychiatry*, v. 75, n. 6, pp. 559-65, 2014.
8. S. F. Fisher, *Neurofeedback in the Treatment of Developmental Trauma: Calming the Fear-Driven Brain*. Nova York: Norton, 2014.
9. R. P. Brown e P. L. Gerbarg, "Sudarshan Kriya Yogic Breathing in the Treatment of Stress, Anxiety e Depression – Part II: Clinical Applications and Guidelines". *Journal of Alternative & Complementary Medicine*, v. 11, n. 4, pp. 711-7, 2005. Ver também C. L. Mandle et al., "The Efficacy of Relaxation Response Interventions with Adult Patients: A Review of the Literature" (*Journal of Cardiovascular Nursing*, v. 10, n. 3, pp. 4-26, 1996); e M. Nakao et al., "Anxiety Is a Good Indicator for Somatic Symptom Reduction Through Behavioral Medicine Intervention in a Mind/Body Medicine Clinic" (*Psychotherapy and Psychosomatics*, v. 70, n. 1, pp. 50-7, 2001).
10. C. Hannaford, *Smart Moves: Why Learning Is Not All in Your Head*. Arlington, VA: Great Ocean, 1995, pp. 22.207-3.746.
11. J. Kabat-Zinn, *Full Catastrophe Living: Using the Wisdom of Your Body and Mind to Face Stress, Pain e Illness*. Nova York: Bantam, 2013. Ver também D. Fosha, D. J. Siegel e M. Solomon (orgs.), *The Healing Power of Emotion: Affective Neuroscience, Development & Clinical Practice*, Norton Series on Interpersonal Neurobiology (Nova York: Norton, 2011); e B. A. van der Kolk, "Posttraumatic Therapy in the Age of Neuroscience" (*Psychoanalytic Dialogues*, v. 12, n. 3, pp. 381-92, 2002).
12. Como vimos no capítulo 5, tomografias cerebrais de pessoas que sofrem de TEPT mostram uma ativação alterada em áreas associadas à rede padrão, envolvida com a memória autobiográfica e com a percepção contínua do self.
13. P. A. Levine, *In an Unspoken Voice*, op. cit.
14. P. Ogden, K. Minton e C. Pain, op. cit. Ver também A. Y. Shalev, "Measuring Outcome in Posttraumatic Stress Disorder" (*Journal of Clinical Psychiatry*, v. 61, supl. 5, pp. 33-42, 2000).
15. J. Kabat-Zinn, op. cit., p. xx.
16. S. G. Hofmann et al., "The Effect of Mindfulness-Based Therapy on Anxiety and Depression: A Meta-Analytic Review". *Journal of Consulting and Clinical Psychology*, v. 78, n. 2, pp. 169-83, 2010; J. D. Teasdale et al., "Prevention of Relapse/Recurrence in Major Depression by Mindfulness-Based Cognitive Therapy". *Journal of Consulting and Clinical Psychology*, v. 68, n. 4, pp. 615-23, 2000. Ver também B. K. Hölzel et al., "How Does Mindfulness Meditation Work? Proposing Mechanisms of Action from a Conceptual and Neural Perspective" (*Perspectives on Psychological Science*, v. 6, n. 6, pp. 537-59, 2011); e P. Grossman et al., "Mindfulness-Based Stress Reduction and Health Benefits: A Meta-Analysis" (*Journal of Psychosomatic Research*, v. 57, n. 1, pp. 35-43, 2004).

17. Os circuitos cerebrais envolvidos na meditação de atenção plena já foram bem descritos e melhoram a regulação da atenção, além de exercerem efeitos positivos sobre a interferência de reações emocionais em tarefas que exigem desempenho atento. Ver L. E. Carlson et al., "One Year Pre-Post Intervention Follow-up of Psychological, Immune, Endocrine and Blood Pressure Outcomes of Mindfulness-Based Stress Reduction (MBSR) in Breast and Prostate Cancer Outpatients" (*Brain, Behavior, and Immunity*, v. 21, n. 8, pp. 1038-49, 2007); e R. J. Davidson et al., "Alterations in Brain and Immune Function Produced by Mindfulness Meditation" (*Psychosomatic Medicine*, v. 65, n. 4, pp. 564-70, 2003).
18. Britta Hölzel e colaboradores fizeram amplas pesquisas sobre a meditação e a função cerebral e demonstraram que a meditação envolve o CPF dorsomedial, o CPF ventrolateral e o cingulado anterior rostral (ACC). Ver B. K. Hölzel et al., "Stress Reduction Correlates with Structural Changes in the Amygdala" (*Social Cognitive and Affective Neuroscience*, v. 5, n. 1, pp. 11-7, 2010); B. K. Hölzel et al., "Mindfulness Practice Leads to Increases in Regional Brain Gray Matter Density" (*Psychiatry Research*, v. 191, n. 1, pp. 36-43, 2011); B. K. Hölzel et al., "Investigation of Mindfulness Meditation Practitioners with Voxel-Based Morphometry", op. cit.; e B. K. Hölzel et al., "Differential Engagement of Anterior Cingulate and Adjacent Medial Frontal Cortex in Adept Meditators and Non-meditators" (*Neuroscience Letters*, v. 421, n. 1, pp. 16-21, 2007).
19. A principal estrutura cerebral envolvida na percepção corporal é a ínsula anterior. Ver A. D. Craig, "Interoception: The Sense of the Physiological Condition of the Body" (*Current Opinion on Neurobiology*, v. 13, n. 4, pp. 500-5, 2003); Critchley, Wiens, Rotshtein, Ohman e Dolan (2004); N. A. S. Farb et al., op. cit.; e J. A. Grant et al., "Cortical Thickness and Pain Sensitivity in Zen Meditators" (*Emotion*, v. 10, n. 1, pp. 43-53, 2010).
20. S. J. Banks et al., "Amygdala-Frontal Connectivity during Emotion-Regulation". *Social Cognitive and Affective Neuroscience*, v. 2, n. 4, pp. 303-12, 2007. Ver também M. R. Milad et al., "Thickness of Ventromedial Prefrontal Cortex in Humans Is Correlated with Extinction Memory" (*Proceedings of the National Academy of Sciences of the United States of America*, v. 102, n. 30, pp. 10.706-11, 2005); e S. L. Rauch, L. M. Shin e E. A. Phelps, "Neurocircuitry Models of Posttraumatic Stress Disorder and Extinction: Human Neuroimaging Research – Past, Present e Future" (*Biological Psychiatry*, v. 60, n. 4, pp. 376-82, 2006).
21. A. Freud e D. T. Burlingham, *War and Children*. Nova York: New York University Press, 1943.
22. As pessoas lidam com experiências traumatizantes de três maneiras: dissociação ("desligando-se", reprimindo o trauma), despersonalização (sensação de que não está acontecendo com elas) e desrealização (sensação de que o que está acontecendo não é real).
23. Meus colegas do Justice Resource Institute criaram um programa de tratamento residencial para adolescentes, o Centro Van der Kolk, na Academia Glenhaven, que põe em prática muitas das terapias de trauma mencionadas neste livro, como ioga, integração sensorial, neurofeedback e teatro. Ver <www.jri.org/ vanderkolk/ about>. O modelo abrangente de tratamento – apego, autorregulação e competência (*attachment, self-regulation and competency*, ARC) – foi elaborado por minhas colegas Margaret Blaustein e Kristine Kinneburgh. M. E. Blaustein e K. M. Kinniburgh, *Treating Traumatic Stress in Children and Adolescents: How to Foster Resilience Through Attachment, Self-Regulation, and Competency*. Nova York: Guilford, 2012.

24. C. K. Chandler, *Animal Assisted Therapy in Counseling*. Nova York: Routledge, 2011. Ver também A. J. Cleveland, "Therapy Dogs and the Dissociative Patient: Preliminary Observations" (*Dissociation*, v. 8, n. 4, pp. 247-52, 1995); e A. Fine, *Handbook on Animal Assisted Therapy: Theoretical Foundations and Guidelines for Practice* (San Diego, CA: Academic Press, 2010).
25. E. Warner et al., op. cit. Ver também A. J. Ayres, *Sensory Integration and Learning Disorders* (Los Angeles: Western Psychological Services, 1972); H. Hodgdon et al., "Development and Implementation of Trauma-Informed Programming in Residential Schools Using the ARC Framework" (*Journal of Family Violence*, v. 27, n. 8, 2013; J. LeBel et al., "Integrating Sensory and Trauma-Informed Interventions: A Massachusetts State Initiative, Part 1" (*Mental Health Special Interest Section Quarterly*, v. 33, n. 1, pp. 1-4, 2010).
26. Ao que tudo indica, elas ativaram o sistema vestibulocerebelar, que parece estar envolvido na autorregulação e talvez tivesse sido danificado pela forma como os cuidadores negligenciaram a menina no começo de sua vida.
27. A. R. Lyon e K. S. Budd, "A Community Mental Health Implementation of Parent-Child Interaction Therapy (PCIT)". *Journal of Child and Family Studies*, v. 19, n. 5, pp. 654-68, 2010. Ver também A. J. Urquiza e C. B. McNeil, "Parent-Child Interaction Therapy: An Intensive Dyadic Intervention for Physically Abusive Families" (*Child Maltreatment*, v. 1, n. 2, pp. 134-44, 1996); e J. Borrego Jr. e A. J. Urquiza, "Importance of Therapist Use of Social Reinforcement with Parents as a Model Parent-Child Interaction Therapy" (*Child and Family Behavior Therapy*, v. 20, n. 4, pp. 27-54, 1998).
28. B. A. van der Kolk et al., "Fluoxetine in Post Traumatic Stress Disorder", op. cit.
29. P. Ogden, K. Minton e C. Pain, op. cit.; P. Ogden e J. Fisher, *Sensorimotor Psychotherapy: Interventions for Trauma and Attachment*. Nova York: Norton, 2014.
30. P. Levine, *In an Unspoken Voice*, op. cit.
31. Para mais informações sobre o programa, ver <modelmugging.org/>.
32. S. Freud, *Remembering, Repeating, and Working Through* (*Further Recommendations on the Technique of Psychoanalysis II*). Ed. standard. Londres: Hogarth, 1914, p. 371. [Ed. bras.: *Recordar, repetir e elaborar: Novas recomendações sobre a técnica da psicanálise II. Edição Standard Brasileira das Obras Completas de Sigmund Freud*. Rio de Janeiro: Imago, 1996. v. 12.]
33. E. Santini, R. U. Muller e G. J. Quirk, "Consolidation of Extinction Learning Involves Transfer from NMDA-Independent to NMDA-Dependent Memory". *Journal of Neuroscience*, v. 21, n. 22, pp. 9.009-17, 2001.
34. E. B. Foa e M. J. Kozak, "Emotional Processing of Fear: Exposure to Corrective Information". *Psychological Bulletin*, v. 99, n. 1, pp. 20-35, 1986.
35. C. R. Brewin, "Implications for Psychological Intervention". In: J. J. Vasterling e C. R. Brewin (Orgs.), *Neuropsychology of PTSD: Biological, Cognitive, and Clinical Perspectives*. Nova York: Guilford, 2005, p. 272.
36. T. M. Keane, "The Role of Exposure Therapy in the Psychological Treatment of PTSD". *National Center for PTSD Clinical Quarterly*, v. 5, n. 4, pp. 1-6, 1995.
37. E. B. Foa e R. J. McNally, "Mechanisms of Change in Exposure Therapy". In: R. M. Rapee (Org.), *Current Controversies in the Anxiety Disorders*. Nova York: Guilford, 1996, pp. 329-43.
38. J. D. Ford e P. Kidd, "Early Childhood Trauma and Disorders of Extreme Stress as Predictors of Treatment Outcome with Chronic PTSD". *Journal of Traumatic Stress*, v. 11, n. 4, pp. 743-61, 1998. Ver também A. McDonagh-Coyle et al., "Randomized Trial of Cognitive-Behavioral Therapy for Chronic Posttraumatic Stress Disorder in Adult Female Survivors of Childhood Sexual Abuse" (*Journal

of Consulting and Clinical Psychology, v. 73, n. 3, pp. 515-24, 2005); Institute of Medicine of the National Academies, op. cit.; e R. Bradley et al., "A Multidimensional Meta-Analysis of Psychotherapy for PTSD" (*American Journal of Psychiatry*, v. 162, n. 2, pp. 214-27, 2005).

39. J. Bisson et al., "Psychological Treatments for Chronic Posttraumatic Stress Disorder: Systematic Review and Meta-Analysis". *British Journal of Psychiatry*, v. 190, n. 2, pp. 97-104, 2007. Ver também L. H. Jaycox, E. B. Foa e A. R. Morrall, "Influence of Emotional Engagement and Habituation on Exposure Therapy for PTSD" (*Journal of Consulting and Clinical Psychology*, v. 66, n. 1, pp. 185-92, 1998).
40. "Abandonos: em exposição prolongada (n = 53 [38%]); em terapia centrada no presente (n = 30 [21%]) (P =.002). O grupo de controle também teve um alto índice de baixas: dois óbitos (não suicídio), nove hospitalizações psiquiátricas e três tentativas de suicídio." P. P. Schnurr et al., "Cognitive Behavioral Therapy for Posttraumatic Stress Disorder in Women". *Journal of the American Medical Association*, v. 297, n. 8, pp. 820-30, 2007.
41. R. Bradley et al., "A Multidimensional Meta-Analysis of Psychotherapy for PTSD". *American Journal of Psychiatry*, v. 162, n. 2, pp. 214-27, 2005.
42. J. H. Jaycox e E. B. Foa, "Obstacles in Implementing Exposure Therapy for PTSD: Case Discussions and Practical Solutions". *Clinical Psychology and Psychotherapy*, v. 3, n. 3, pp. 176-84, 1996. Ver também E. B. Foa, D. Hearst-Ikeda e K. J. Perry, "Evaluation of a Brief Cognitive-Behavioral Program for the Prevention of Chronic PTSD in Recent Assault Victims" (*Journal of Consulting and Clinical Psychology*, v. 63, n. 6, pp. 948-55, 1995).
43. Comunicação pessoal de Alexander McFarlane.
44. R. K. Pitman et al., "Psychiatric Complications during Flooding Therapy for Posttraumatic Stress Disorder". *Journal of Clinical Psychiatry*, v. 52, n. 1, pp. 17-20, 1991.
45. J. Decety, K. J. Michalska e K. D. Kinzler, "The Contribution of Emotion and Cognition to Moral Sensitivity: A Neurodevelopmental Study". *Cerebral Cortex*, v. 22, n. 1, pp. 209-20, 2012; J. Decety e C. D. Batson, "Neuroscience Approaches to Interpersonal Sensitivity". *Social Neuroscience*, v. 2, n. 3-4, 2007.
46. K. H. Seal et al., "VA Mental Health Services Utilization in Iraq and Afghanistan Veterans in the First Year of Receiving New Mental Health Diagnoses". *Journal of Traumatic Stress*, v. 23, n. 1, pp. 5-16, 2010.
47. L. Jerome, "(+/-)-3,4-Methylenedioxymethamphetamine (MDMA, 'Ecstasy') Investigator's Brochure", dez. 2007. Disponível em: <www.maps.org/ research/ mdma/protocol/ib_mdma_ew08.pdf>. Acesso em: 16 ago. 2012.
48. J. H. Krystal et al. "Chronic 3, 4-Methylenedioxymethamphetamine (MDMA) Use: Effects on Mood and Neuropsychological Function?". *The American Journal of Drug and Alcohol Abuse*, v. 18, n. 3, pp. 331-41, 1992.
49. M. C. Mithoefer et al., "The Safety and Efficacy of ±3, 4-Methylenedioxymethamphetamine-Assisted Psychotherapy in Subjects with Chronic, Treatment-Resistant Posttraumatic Stress Disorder: The First Randomized Controlled Pilot Study". *Journal of Psychopharmacology*, v. 25, n. 4, pp. 439-52, 2011; M. C. Mithoefer et al., "Durability of Improvement in Post-traumatic Stress Disorder Symptoms and Absence of Harmful Effects or Drug Dependency after 3, 4-Methylenedioxymethamphetamine-Assisted Psychotherapy: A Prospective Long-Term Follow-up Study". *Journal of Psychopharmacology*, v. 27, n. 1, pp. 28-39, 2013.
50. J. D. Bremner, "Neurobiology of Post-traumatic Stress Disorder". In: R. S. Rynoos (Org.), *Posttraumatic Stress Disorder: A Critical Review*. Lutherville, MD: Sidran, 1994, pp. 43-64.

51. http://<cdn.nextgov.com/nextgov/interstitial.html?v=2.1.1&rf=http%3A% 2F%2F-www.nextgov.com%2Fhealth%2F2011%2F01%2Fmilitarys-drug-policy-threatens--troops-health-doctors-say%2F48321%2F>.
52. J. R. T. Davidson, "Drug Therapy of Post-traumatic Stress Disorder". *British Journal of Psychiatry*, v. 160, pp. 309-14, 1992. Ver também R. Famularo, R. Kinscherff e T. Fenton, "Propranolol Treatment for Childhood Posttraumatic Stress Disorder Acute Type" (*American Journal of Disorders of Childhood*, v. 142, n. 11, pp. 1.244-7, 1988); F. A. Fesler, "Valproate in Combat-Related Posttraumatic Stress Disorder" (*Journal of Clinical Psychiatry*, v. 52, n. 9, pp. 361-4, 1991); B. H. Herman et al., "Naltrexone Decreases Self-Injurious Behavior" (*Annals of Neurology*, v. 22, n. 4, pp. 530-4, 1987); e B. A. van der Kolk et al., "Fluoxetine in Posttraumatic Stress Disorder", op. cit.
53. B. van der Kolk et al., "A Randomized Clinical Trial of EMDR, Fluoxetine and Pill Placebo in the Treatment of PTSD: Treatment Effects and Long-Term Maintenance". *Journal of Clinical Psychiatry*, v. 68, n. 1, pp. 37-46, 2007.
54. R. A. Bryant et al., "Treating Acute Stress Disorder: An Evaluation of Cognitive Behavior Therapy and Supportive Counseling Techniques". *American Journal of Psychiatry*, v. 156, n. 11, pp. 1.780-86, 1999; N. P. Roberts et al., "Early Psychological Interventions to Treat Acute Traumatic Stress Symptoms". *Cochrane Database of Systematic Reviews*, v. 3, 2010.
55. Essas drogas incluem a prazosina, antagonista de receptor alfa$_1$, a clonidina, antagonista de receptor alfa$_2$, e o propranolol, antagonista de receptor beta. Ver M. J. Friedman e J. R. Davidson, "Pharmacotherapy for PTSD", em M. J. Friedman, T. M. Keane e P. A. Resick (orgs.), *Handbook of PTSD: Science and Practice* (Nova York: Guilford, 2007), p. 376.
56. M. A. Raskind et al., "A Parallel Group Placebo Controlled Study of Prazosin for Trauma Nightmares and Sleep Disturbance in Combat Veterans with Post-traumatic Stress Disorder". *Biological Psychiatry*, v. 61, n. 8, pp. 928-34, 2007; F. B. Taylor et al., "Prazosin Effects on Objective Sleep Measures and Clinical Symptoms in Civilian Trauma Posttraumatic Stress Disorder: A Placebo-Controlled Study". *Biological Psychiatry*, v. 63, n. 6, pp. 629-32, 2008.
57. O lítio, a lamotrigina, a carbamazepina, o divalproato, a gabapentina e o topiramato podem ajudar o controle da agressividade e da irritação decorrentes de trauma. Foi demonstrada a eficácia do valproato em vários casos de TEPT, inclusive de veteranos de combate com TEPT crônico. M. J. Friedman e J. R. Davidson, op. cit.; F. A. Fesler, op. cit. O estudo que se segue mostrou uma redução de 37,4% no TEPT: S. Akuchekian e S. Amanat, "The Comparison of Topiramate and Placebo in the Treatment of Posttraumatic Stress Disorder: A Randomized, Double-Blind Study" (*Journal of Research in Medical Sciences*, v. 9, n. 5, pp. 240-4, 2004).
58. G. Bartzokis et al., "Adjunctive Risperidone in the Treatment of Chronic Combat--Related Posttraumatic Stress Disorder". *Biological Psychiatry*, v. 57, n. 5, pp. 474-9, 2005. Ver também D. B. Reich et al., "A Preliminary Study of Risperidone in the Treatment of Posttraumatic Stress Disorder Related to Childhood Abuse in Women" (*Journal of Clinical Psychiatry*, v. 65, n. 12, pp. 1.601-6, 2004).
59. Os outros métodos incluem intervenções que em geral ajudam vítimas de trauma a dormir, como o antidepressivo trazodona, aplicativos de áudios binaurais, máquinas de luz e som como Proteus (<www.brainmachines.com>), monitores de variabilidade de frequência cardíaca (VFC) como hearthmath (<www.heartmath.com/>) e iRest, uma eficaz intervenção baseada na ioga (<www.irest.us/>).
60. D. Wilson, "Child's Ordeal Shows Risks of Psychosis Drugs for Young". *New York*

Times, 1 set. 2010. Disponível em: <www.nytimes.com/2010/09/02/ business/ 02kids.html?agewanted= all&_r=0>.
61. M. Olfson et al., "National Trends in the Office-Based Treatment of Children, Adolescents and Adults with Antipsychotics", *Archives of General Psychiatry*, v. 69, n. 12, pp. 1.247-56, 2012.
62. E. Harris et al., "Perspectives on Systems of Care: Concurrent Mental Health Therapy among Medicaid-Enrolled Youths Starting Antipsychotic Medications". *FOCUS*, v. 10, n. 3, pp. 401-7, 2012.
63. B. A. van der Kolk, "The Body Keeps the Score: Memory and the Evolving Psychobiology of Posttraumatic Stress", op. cit.
64. B. Brewin, "Mental Illness Is the Leading Cause of Hospitalization for Active-Duty Troops". Nextgov.com, 17 maio. 2012. Disponível em: <www.nextgov.com/health/2012/05/mental-illness-leading-cause-hospitalization-active-duty-troops/55797/>.
65. Gastos com remédios para saúde mental, Departamento de Assuntos dos Veteranos. <www.veterans.senate.gov/imo/media/doc/For%20the%20Record% 20the% 20CCHR%204.30.14.pdf>.

14. LINGUAGEM: MILAGRE E TIRANIA

1. Comunicação do dr. Spencer Eth a Bessel A. van der Kolk, mar. 2002.
2. J. Breuer e S. Freud, "The Physical Mechanisms of Hysterical Phenomena", op. cit.; J. Breuer e S. Freud, *Studies on Hysteria*. Nova York: Basic, 2009.
3. T. E. Lawrence, *Seven Pillars of Wisdom*. Nova York: Doubleday, 1935. [Ed. bras.: *Os sete pilares da sabedoria*. Rio de Janeiro: Record, 1935.]
4. E. B. Foa et al., "The Posttraumatic Cognitions Inventory (PTCI): Development and Validation". *Psychological Assessment*, v. 11, n. 3, pp. 303-14, 1999.
5. K. Marlantes, *What It Is Like to Go to War*. Nova York: Grove, 2011.
6. Ibid., p. 114.
7. Ibid., p. 129.
8. H. Keller, *The World I Live In* [1908]. Org. de R. Shattuck. Nova York: NYRB Classics, 2004. Ver também R. Shattuck, "A World of Words" (*New York Review of Books*, 26 fev. 2004).
9. H. Keller, *The Story of My Life*. Org. de R. Shattuck e D. Herrmann. Nova York: Norton, 2003. [Ed. bras.: *A história de minha vida*. Rio de Janeiro: José Olympio, 2008.]
10. W. M. Kelley et al., "Finding the Self? An Event-Related fMRI Study". *Journal of Cognitive Neuroscience*, v. 14, n. 5, pp. 785-94, 2002. Ver também N. A. Farb et al., op. cit.; P. M. Niedenthal, "Embodying Emotion" (*Science*, v. 316, n. 5.827, pp. 1.002-5, 2007); e J. M. Allman, "The Anterior Cingulate Cortex" (*Annals of the New York Academy of Sciences*, v. 935, n. 1, pp. 107-17, 2001).
11. J. Kagan, diálogo com o Dalai-Lama, Instituto de Tecnologia de Massachusetts, 2006. Disponível em: <www.mindandlife.org/about/history/>.
12. A. Goldman e F. de Vignemont, "Is Social Cognition Embodied?". *Trends in Cognitive Sciences*, v. 13, n. 4, pp. 154-9, 2009. Ver também A. D. Craig, "How Do You Feel – Now? The Anterior Insula and Human Awareness" (*Nature Reviews Neuroscience*, v. 10, n. 1, pp. 59-70, 2009); H. D. Critchley, "Neural Mechanisms of Autonomic, Affective, and Cognitive Integration" (*Journal of Comparative Neurology*, v. 493, n. 1, pp. 154-66, 2005); T. D. Wager et al., "Prefrontal-Subcortical Pathways Mediating

Successful Emotion Regulation" (*Neuron*, v. 59, n. 6, pp. 1.037-50, 2008); K. N. Ochsner et al., "Rethinking Feelings: An fMRI Study of the Cognitive Regulation of Emotion" (*Journal of Cognitive Neuroscience*, v. 14, n. 8, pp. 1215-29, 2002); A. D'Argembeau et al., "Self-Reflection Across Time: Cortical Midline Structures Differentiate between Present and Past Selves" (*Social Cognitive and Affective Neuroscience*, v. 3, n. 3, pp. 244-52, 2008); Y. Ma et al., "Sociocultural Patterning of Neural Activity During Self-Reflection" (*Social Cognitive and Affective Neuroscience*, v. 9, n. 1, pp. 73-80, 2014); R. N. Spreng, R. A. Mar e A. S. Kim, "The Common Neural Basis of Autobiographical Memory, Prospection, Navigation, Theory of Mind e the Default Mode: A Quantitative Meta-Analysis" (*Journal of Cognitive Neuroscience*, v. 21, n. 3, pp. 489-510, 2009); H. D. Critchley, "The Human Cortex Responds to an Interoceptive Challenge" (*Proceedings of the National Academy of Sciences of the United States of America*, v. 101, n. 17, pp. 6333-4, 2004); e C. Lamm, C. D. Batson e J. Decety, "The Neural Substrate of Human Empathy: Effects of Perspective-Taking and Cognitive Appraisal" (*Journal of Cognitive Neuroscience*, v. 19, n. 1, pp. 42-58, 2007).
13. J. W. Pennebaker, *Opening Up: The Healing Power of Expressing Emotions*. Nova York: Guilford, 2012, p. 12.
14. Ibid., p. 19.
15. Ibid., p. 35.
16. Ibid., p. 50.
17. J. W. Pennebaker, J. K. Kiecolt-Glaser e R. Glaser, "Disclosure of Traumas and Immune Function: Health Implications for Psychotherapy". *Journal of Consulting and Clinical Psychology*, v. 56, n. 2, pp. 239-45, 1988.
18. D. A. Harris, "Dance/Movement Therapy Approaches to Fostering Resilience and Recovery among African Adolescent Torture Survivors". *Torture*, v. 17, n. 2, pp. 134-55, 2007; M. Bensimon, D. Amir e Y. Wolf, "Drumming Through Trauma: Music Therapy with Post-traumatic Soldiers". *Arts in Psychotherapy*, v. 35, n. 1, pp. 34-48, 2008; M. Weltman, "Movement Therapy with Children Who Have Been Sexually Abused". *American Journal of Dance Therapy*, v. 9, n. 1, pp. 47-66, 1986; H. Englund, "Death, Trauma and Ritual: Mozambican Refugees in Malawi". *Social Science & Medicine*, v. 46, n. 9, pp. 1.165-74, 1998; H. Tefferi, "Building on Traditional Strengths: The Unaccompanied Refugee Children from South Sudan". In: D. Tolfree (org.), *Restoring Playfulness: Different Approaches to Assisting Children Who Are Psychologically Affected by War or Displacement*. Estocolmo: Rädda Barnen, 1996, pp. 158-73; N. Boothby, "Mobilizing Communities to Meet the Psychosocial Needs of Children in War and Refugee Crises". In: R. Apfel e B. Simon (orgs.), *Minefields in Their Hearts: The Mental Health of Children in War and Communal Violence*. New Haven, CT: Yale University Press, 1996, pp. 149-64; S. Sandel, S. Chaiklin e A. Lohn, *Foundations of Dance/Movement Therapy: The Life and Work of Marian Chace*. Columbia, MD: Associação Americana de Dançaterapia, 1993; K. Callaghan, "Movement Psychotherapy with Adult Survivors of Political Torture and Organized Violence". *Arts in Psychotherapy*, v. 20, n. 5, pp. 411-21, 1993; A. E. L. Gray, "The Body Remembers: Dance Movement Therapy with an Adult Survivor of Torture". *American Journal of Dance Therapy*, v. 23, n. 1, pp. 29-43, 2001.
19. A. M. Krantz e J. W. Pennebaker, "Expressive Dance, Writing, Trauma, and Health: When Words Have a Body". *Whole Person Healthcare*, v. 3, pp. 201-29, 2007.
20. P. Fussell, *The Great War and Modern Memory*. Londres: Oxford University Press, 1975.
21. Essas descobertas foram corroboradas pelos seguintes estudos: J. D. Bremner, "Does Stress Damage the Brain?" (*Biological Psychiatry*, v. 45, n. 7, pp. 797-805, 1999); I.

Liberzon et al., "Brain Activation in PTSD in Response to Trauma-Related Stimuli" (*Biological Psychiatry*, v. 45, n. 7, pp. 817-26, 1999); L. M. Shin et al., "Visual Imagery and Perception in Posttraumatic Stress Disorder: A Positron Emission Tomographic Investigation" (*Archives of General Psychiatry*, v. 54, n. 3, pp. 233-41, 1997); L. M. Shin et al., "Regional Cerebral Blood Flow during Script-Driven Imagery in Childhood Sexual Abuse-Related PTSD: A PET Investigation" (*American Journal of Psychiatry*, v. 156, n. 4, pp. 575-84, 1999).

22. Não sei ao certo se essa expressão foi criada por mim ou por Peter Levine. Tenho um vídeo no qual ele a atribui a mim, porém aprendi com ele a maior parte do que sei de pendulação.
23. Um certo conjunto de indícios respalda a alegação de que a exposição/estimulação de acupontos leva a melhores resultados e a estratégias de exposição que incorporam técnicas de relaxamento convencionais (<www.vetcases.com>). D. Church et al., "Single-Session Reduction of the Intensity of Traumatic Memories in Abused Adolescents After EFT: A Randomized Controlled Pilot Study", op. cit.; D. Feinstein e D. Church, op. cit.
24. T. Gil et al., "Cognitive Functioning in Post-traumatic Stress Disorder". *Journal of Traumatic Stress*, v. 3, n. 1, pp. 29-45, 1990; J. J. Vasterling et al., "Attention, Learning, and Memory Performances and Intellectual Resources in Vietnam Veterans: PTSD and No Disorder Comparisons". *Neuropsychology*, v. 16, n. 1, p. 5, 2002.
25. Num estudo com neuroimagens, vítimas de TEPT desativaram a área cerebral da fala, a área de Broca, em resposta a palavras neutras. Ou seja, a redução da área de Broca funcional, que havíamos observado em pacientes de TEPT (ver capítulo 3), não ocorria apenas em resposta a memórias traumáticas, mas também quando eles eram solicitados a prestar atenção a palavras neutras. Isso significa que, como grupo, indivíduos traumatizados têm mais dificuldade em articular o que sentem e pensam sobre fatos comuns. O grupo de TEPT apresentava desativação também do córtex pré-frontal medial, a área do lobo frontal que, como vimos, transmite a percepção de *self* e reduz a ativação da amídala, que age como um detector de fumaça. Isso lhes tornava mais difícil reprimir a reação de medo do cérebro em resposta a uma tarefa simples de linguagem e, além disso, focar a atenção e tocar a vida. Ver K. A. Moores, C. R. Clark, A. C. McFarlane, G. C. Brown, A. Puce e D. J. Taylor, "Abnormal Recruitment of Working Memory Updating Networks during Maintenance of Trauma-Neutral Information in Post-traumatic Stress Disorder" (*Psychiatry Research: Neuroimaging*, v. 163, n. 2, pp. 156-70, 2008).
26. J. Breuer e S. Freud, "The Physical Mechanisms of Hysterical Phenomena", op. cit.
27. D. L. Schacter, *Searching for Memory*. Nova York: Basic, 1996.

15. DESFAZENDO-SE DO PASSADO: A EMDR

1. F. Shapiro, *EMDR: The Breakthrough Eye Movement Therapy for Overcoming Anxiety, Stress and Trauma*. Nova York: Basic, 2004.
2. B. A. van der Kolk et al., "A Randomized Clinical Trial of EMDR, Fluoxetine, and Pill Placebo in the Treatment of PTSD: Treatment Effects and Long-Term Maintenance", op. cit.
3. J. G. Carlson et al., "Eye Movement Desensitization and Reprocessing (EDMR) Treatment for Combat-Related Posttraumatic Stress Disorder". *Journal of Traumatic Stress*, v. 11, n. 1, pp. 3-24, 1998.

4. J. D. Payne et al., "Sleep Increases False Recall of Semantically Related Words in the Deese-Roediger-McDermott Memory Task". *Sleep*, v. 29, p. A373, 2006.
5. B. A. van der Kolk e C. P. Ducey, op. cit.
6. M. Jouvet, *The Paradox of Sleep: The Story of Dreaming*. Trad. de Laurence Garey. Cambridge, MA: MIT Press, 1999.
7. R. Greenwald, "Eye Movement Desensitization and Reprocessing (EMDR): A New Kind of Dreamwork?". *Dreaming*, v. 5, n. 1, pp. 51- 5, 1995.
8. R. Cartwright et al., "REM Sleep Reduction, Mood Regulation and Remission in Untreated Depression". *Psychiatry Research*, v. 121, n. 2, pp. 159-67, 2003. Ver também R. Cartwright et al., "Role of REM Sleep and Dream Affect in Overnight Mood Regulation: A Study of Normal Volunteers" (*Psychiatry Research*, v. 81, n. 1, pp. 1-8, 1998).
9. R. Greenberg, C. A. Pearlman e D. Gampel, "War Neuroses and the Adaptive Function of REM Sleep". *British Journal of Medical Psychology*, v. 45, n. 1, pp. 27-33, 1972. Ramon Greenberg e Chester Pearlman, bem como nosso laboratório, verificaram que os veteranos acordavam assim que entravam num período de sono REM. Muitos traumatizados usam o álcool para induzir o sono e, com isso, não desfrutam dos benefícios dos sonhos (a integração e a transformação das lembranças), que poderiam facilitar a resolução do TEPT.
10. B. van der Kolk et al., "Nightmares and Trauma: A Comparison of Nightmares After Combat with Lifelong Nightmares in Veterans", op. cit.
11. N. Breslau et al., "Sleep Disturbance and Psychiatric Disorders: A Longitudinal Epidemiological Study of Young Adults". *Biological Psychiatry*, v. 39, n. 6, pp. 411-8, 1996.
12. R. Stickgold et al., "Sleep-Induced Changes in Associative Memory". *Journal of Cognitive Neuroscience*, v. 11, n. 2, pp. 182-93, 1999. Ver também R. Stickgold, "Of Sleep, Memories and Trauma" (*Nature Neuroscience*, v. 10, n. 5, pp. 540-2, 2007); e B. Rasch et al., "Odor Cues During Slow-Wave Sleep Prompt Declarative Memory Consolidation" (*Science*, v. 315, n. 5817, pp. 1.426-9, 2007).
13. E. J. Wamsley et al., "Dreaming of a Learning Task Is Associated with Enhanced Sleep-Dependent Memory Consolidation". *Current Biology*, v. 20, n. 9, pp. 850-5, 11 maio 2010.
14. R. Stickgold, "Sleep-Dependent Memory Consolidation". *Nature*, v. 437, pp. 1272-8, 2005.
15. R. Stickgold et al., op. cit.
16. J. Williams et al., "Bizarreness in Dreams and Fantasies: Implications for the Activation-Synthesis Hypothesis". *Consciousness and Cognition*, v. 1, n. 2, pp. 172-85, 1992. Ver também Stickgold et al., op. cit.
17. M. P. Walker et al., "Cognitive Flexibility Across the Sleep-Wake Cycle: REM-Sleep Enhancement of Anagram Problem Solving". *Cognitive Brain Research*, v. 14, pp. 317-24, 2002.
18. R. Stickgold, "EMDR: A Putative Neurobiological Mechanism of Action". *Journal of Clinical Psychology*, v. 58, n. 1, pp. 61-75, 2002.
19. Há vários estudos que mostram como os movimentos oculares ajudam a processar e transformar as lembranças traumáticas. M. Sack et al., "Alterations in Autonomic Tone During Trauma Exposure Using Eye Movement Desensitization and Reprocessing (EMDR): Results of a Preliminary Investigation". *Journal of Anxiety Disorders*, v. 22, n. 7, pp. 1264-71, 2008; B. Letizia, F. Andrea e C. Paolo, "Neuroanatomical Changes After Eye Movement Desensitization and Reprocessing (EMDR) Treatment in Posttraumatic Stress Disorder". *The Journal of Neuropsychiatry and Clinical Neurosciences*, v. 19, n. 4, pp. 475-6, 2007; P. Levin, S. Lazrove e B. van der

Kolk, "What Psychological Testing and Neuroimaging Tell Us About the Treatment of Posttraumatic Stress Disorder by Eye Movement Desensitization and Reprocessing". *Journal of Anxiety Disorders*, v. 13, n. 1-2, pp. 159-72, 1999; M. L. Harper, T. Rasolkhani Kalhorn e J. F. Drozd, "On the Neural Basis of EMDR Therapy: Insights from QEEG Studies. *Traumatology*, v. 15, n. 2, pp. 81-95, 2009; K. Lansing, D. G. Amen, C. Hanks e L. Rudy, "High-Resolution Brain SPECT Imaging and Eye Movement Desensitization and Reprocessing in Police Officers with PTSD". *The Journal of Neuropsychiatry and Clinical Neurosciences*, v. 17, n. 4, pp. 526-32, 2005; T. Ohtani, K. Matsuo, K. Kasai, T. Kato e N. Kato, "Hemodynamic Responses of Eye Movement Desensitization and Reprocessing in Posttraumatic Stress Disorder". *Neuroscience Research*, v. 65, n. 4, pp. 375-83, 2009; M. Pagani, G. Högberg, D. Salmaso, D. Nardo, O. Sundin, C. Jonsson e T. Hällström, "Effects of EMDR Psychotherapy on ^{99m}Tc-HMPAO Distribution in Occupation-Related Post-Traumatic Stress Disorder". *Nuclear Medicine Communications*, v. 28, n. 10, pp. 757-65, 2007; H. P. Söndergaard e U. Elofsson, "Psychophysiological Studies of EMDR". *Journal of EMDR Practice and Research*, v. 2, n. 4, pp. 282-8, 2008.

16. SENSAÇÃO DE SEGURANÇA EM SEU CORPO: IOGA

1. A acupuntura e a acupressão costumam ser utilizadas por médicos que tratam de trauma, e começam a ser objetos de estudos sistemáticos visando ao tratamento do TEPT clínico. M. Hollifield et al., "Acupuncture for Posttraumatic Stress Disorder: A Randomized Controlled Pilot Trial". *Journal of Nervous and Mental Disease*, v. 195, n. 6, pp. 504-13, 2007. Segundo estudos feitos com imagens de ressonância magnética funcional para medir os efeitos da acupuntura sobre as áreas do cérebro associadas ao medo, o método produz uma rápida regulação dessas regiões cerebrais. K. K. Hui et al., "The Integrated Response of the Human Cerebro-Cerebellar and Limbic Systems to Acupuncture Stimulation at ST 36 as Evidenced by fMRI". *NeuroImage*, v. 27, n. 3, pp. 479-96, 2005; J. Fang et al., "The Salient Characteristics of the Central Effects of Acupuncture Needling: Limbic-Paralimbic-Neocortical Network Modulation". *Human Brain Mapping*, v. 30, n. 4, pp. 1.196- 206, 2009; D. Feinstein, "Rapid Treatment of PTSD: Why Psychological Exposure with Acupoint Tapping May Be Effective". *Psychotherapy: Theory, Research, Practice, Training*, v. 47, n. 3, pp. 385-402, 2010; D. Church et al., "Psychological Trauma Symptom Improvement in Veterans Using EFT (Emotional Freedom Techniques): A Randomized Controlled Trial". *Journal of Nervous and Mental Disease*, v. 201, n. 2, pp. 153-60, 2013; D. Church, G. Yount e A. J. Brooks, "The Effect of Emotional Freedom Techniques (EFT) on Stress Biochemistry: A Randomized Controlled Trial". *Journal of Nervous and Mental Disease*, v. 200, n. 10, pp. 891-96, 2012; R. P. Dhond, N. Kettner e V. Napadow, "Neuroimaging Acupuncture Effects in the Human Brain". *Journal of Alternative and Complementary Medicine*, v. 13, n. 6, pp. 603-16, 2007; K. K. Hui et al., "Acupuncture Modulates the Limbic System and Subcortical Gray Structures of the Human Brain: Evidence from fMRI Studies in Normal Subjects". *Human Brain Mapping*, v. 9, n. 1, pp. 13-25, 2000.
2. M. Sack, J. W. Hopper e F. Lamprecht, "Low Respiratory Sinus Arrhythmia and Prolonged Psychophysiological Arousal in Posttraumatic Stress Disorder: Heart Rate Dynamics and Individual Differences in Arousal Regulation". *Biological Psychiatry*, v. 55, n. 3, pp. 284-90, 2004. Ver também H. Cohen et al., "Analysis of Heart Rate Variability in Posttraumatic Stress Disorder Patients in Response to a Trauma-Related

Reminder" (*Biological Psychiatry*, v. 44, n. 10, pp. 1054-9, 1998); H. Cohen, et al., "Long-Lasting Behavioral Effects of Juvenile Trauma in an Animal Model of PTSD Associated with a Failure of the Autonomic Nervous System to Recover" (*European Neuropsychopharmacology*, v. 17, n. 6, pp. 464-77, 2007); e H. Wahbeh e B. S. Oken, "Peak High-Frequency HRV and Peak Alpha Frequency Higher in PTSD" (*Applied Psychophysiology and Biofeedback*, v. 38, n. 1, pp. 57-69, 2013).

3. J. W. Hopper et al., "Preliminary Evidence of Parasympathetic Influence on Basal Heart Rate in Posttraumatic Stress Disorder". *Journal of Psychosomatic Research*, v. 60, n. 1, pp. 83-90, 2006.

4. Trabalhos de Arieh Shalev na Escola de Medicina Hadassah, em Jerusalém, e experimentos de Roger Pitman, em Harvard, também apontaram nessa direção: A. Y. Shalev et al., "Auditory Startle Response in Trauma Survivors with Posttraumatic Stress Disorder: A Prospective Study" (*American Journal of Psychiatry*, v. 157, n. 2, pp. 255-61, 2000); R. K. Pitman et al., "Psychophysiologic Assessment of Posttraumatic Stress Disorder Imagery in Vietnam Combat Veterans" (*Archives of General Psychiatry*, v. 44, n. 11, pp. 970-5, 1987); A. Y. Shalev et al., "A Prospective Study of Heart Rate Response Following Trauma and the Subsequent Development of Posttraumatic Stress Disorder" (*Archives of General Psychiatry*, v. 55, n. 6, pp. 553-9, 1998).

5. P. Lehrer, Y. Sasaki e Y. Saito, "Zazen and Cardiac Variability". *Psychosomatic Medicine*, v. 61, n. 6, pp. 812-21, 1999. Ver também R. Sovik, "The Science of Breathing: The Yogic View" (*Progress in Brain Research*, v. 122, pp. 491-505, 1999); P. Philippot, G. Chapelle e S. Blairy, "Respiratory Feedback in the Generation of Emotion" (*Cognition & Emotion*, v. 16, n. 5, pp. 605-27, 2002); A. Michalsen et al., "Rapid Stress Reduction and Anxiolysis among Distressed Women as a Consequence of a Three-Month Intensive Yoga Program" (*Medical Science Monitor*, v. 11, n. 12, pp. 555-61, 2005); G. Kirkwood et al., "Yoga for Anxiety: A Systematic Review of the Research Evidence" (*British Journal of Sports Medicine*, v. 39, n. 12, pp. 884-91, 2005); K. Pilkington et al., "Yoga for Depression: The Research Evidence" (*Journal of Affective Disorders*, v. 89, n. 1-3, pp. 13-24, 2005); e P. Gerbarg e R. Brown, "Yoga: A Breath of Relief for Hurricane Katrina Refugees" (*Current Psychiatry*, v. 4, n. 10, pp. 55-67, 2005).

6. B. Cuthbert et al., "Strategies of Arousal Control: Biofeedback, Meditation, and Motivation". *Journal of Experimental Psychology*, v. 110, n. 4, pp. 518-46, 1981. Ver também S. B. S. Khalsa, "Yoga as a Therapeutic Intervention: A Bibliometric Analysis of Published Research Studies" (*Indian Journal of Physiology and Pharmacology*, v. 48, n. 3, pp. 269-85, 2004); M. M. Delmonte, "Meditation as a Clinical Intervention Strategy: A Brief Review" (*International Journal of Psychosomatics*, v. 33, n. 3, pp. 9-12, 1986); I. Becker, "Uses of Yoga in Psychiatry and Medicine", em P. R. Muskin (org.), *Complementary and Alternative Medicine and Psychiatry* (Washington, DC: American Psychiatric Press, 2008); L. Bernardi et al., "Slow Breathing Reduces Chemoreflex Response to Hypoxia and Hypercapnia, and Increases Baroreflex Sensitivity" (*Journal of Hypertension*, v. 19, n. 12, pp. 2221-9, 2001); R. P. Brown e P. L. Gerbarg, "Sudarshan Kriya Yogic Breathing in the Treatment of Stress, Anxiety e Depression – Part I: Neurophysiologic Model" (*Journal of Alternative and Complementary Medicine*, v. 11, n. 1, pp. 189-201, 2005); R. P. Brown e P. L. Gerbarg, "Sudarshan Kriya Yogic Breathing in the Treatment of Stress, Anxiety and Depression – Part II: Clinical Applications and Guidelines", op. cit.; C. C. Streeter et al., "Yoga Asana Sessions Increase Brain GABA Levels: A Pilot Study" (*Journal of Alternative and Complementary Medicine*, v. 13, n. 4, pp. 419-26, 2007); e C. C. Streeter et al., "Effects of Yoga versus Walking on Mood, Anxiety, and Brain GABA Levels: A Randomized Controlled MRS Study" (*Journal of Alternative and Complementary Medicine*, v. 16, n. 11, pp. 1.145-52, 2010).

7. Dezenas de artigos científicos mostram os efeitos positivos da ioga em várias afecções médicas. Segue-se uma breve amostra: S. B. Khalsa, op. cit.; P. Grossman et al., "Mindfulness-Based Stress Reduction and Health Benefits: A Meta-Analysis" (*Journal of Psychosomatic Research*, v. 57, n. 1, pp. 35-43, 2004); K. Sherman et al., "Comparing Yoga, Exercise and a Self-Care Book for Chronic Low Back Pain: A Randomized, Controlled Trial" (*Annals of Internal Medicine*, v. 143, n. 12, pp. 849-56, 2005); K. A. Williams et al., "Effect of Iyengar Yoga Therapy for Chronic Low Back Pain" (*Pain*, v. 115, n. 1-2, pp. 107-17, 2005); R. B. Saper, et al., "Yoga for Chronic Low Back Pain in a Predominantly Minority Population: A Pilot Randomized Controlled Trial" (*Alternative Therapies in Health and Medicine*, v. 15, n. 6, pp. 18-27, 2009); e J. W. Carson et al., "Yoga for Women with Metastatic Breast Cancer: Results from a Pilot Study" (*Journal of Pain and Symptom Management*, v. 33, n. 3, pp. 331-41, 2007).
8. B. A. van der Kolk et al., "Yoga as an Adjunctive Therapy for PTSD", op. cit.
9. Uma empresa da Califórnia, a HeartMath, criou dispositivos interessantes e jogos de computador, divertidos e eficazes, para ajudar a obter uma melhor VFC. Até o presente ninguém fez pesquisas sistemáticas que determinassem se dispositivos simples como os criados pela HeartMath podem reduzir os sintomas de TEPT, mas isso é bem provável. (Ver <www.heartmath.org>.)
10. Existem no iTunes, enquanto escrevo, 24 aplicativos que afirmam ser capazes de ajudar a aumentar a VFC, como emWave, HeartMath e GPs4Soul.
11. B. A. van der Kolk, "Clinical Implications of Neuroscience Research in PTSD", op. cit.
12. S. Telles et al., "Alterations of Auditory Middle Latency Evoked Potentials During Yogic Consciously Regulated Breathing and Attentive State of Mind". *International Journal of Psychophysiology*, v. 14, n. 3, pp. 189-98, 1993. Ver também P. L. Gerbarg, "Yoga and Neuro-Psychoanalysis", em F. S. Anderson (Org.), *Bodies in Treatment: The Unspoken Dimension* (Nova York: Analytic, 2008), pp. 127-50.
13. D. Emerson e E. Hopper, *Overcoming Trauma Through Yoga: Reclaiming Your Body*. Berkeley: North Atlantic, 2011.
14. A. Damásio, *The Feeling of What Happens*, op. cit.
15. "Interocepção" é o nome científico dessa capacidade básica de sentir a si mesmo. Estudos com imagens cerebrais de pessoas traumatizadas mostram reiteradamente problemas nas áreas do cérebro relacionadas à autopercepção física, sobretudo na ínsula. J. W. Hopper et al., "Neural Correlates of Reexperiencing, Avoidance, and Dissociation in PTSD: Symptom Dimensions and Emotion Disregulation in Responses to Script-Driven Trauma Imagery" *Journal of Traumatic Stress*, v. 20, n. 5, pp. 713-25, 2007. Ver também I. A. Strigo et al., "Neural Correlates of Altered Pain Response in Women with Posttraumatic Stress Disorder from Intimate Partner Violence" (*Biological Psychiatry*, v. 68, n. 5, pp. 442-50, 2010); G. A. Fonzo et al., "Exaggerated and Disconnected Insular-Amygdalar Blood Oxygenation Level-Dependent Response to Threat-Related Emotional Faces in Women with Intimate-Partner Violence Posttraumatic Stress Disorder" (*Biological Psychiatry*, v. 68, n. 5, pp. 433-41, 2010); P. A. Frewen et al., "Social Emotions and Emotional Valence During Imagery in Women with PTSD: Affective and Neural Correlates" (*Psychological Trauma: Theory, Research, Practice and Policy*, v. 2, n. 2, pp.145-57, 2010); K. Felmingham et al., "Dissociative Responses to Conscious and Non-conscious Fear Impact Underlying Brain Function in Post-traumatic Stress Disorder" (*Psychological Medicine*, v. 38, n. 12, pp. 1771-80, 2008); A. N. Simmons, et al., "Functional Activation and Neural Networks in Women with

Posttraumatic Stress Disorder Related to Intimate Partner Violence" (*Biological Psychiatry*, v. 64, n. 8, pp. 681-90, 2008); R. J. L. Lindauer et al., "Effects of Psychotherapy on Regional Cerebral Blood Flow During Trauma Imagery in Patients with Post-traumatic Stress Disorder: A Randomized Clinical Trial" (*Psychological Medicine*, v. 38, n. 4, pp. 543-54, 2008); e A. Etkin e T. D. Wager, "Functional Neuroimaging of Anxiety: A Meta-Analysis of Emotional Processing in PTSD, Social Anxiety Disorder, and Specific Phobia" (*American Journal of Psychiatry*, v. 164, n. 10, pp.1.476-88, 2007).

16. J. C. Nemiah e P. E. Sifneos, "Psychosomatic Illness: A Problem in Communication". *Psychotherapy and Psychosomatics*, v. 18, n. 1-6, pp. 154-60, 1970. Ver também G. J. Taylor, R. M. Bagby e J. D. A. Parker, *Disorders of Affect Regulation: Alexithymia in Medical and Psychiatric Illness* (Cambridge: Cambridge University Press, 1997).
17. A. R. Damásio, *The Feeling of What Happens*, op. cit., p. 28.
18. B. A. van der Kolk, "Clinical Implications of Neuroscience Research in PTSD", op. cit. Ver também B. K. Hölzel et al., "How Does Mindfulness Meditation Work? Proposing Mechanisms of Action from a Conceptual and Neural Perspective", op. cit.
19. B. K. Hölzel et al., "Mindfulness Practice Leads to Increases in Regional Brain Gray Matter Density", op. cit. Ver também B. K. Hölzel et al., "Stress Reduction Correlates with Structural Changes in the Amygdala", op. cit.; e S. W. Lazar et al., "Meditation Experience Is Associated with Increased Cortical Thickness" (*NeuroReport*, v. 16, n. 17, pp. 1.893-7, 2005).

17. JUNTANDO OS PEDAÇOS: AUTOLIDERANÇA

1. R. A. Goulding e R. C. Schwartz, *The Mosaic Mind: Empowering the Tormented Selves of Child Abuse Survivors*. Nova York: Norton, 1995, p. 4.
2. J. G. Watkins e H. H. Watkins, *Ego States*. Nova York: Norton, 1997. Jung chama as partes da personalidade de arquétipos e complexos; os esquemas de psicologia cognitiva e os estudos a respeito do TDI referem-se a elas como *alters*. Ver também J. G. Watkins e H. H. Watkins, "Theory and Practice of Ego State Therapy: A Short-Term Therapeutic Approach", em H. Gryson (org.), *Short Term Approaches to Psychotherapy* (Nova York: Human Sciences, 1979), pp. 176-220; J. G. Watkins e H. H. Watkins, "Ego States and Hidden Observers" (*Journal of Altered States of Consciousness*, v. 5, n. 1, pp. 3-18, 1979); e C. G. Jung, *Lectures: Psychology and Religion* (New Haven, CT: Yale University Press, 1960).
3. W. James, *The Principles of Psychology*. Nova York: Holt, 1890, p. 206.
4. C. Jung, *The Archetypes and the Collective Unconscious*. Princeton, NJ: Princeton University Press, 1955; 1968, p. 330. *Collected Works*, v. 9. [Ed. bras.: *Os arquétipos e o inconsciente coletivo*. Petrópolis: Vozes, 2000.]
5. C. Jung, *Civilization in Transition*. Princeton, NJ: Princeton University Press, 1957; 1964), p. 540. *Collected Works*, v. 10. [Ed. bras.: *Civilização em transição*. Petrópolis: Vozes, 1993.]
6. Ibid., p. 133.
7. M. S. Gazzaniga, *The Social Brain: Discovering the Networks of the Mind*. Nova York: Basic, 1985, p. 90.
8. Ibid., p. 356.
9. M. Minsky, *The Society of Mind*. Nova York: Simon & Schuster, 1988, p. 51.
10. R. A. Goulding e R. C. Schwartz, op. cit., p. 290.

11. O. van der Hart, E. R. Nijenhuis e K. Steele, *The Haunted Self: Structural Dissociation and the Treatment of Chronic Traumatization*. Nova York: Norton, 2006; R. P. Kluft, *Shelter from the Storm* (autopublicação, 2013).
12. R. Schwartz, *Internal Family Systems Therapy*. Nova York: Guilford, 1995.
13. Ibid., p. 34.
14. Ibid., p. 19.
15. R. A. Goulding e R. C. Schwartz, op. cit., p. 63.
16. J. G. Watkins (1997) ilustra isso como a personificação da depressão: "Precisamos saber qual é o sentido imaginal da depressão e quem, qual personagem, a sofre."
17. Richard Schwartz, comunicação pessoal.
18. R. A. Goulding e R. C. Schwartz, op. cit., p. 33.
19. A. W. Evers et al., "Tailored Cognitive-Behavioral Therapy in Early Rheumatoid Arthritis for Patients at Risk: A Randomized Controlled Trial". *Pain*, v. 100, n. 1-2, pp. 141-53, 2002; E. K. Pradhan et al., "Effect of Mindfulness-Based Stress Reduction in Rheumatoid Arthritis Patients". *Arthritis & Rheumatology*, v. 57, n. 7, pp. 1134-42, 2007; J. M. Smyth et al., "Effects of Writing About Stressful Experiences on Symptom Reduction in Patients with Asthma or Rheumatoid Arthritis: A Randomized Trial". *Journal of the American Medical Association*, v. 281, n. 14, pp. 1304-9, 1999; L. Sharpe et al., "Long-Term Efficacy of a Cognitive Behavioural Treatment from a Randomized Controlled Trial for Patients Recently Diagnosed with Rheumatoid Arthritis". *Rheumatology (Oxford)*, v. 42, n. 3, pp. 435-41, 2003; H. A. Zangi, et al., "A Mindfulness-Based Group Intervention to Reduce Psychological Distress and Fatigue in Patients with Inflammatory Rheumatic Joint Diseases: A Randomised Controlled Trial". *Annals of the Rheumatic Diseases*, v. 71, n. 6, pp. 911-7, 2012.

18. PREENCHIMENTO DAS LACUNAS: CRIAÇÃO DE ESTRUTURAS

1. Pesso Boyden System Psychomotor. Ver <pbsp.com/>.
2. D. Goleman, *Social Intelligence: The New Science of Human Relationships*. Nova York: Random House Digital, 2006.
3. A. Pesso, "PBSP: Pesso Boyden System Psychomotor". In: S. Caldwell (org.), *Getting in Touch: A Guide to Body-Centered Therapies*. Wheaton, IL: Theosophical Publishing House, 1997; A. Pesso, *Movement in Psychotherapy: Psychomotor Techniques and Training*. Nova York: New York University Press, 1969; A. Pesso, *Experience in Action: A Psychomotor Psychology*. Nova York: New York University Press, 1973; A. Pesso e J. Crandell (orgs.), *Moving Psychotherapy: Theory and Application of Pesso System/Psychomotor*. Cambridge, MA: Brookline, 1991; M. Scarf, *Secrets, Lies, and Betrayals*. Nova York: Ballantine, 2005; M. van Attekum, *Aan Den Lijve*. Países Baixos: *Pearson Assessment*, 2009; A. Pesso, "The Externalized Realization of the Unconscious and the Corrective Experience". In: H. Weiss e G. Marlock (orgs.), *Handbook of Body-Psychotherapy/Handbuch der Körperpsychotherapie*. Stuttgart: Schattauer, 2006.
4. L. Pessoa e R. Adolphs, "Emotion Processing and the Amygdala: From a 'Low Road' to 'Many Roads' of Evaluating Biological Significance". *Nature Reviews Neuroscience*, v. 11, n. 11, pp. 773-83, 2010.

19. RECONFIGURAÇÃO DO CÉREBRO: NEUROFEEDBACK

1. H. H. Jasper, P. Solomon e C. Bradley, "Electroencephalographic Analyses of Behavior Problem Children". *American Journal of Psychiatry*, v. 95, pp. 641-58, 1938; P. Solomon, H. H. Jasper e C. Braley, "Studies in Behavior Problem Children". *American Neurology and Psychiatry*, v. 38, pp. 1350-1, 1937.
2. Martin Teicher fez amplas pesquisas, na Escola de Medicina de Harvard, que documentam anormalidades no lobo temporal em adultos que sofreram abuso na infância: M. H. Teicher et al., "The Neurobiological Consequences of Early Stress and Childhood Maltreatment" (*Neuroscience & Biobehavioral Reviews*, v. 27, n. 1-2, pp. 33-44, 2003); M. H. Teicher et al., "Early Childhood Abuse and Limbic System Ratings in Adult Psychiatric Outpatients" (*Journal of Neuropsychiatry & Clinical Neurosciences*, v. 5, n. 3, pp. 301-6, 1993); M. H. Teicher et al., "Sticks, Stones, and Hurtful Words: Relative Effects of Various Forms of Childhood Maltreatment". *American Journal of Psychiatry*, v. 163, n. 6, pp. 993-1.000, 2006.
3. S. F. Fisher, op. cit.
4. J. N. Demos, *Getting Started with Neurofeedback*. Nova York: Norton, 2005. Ver também R. J. Davidson, "Affective Style and Affective Disorders: Prospectives from Affective Neuroscience" (*Cognition and Emotion*, v. 12, n. 3, pp. 307-30, 1998); e R. J. Davidson et al., "Regional Brain Function, Emotion and Disorders of Emotion" (*Current Opinion in Neurobiology*, v. 9, n. 2, pp. 228-34, 1999).
5. J. Kamiya, "Conscious Control of Brain Waves". *Psychology Today*, n. 1, pp. 56-60, 1968. Ver também D. P. Nowlis e J. Kamiya, "The Control of Electroencephalographic Alpha Rhythms Through Auditory Feedback and the Associated Mental Activity" (*Psychophysiology*, v. 6, n. 4, pp. 476-84, 1970); e D. Lantz e M. B. Sterman, "Neuropsychological Assessment of Subjects with Uncontrolled Epilepsy: Effects of EEG Feedback Training" (*Epilepsia*, v. 29, n. 2, pp. 163-71, 1988).
6. M. B. Sterman, L. R. Macdonald e R. K. Stone, "Biofeedback Training of the Sensorimotor Electroencephalogram Rhythm in Man: Effects on Epilepsy". *Epilepsia*, v. 15, n. 3, pp. 395-416, 1974. Uma recente meta-análise de 87 estudos mostrou que o neurofeedback levou a uma redução substancial na frequência de convulsões em cerca de 80% dos epilépticos que fizeram o treinamento. Gabriel Tan et al., "Meta-Analysis of EEG Biofeedback in Treating Epilepsy". *Clinical EEG and Neuroscience*, v. 40, n. 3, pp. 173-9, 2009.
7. Isso integra o mesmo circuito de autoconsciência que descrevi no capítulo 5. Alvaro Pascual-Leone demonstrou que, quando há uma interrupção temporária do funcionamento da área acima do córtex pré-frontal medial, devido à estimulação magnética transcranial, as pessoas não conseguem identificar a si mesmas ao se ver no espelho. J. Pascual-Leone, "Mental Attention, Consciousness and the Progressive Emergence of Wisdom". *Journal of Adult Development*, v. 7, n. 4, pp. 241-54, 2000.
8. <www.eegspectrum.com/intro-to-neurofeedback/>.
9. S. Rauch et al., "Symptom Provocation Study Using Positron Emission Tomography and Script Driven Imagery". *Archives of General Psychiatry*, v. 53, n. 5, pp. 380-7, 1996. Três outros estudos, utilizando um novo meio de produzir imagens cerebrais, a magnetoencefalografia (MEG), mostraram que pessoas com TEPT sofrem de maior ativação do córtex temporal direito: C. Catani et al., "Pattern of Cortical Activation during Processing of Aversive Stimuli in Traumatized Survivors of War and Torture" (*European Archives of Psychiatry and Clinical Neuroscience*, v. 259, n. 6, pp. 340-51, 2009); B. E. Engdahl et al., "Post-traumatic Stress Disorder: A Right Temporal Lobe Syndrome?" (*Journal of Neural Engineering*, v. 7, n. 6, p. 066005, 2010); A. P.

Georgopoulos et al., "The Synchronous Neural Interactions Test as a Functional Neuromarker for Post-traumatic Stress Disorder (PTSD): A Robust Classification Method Based on the Bootstrap" (*Journal of Neural Engineering*, v. 7, n. 1, 2010).
10. Medida pela Clinician Administered PTSD Scale (CAPS).
11. Medida pelo Inventory of Altered Self-Capacities (IASC), de John Briere.
12. Os ritmos alfa posteriores e centrais são gerados por redes talamocorticais; os ritmos beta parecem ser gerados por redes corticais locais; e o ritmo teta *midline* frontal (o único ritmo teta saudável no cérebro humano) é gerado, hipoteticamente, pela rede neuronal septo-hipocampal. Para uma visão recente, ver J. Kropotov, *Quantitative EEG, ERPs and Neurotherapy* (Amsterdã: Elsevier, 2009).
13. H. Benson, "The Relaxation Response: Its Subjective and Objective Historical Precedents and Physiology". *Trends in Neurosciences*, v. 6, pp. 281-4, 1983.
14. T. Egner e J. H. Gruzelier, "Ecological Validity of Neurofeedback: Modulation of Slow Wave EEG Enhances Musical Performance". *Neuroreport*, v. 14, n. 9, pp. 1.221-4, 2003; David J. Vernon, "Can Neurofeedback Training Enhance Performance? An Evaluation of the Evidence with Implications for Future Research". *Applied Psychophysiology and Biofeedback*, v. 30, n. 4, pp. 347-64, 2005.
15. "Vancouver Canucks Race to the Stanley Cup – Is It All in Their Minds?". *Bio-Medical.com*, 2 jun. 2011. Disponível em: <bio-medical.com/resources/vancouver-canucks-race-to-the-stanley-cup-is-it-all-in-their-minds/>.
16. M. Beauregard, *Brain Wars*. Nova York: Harper Collins, 2013, p. 33.
17. J. Gruzelier, T. Egner e D. Vernon, "Validating the Efficacy of Neurofeedback for Optimising Performance". *Progress in Brain Research*, v. 159, pp. 421-31, 2006. Ver também D. Vernon e J. Gruzelier, "Electroencephalographic Biofeedback as a Mechanism to Alter Mood, Creativity and Artistic Performance", em B. N. De Luca (org.), *Mind-Body and Relaxation Research Focus* (Nova York: Nova Science, 2008), pp. 149-64.
18. Ver, por exemplo, M. Arns et al., "Efficacy of Neurofeedback Treatment in ADHD: The Effects on Inattention, Impulsivity and Hyperactivity – A Meta-Analysis" (*Clinical EEG and Neuroscience*, v. 40, n. 3, pp. 180-9, 2009); T. Rossiter, "The Effectiveness of Neurofeedback and Stimulant Drugs in Treating AD/HD – Part I: Review of Methodological Issues" (*Applied Psychophysiology and Biofeedback*, v. 29, n. 2, pp. 95-112, 2004); T. Rossiter, "The Effectiveness of Neurofeedback and Stimulant Drugs in Treating AD/HD – Part II: Replication" (*Applied Psychophysiology and Biofeedback*, v. 29, n. 4, pp. 233-43, 2004); e L. M. Hirshberg, S. Chiu e J. A. Frazier, "Emerging Brain-Based Interventions for Children and Adolescents: Overview and Clinical Perspective" (*Child and Adolescent Psychiatric Clinics of North America*, v. 14, n. 1, pp. 1-19, 2005).
19. Para mais informações sobre o qEEG, ver <thebrainlabs.com/qeeg.shtml>.
20. N. N. Boutros, M. Torello e T. H. McGlashan, "Electrophysiological Aberrations in Borderline Personality Disorder: State of the Evidence". *Journal of Neuropsychiatry and Clinical Neurosciences*, v. 15, n. 2, pp. 145-54, 2003.
21. Vimos, no capítulo 17, como é importante cultivar um estado de auto-observação calmo e firme, que a SFI chama "estar no self". Dick Schwartz afirma que, com persistência, qualquer pessoa pode chegar a esse estado, e, de fato, já o vi ajudar pessoas muito traumatizadas a fazerem exatamente isso. Não sou tão hábil quanto ele, e muitos de meus pacientes mais traumatizados ficam agitados ou se "desligam" quando começamos a abordar assuntos delicados. Outros sofrem de um descontrole tão crônico que o acesso a algum "self" lhes é difícil. Na maioria dos ambientes psiquiátricos, pacientes com tais problemas recebem medicação para ficar estáveis. Às vezes dá certo, mas

muitos pacientes perdem a motivação. Em nosso estudo randomizado e controlado sobre neurofeedback, pacientes com trauma crônico tiveram uma redução de cerca de 30% nos sintomas de TEPT e uma melhora substancial em parâmetros de função executiva e controle emocional (Van der Kolk et al., submetido em 2014).

22. Jovens traumatizados com déficits de integração sensorial precisam de programas criados especificamente para suas necessidades. Hoje em dia, essa área é liderada por Elizabeth Warner, minha colega no Trauma Center, e por Adele Diamond, da Universidade da Colúmbia Britânica.

23. R. J. Castillo, "Culture, Trance and the Mind-Brain". *Anthropology of Consciousness*, v. 6, n. 1, pp. 17-34, 1995. Ver também B. Inglis, *Trance: A Natural History of Altered States of Mind* (Londres: Paladin, 1990); N. F. Graffin, W. J. Ray e R. Lundy, "eeg Concomitants of Hypnosis and Hypnotic Susceptibility" (*Journal of Abnormal Psychology*, v. 104, n. 1, pp. 123-31, 1995); D. L. Schacter, "EEG Theta Waves and Psychological Phenomena: A Review and Analysis" (*Biological Psychology*, v. 5, n. 1, pp. 47-82, 1977); e M. E. Sabourin et al., "EEG Correlates of Hypnotic Susceptibility and Hypnotic Trance: Spectral Analysis and Coherence" (*International Journal of Psychophysiology*, v. 10, n. 2, pp. 125-42, 1990).

24. E. G. Peniston e P. J. Kulkosky, "Alpha-Theta Brainwave Neuro-Feedback Therapy for Vietnam Veterans with Combat-Related Post-traumatic Stress Disorder". *Medical Psychotherapy*, v. 4, n. 1, pp. 47-60, 1991.

25. T. M. Sokhadze, R. L. Cannon e D. L. Trudeau, "EEG Biofeedback as a Treatment for Substance Use Disorders: Review, Rating of Efficacy and Recommendations for Further Research". *Journal of Neurotherapy*, v. 12, n. 1, pp. 5-43, 2008.

26. R. C. Kessler, "Posttraumatic Stress Disorder: The Burden to the Individual and to Society". *Journal of Clinical Psychiatry*, v. 61, supl. 5, pp. 4-14, 2000. Ver também R. Acierno, et al., "Risk Factors for Rape, Physical Assault, and Posttraumatic Stress Disorder in Women: Examination of Differential Multivariate Relationships" (*Journal of Anxiety Disorders*, v. 13, n. 6, pp. 541-63, 1999); e H. D. Chilcoat e N. Breslau, "Investigations of Causal Pathways Between PTSD and Drug Use Disorders" (*Addictive Behaviors*, v. 23, n. 6, pp. 827-40, 1998).

27. S. L. Fahrion et al., "Alterations in EEG Amplitude, Personality Factors, and Brain Electrical Mapping After Alpha-Theta Brainwave Training: A Controlled Case Study of an Alcoholic in Recovery". *Alcoholism: Clinical and Experimental Research*, v. 16, n. 3, pp. 547-52, 1992; R. J. Goldberg, J. C. Greenwood e Z. Taintor, "Alpha Conditioning as an Adjunct Treatment for Drug Dependence: Part 1". *International Journal of Addiction*, v. 11, n. 6, pp. 1.085-9, 1976; R. F. Kaplan et al., "Power and Coherence Analysis of the EEG in Hospitalized Alcoholics and Nonalcoholic Controls". *Journal of Studies on Alcohol*, v. 46, n. 2, pp. 122-7, 1985; Y. Lamontagne et al., "Alpha and EMG Feedback Training in the Prevention of Drug Abuse: A Controlled Study". *Canadian Psychiatric Association Journal*, v. 22, n. 6, pp. 301-10, 1977; Saxby e E. G. Peniston, "Alpha-Theta Brainwave Neurofeedback Training: An Effective Treatment for Male and Female Alcoholics with Depressive Symptoms". *Journal of Clinical Psychology*, v. 51, n. 5, pp. 685-93, 1995; W. C. Scott et al., "Effects of an EEG Biofeedback Protocol on a Mixed Substance Abusing Population". *American Journal Drug and Alcohol Abuse*, v. 31, n. 3, pp. 455-69, 2005; D. L. Trudeau, "Applicability of Brain Wave Biofeedback to Substance Use Disorder in Adolescents". *Child & Adolescent Psychiatric Clinics of North America*, v. 14, n. 1, pp. 125-36, 2005.

28. E. G. Peniston, "EMG Biofeedback-Assisted Desensitization Treatment for Vietnam Combat Veterans Post-traumatic Stress Disorder". *Clinical Biofeedback and Health*, v. 9, n. 1, pp. 35-41, 1986.

29. E. G. Peniston e P. J. Kulkosky, op. cit.
30. Resultados semelhantes foram relatados, sete anos depois, por outro grupo: W. C. Scott et al., "Effects of an EEG Biofeedback Protocol on a Mixed Substance Abusing Population" (*American Journal of Drug and Alcohol Abuse*, v. 31, n. 3, pp. 455-69, 2005).
31. D. L. Trudeau, T. M. Sokhadze e R. L. Cannon, "Neurofeedback in Alcohol and Drug Dependency". In: T. Budzynski (org.), *Introduction to Quantitative EEG and Neurofeedback: Advanced Theory and Applications*. Amsterdam: Elsevier, 1999, pp. 241-68; F. D. Arani, R. Rostami e M. Nostratabadi, "Effectiveness of Neurofeedback Training as a Treatment for Opioid-Dependent Patients". *Clinical EEG and Neuroscience*, v. 41, n. 3, pp. 170-7, 2010; F. Dehghani-Arani, R. Rostami e H. Nadali, "Neurofeedback Training for Opiate Addiction: Improvement of Mental Health and Craving". *Applied Psychophysiology and Biofeedback*, v. 38, n. 2, pp. 133-41, 2013; J. Luigjes et al., "Neuromodulation as an Intervention for Addiction: Overview and Future Prospects". *Tijdschrift voor psychiatrie*, v. 55, n. 11, pp. 841-52, 2012.
32. B. A. van der Kolk, H. Hodgdon, M. Suvak, R. Musicaro, E. Hamlin e J. Spinazzola, "Neurofeedback for PTSD". Submetido a publicação. H. Hodgdon, R. Musicaro, M. Suvak, E. Hamlin, J. Spinazzola e B. A. van der Kolk, "Neurofeedback Improves Executive Functioning in PTSD". Submetido a publicação. A. R. Polak, A. B. Witteveen, J. B. Reitsma e M. Olff, "The Role of Executive Function in Posttraumatic Stress Disorder: A Systematic Review". *Journal of Affective Disorders*, v. 141, n. 1, pp. 11-21, 2012.
33. S. Othmer, "Remediating PTSD with Neurofeedback". 11 out. 2011. Disponível em: <hannokirk.com/files/Remediating-PTSD_10-01-11.pdf>.
34. F. H. Duffy, "The State of EEG Biofeedback Therapy (EEG Operant Conditioning) in 2000: An Editor's Opinion". *Clinical Electroencephalography*, v. 31, n. 1, pp. v-viii, 2000.
35. T. R. Insel, "Faulty Circuits". *Scientific American*, v. 302, n. 4, pp. 44-51, 2010.
36. Id., "Transforming Diagnosis". Instituto Nacional de Saúde Mental, blog do diretor, 28 abr. 2013. Disponível em: <www.nimh.nih.gov/about/director/2013/transforming-diagnosis.shtml>.
37. J. W. Buckholtz e A. Meyer-Lindenberg, "Psychopathology and the Human Connectome: Toward a Transdiagnostic Model of Risk For Mental Illness". *Neuron*, v. 74, n. 4, pp. 990-1.004, 2012.
38. F. Collins, "The Symphony Inside Your Brain". NIH Director's Blog. 5 nov. 2012. Disponível em: <directorsblog.nih.gov/2012/11/05/the-symphony-inside-your-brain/>.

20. ENCONTRE SUA VOZ: RITMOS COMUNAIS E TEATRO

1. F. Butterfield, "David Mamet Lends a Hand to Homeless Vietnam Veterans". *New York Times*, 10 out. 1998. Para mais informações sobre o novo abrigo, ver <www.nechv.org/historyatnechv.html>.
2. P. Healy, "The Anguish of War for Today's Soldiers, Explored by Sophocles". *New York Times*, 11 nov. 2009. Para mais informações sobre o projeto de Doerries, ver <www.outsidethewirellc.com/projects/theater-of-war/overview>.
3. S. Krulwich, "The Theater of War". *New York Times*, 11 nov. 2009.

4. W. H. McNeill, *Keeping Together in Time: Dance and Drill in Human History*. Cambridge, MA: Harvard University Press, 1997.
5. Plutarco, *Lives*, v. 1 (Digireads.com, 2009), p. 58.
6. M. Z. Seitz, "The Singing Revolution". *New York Times*, 14 dez. 2007.
7. Para mais informações sobre Urban Improv, ver <www.urbanimprov.org/>.
8. O site do Trauma Center oferece um currículo para um programa do quarto ano que pode ser baixado e usado por professores dos Estados Unidos. <www.trauma-center.org/initiatives/psychosocial.php>.
9. Para mais informações sobre o Possibility Project, ver <the-possibility-project.org/>.
10. Para mais informações sobre Shakespeare in the Courts, ver <www.shakespeare.org/education/for-youth/shakespeare-courts/>.
11. C. Kisiel et al., "Evaluation of a Theater-Based Youth Violence Prevention Program for Elementary School Children". *Journal of School Violence*, v. 5, n. 2, pp. 19-36, 2006.
12. Os líderes do Urban Improv e do Trauma Center foram Amie Alley, Margaret Blaustein, Toby Dewey, Ron Jones, Merle Perkins, Kevin Smith, Faith Soloway e Joseph Spinazzola.
13. H. Epstein e T. Packer, *The Shakespeare & Company Actor Training Experience*. Lenox, MA: Plunkett Lake, 2007; H. Epstein, *Tina Packer Builds a Theater*. Lenox, MA: Plunkett Lake, 2010.

CONHEÇA ALGUNS DESTAQUES DE NOSSO CATÁLOGO

- Augusto Cury: Você é insubstituível (2,8 milhões de livros vendidos), Nunca desista de seus sonhos (2,7 milhões de livros vendidos) e O médico da emoção
- Dale Carnegie: Como fazer amigos e influenciar pessoas (16 milhões de livros vendidos) e Como evitar preocupações e começar a viver
- Brené Brown: A coragem de ser imperfeito – Como aceitar a própria vulnerabilidade e vencer a vergonha (600 mil livros vendidos)
- T. Harv Eker: Os segredos da mente milionária (2 milhões de livros vendidos)
- Gustavo Cerbasi: Casais inteligentes enriquecem juntos (1,2 milhão de livros vendidos) e Como organizar sua vida financeira
- Greg McKeown: Essencialismo – A disciplinada busca por menos (400 mil livros vendidos) e Sem esforço – Torne mais fácil o que é mais importante
- Haemin Sunim: As coisas que você só vê quando desacelera (450 mil livros vendidos) e Amor pelas coisas imperfeitas
- Ana Claudia Quintana Arantes: A morte é um dia que vale a pena viver (400 mil livros vendidos) e Pra vida toda valer a pena viver
- Ichiro Kishimi e Fumitake Koga: A coragem de não agradar – Como se libertar da opinião dos outros (200 mil livros vendidos)
- Simon Sinek: Comece pelo porquê (200 mil livros vendidos) e O jogo infinito
- Robert B. Cialdini: As armas da persuasão (350 mil livros vendidos)
- Eckhart Tolle: O poder do agora (1,2 milhão de livros vendidos)
- Edith Eva Eger: A bailarina de Auschwitz (600 mil livros vendidos)
- Cristina Núñez Pereira e Rafael R. Valcárcel: Emocionário – Um guia lúdico para lidar com as emoções (800 mil livros vendidos)
- Nizan Guanaes e Arthur Guerra: Você aguenta ser feliz? – Como cuidar da saúde mental e física para ter qualidade de vida
- Suhas Kshirsagar: Mude seus horários, mude sua vida – Como usar o relógio biológico para perder peso, reduzir o estresse e ter mais saúde e energia

sextante.com.br